César y Zulita Funes

Cada día
**más
sano**

MEDITACIONES MATINALES PARA ADULTOS

Cada día
más
sano

Kay
Kuzma

GEMA EDITORES

APIA

Título de la obra original
Abundantly Alive!

Asociación Publicadora Interamericana
2905 NW 87th Ave. Doral, FL 33172, EE.UU.
Presidente: Pablo Perla
Vicepresidente de Finanzas: Modesto Vázquez
Vicepresidente de Producción: Daniel Medina
Vicepresidente Editorial: Félix Cortés A.
Departamento de Libros: Sergio V. Collins

GEMA EDITORES
Agencia de Publicaciones México Central, A.C.
Yácatas 398, Col. Narvarte, México, D.F. 03020
Presidente: Tomás Torres de Dios
Vicepresidente de Finanzas: Irán Molina A.
Vicepresidente Editorial: César Maya M.

Traducción
Graciela B. Seco
Sylvia González

Portada
Ideyo Alomía L.

Diagramación
M. E. Monsalve

ISBN 1-57554-429-6

Impreso y encuadernado por
Grupo OP, Bogotá, Colombia

Impreso en Colombia
Printed in Colombia

Los autores asumen entera responsabilidad por la exactitud de los hechos y las citas que se mencionan en este libro. En él recopila contribuciones de 184 escritores y profesionales de la salud.

En esta obra la versión de la Biblia que se ha usado es la Reina-Valera, revisión 1960, salvo en los casos indicados.

INTRODUCCIÓN

El patrimonio adventista de la salud

Dios nos creó para que, tanto en el aspecto físico como en el espiritual, disfrutáramos de salud e integridad. Hizo de nosotros verdaderas maravillas. Desde el principio, el ser humano fue su obra maestra: "corona de la creación". Sin embargo, todo cambió a partir de la intrusión del pecado y comenzó la lucha entre la vida y la muerte; y con ella el conflicto y la desavenencia entre el cuerpo y el espíritu. Cuando Jesús nació en este mundo, el hombre era apenas un despojo de enfermedad y degeneración. Por eso, Jesús convirtió su ministerio en un constante ir de lugar en lugar, para sanar el cuerpo y el espíritu con el bálsamo del perdón de los pecados.

Lamentablemente, con el pasar de los siglos, el ser humano volvió a perder la conexión vital entre la salud física y el bienestar espiritual.

Dios comenzó a revelar en 1848 a la Sra. Elena G. de White, la idea de que la salud física es esencial para disfrutar de una vida espiritual vibrante. El Creador sabía lo que se necesitaba para mantener a sus criaturas sanas y felices. Había dado su primer mensaje pro salud a Moisés, para proteger a los israelitas de las enfermedades que afligían a los egipcios y a las demás naciones paganas.

Ahora, llegaba el momento de dar su segundo mensaje pro salud, para proteger al pueblo remanente de los últimos días. Corría el 6 de junio de 1863, cuando Dios reveló a la Sra. Elena G. de White lo que luego se conocería como la visión de la reforma pro salud. Por entonces, la temible difteria se extendía rápidamente por todo Estados Unidos. En un artículo periodístico de la época se leía lo siguiente: "La difteria ha venido haciendo estragos en todo el país en proporciones alarmantes; y en gran medida ha escapado de la pericia de los médicos. Afecta casi exclusivamente a los niños, y en cuanto logra avanzar, suele causar la muerte. Arrasa pueblos enteros, apenas respetando una que otra familia; y en algunos casos, ha acabado con todos los niños de una misma familia". Durante esa época, no sólo dos de los hijos del matrimonio White padecieron de este terrible mal, sino que el propio Sr. White tuvo graves problemas de salud causados por el estrés y el agotamiento resultantes del exceso de trabajo. Así las cosas, todo parecía indicar que había llegado el momento cuando Dios debía hablar sobre la salud.

En el siglo XIX, una práctica médica común era desangrar a los enfermos para bajarles la fiebre, y administrarles substancias tóxicas —como arsénico o estricnina— para tratar diversas enfermedades. Se suponía que la luz del sol y el aire fresco perjudicaban a los enfermos, y pocos comprendían que lo que comían influía sobre su estado anímico. A mediados de siglo, se proponían como remedios o métodos de curación ideas novedosas y procedimientos que a veces eran hasta perjudiciales para la salud. Había que andar con precaución, como en un campo minado, para discernir entre la verdad y el error. Cierta vez alguien preguntó al Dr. John Harvey Kellogg —afamado médico de la época—, cómo él podía escoger sólo remedios que eran eficaces. A esto el médico contestó que solía consultar con Elena G. de White, porque sus inspirados consejos siempre resultaban acertados.

En realidad, cuando Dios dio a la Sra. White sus primeras visiones sobre la salud, su familia no seguía un estilo de vida saludable. Si no hubiera mediado la intervención divina, la vida de todos los miembros de la familia White se habría acortado. Después de recibir de parte de Dios el mensaje acerca de la salud, la Sra.

White declaró: "No debemos desentendernos del cuidado de nosotros mismos, y dejar que Dios se encargue de vigilar y atender lo que en realidad ha puesto bajo nuestra propia responsabilidad y cuidado. No es seguro, ni tampoco agrada a Dios, violar las leyes de la salud, y luego pedirle que él se encargue de ella y nos libre de toda enfermedad, mientras vivimos de manera directamente contraria a nuestras propias oraciones. Vi que era un deber sagrado cuidar de nuestra salud". Dios advirtió a la Sra. White acerca de la importancia de comer frutas y hortalizas frescas; y también del peligro del consumo excesivo de azúcar, productos lácteos y huevos. Le dijo que ya era tiempo de abandonar el consumo de carne, por las enfermedades que aquejaban a los animales, y que era necesario adoptar una dieta básicamente vegetariana. Además, le reveló la importancia del aire fresco, la luz solar, el agua, el ejercicio físico y el descanso adecuado. Le mostró además que el alcohol y el tabaco envenenaban el cuerpo y causaban enfermedades, mientras que la temperancia y la confianza en Dios eran esenciales para el funcionamiento adecuado de la mente.

Dios tenía razón

Un siglo y medio después, contamos con estudios médicos que demuestran científicamente que Dios sabía muy bien de lo que hablaba. Todo lo que dijo, incluso sobre la importancia de las nueces y las almendras en nuestra dieta, ha demostrado su valor desde el punto de vista médico. ¡Cuán bendecida ha sido la Iglesia Adventista del Séptimo Día, por haber tenido esta valiosa información durante tantos años!

Progreso asombroso

En la actualidad, la Iglesia Adventista del Séptimo Día mantiene, a lo largo y ancho del mundo, 169 hospitales y sanatorios, 386 clínicas y dispensarios médicos y 7 lanchas y aviones con equipos médicos. En todo el mundo, hay numerosos centros de vida sana con internados para pacientes, dirigidos por adventistas. Hay iglesias que ofrecen programas para dejar de fumar, escuelas de cocina, seminarios sobre control del estrés, seminarios para parejas y padres, y un programa para mejorar la salud cardiovascular, creado por el médico norteamericano Dr. Hans Diehl.

La Iglesia Adventista del Séptimo Día dirige numerosas instituciones de enseñanza médica en todo el mundo. La Universidad de Loma Linda —institución dedicada a las ciencias de la salud, que prepara doctores en medicina, dentistas y otros profesionales de la salud en el sur de California— es la principal. También hay escuelas de preparación profesional en el campo de la salud en algunos de los hospitales adventistas más importantes, por ejemplo, el Florida Hospital, ubicado en Orlando, Florida, y el Kettering Medical Center, en Ohio.

Este grupo de cristianos creyentes en las Escrituras se propuso, desde sus comienzos, ayudar a la gente tal como Jesús lo hiciera, o sea, mediante la curación del cuerpo y del espíritu. Por eso, para ellos, el mensaje pro salud se ha convertido en "el brazo derecho" del mensaje del evangelio.

Si el lector lo desea, puede leer acerca de los consejos sobre salud que los adventistas recibieron hace ya más de cien años, en las siguientes obras de la Sra. Elena G. de White: *El Ministerio de Curación, Temperancia, Consejos sobre Salud, Consejos sobre Dietas y Alimentación* o *El Ministerio Médico*, obras todas que siguen en circulación. La Iglesia también publica diversas revistas sobre salud, y difunde programas radiales y televisivos en todo el mundo.

Investigación que valida el estilo de vida adventista

Aunque no todos los creyentes adventistas viven a la altura de sus conocimientos relativos a la salud, hay aún una ventaja de salud singular de la que la mayoría de los feligreses adventistas disfrutan. En 1960, la Universidad de Loma Linda inició un estudio que está todavía en curso —conjuntamente con la Sociedad Americana del Cáncer—, para evaluar el estilo de vida adventista. Los primeros informes, basados en tres años de seguimiento, arrojaron una diferencia de 6,7 años de vida a favor de los adventistas, hombres en comparación con la cantidad de años que viven los hombres de California en general. Análisis posteriores, según el *Estudio del índice de mortalidad entre los adventistas*, revelaron que los hombres adventistas viven nueve años más, y las mujeres, siete años y medio más que los hombres y mujeres no adventistas, respectivamente. (Por otra parte, los estudios sobre los adventistas de Holanda, Noruega y Polonia corroboran estos descubrimientos.) En el 2001, el Dr. Gary E. Fraser, principal investigador del *Estudio de la salud entre los adventistas*, declaró lo siguiente: "Otros análisis demostraron que los adventistas no vegetarianos, que no hicieron ejercicios con regularidad ni comieron nueces ni almendras con frecuencia, que antes fueron fumadores y que tuvieron un índice de masa corporal (IMC) de más de 25,9 en los hombres o más de 25,2 en las mujeres, perdieron de 9 a 10 años de vida, en comparación con los adventistas vegetarianos que sí hicieron ejercicios regularmente y comieron nueces y almendras cinco o más veces a la semana, que nunca antes fumaron y cuyo índice de IMC era de menos de 25,9 en los hombres o menos de 25,2 en las mujeres... Nuestros resultados —concluye el Dr. Fraser— sugieren que hay un verdadero potencial para que otros norteamericanos también extiendan su expectativa de vida entre 5 y 10 años, con sólo optar por cambios de conducta relativamente sencillos".

El Dr. T. Oberlin, de la Universidad de Harvard, declaró: "Semejante aumento en la expectativa de vida... es mayor que todos los progresos en expectativa de vida logrados en los últimos 60 años en este país como resultado de todos los adelantos en técnicas y conocimientos médicos, más las innumerables mejoras del ambiente en el que el hombre vive".

Las estadísticas citadas son buenas, pero podrían ser mejores. En 1990, el informe del Servicio de Investigación de Encuestas de la Universidad de Loma Linda reveló que muchos adventistas reconocían tener hábitos perjudiciales para la salud, que desearían cambiar. Entre éstos mencionaban el hecho de hacer poco ejercicio (60%), beber muy poca agua (42%), tener demasiado estrés (31%) y comer entre comidas (29%). Alrededor del 56% de los encuestados admitían estar excedidos de peso, y el 8% incluso convenían en que su sobrepeso era preocupante. Sin embargo, lamentablemente, sólo el 44% de ellos estaba haciendo algo para corregir sus respectivos problemas.

¿En qué consiste el mensaje adventista pro salud?

El mensaje adventista pro salud podría resumirse en los ocho principios que la Sra. Elena G. de White destaca en su obra *El Ministerio de Curación*: "El aire puro, el sol, la abstinencia, el descanso, el ejercicio, un régimen alimentario conveniente, el agua y la confianza en el poder divino son los verdaderos remedios (p. 89).

NEWSTART® (Nuevo comienzo), es el acrónimo con que el Instituto Weimar alude a estos principios, por su sigla en inglés: Nutrition (nutrición adecuada), Exercise (ejercicio), Water (agua), Sunlight (luz solar), Temperance (temperancia, autodominio), Air (aire), Rest (descanso) y Trust (confianza) en el poder divino.

De manera similar, Charlotte Hamlin utiliza el acrónimo FRESH START (Nuevo comienzo) para promover los principios de salud que propone. Según su sigla en inglés, FRESH START alude a: Fresh air (aire puro), Rest (descanso), Exercise (ejercicio), Sunshine (luz solar), Happiness (alegría), Simple diet (alimentación sencilla, natural), The use of water (el uso de agua), Abstemiousness (abstinencia), Restoration (restablecimiento) y Trust (confianza) en el poder divino.

Hay sin embargo, un acrónimo más referente a la salud, que he llegado a apreciar de manera especial. Se trata de CREATION, el modelo de salud que propone el Florida Hospital (el hospital más ocupado del mundo, con más de trece mil empleados, que es además el más grande de los hospitales adventistas, el mayor proveedor de Medicare en el país y el que la MSNBC llama el "Hospital del Corazón de América", por ser el hospital que más casos de enfermedades cardíacas trata en todo Estados Unidos). La misión del Florida Hospital consiste en "extender el ministerio de curación de Jesucristo" y mostrar a la gente la creación de Dios, como modelo a seguir para obtener óptima vitalidad. Des Cummings, Jr., vicepresidente ejecutivo de promoción comercial del Hospital Adventista del estado de Florida dijo lo siguiente: "El equipo médico del Hospital de Florida descubrió los ocho principios de salud denominados CREATION Health mientras trabajaba con la corporación de Walt Disney para diseñar Celebration (Celebración), 'la ciudad más sana de Estados Unidos', en Florida. El Florida Hospital Celebration Health —nuestro hospital en la ciudad de Celebration— representa los principios de salud CREATION Health en su arquitectura, su atención médica, su centro de aptitud física y sus servicios al consumidor. Hemos descubierto que seguir los principios de salud CREATION Health hace más que cambiar vidas; también transforma, mejora la forma de hacer negocios".

CREATION Health se basa en la premisa de que el modelo de salud por excelencia se encuentra en la historia misma de la creación. Los ocho principios que encierra el acrónimo CREATION (considerando, como en los casos anteriores, su sigla en inglés) son:

C = Choice (elección): Elija para sí un futuro de vitalidad y paz.

R = Rest (descanso): Abarca el sueño, la relajación y el sábado de descanso. Dedique tiempo cada día para relajarse, y tómese una minivacación semanal, para desconectarse un poco de esta carrera loca en la que hoy por hoy todos participamos.

E = Environment (entorno: aire, luz solar, agua, belleza, sonidos, etc.): Incorpore algo del Edén en su vida.

A = Activity (actividad): Descubra la panacea de la medicina, lo más cercano a la fuente de la eterna juventud.

T = Trust in Divine Power (confianza en el poder divino: fe, oración, milagros, confianza en Dios): Libere hormonas curativas en su cuerpo y revitalice su espíritu por medio de la fe.

I = Intimacy (Intimidad): Relaciones interpersonales cercanas (a través de la amistad, la familia y el matrimonio): Experimente el poder sanador del amor en una comunidad amigable.

O = Outlook (perspectiva, punto de vista): Aprenda a encontrar lo bueno en cada situación y a liberarse del bagaje del pasado.

N = Nutrition (nutrición): Adopte una dieta que, según se ha comprobado, añade años a la vida, y vida a los años.

Éste es el modelo que he seguido al organizar el devocionario que tiene en sus manos. (Para más información sobre CREATION Health, vea el libro del mismo nombre escrito por Des Cummings, Jr., en colaboración con Monica P. Reed. M.D. [Review and Herald Publishing Association, 2003], o diríjase al sitio en la red www.CREATIONHealth.com).

¿Por qué un devocionario centrado en la salud?

Hay mucho que aprender acerca de la creación de Dios y de lo que nuestros cuerpos y mentes necesitan a fin de experimentar la vida abundante que Jesús vino a darnos. *Energized!* [Dinamizado], primer devocionario adventista sobre la salud, se publicó en 1997. En su prefacio, DeWitt S. Williams, director de Ministerios para la Salud de la División Norteamericana, escribió: "Necesitamos que se nos recuerde que existe un vínculo inexorable entre nuestra salud física, mental y espiritual. Nuestros cuerpos son templos del Espíritu Santo (1 Cor. 6:19), pero algunos de estos cuerpos necesitan algo de limpieza y retoque antes de ser moradas adecuadas para la Deidad". Este concepto sigue teniendo validez casi una década más tarde. Ahora nuevamente tenemos que dirigir la atención hacia la vida abundante que Dios ha prometido.

Es mi oración que esta compilación de mensajes inspiradores redactados por unos 184 escritores y profesionales de la salud, induzca a los lectores a renovar su aprecio y amor al Creador, a acercarse más a él, y a pedirle que su Espíritu Santo les proporcione fuerza y valor para efectuar los cambios necesarios en su estilo de vida para llegar a ser —¡por fin!— todo lo que Dios anhela que sean.

El lector aprenderá a prevenir diversas enfermedades en las páginas de este libro, desde cáncer, cardiopatías y diabetes, hasta depresión e insomnio. Además, comprenderá la importancia de mantener relaciones positivas con sus familiares y amigos, a satisfacer mejor las necesidades emocionales de los demás, a estimular sentimientos positivos acerca de su propia persona, y a efectuar elecciones acertadas para vivir con un estilo de vida equilibrado.

Le inspirará leer acerca de gente como usted, que ha sabido sobreponerse a las dificultades y a vencerlas. Además, le sorprenderá aprender nuevas lecciones de relatos bíblicos conocidos desde su infancia y de otros no tan familiares; pero sobre todo, le emocionarán las acertadas palabras de los profesionales de la salud y de los escritores inspirados que ahora comparten con nosotros los milagros que Dios ha hecho en sus propias vidas.

Únase a nosotros este año, para que todos estemos ¡*Cada día más sanos!* Leer a diario uno de estos inspiradores mensajes será una excelente manera de comenzar o acabar cada día. Que Dios le bendiga ricamente, con salud abundante y relaciones satisfactorias.

Kay Kuzma, Ed.D.
Fundadora y oradora de
Family Matters Ministry

El buen vivir

¡Cuán bueno y cuán agradable es que los hermanos convivan en armonía! Salmo 133:1, NVI.

Esto es lo que entiendo en cuanto al ser humano y al buen vivir. Es parte de la naturaleza humana cometer errores, ofendernos mutuamente, y fallar de vez en cuando en nuestros esfuerzos por vivir bien. Los genes, el temperamento, el ambiente y los hábitos tienen mucho que ver con nuestro comportamiento impropio o sin tacto. Nada, sin embargo, supera al hecho de que ante todo somos seres humanos. Fundamentalmente, nuestra naturaleza es humana, asi fuimos creados: es nuestro ser genérico.

Sin embargo, para que el ser humano viva realmente bien se requiere algo más que eso. Algo que abarque la salud física, emocional y espiritual, cosas que valen más de lo que cuestan. De hecho, vivir bien tiene muy poco que ver con el estado financiero personal. Se relaciona más bien, con nuestro deseo de elevarnos por encima de la vida común y corriente, por encima del mero existir. Conlleva algo de aptitud física, y también, de relaciones emocionalmente sanas, intimidad y perdón genuino. Además, requiere comunicación con Dios, quien a su vez nos dice: "Heme aquí. Confía en mí. Nos necesitamos. Espero que me aceptes y que me permitas ser parte de tu vida".

Un Dios sabio y amoroso creó dentro de nosotros los dones necesarios para tener éxito, asi como también, la posibilidad de fracasar. Como seres humanos, hacemos ambas cosas de continuo. Sin embargo, del equilibrio entre el éxito y el fracaso deriva nuestro carácter. Del carácter dependen la humildad, la integridad de mente y del espíritu, y la capacidad de experimentar tanto el gozo como el pesar. Vivir bien no es tanto un asunto de éxitos o de logros. Tampoco consiste en la ausencia de humildad ni en la falta de tristeza, pues necesitamos de todas estas vivencias. Vivir bien espiritual, emocional y hasta físicamente es más bien un proceso. Los golfistas suelen decir: "No se trata de cómo golpeas la pelota, sino de cómo llegas a la meta". El proceso entre el punto de partida de la pelota y el césped que separa a los hoyos es lo que cuenta.

Vivir bien es cuestión de corregir errores mientras se intenta evitar repetirlos; es pedir disculpas o perdón a quien, o a quienes se haya ofendido, mientras se procura evitar repetir esas ofensas. Es, en suma, saber escoger con sabiduría. Esta habilidad reducirá la magnitud, la frecuencia y las consecuencias de las fallas y fracasos personales.

Vivir bien es reconocer y respetar a los demás y comportarnos con ellos del modo en que quisiéramos que ellos nos reconozcan, nos respeten y se comportaran con nosotros. Lisa y llanamente, se trata de la Regla de Oro de la vida bien vivida; o sea, de la vida de Cristo reflejada en la nuestra.

¡Gracias, Señor, por habernos hecho seres humanos, con todo el potencial de vivir realmente bien!

El increíble proceso de la procreación

No fue encubierto de ti mi cuerpo, bien que en oculto fui formado, y entretejido en lo más profundo de la tierra. Mi embrión vieron tus ojos. Salmo 139:15,16.

En lo que al ser humano se refiere, el proceso de la reproducción que Dios diseñó es quizá la mayor maravilla del universo. Comienza con millones de espermatozoides, nadando como renacuajos hacia un óvulo liberado por las trompas de Falopio. Un nadador solitario llega poco antes que el resto y penetra la capa mucosa que cubre al óvulo para depositar su mitad del ADN requerido para dar al óvulo la posibilidad de crear un nuevo ser. Como resultado de esta penetración, en un instante se desencadena una serie de cambios químicos que bloquean la entrada de los demás espermatozoides, para asi asegurar el desarrollo adecuado del embrión.

En cuestión de horas, el óvulo fertilizado se implanta en la pared uterina y comienza a duplicarse, formando células madre. Todas son clones, unas de otras: copias exactas del óvulo original. Sin embargo, en apenas horas, cada una "decidirá" ser algo diferente de las demás.

Piense por un momento, que una de estas células madre "decide" ser cierto órgano; el corazón, quizá. Durante algunas horas, parecerá que sólo se divide al azar; pero si se la observa detenidamente bajo el microscopio, notará cómo se convierte ante sus ojos, tomando la forma básica de un corazón. Las células continuarán dividiéndose para formar músculos; arterias y venas con válvulas; tendones conectados a los músculos; la estructura de una red nerviosa; todo, en el orden más perfecto y maravilloso. En poco más de dos semanas aparecerán minúsculas contracciones de tejido muscular. Tres semanas después, el médico las detectará como latidos del corazón del bebé. Aunque el corazón no bombea sangre todavía, ya late.

Otra célula madre "decide" convertirse en ojo, y forma el único tejido del cuerpo completamente transparente: la córnea y el cristalino. Elabora el iris para que responda a los cambios de brillo o intensidad de la luz mediante el funcionamiento automático de músculos diminutos. Crea el bellísimo color de los ojos, y también los músculos, tendones, bastones, conos, vasos... todo, en los lugares y tamaños precisos. Tal vez lo más notable de todo sea el haz de nervios que crece desde el fondo del ojo, y se dirige hacia la región posterior de la cabeza, doblándose y enrollándose hacia atrás, para luego conectarse con miles de millones de células nerviosas del cerebro, precisamente escogidas, para crear la visión.

¡Y pensar que este mismo proceso de precisa e intrincada ingeniería biológica ocurre a medida que se forma cada uno de los diversos órganos del cuerpo! ¿No es increíble?

Una vez más, Señor, debo exclamar como el salmista: "Te alabo, porque de modo formidable y maravilloso fui hecho" (Sal. 139:14).

Un asombroso sistema de comunicación

Tengan ustedes la misma manera de pensar que tuvo Cristo Jesús. Filipenses 2:5, Dios habla Hoy.

La clave para la claridad de pensamiento tiene que ver con la comunicación saludable de miles de millones de neuronas o células nerviosas, que conducen los impulsos de una parte del cuerpo a otra. Para tener una idea de lo asombroso de semejante proceso, basta con notar que cada neurona puede sostener, a la vez, varios millones de "conversaciones" diferentes. No, nadie ha perdido el juicio. Se trata de algo normal. Una sola neurona puede recibir señales de más de un millar de neuronas; y esos impulsos eléctricos circulan con distintas rutas y velocidades. Algunos van por rutas de alta velocidad. La luz brilla, y uno entrecierra los ojos; el plato está caliente, y uno lo suelta. Las acciones reflejas, como éstas, viajan primero hasta la médula espinal —donde se inicia el impulso de entrecerrar los ojos o de soltar el plato—, y de allí van al cerebro. Es interesante notar que los mensajes enviados a través de los receptores del dolor se transmiten lentamente, a unas dos millas por hora; pero la señal de un beso corre a la asombrosa velocidad de unos 200 kilómetros por hora. Fuimos creados... ¡para amar!

Lamentablemente, la perfección con que nuestra mente funciona puede dañarse, embotarse o quebrantarse. Además de las lesiones o de las enfermedades, la clase de estímulo con que alimentamos nuestro cerebro puede distorsionar la percepción o la interpretación de los datos recibidos, motivo por el cual la comunicación interna puede deteriorarse.

Las neuronas —incluso las sustancias químicas, los neurotransmisores y las hormonas que las regulan, sus circuitos y los impulsos eléctricos que fluyen a través de ellas— hacen que usted sea usted, y que yo sea yo. Nuestro "cableado" interno no es idéntico. Cada conexión y cada recorrido de los nervios se ha construido sobre la base de la experiencia y la elección personal, paso a paso: experiencia sobre experiencia, y elección sobre elección.

Se nos creó con la capacidad de recibir una cantidad enorme de comunicación o de estímulos. No sólo nuestros cerebros son capaces de almacenar más datos que cualquier computadora, sino que en gran medida, su programación y reprogramación ocurre de continuo como resultado de la información, las sustancias químicas y de las estímulos que entran a través de las avenidas de los cinco sentidos. Lo que hacemos con esa información y esos estímulos determina en parte el derrotero que toman nuestras respectivas vidas.

El Señor desea enviar a través de nuestros sentidos la información y el estímulo que permitirá a nuestros corazones latir al ritmo del suyo; a nuestras mentes, anhelar la armonía con la voluntad de Dios; y a nuestro amor, entregarse por entero a él.

Señor, ayúdame a cuidar mis sentidos, para poder experimentar lo que te propusiste al crearme: que tu mente esté en mí, como lo estuvo en Jesús, tu Hijo amado.

Un "jonrón" dedicado a tí

Porque todas las promesas de Dios son en él Sí, y en él Amén,
por nosotros a gloria de Dios. 2 Corintios 1:20.

A sus escasos siete años, Shawn Butler perdía ya su batalla contra el cáncer. El mal había invadido el noventa por ciento de su cerebro, y su débil y frágil cuerpecito se sumía en estado de coma. Con inmenso pesar, el 9 de agosto de 1982, su padre acordó con los médicos que si el niño dejaba de respirar, ya no tratarían de revivirlo.

Sin embargo, cuatro días después, sucedió algo notable. Dace Stapleton, jugador del equipo de béisbol Medias Rojas y héroe de Shawn, lo visitó. No bien el niño oyó la voz de su deportista favorito, despertó de su estado comatoso y conversó con él sobre béisbol por varios minutos. Después, antes de despedirse, Stapleton se inclinó sobre la cama del niño y le hizo una promesa: "Mañana voy a mandar la pelota por encima de la cerca, y te lo voy a dedicar a tí". Los ojitos de Shawn se iluminaron de alegría. Al día siguiente, cuando durante el juego, Dace Stapleton salió a batear, lo hizo con determinación. Con un brillo de acero en la mirada, bateó la pelota por encima de la pared izquierda del estadio para anotarse un jonrón inolvidable.

Cinco meses después, los médicos de Shawn confesaban sentirse totalmente desconcertados. No encontraban ni rastros del tumor. El chico parecía completamente curado. Su familia incluso estaba planeando un viaje a Disney World.

¿Qué fue lo que produjo la diferencia? Algunos creen que fue la esperanza. Su héroe le había hecho una promesa y la había cumplido. Es posible que al hacerlo, hubiera abierto la puerta de la esperanza para Shawn.

El nuevo año llega a nuestras vidas lleno también de esperanza: abierto a nuevos comienzos y nuevas oportunidades. Pero a veces, nuestro optimismo se esfuma en la desilusión. Descubrimos nuestra falta de temple o de habilidad para hacer los cambios que nos propusimos, o fracasamos en aprovechar las oportunidades cuando se nos presentan, y caemos en el desánimo. Es entonces cuando más necesitamos recordar que "El Señor no tarda su promesa" (2 Ped. 3:9). Y su promesa es: "No te dejaré, ni te desampararé" (Jos. 1:5). En los versículos 4 y 5 del Salmo 37 se nos asegura que Dios nos concederá las peticiones de nuestros corazones.

Dios mismo dice: "... yo confirmaré la palabra buena que he hablado" (Jer. 33:14). Permitamos que estas palabras renueven nuestra esperanza: "Fiel es el Señor a su palabra y bondadoso en todas sus obras" (Sal. 145:13, NVI).

El apóstol Pablo dice, en 2 Corintios 1:20, que todas las promesas de Dios encuentran el "sí" en Jesús. Él es la clave. Jesús imparte poder para vivir una nueva vida y convierte la esperanza en realidad. Fija tus ojos en él. Él nunca te defraudará.

¿Qué cambios desearía hacer en su vida? Deposite su esperanza en Cristo y regocíjese viendo cómo le dedica "un jonrón" este año.

Cómo mejorar nuestra aptitud física

Querido hermano, oro para que te vaya bien en todos tus asuntos y goces de buena salud, así como prosperas espiritualmente. 3 Juan 2 , NVI.

Comenzar un programa pro salud y aptitud física —y mantenerse en él— puede convertirse en un gran desafío. Para cumplirlo con éxito, uno debe ante todo, hacer el compromiso de ¡ponerse en forma!

Los seres humanos somos criaturas de hábito, resistentes al cambio. Adoptar un nuevo estilo de vida requiere romper con hábitos arraigados, como también forjar nuevos con los cuales no estamos familiarizados. Muchos fracasan al primer intento, sólo porque basan su decisión en el entusiasmo del momento, no en un compromiso disciplinado.

Cuando se le haga difícil continuar (lo cual ocurrirá) y la efervescencia emocional se desvanezca (lo cual también ocurrirá), la fuerza de su compromiso le ayudará a perseverar.

Decida que será una persona de palabra: su reputación está en juego. Anote su resolución y colóquela en varios lugares donde la pueda ver de continuo. Pida que la fuerza divina lo asista. Recuerde que su cuerpo es templo del Espíritu Santo. A medida que fortalezca su cuerpo físico, el propio Espíritu podrá comunicarse mejor con usted, en forma espiritual. El Señor ha prometido su poder a todos los que se lo pidan. Cuando le parezca imposible o difícil seguir, pida y reconozca la compañía de la Presencia divina. Reclame la promesa de Dios, mencionada en Jeremías 30:17: "...yo te restauraré y sanaré tus heridas" (NVI).

Pida a otros que le ayuden a mantener su palabra. Divulgue su decisión. Cuando se presentan dificultades, es más fácil romper las decisiones que se mantienen en secreto, que las que se hacen en público. Uno no quiere defraudar a los demás.

¿Qué más se necesita, para mantener en pie un compromiso de esta clase? A continuación mencionamos algunos elementos esenciales: 1. Tenga un plan definido, pero evite la inflexibilidad. 2. Propóngase objetivos iniciales moderados; plantearse metas demasiado estrictas o inalcanzables predispone al fracaso. Además, la incidencia de problemas serios de salud puede exigir cambios drásticos en su rutina. 3. Convierta su plan en parte de su vida diaria. 4. Propóngase como blanco moderación y equilibrio en su rutina de ejercicios. 5. Espere que su progreso sea gradual. Si demoró años en perder la forma, demorará algunos meses en recuperarla. 6. Disfrute del proceso, no tan sólo de los resultados. 7. No se exija demasiado. Los viejos hábitos tardan en desaparecer. 8. Controle su progreso regularmente, pero no se obsesione. 9. Siga la regla del 90%, en vez de la del 100%. Trate de cumplir con siquiera el 90% de su propósito; pues es preferible aflojar un poco el paso, que hundirse del todo en el fracaso. 10. Reconozca lo que debe reconocer: ¡dé gracias al Señor por su éxito!

¿Qué cambios en su estilo de vida le gustaría hacer este año, para ayudarse a ser la persona que realmente quiere llegar a ser? ¡Hoy es un gran día para ponerse en marcha!

El sueño de los justos

Y entrando él en el barco, sus discípulos le siguieron. Y he aquí, fue hecho en la mar un gran movimiento, que el barco se cubría de las ondas; mas él dormía. Mateo 8:23,24.

¿Siente que cada día se espera más de usted? ¿que son excesivas las demandas de los estudios, del trabajo o de la familia?

Esto me recuerda a veces, el relato que presenta a Jesús cuando dormía en un barco en medio de la tormenta. Por lo general, cuando los pastores mencionamos este incidente, nos detenemos en la escena en que Jesús reprende al viento y al mar para que se calmen. Pero me parece que hay una lección aún mayor en el simple hecho de que Jesús dormía profundamente en un barco que se estaba hundiendo, bajo la inclemente lluvia y un viento huracanado. En cierta oportunidad, al terminar de predicar sobre el tema, un viejo diácono me dijo que Jesús dormía "el sueño de los justos". Se había encomendado al Padre; por eso podía dormir tan apaciblemente, sin preocuparse por la tempestad, la conmoción ni el pánico que imperaba a su alrededor.

La gracia transformadora de Jesús es exactamente así. Con todas las confusas exigencias de sus profesores o supervisores, los requisitos de sus estudios, las llamadas telefónicas de sus amistades o familiares, y las emergencias inesperadas... con todo eso, y a pesar de todo eso; la gracia transformadora del Señor Jesucristo puede ayudarle a dormir "el sueño de los justos". Podemos tener paz interior, si permitimos que la gracia transformadora de Cristo impregne nuestra mente completa y totalmente.

Francamente, pienso que quizás Jesús mismo nos diría que la multiplicidad de tareas puede convertirse en un instrumento del diablo. El Creador no hizo a los seres humanos para que se los empuje hasta el límite, sacándoles hasta la última gota de energía; para que los estudiantes se esfuercen hasta el máximo, y los jóvenes que están empleados hagan lo indecible para aumentar su productividad.

En países industrializados, como Estados Unidos, se extiende una pandemia de enfermedades degenerativas como resultado directo de procurar extraer lo más posible de la vida, sin preocuparse por invertir en ella de manera equivalente. Todo el mundo quiere recibir más por menos, y por supuesto ganar la lotería. Pero nosotros tenemos "una esperanza mejor" (Heb. 7:19), y con ella, una realidad suprema.

Mientras esperamos la instauración plena del reino de paz de Cristo, llevamos en nuestro espíritu la paz que él ya nos dio (Juan 14:27). Esa paz es la que nos permite obrar con fe y energía y descansar con serenidad, por intensas que sean las tormentas materiales o emocionales que se desaten a nuestro alrededor.

¡Que la paz y la gracia del Señor Jesucristo sean con usted, hoy y cada día!

El sentido común en la reforma de la dieta

Todo aquel que lucha, de todo se abstiene; ellos, a la verdad, para recibir una corona corruptible, pero nosotros, una incorruptible. 1 Corintios 9:25.

No se honra a Dios cuando se descuida el cuerpo, o se lo maltrata, y así nos incapacitamos para servirle. Cuidar del cuerpo proveyéndole alimento apetitoso y fortificante es uno de los principales deberes de la gente joven.

Los que entienden debidamente las leyes de la salud y se dejan dirigir por sus buenos principios, evitan los extremos y no incurren en la licencia ni en la restricción. Escogen su alimento no sólo para agradar al paladar, sino para reconstituir el cuerpo. Procuran conservar todas sus facultades en la mejor condición posible para prestar un mejor servicio a Dios y a los hombres. Saben someter su apetito a la razón y a la conciencia, y son recompensados con salud del cuerpo y de la mente. Aunque no imponen sus opiniones a los demás ni los ofenden, su ejemplo es un testimonio a favor de los principios correctos. Estas personas ejercen una extensa influencia para el bien.

En la reforma alimenticia es una verdadera expresión de sentido común. El tema debe estudiarse con amplitud y profundidad, y nadie debe criticar a los demás porque sus prácticas no armonicen del todo con las propias. Es imposible prescribir una regla invariable para regular los hábitos de cada cual, y nadie debe erigirse en juez de los demás. No todos pueden comer lo mismo. Ciertos alimentos que son apetitosos y saludables para una persona, bien pueden ser desabridos, y aun nocivos, para otra. Algunos no pueden tomar leche, mientras que a otros les asienta bien. Algunos no pueden digerir guisantes ni frijoles, otros los encuentran saludables. Para algunos los cereales poco refinados son un buen alimento, mientras que otros no los pueden comer.

La reforma alimenticia debe ser progresiva. A medida que van aumentando las enfermedades en los animales, el uso de la leche y los huevos se vuelve más peligroso. Conviene tratar de sustituirlos con productos a base de soya por y otros alimentos saludables y baratos. Hay que enseñar a la gente a cocinar sin leche ni huevos en la medida de lo posible, sin que por esto dejen de ser sus comidas sanas y sabrosas.

Considere cuidadosamente su dieta. Estúdiela de causa a efecto. Cultive el dominio propio. Mantenga su apetito bajo el control de la razón. Nunca abuse de su estómago comiendo más de la cuenta; pero tampoco se prive del alimento sano y apetitoso que su salud requiere.

Comamos conforme nos lo dicte nuestro sano juicio; y cuando le hayamos pedido al Señor que bendiga la comida para fortalecimiento de nuestro cuerpo, creamos que nos oye, y tranquilicémonos.

Sabio Creador, concédeme sentido común por medio de tu Espíritu Santo, para que sepa qué elegir al momento de comer.

(Selección de *El ministerio de curación*, pp. 246, 248.)

El monstruo verde

Todo tiene su tiempo, y todo lo que se quiere debajo del cielo tiene su hora. Eclesiastés 3:1.

Apreté los frenos del auto, pero no pasó nada. Lo intenté tres o cuatro veces, pero el pedal siempre tocó fondo, sin activarse. Mi pasajero, Secretario de Publicaciones de la asociación, dejó escapar un involuntario "¡Oh, no!", mientras nos dirigíamos hacia la calle principal.

Hacía mucho que mi viejo auto, al que apodaba "el monstruo verde", necesitaba arreglo. Pero por diversas razones, algunas algo dudosas, lo venía posponiendo. Como estudiante universitario, a veces apenas tenía dinero para comprar dentífrico. Ir a ver al mecánico me parecía imposible. Además, el ritmo frenético de mis horarios no me permitía semejantes "pausas". (Y si he de ser sincero, debo confesar que hasta sentía cierto deleite machista y perverso, en ver hasta dónde podía llegar con mi auto, cuanto más empeoraba su situación.) En definitiva, nada, de viajes plañideros al mecánico para arreglar este auto acostumbrado a todo. Mis únicas concesiones eran llevar en el baúl una que otra lata de aceite, fluido de frenos y algunos botellones de agua.

Cerca ya de la calle principal, cambié repentinamente de dirección, conduciendo el auto por una ruta lateral ligeramente inclinada, lo cual nos permitió aminorar la marcha hasta que pude activar el freno de emergencia. Luego, respiré hondo, llené con fluido el cilindro principal, y me dirigí a nuestra siguiente cita.

Durante años, traté mi cuerpo de la misma manera. Le exigí mucho más de lo aconsejable. Las señales pronto fueron evidentes: ansiedad creciente, insomnio, dolor de estómago, irritabilidad, frecuentes dolores de cabeza, y porciones desmedidas de comida chatarra.

Luego descubrí la sencilla verdad: se necesita equilibrio entre el consumo y el gasto de energía. Nuestra capacidad de rendimiento depende en gran medida del tiempo que dedicamos a renovarnos. Las horas pasadas para abastecernos de lo necesario —física, mental, emocional y espiritualmente— son tan importantes y valiosas como las que pasamos trabajando: mensaje nada fácil de asimilar para alguien por tanto tiempo adicto al trabajo.

Las Escrituras lo han venido diciendo desde hace siglos: "Todo tiene su tiempo, y todo lo que se quiere debajo del cielo tiene su hora… [hay] tiempo de plantar, y tiempo de arrancar lo plantado… tiempo de guardar y tiempo de desechar…" (Ecl. 3:1, 2, 6). Lamentablemente y para perjuicio nuestro, solemos pasar por alto los ciclos de dar y recibir que Dios mismo nos recomendara. Sé que estoy ahora más sensible al respecto, de modo que procuro mantener el equilibrio en mi propia vida, ¡conservando en buenas condiciones los frenos del alma!

¿Cómo están los frenos de su alma? ¿Necesitan arreglo?

El sentido del sufrimiento

Para que sometida a prueba vuestra fe, mucho más preciosa que el oro, el cual aunque perecedero se prueba con fuego, sea hallada en alabanza, gloria y honra cuando sea manifestado Jesucristo. 1 Pedro 1:7.

Cuando uno sufre, es fácil perder la esperanza. Al Dr. Víctor E. Frankl, que vivió el horror de los campos de concentración durante la segunda guerra mundial, se le pidió hacer una presentación ante sus compañeros presos pocos días antes de ser liberados. Frankl comenzó su disertación presentando la siguiente hipótesis: "Nuestra situación no era la más terrible que pudiéramos imaginar". A continuación presentamos los puntos que él destacó, para inspirar esperanza en el corazón de aquellos desesperados. (De su libro, *La búsqueda de sentido del hombre*.)

1. Muy pocas de sus pérdidas eran irreemplazables. La mayor parte podría recuperarse u obtenerse de nuevo, como la salud, la familia, la felicidad, la capacidad profesional, la fortuna o la posición en la sociedad.

2. Aunque sus probabilidades de sobrevivir parecían mínimas (tal vez 1 en 20), siempre existía la posibilidad de que se les presentara de repente una gran oportunidad.

3. Ningún poder en la tierra podría jamás quitarles los conocimientos que habían adquirido.

4. La vida humana siempre tiene sentido, aun en presencia del sufrimiento, de la agonía previa a la muerte, de la privación y de la muerte misma. Independientemente de las circunstancias, la vida debe vivirse con dignidad y propósito. Si Dios nos mirara, ¿nos encontraría sufriendo estoicamente, no miserablemente, sino sabiendo cómo morir con dignidad?

5. La vida todavía esperaba algo de ellos. Darse por vencido y morir, significaría que en el futuro alguien más tendría que sufrir por faltar ellos a su lado. Se irían con ellos las palabras de bondad no pronunciadas, la ayuda que no pudo extenderse al amigo en necesidad, el libro que ya no se escribiría... Uno nunca puede estar tan enfermo, tan incapacitado o tan viejo que Dios no pueda necesitarlo, o necesitar lo que uno aún puede ofrecer.

Muchos se enojan contra Dios porque piensan que él permite que lo malo suceda para activar entonces su plan maestro para el universo, para perfeccionar nuestros caracteres, para enseñarnos lecciones importantes o para castigarnos por nuestros errores. Pero Dios no hace que los aviones se estrellen o que los barcos se hundan; como tampoco hace que los niños nazcan con SIDA, ni sentencia a miles a morir de inanición. Todas estas cosas pueden suceder como resultado o consecuencia de los problemas y las pruebas, pero no como causa o motivo de ellos. En esencia, la verdad es que las cosas malas nos pasan porque vivimos en el territorio de Satanás, y la consecuencia del pecado es la muerte.

Si está atravesando un período de enfermedad, dolor, incapacidad, persecución o pobreza, pida a Dios que le ayude a encontrar sentido a su sufrimiento.

La risa es buena para la salud

El corazón alegre constituye buen remedio. Proverbios 17:22.

¿Ha visto, alguna vez impresos en algún boletín de iglesia errores chistosos como éstos?:

No deje que la preocupación lo mate; permita que la iglesia ayude.

Cena en la iglesia el jueves de noche, acompañada de oración y testimonios.

Para quienes tienen niños y no lo saben, tenemos una guardería infantil.

Las damas de la iglesia se han despojado de todo tipo de prendas, y podrán verse en el sótano de la iglesia el viernes.

La risa beneficia todo el sistema cardiovascular mediante la dilatación y el aumento del flujo sanguíneo. Al aspirar grandes cantidades de aire, se crea un flujo sanguíneo rico, altamente oxigenado. A veces, tras una buena carcajada, este flujo extra ruboriza las mejillas y hace que uno se sienta como nuevo.

Al reír, la presión arterial y la frecuencia cardíaca aumentan (como cuando se hace ejercicio físico), pero cuando la risa se calma, tanto la presión arterial como la frecuencia cardíaca disminuyen, alcanzando niveles menores que cuando se empezó a reír.

Según un experto en humor, uno debería reírse por lo menos quince veces al día; menos de esto indicaría una nociva carencia de risa.

¿Se ha reído alguna vez hasta sentir dolor en los costados? Experimentar este tipo de risa da nuevo sentido al adagio que dice que "sin dolor, no hay ganancia". La risa induce una pérdida de control muscular que explica por qué uno se desternilla de tal modo, que se dobla en dos, o hasta salta de la silla donde estaba sentado. La activación del diafragma desencadena una reacción en el cuerpo, que sacude el estómago y otros órganos vitales, proporcionándoles un masaje interno. Algunos llaman a esto "trote interno".

¡Sonría a menudo! Dios nos recuerda que el corazón alegre hermosea el rostro (Prov. 15:13). En cierta ocasión, Fred Allen dijo: "Es malo reprimir la risa. Se repliega hacia abajo y se extiende a las caderas". Quizá, con suficiente práctica, podamos identificarnos con Alfredito, quien cuando su maestra de tercer grado lo regañó por reírse a carcajadas en clase, contestó: "Perdone, maestra, no quise hacerlo. Estaba sólo sonriendo, ¡pero la sonrisa explotó!"

¿Se rió quince veces, hoy? Si no, deje que su sonrisa estalle, y coseche el premio de una mejor salud.

A la espera de un dulce

Digo, pues: Andad en el Espíritu, y no satisfagáis los deseos de la carne. Gálatas 5:16.

Imagine que tiene cuatro años de edad, que está en una habitación extraña con un desconocido, quien le ofrece un pedazo de bizcocho, prometiéndole otro si no se come el anterior hasta que él regrese. ¿Qué haría? ¿Se lo engulliría sin pensar en la posibilidad de tener otro? O bien, sin más que hacer que contemplar el bizcocho, ¿se aferraría a todo el dominio propio que como una criatura de cuatro años pudiera reunir, para esperar el regreso del desconocido?

La respuesta podría parecer frívola e intrascendente, pero la pregunta ha resultado clave en una de investigación llevada a cabo entre menores de cuatro años, porque, cuando los investigadores entrevistaron a los mismos niños 14 años más tarde, encontraron que, en realidad, aquella prueba había "predicho" cómo les iría en la escuela. Los niños que habían marcado que esperarían el regreso del hombre, alcanzaron un puntaje 210 veces mayor en la prueba de logros académicos. Además, los niños que habían esperado pacientemente eran más estables en lo emocional, más queridos por sus profesores y compañeros, y todavía podían demorar la gratificación, para proseguir con sus metas.

Por otra parte, los chicos que se habían comido el bizcocho de inmediato, resultaron ser más inestables emocionalmente, más irritables, más propensos a pelear, no tan queridos, más desanimados frente al estrés, y todavía no podían ejercer el dominio propio.

La Biblia habla sobre la importancia del dominio propio, sólo que no cita la investigación. En Gálatas 5:22, NVI, Pablo dice: "En cambio, el fruto del Espíritu es amor, alegría, paz, paciencia, amabilidad, bondad, fidelidad, humildad y **dominio propio**. No hay ley que condene estas cosas". Mientras nuestra sociedad hace enorme hincapié en el éxito académico. Dios, como de costumbre, tiene una manera muy distinta de medir el éxito.

Dios nos promete el éxito, no sobre la base de normas mundanas, logros académicos o riqueza acumulada, sino sobre la base de lo que el Espíritu Santo puede hacer en nosotros. Cuando él haga crecer el fruto del Espíritu en nuestros caracteres, estaremos más sanos, nos sentiremos más felices, tendremos relaciones más estables y satisfactorias, alcanzaremos exitosamente nuestras metas académicas, y nos sentiremos plenos y realizados en nuestro trabajo. Más aún, tendremos éxito no sólo en el plano físico, sino en el espiritual, que es donde realmente cuenta.

¿No es interesante que tan sólo un rasgo de carácter, el dominio propio, pueda tener un efecto tan amplio y determinante en lo que respecta al éxito personal en la vida? ¿Cuán sano se encuentra su dominio propio?

El factor padre

Para que todos sean uno; como tú, oh Padre, en mí, y yo en ti, que también ellos sean uno en nosotros; para que el mundo crea que tú me enviaste. Juan 17:21.

La gente joven debe saber que es saludable que los padres participen en la crianza de sus hijos. Cuando lo hacen, a los niños suele irles mejor en casi todo. Desde su primera infancia, son más abiertos, más amigables con la gente. A medida que crecen, controlan mejor sus impulsos y tienden menos a la violencia. Tienen relaciones sociales más sanas y motivaciones más elevadas para triunfar, por lo cual les va mejor en la escuela. Son más capaces de postergar la gratificación inmediata para lograr recompensas mejores más adelante. Tienen respeto y estima personal y son menos susceptibles a la influencia de sus pares y a la delincuencia juvenil.

Tras analizar las cifras en los censos, el Dr. Loren Moshen del Instituto Nacional de Salud Mental concluyó que la ausencia del padre es un factor determinante, más poderoso que la pobreza, en lo que respecta a la delincuencia juvenil. Los niños criados solamente con sus madres tienen los mayores índices de crimen cuando llegan a su vida adulta.

Pero de todos los hallazgos, el del Dr. Kyle Pruett, fue el más notable. Según él, los hombres que han estado a cargo del cuidado físico de niños menores de tres años, significativamente tienden mucho menos a maltratar sexualmente a los niños. Aparentemente, la intimidad experimentada al alimentar, cambiar los pañales y bañar a los bebés parece inocular a los hombres contra la subsiguiente excitación sexual, no sólo en relación con sus propios hijos, sino también con respecto a otros. La revista *Newsweek* (Primavera-Verano, 1997, p. 73) lo explica así: "Pocas fuerzas son tan poderosas, y tan poco usadas en nuestra cultura, como este vínculo sagrado entre padre e hijo, la atracción magnética de la fuerza por la debilidad, el vínculo que nace con la dependencia y crece en amor".

Pero aún hay más. En un estudio realizada entre 1.337 doctores en medicina que se graduaron en la Universidad Johns Hopkins entre 1948 y 1964, la falta de cercanía con los padres fue el común denominador entre los casos de hipertensión arterial, enfermedades coronarias, tumores malignos, enfermedad mental y suicidio. En un estudio de 39 adolescentes que sufrían del trastorno alimentario anorexia nerviosa, 36 tenían como común denominador la falta de acercamiento con el padre. En otro estudio realizado en la Universidad Johns Hopkins, el 60% de las adolescentes de raza blanca provenientes de familias sin padre, estaban más predispuestas a tener relaciones prematrimoniales, que las que provenían de hogares donde vivían con ambos padres.

Padres actuales y futuros, si quieren tener hijos saludables, pasen más tiempo con ellos ¡y con Dios!

Amado Padre celestial, haz que mi familia te vea en mí, a través de mis palabras y acciones.

El agua de vida

Respondió Jesús y le dijo: 'Cualquiera que bebiere de esta agua, volverá a tener sed; mas el que bebiere del agua que yo le daré, no tendrá sed jamás; sino que el agua que yo le daré será en él una fuente de agua que salte para vida eterna'. Juan 4:13,14.

El agua es esencial para la vida y constituye entre sesenta y setenta y cinco por ciento del peso de nuestro cuerpo.

Es disolvente. Nutrientes como la glucosa se disuelven en el plasma sanguíneo y se transportan a las células del cuerpo, gracias al agua. ¿Y sabía usted que el sentido del gusto depende del agua? Si la saliva no disolviera los alimentos, los receptores en los bulbos gustativos de la lengua no funcionarían. Por otra parte, sin agua, los productos de desecho tampoco se disolverían ni se excretarían por la orina.

El agua es lubricante. Impide la fricción donde las superficies se encuentran y se frotan; forma parte del líquido sinovial que esta en la cavidad de las articulaciónes, y que evita la fricción mientras las superficies óseas se mueven una contra otra. Así mismo la mucosa del tracto digestivo (mayormente compuesta de agua) es resbaladiza: lo que ingerimos pasa suavemente a lo largo del intestino.

El agua cambia de temperatura lentamente, mientras absorbe grandes cantidades de calor. Y a la inversa, antes de descender la temperatura de manera significativa, el agua libera grandes cantidades de calor. Éste es uno de los factores que permiten a nuestros cuerpos mantener una temperatura constante. Además, sin agua no podríamos sudar, un proceso de evaporación mediante el que se elimina el exceso de calor corporal, a fin de que no se recalienten las células del cuerpo.

Éstas son sólo algunas de las funciones vitales del cuerpo que el agua posibilita. Sin embargo, sorprendentemente hay muchísima gente que no tiene ni idea de que la salud de su cuerpo depende del consumo adecuado de agua.

En 1991 me enviaron a Lvov, Ucrania como parte de un equipo de evangelismo. Me asombró muchísimo ver que para el tratamiento de varias enfermedades se le pedía a la gente ¡restringir el consumo de agua! Por eso, en una de mis primeras charlas hablé precisamente de la importancia del agua, explicando que se necesitan por lo menos ocho vasos de agua al día. Así tendrán un funcionamiento adecuado los riñones, los encargados de eliminar los desechos del organismo. Más adelante pedí a los oyentes que procuraran beber ocho vasos de agua diariamente por las próximas tres semanas. Al final de este período, cuando les pregunté si habían seguido esta recomendación, me aplaudieron. Era evidente que el consumo de agua había hecho una gran diferencia en sus vidas.

Del mismo modo ,usted puede experimentar una diferencia notable en su calidad de vida, si bebe del agua viva de salvación que ofrece Jesucristo.

¿Está bebiendo suficiente agua, para mantener su salud física y espiritual?

Controle las alimañas

Sembrad para vosotros en justicia, segad para vosotros en misericordia; haced para vosotros barbecho; porque es el tiempo de buscar a Jehová, hasta que venga y os enseñe justicia. Oseas 10:12.

Las cosas que uno tiene pendientes para hacer son como los gatos del vecindario. Si usted los alimenta, nunca se irán de su casa. Se le cuelgan. Chillan incesantemente. Compiten por su atención. Se multiplican hasta tomar el control total de su vida. ¡Causan estrés!

Si su vida se ha convertido en un zoológico, siga las siguientes reglas para controlar sus "alimañas".

Regla 1: *Recuerde que usted no es la única persona en el mundo a cargo de un zoológico o a cargo de su familia.* No tiene por qué ocuparse de todo. En lo que respecta a su responsabilidad hacia sus amados, separe el trabajo del amor. Para mostrarles a los suyos cuánto los ama, no tiene que cocinar por horas sin fin, ni ser siempre la única persona que lava la ropa.

Tiene que convencerse de que su familia PUEDE arreglárselas sin lo que usted hace por ellos. Acepte delegar responsabilidades. Anime a los demás a hacer lo que sean capaces de hacer, aunque no lo hagan exactamente del modo en que usted lo haría.

Regla 2: *No alimente los gatos ajenos.* Asegúrese de que cada uno se encargue de los suyos. Aprenda a devolver a los demás las responsabilidades que les pertenecen, y a sentirse bien —aunque los demás se molesten— cuando les diga: "Lo siento; ¡pero no es mi gato!"

Regla 3: *Mantenga bajo control su "población de gatos".* Puede que suene cruel, pero tiene que "eliminar" a los que sobran. Deje que "mueran de hambre". En lo personal he notado que las cosas por hacer tienden a expandirse hasta llenar el tiempo que uno les da. Por eso, debe priorizar (decidir qué es lo verdaderamente importante) y organizarse. Permita sólo cierta cantidad de tiempo para determinado proyecto y deje los demás con "hambre".

Regla 4: *Los "gatos" llegan por correo, por teléfono y hasta por la red electrónica.* Controle su correspondencia, leyéndola y procesándola de inmediato. Controle su teléfono. Nunca diga automáticamente "sí", cuando alguien le pregunte si tiene un minuto para atenderle. Limite el tiempo que pasará en la red electrónica.

Regla : *No empiece el fin de semana "con la casa llena de gatos".* En vez de ello, planifique el entretenimiento y los momentos en familia. Tome en serio el cuarto mandamiento. En lugar de pasarse la semana postergando las cosas para hacerlas durante el fin de semana, organice la semana de manera tal, que pueda disfrutar del fin de semana.

¿Cómo podría reducir "los gatos de su vida", a fin de tener tiempo para el Señor y su familia?

La otra cara de la violencia

Así perezcan todos tus enemigos, oh Jehová; mas los que te aman,
sean como el sol cuando sale en su fuerza. Jueces 5:31.

Los proyectos para leer toda la Biblia en un año, por lo general concluyen en el libro de Jueces. Para entonces ya hemos notado la genialidad de los escritores bíblicos, capaces de condensar más de dos mil años de historia en aproximadamente doscientas páginas. Allí está lo esencial: cómo empezó todo, el Diluvio, la familia de Abrahán, la esclavitud en Egipto, la salida de Egipto hacia la tierra prometida...

Por lo general, los detalles son escasos y dispersos, pero al llegar al capítulo 4 de Jueces, encontramos el vívido relato de un ataque encabezado por Débora, profetisa y jueza de Israel. Una vez derrotados los enemigos, la historia se asemeja a las noticias de las seis: Sísara, el general prófugo, aceptó la hospitalidad de Jael, quien le dio leche a beber y —en cuanto se durmió— le atravesó las sienes con una estaca, hasta clavarla en la tierra. "Así murió Sísara" (Jue. 4:21, NVI).

Acabado este violento incidente, pasamos al capítulo 5. Pero, ¿qué sucede con el sentido de continuidad de la historia en el libro de Jueces? Débora ha compuesto un cántico acerca de la batalla, y éste se inserta aquí en el registro bíblico: se trata de la misma historia. ¿Por qué repetirla?

Hoy en día relatamos nuestras historias de guerra en documentales. Jueces 5 bien podría leerse como el guión para una película de este tipo. Imagine al director, creando la escena inicial: gente que viaja temerosa, porque el enemigo acecha en la ruta. "En los días de Jael, los viajeros abandonaron los caminos y se fueron por sendas escabrosas" (Jue. 5:6). Para Israel, la recapitulación llegó en un cántico que culmina con el enemigo vencido: una historia contada dos veces; sólo que esta vez, termina diferente. Débora crea una escena de la que no ha sido testigo, pero que —con el corazón de madre— bien puede imaginar.

En el hogar del general enemigo, su madre le espera con ansias. Débora canta: "La madre de Sísara se asoma a la ventana, y por entre las celosías a voces dice: ¿Por qué tarda su carro en venir?... Las más avisadas de sus damas le respondían, y aun ella se respondía a sí misma: ¿No han hallado botín, y lo están repartiendo?... Las vestiduras de colores para Sísara, las vestiduras bordadas de colores..."

Ésta no es una producción de aficionado. Débora conoce bien sus personajes. A través de sus ojos, vemos y vivimos la escena. El relato merece una pausa en el registro bíblico: Débora nos recuerda el otro lado de la violencia.

Cuando hoy escuche las noticias, deténgase, siquiera un instante, a considerar el dolor y la congoja de quienes han perdido a sus amados a causa de la violencia. Hágalo, aun cuando entre los caídos se encuentre su propio "enemigo".

Las maravillas del espacio sideral

Cuando veo tus cielos, obra de tus dedos, la luna y las estrellas que tú formaste, digo: ¿Qué es el hombre, para que tengas de él memoria, y el hijo del hombre, para que lo visites? Le has hecho poco menor que los ángeles, y lo coronaste de gloria y de honra. Salmo 8:3-5.

Siento que el espacio me da energía. La Tierra es uno de los nueve planetas de nuestro sistema solar. Miles de millones de sistemas solares, tal vez similares al nuestro, conforman nuestra galaxia, la Vía Láctea. ¡Y hay miles de millones de galaxias! Sin duda hay más planetas. ¿Tendrán otras formas de vida? La sola idea me sobrecoge. Siento que, de alguna manera, a todos este pensamiento nos ubica... nos pone... "en nuestro lugar".

La estrella más cercana a nosotros, Próxima de la constelación Centauro, se encuentra a cuatro años luz de distancia. Relativamente hablando, equivale al trayecto entre nuestra casa y la del vecino de al lado. Sin embargo, cuatro años luz es la distancia que la luz recorre en cuatro años, ¡moviéndose a 300.000 kilómetros por segundo! De modo que aun esta vecina cercana está realmente lejos de nosotros.

En la actualidad, se están construyendo telescopios capaces de captar objectos que se encuentran a distancias de 12.000 millones de años luz. Cada grupo de fotografías del telescopio Hubble Space revela tesoros maravillosos e inesperados en el espacio. A medida que más se descubre sobre ellos, los cielos —que hasta hace pocos años parecían tan estáticos y definidos—, apuntan a nuevos misterios y a la necesidad de revisar viejas ideas acerca del gran universo al que pertenecemos. Las estrellas y cúmulos estelares —sus colores, sus formas— ¡son tan hermosos y variados! ¡Cuanto más los contemplamos, tanto más sin aliento nos dejan!

Señor, ¿por qué hay tanto espacio? Cuando creaste el universo, ¿existía ya algo? ¿Hay otras clases de universos?, ¿otros planetas como la Tierra? Si así fuera, ¿cómo será la vida allá? ¿Es la Tierra el único planeta que necesita un Salvador? Cuanto más reflexiono en ello, tanto más me maravillo y oro a Dios.

El universo es inimaginablemente gigantesco; pero nuestro sistema solar y nuestra Tierra son apenas corpúsculos diminutos ante tus ojos. ¿Qué es el hombre para que tengas de él memoria? Considerando la magnitud del espacio, ¡somos tan insignificantes! Sin embargo, andas entre nosotros y nos hablas. ¡Incluso tienes contados nuestros cabellos! Realmente, no puedo comprenderlo.

Nos has dado vida, capacidad de raciocinio y para poder considerar el contexto de nuestra existencia más allá de lo cotidiano. Nos has coronado de gloria y de honra inmerecidas. Y nos has concedido gobernar sobre los animales. Nos has hecho poco menor que los ángeles que viven a la luz de tu presencia.

En este masivo universo, enviaste a Jesús para recordarnos que somos mucho más valiosos que los gorioncillos, aunque aun a ellos los atiendes. Te interesas en todo lo que nos sucede. Diste la vida por nosotros. ¡Cuánto valemos, Señor!

Cuando se sienta insignificante, contemple el espacio y recuerde que el Dios de todo esto le ama. ¡Pensar en ello fortalece, vigoriza y cambia la vida!

Una enorme lección

Entonces oró Jonás a Jehová su Dios desde el vientre del pez…
Cuando mi alma desfallecía en mí, me acordé de Jehová… Con voz de alabanza
te ofreceré sacrificios; pagaré lo que prometí. Jonás 2:1,7,9.

Eran casi las 8:30 cuando Marilyn llegó para invitarme a caminar con ella por la playa. Yo tenía en mente una caminata más enérgica —tal como las que religiosamente hago cada mañana con otra amiga—, pero cuando estaba por decírselo, sonó el teléfono. Era mi compañera de caminata; llamaba para avisarme que esta vez no podría ir; así que acepté la invitación de Marilyn.

Por eso estaba en la playa cuando sucedió. Por tres años he vivido junto al océano, y esta fue la primera vez que presencié algo semejante. A unos 30 metros de las rompientes, una manada de ballenas retozaba a gusto, saltando fuera del agua y zambulléndose en ella.

—¡Mira eso! ¡Qué maravilla! —nos gritábamos la una a la otra, mientras las ballenas volvían a lanzarse al aire, agitando con fuerza sus aletas, para luego zambullirse y desaparecer bajo la superficie del agua. ¡Era, realmente, un espectáculo increíble!

Más tarde pensé en Jonás. Me imaginé a mí misma sepultada viva en el vientre de la ballena, soportando aquella "montaña rusa interna", mientras la ballena se zambullía hasta el fondo del océano y emergía de nuevo, rompiendo la superficie del agua y elevándose en el aire, para luego caer. Yo le habría pedido a gritos a Dios: "¡Sácame de aquí!". Pero Jonás no. En lugar de ello, reconoció que ésta era la manera en que Dios lo libraba de la muerte. De modo que allí mismo, rodeado de comida a medio digerir, Jonás agradeció a Dios, y le prometió que en vez de escaparse de nuevo, haría lo que él quisiera que hiciese.

Todos tenemos días cuando nos sentimos como en el vientre de una ballena. En vez de compadecernos de nosotros mismos, de culpar a Dios o de pedirle a gritos "¡Quítame de aquí!", deberíamos aceptar la experiencia como "un toque de diana", el llamado de Dios a despertarnos: su manera de salvarnos de nosotros mismos, para que escojamos hacer lo que sabemos que deberíamos hacer.

Si está uno en el hospital después de un ataque de corazón, el llamado es a despertar y cambiar de estilo de vida. ¿Siente la ropa muy ajustada? Despierte, vigile lo que come y haga ejercicio. ¿Tos persistente?: Despiérte. Deje de fumar. ¿Dolores en el pecho?: Despierte. Es hora de consultar con su médico. ¿Dolor de cabeza? Despierte. Beba más agua y reduzca el estrés.

Espero que no me toque pasar por algo tan drástico como estar dentro del vientre de una ballena, para darme cuenta de que siempre es mejor hacer las cosas como Dios manda.

Señor, por favor, ablanda mi terca voluntad, para que no necesite pasar por el vientre de una ballena, a fin de aprender las lecciones que quieres enseñarme.

Reconstruidos por Dios

Enjugará Dios toda lágrima de los ojos de ellos; y ya no habrá muerte, ni habrá más llanto, ni clamor, ni dolor; porque las primeras cosas pasaron. Y el que estaba sentado en el trono dijo: 'He aquí, yo hago nuevas todas las cosas'. Apocalipsis 21:4,5.

Ocurrió el 15 de octubre de 1994. Mary Van Dyke lloró de gozo cuando Brian Robertson, jugador del equipo de fútbol de una escuela cristiana de Riverside, California la tomó en sus brazos. Acababan de coronarla madrina del equipo, al celebrar el retorno de éste a los predios de la escuela.

Nacida el 12 de Julio de 1977, con 23 defectos físicos y neurológicos, se le había diagnosticado que no sobreviviría a su infancia. Se pensaba que nunca podría hacer nada más que levantar levemente la cabeza. Había nacido con lo que a partir de su caso se conoce como el síndrome de Mary Van Dyke, nombre que a esta rara enfermedad le dieron los médicos del Centro Médico de la Universidad de Loma Linda, en el sur de California. En realidad, Mary había nacido... para luchar. Animada por su hermana mayor, Alicia, y por sus padres, Pete y Pat Van Dyke, Mary aprendió a gatear, a subir escaleras y con el tiempo, a caminar con la ayuda de un andador de aluminio.

Cuando apenas tenía tres años, su madre le hizo una camiseta con un mensaje grabado en la parte de adelante. El mensaje decía: RECONSTRUIDA POR EL SEÑOR Y EL LLUMC (sigla del Centro Médico de la Universidad de Loma Linda). A los ocho años, sus expedientes médicos pesaban más que ella. La habían operado del corazón para cerrar un orificio que allí tenía. También le habían reconstruido las caderas, las manos y las orejas. Incluso había sufrido por una reconstrucción facial, con arreglo del paladar hendido, cirugía dental completa y ortodoncia.

A los 17 años, justo antes de su trigésima primera operación, y mientras la multitud la aplaudía, Mary Van Dyke entró al campo de juego donde se la coronó madrina de aquella celebración. La esforzada adolescente había obtenido un promedio de A (la nota más alta) y la admiración de toda la escuela. Más de uno luchó por mantener su compostura mientras arrobada de asombro, Mary recibía su corona y un bouquet de rosas rojas.

"Después de todo lo que le ha pasado —comentó Vance Nichols, administrador de la escuela—, apenas puedo contenerme". En un artículo publicado al día siguiente en un periódico de Riverside, Nichols señaló: "Nuestra escuela es un lugar mejor, gracias a ella. Nuestros chicos son mejores, gracias a ella. Mi fe es más fuerte, gracias a ella".

Según su madre, a Mary le espera toda una vida de cirugías periódicas, para corregir más problemas. Para obtener fuerzas recurre a su fe en Dios. Mary Van Dyke es una verdadera inspiración.

Gracias, Señor, por el día en que todos podremos usar —en nuestras vestiduras celestiales— el mensaje: ¡RECONSTRUIDOS POR EL SEÑOR!

Para mantener llenas las reservas

Unges mi cabeza con aceite; mi copa está rebosando. Salmo 23:5.

Trabajo con estadísticas. Analizo los resultados de las investigaciones, para determinar la probabilidad de contraer ciertas enfermedades. Debido a mi trabajo en la Facultad de Salud Pública de la Universidad de Loma Linda, conocía los factores de riesgo que propician los ataques súbitos de embolia cerebral, ¡y estaba seguro de que jamás me ocurrirían a mí! Era delgado, hacía ejercicio físico a diario, seguía una dieta mayormente vegetariana, tenía una baja presión arterial, vivía prácticamente sin estrés y nunca había fumado ni consumido bebidas alcohólicas.

Aun así, el 8 de febrero de 1996, sucedió lo improbable. No estaba tomando suficiente cumarina —anticoagulante para tratar la irregularidad de mis latidos causada por un defecto de nacimiento—, así que, mi corazón despidió un coágulo que se dirigió directamente la parte media de mi cerebro, impidiendo el control del movimiento del lado izquierdo, el pensamiento analítico, el sentido de orientación, el concepto del tiempo y mis respuestas de iniciación e inhibición. En suma, fue desastroso. Nadie esperaba que volviera a caminar y ni siquiera a pensar coherentemente. Sin embargo, tres años después, dudo que al encontrarme en la calle, alguien pudiera darse cuenta de mi mal, a menos que notara una leve cojera o mi sonrisa algo torcida. ¿Cómo pude recuperarme así?

Yo lo llamo "efecto depósito". Cuando uno siente que su vida está vacía y le sobreviene una crisis, no tiene reservas para combatir la enfermedad. Pero mi vida estaba llena hasta rebosar de tres cosas a las cuales atribuyo mi increíble restablecimiento: fe en la gracia de Dios, una familia amante que me apoyó en todo momento, y un estilo de vida saludable.

Depósito No. 1: *Fe en la gracia de Dios*. Cuando la crisis sobrevino, deposité mi destino en las manos de Dios y me relajé. Se me ungió, y nunca dudé del amor ni del poder sanador milagroso de Dios. Si uno carece de fe, puede dar lugar a la desesperación. Es fácil darse por vencido. Los pacientes de apoplejía o embolias no pueden darse por vencidos. Tienen que trabajar para reconstruir las conexiones que posibilitan el movimiento, la facultad de pensar y la de hablar.

Depósito No. 2: *Relaciones sanas*. Nunca estuve solo. Mi esposa y mi hija permanecieron junto a mí, amándome, apoyándome, alentándome y empujándome lo suficiente para que ejercitara mis reacios músculos. Sentí que tenía un motivo especial para vivir. Me restablecí por y para ellas.

Depósito No. 3: *Un estilo de vida saludable*. Sí, había sufrido un ataque, una embolia que había afectado mi cerebro; pero mi cuerpo estaba sano, mis venas seguían limpias, y mi sistema inmunológico era fuerte. Mi salud física me dio el vigor y el aguante que me impulsó a caminar, subir escaleras, nadar y jugar tenis otra vez.

¿Qué podría hacer usted hoy, para asegurarse de tener llenos sus "depósitos"?

Un milagro en las montañas

Pues a sus ángeles mandará acerca de ti, que te guarden en todos tus caminos. Salmo 91:11.

Nancy y yo regresábamos a casa por las montañas rocosas de Colorado, tras pasar nuestras vacaciones con su familia. Su hermano y su cuñada se habían adelantado, subiendo por la montaña en el jeep, mientras ella y yo manejábamos dos casas rodantes, donde venían también los chicos. Todo iba bien, hasta que llegamos a Monarch Pass (el Paso del Monarca). En el aire enrarecido de las cumbres más altas, el carburador de la casa rodante de Nancy no podía ya mezclar las proporciones adecuadas de aire y gasolina y por segunda vez tuvimos que detenernos a un costado de la ruta.

Alcancé a hacer andar la casa rodante de Nancy, pero ya no pude hacer lo mismo con la mía. Aunque nos quedaba un cuarto de tanque de gasolina, estábamos estacionados en una pendiente de tal manera, que la gasolina no podía llegar al motor.

Succioné, algo de gasolina, para echarla en una olla, y luego coloqué ésta entre los dos asientos de adelante. Entonces, le pedí a Isadora, mi sobrina mayor, que me ayudara.

Con una taza de aluminio, Isadora comenzó a echar gasolina en el carburador. Todo parecía ir bien. Empezábamos a movernos y pronto estaríamos en la ruta; cuando repentinamente, el motor se encendió y las llamas comenzaron a salir del carburador.

Entonces, Isadora soltó la taza de aluminio con gasolina en llamas cerca de la olla llena de combustible. Alcancé a agarrar a Isadora y la empujé fuera del vehículo, pero luego, cuando de un puntapié intenté también sacar la olla, la gasolina me cayó encima. Cuando llegué a la puerta, el calor del incendio la había hinchado, impidiéndole abrirse. Por mucho que tiré de ella, no cedió.

Envuelto en llamas, mientras por la ventanilla veía a Nancy y a nuestros hijos, pensé que ya no habría manera de salvarme de esto. Pero de repente, la puerta ¡se abrió sola! Saltando de inmediato, al caer eché a rodar mi cuerpo en el suelo para apagar las llamas. Rodé y rodé, hasta que de pronto sentí dos manos fuertes que me agarraron de los hombros, deteniéndome a tiempo justo cuando parte de mi pierna derecha ya colgaba de un peñasco al borde de un precipicio de más de setenta metros de profundidad. Mi zapato estaba aún en llamas. Me lo quité rápidamente, y enseguida me paré y corrí hacia la casa rodante. Para entonces, las chicas ya habían extinguido el incendio, y todos estaban a salvo. Era un milagro que estuviera vivo. Debe haber sido mi ángel de la guarda quien abrió la puerta del vehículo y luego me tomó de los hombros, cuando estaba por caer al precipicio.

¿No le alegra que Dios envíe sus ángeles para protegernos, aun cuando cometemos errores que nos meten en problemas? ¿Recuerda algún momento en que su ángel le salvó la vida? ¡Agradézcale al Señor por ello!

Un cambio que vale la pena

Si alguno quiere venir en pos de mí, niéguese a sí mismo, y tome su cruz, y sígame. Porque todo el que quiera salvar su vida, la perderá; y todo el que pierda su vida por causa de mí, la hallará. Porque ¿qué aprovechará al hombre, si ganare todo el mundo y perdiere su alma? ¿O qué recompensa dará el hombre por su alma? Mateo 16:24-26.

¿Sabía usted que en los Estados Unidos, el consumidor de carne promedio ingiere —a lo largo de su vida— 21 vacas, 14 carneros, 12 cerdos, 900 pollos y 500 kilos de carne de otros animales que nadan o vuelan?

Hubo una época en que se creía que cuanto más carne uno comía, tanto más saludable estaría. Pero eso cambió cuando la Sociedad Norteamericana contra Cáncer se enfrentó a las industrias de la carne y de las bebidas alcohólicas, e hizo las siguientes recomendaciones que reducirían significativamente el riesgo de contraer cáncer:

Seguir una dieta baja en contenido graso (especialmente, baja en grasas de origen animal), compuesta principalmente de frutas, verduras y cereales integrales; mantener un peso saludable y un programa de ejercicio adecuado; y limitar o eliminar el consumo de bebidas alcohólicas.

La evidencia científica en pro de esta recomendación es sólida. A continuación presentamos algunos ejemplos relacionados con el consumo de carne. Un estudio realizado en 35.000 mujeres reveló que las que seguían dietas altas en carnes y en grasas de origen animal (especialmente hamburguesas) habían duplicado el riesgo de sufrir de cáncer de los nódulos linfáticos. Los hombres noruegos que comieron carnes procesadas tuvieron mayor incidencia de cáncer de colon. Un estudio de hombres suecos, llevado a cabo durante 14 años, mostró que las carnes de res y de cordero fueron los únicos alimentos estrechamente vinculados a índices más altos de cáncer de colon. Y en un estudio hecho en Harvard, en el que participaron 90.000 mujeres, se llegó a la conclusión de que ninguna cantidad de carne de res es segura, cuando de cáncer de colon se trata.

¿No es hora ya de reemplazar alguna de esas 21 vacas con un camión cargado de cereales, o esos 14 carneros, con unas cuantas toneladas de frijoles; evitar totalmente el consumo de los 12 cerdos, y sustituirlos con un par de carretillas cargadas de zanahorias y manzanas frescas?

Más importante aún es el cambio espiritual que Jesús sugiere en Mateo 16:24-26. ¡Suena extraño, ¿verdad?! ¡Perder su vida, sólo para encontrarla? ¡Se ve tan opuesto a nuestra manera de pensar!

Es la paradoja del cristianismo; pero se trata de un cambio que bien vale la pena.

¿Qué le parece? Para seguir hoy a Cristo, verdaderamente, ¿habrá algo en su vida que debería cambiar por algo mejor?

El pecado de la prisa

Porque allí hay un tiempo para todo lo que se quiere y para todo lo que se hace.
Eclesiastés 3:17.

De nuevo andaba de prisa. Iba camino a un entrenamiento con nuestro equipo de fútbol colegial. Como de costumbre, había intentado abarcar demasiado en las horas tempranas de la mañana; pero ahora, un policía del tránsito me obligaba a detenerme a un lado de la carretera. Me entregó un formulario amarillo en el que se leía: "Tribunal municipal de tránsito". El delito: exceso de velocidad. Había transgredido la ley. Mientras manejaba, el Señor me habló:

—Quebrantaste la ley.

Y estuve de acuerdo.

—No —continuó—, no entiendes. Quebrantaste LA LEY. Transgredir una ley humana era bastante serio; pero yo era culpable de haber roto un ritmo mucho más importante y eterno. Había cedido al pecado de la prisa.

En su libro *Zorba, el Griego*, Nikos Kazantzakis relata un incidente de ésos que transforman la vida. "Recuerdo la mañana cuando descubrí un capullo de gusano de seda en la corteza de un árbol, justo en el momento en que la mariposa estaba haciendo un orificio en la cubierta, preparándose para salir. Esperé un rato; pero ella tardaba mucho en aparecer, y yo estaba impaciente. Me incliné sobre el capullo, e intenté entibiarlo con mi aliento. Lo hice tan rápidamente como pude, y el milagro comenzó a darse ante mis ojos. La cubierta se abrió, y la mariposa comenzó a arrastrarse lentamente hacia la salida. Sin embargo, nunca olvidaré el horror que sentí al ver cómo sus alas se plegaron hacia atrás y se desplomaron. La mariposa luchó desesperadamente, pero segundos después murió en la palma de mi mano.

"Ese cuerpo pequeñito es, el mayor peso que cargo en mi conciencia. Porque hoy me doy cuenta de que es un pecado mortal violar las leyes grandiosas de la naturaleza. No deberíamos apresurarnos. No deberíamos ser impacientes, sino obedecer confiadamente el ritmo eterno. ¡Si tan sólo esa mariposa hubiera podido siempre revolotear delante de mí, para mostrarme el camino!".

El tiempo es un sagrado misterio. No importa de qué tiempo se trate: la hora de Greenwich, la hora de verano, la hora estándar, la hora de las montañas o la del Pacífico. Parecería que nunca tenemos tiempo suficiente.

¿Cómo podemos evitar el pecado de la prisa? Sometiéndonos entera y absolutamente a Dios; abandonando nuestros plazos autoimpuestos, para vivir al ritmo del himno que dice: "Salvador, a ti me rindo... todo rindo a ti". Sin disculparnos ni excusarnos, ni lamentarnos; viviendo momento a momento, en gozosa obediencia al sentido divino del tiempo.

¡Oh, Dios y Señor, Creador del tiempo y de la eternidad, perdóname por ceder al pecado de la prisa!

¿Azúcar en la mañana?

Comer mucha miel no es bueno. Proverbios 25:27.

¿Azúcar en la mañana? Sí. Millones de nosotros empezamos el día con postres: sean tartas de frutas concentradas, pasteles con mermelada, cereales endulzados, yogur con chocolate o panecillos dulces del tamaño de un televisor en miniatura. Y luego pasamos las 14 horas siguientes, comiendo y bebiendo... ¡más dulces!: desde roscas azucaradas a media mañana hasta batidos de vainilla al mediodía y galletitas después de cenar. Y como si fuera poco, aumentan las bebidas gaseosas a nuestro alrededor, como el agua en las inundaciones.

En los Estados Unidos se consumen unos doscientos litros de gaseosas al año por persona. En este país, cada hombre, mujer y niño consume, en promedio, más de tres cuartos de taza de azúcar por día. A pesar de las advertencias de la ciencia respecto a la obesidad, a la diabetes y a otros riesgos a que nos exponemos, parecería que nunca nos basta la cantidad de azúcar que consumimos. ¿Nos encaminamos hacia un "dulce futuro"?

Muchos no se dan cuenta de la enorme cantidad de azúcar que ingieren, porque la mayor parte "está escondida" en los productos que consumen. Por ejemplo: las bebidas gaseosas son la mayor fuente de azúcar refinada, ya que contienen de 8 a12 cucharaditas por cada lata de bebida.

El azúcar también se esconde en la mayoría de las comidas procesadas, como las sopas y frutas enlatadas, los pasteles de carne, la salsa de tomates (ketchup), las viandas preparadas comercialmente, y varias marcas de mantequilla de maní. La mayoría de los cereales contienen azúcar. Cincuenta por ciento de las calorías de algunos de ellos provienen justamente del azúcar. ¿Son cereales? No. Son golosinas.

Los azúcares concentrados, refinados, entran rápidamente al torrente sanguíneo. Como resultado, la glucosa en la sangre aumenta y produce un rápido estímulo energético. Sin embargo, este estímulo es sólo temporal, ya que dispara una ola de insulina que baja los niveles de glucosa en la sangre, pero que, en ausencia de los efectos moduladores de las fibras, a veces los baja demasiado y demasiado pronto.

El descenso de glucosa en la sangre a menudo produce síntomas similares a los de la hipoglucemia: sensación de debilidad, hambre, fatiga y melancolía. La reacción más común a esto suele ser recurrir a otra golosina, y luego a otra, llevando a cierto tipo de fiesta de dulces a lo largo del día. Procure, en lugar de ello, comer una manzana, una banana o alguna fruta. La fibra que contienen estos alimentos aminora la absorción del azúcar en el torrente sanguíneo, lo cual hace que los niveles de glucosa no oscilen tanto. Este sencillo cambio estabilizará su energía y le hará sentir satisfecho(a) por más tiempo.

El sabio nos advierte que uno puede abusar hasta de un alimento natural como la miel. ¿La moraleja? Es malo usar o consumir lo bueno en exceso.

Señor, sé que mi cuerpo es un templo. Ayúdame a tratarlo como tal.

Un cambio de corazón

Entonces se le acercó Pedro y le dijo: 'Señor, ¿cuántas veces perdonaré a mi hermano que peque contra mí? ¿Hasta siete?' Jesús le dijo: 'No te digo hasta siete, sino aun hasta setenta veces siete'. Mateo 18:21,22.

Hay una razón por la cual Jesús dijo a Pedro que debía perdonar 490 veces. El cerebro humano es un organismo complejo, con muchas conexiones conscientes e inconscientes. El perdón, sin embargo, es el agente catalizador que nos libera de las conexiones negativas.

Rebeca había estado casada con un hombre dado a practicas inmorales, y que finalmente la dejó por otra mujer. Como es de esperar, cuando esto ocurrió, Rebeca se sintió humillada y furiosa. Le afectó tanto, que aun con el pasar del tiempo, la sola presencia de su ex esposo cuando visitaba a sus hijos, le hacía afluir la adrenalina, provocándole palpitaciones y acelerándole el ritmo de la circulación y de la respiración. Lo peor y más extraño de todo es que llegó al punto de experimentar que *cualquier cosa* que de alguna manera le hiciera recordarlo —por ejemplo, ver su auto, o a los padres de él— le causaba exactamente la misma reacción.

¿Por qué le pasaba esto? Las neuronas que memorizaban a su ex esposo estaban constantemente asociadas con las neuronas que estimulaban la producción de noradrenalina (sustancia de efectos biológicos semejantes a la adrenalina), así que, todo lo que le recordara a su esposo hacía que Rebeca segregara noradrenalina. Mientras perdurara la asociación entre las neuronas que memorizaban a su ex esposo y las neuronas de la noradrenalina, el perdón sería imposible. Por eso, las primeras oraciones de Rebeca eran vengativas (como algunas de las que leemos en los Salmos): "Señor, dale a mi ex marido lo que merece".

Rebeca decidió entonces cambiar de oración: pedirle a Dios que le diera un nuevo corazón, para poder perdonar. El "transplante" se efectuó de inmediato. La conexión entre las neuronas que producían efectos negativos quedó interrumpida, lo cual dio lugar a la acción de las neuronas productoras de endorfina, que al fin le permitió experimentar paz mental. ¡El cambio de corazón cambió su vida! No le hizo olvidar lo que su esposo le había hecho, pero le permitió librarse de sus sentimientos de amargura; y con ello completar el proceso del perdón.

C. S. Lewis lo expresó de esta manera: "Ser cristiano significa perdonar lo inexcusable, porque Dios ha perdonado lo inexcusable en nosotros".

Si nuestro Dios amoroso está dispuesto a perdonar nuestras iniquidades para sanarnos, ¿no deberíamos nosotros, como hijos suyos, hacer lo mismo con los que nos han ofendido?

Enloquecido con crack

Cuando era la hora, se sentó a la mesa, y con él los apóstoles. Y les dijo: '¡Cuánto he deseado comer con vosotros esta pascua antes que padezca!' Lucas 22:14,15.

El crack de cocaína se prepara calentando clorhidrato de cocaína con bicarbonato de sosa y agua. Al evaporarse el agua, la mezcla se solidifica. Cuando se fuma, el 80% de su contenido de cocaína llega al cerebro en ocho segundos, causando que éste segregue dopamina, hormona de placer por medio de la cual induce un estado de euforia masiva, durante uno o dos minutos. Tras este primer estado de euforia, entre el 60% y el 80% de las personas que lo experimentan se convierten en adictos. Sin embargo, al tratar de repetir la experiencia, ya no pueden lograrla con la intensidad de la primera vez, porque sus cerebros tienen menos dopamina que antes. Así, cuanto más los adictos insisten, menos consiguen, y finalmente caen en un profundo estado depresivo. Como el malestar es extremo, para aliviarlo los adictos recurren a otros estupefacientes, como la marihuana, el alcohol o la heroína.

¿Qué se puede hacer ante semejante cuadro? El Dr. David F. Allen, psiquiatra que ha dedicado su vida al estudio de la conducta del adicto a substancias tóxicas, considera que el enfoque espiritual es el que ofrece más esperanza para ayudarle; y utiliza como modelo, la última cena del Señor con sus discípulos.

El primer componente, es el amor. Jesús "los amó hasta el fin" (Juan 13:1). Si deseamos ayudar, debemos abrirnos a la posibilidad de convertirnos en instrumentos del amor de Dios.

El segundo componente es tiempo. Jesús dedicó tiempo a la comunión con sus discípulos. Lleva tiempo, puede ser que tengamos que satisfacer la necesidad de alimento de la persona adicta, comer con ella y escucharla.

El tercer componente es determinación: Es de esperar que el adicto se resista. Judas se resistió al amor de Jesús, pero esto no detuvo ni desvió a Jesús de su propósito. No debemos desanimarnos.

El cuarto componente es humildad. Jesús "se quitó su túnica", para hacer el trabajo de un esclavo. No debemos actuar sintiéndonos superiores al adicto.

El quinto componente es sencillez. Nuestro Señor "puso agua en un lebrillo, y comenzó a lavar los pies de los discípulos". Hizo, pues, algo muy simple. Los programas no tienen por qué ser caros ni complicados para ser eficaces.

El sexto componente es servicio. Jesús lavó los pies de todos, incluso los de Judas. ¿Será que la verdadera prueba del poder sanador de Dios es que podemos lavar los pies de quienes hasta pueden destruirnos?

El séptimo componente es trascendencia. Esto sencillamente significa que a pesar de los problemas más terribles, Dios continúa en su trono: "Si Dios es por nosotros, ¿quién contra nosotros? (Rom. 8:31).

Señor, ayúdame a modelar mi vida a semejanza de la de Jesús, y a entregarme a ayudar a otros como él lo hizo. Amén.

He acabado la carrera

He peleado la buena batalla, he acabado la carrera, he guardado la fe. 2 Timoteo 4:7.

Cuando cumplí 40 años quise probar que no estaba envejeciendo sino ¡poniéndome en mejor forma! De modo que decidí correr en una carrera de maratón.

Comencé mi plan con un año de anticipación. El primer paso era conseguir un libro que explicara cómo prepararse adecuadamente para la carrera. El segundo paso, comenzar un programa de capacitación, y el tercero, ponerlo en práctica.

Mi hermano, maratonista veterano, me envió un libro sobre el tema "4 meses para una maratón de 4 horas". Pensé que, en mi caso se trataría de *10 meses para un maratón de 6 horas;* pero mi objetivo era correr todo el trayecto de la carrera, no romper un récord.

Comencé caminando unos 8 kilómetros por día, cuatro veces por semana. Luego aumenté de un kilómetro y medio a tres kilómetros por semana. Pronto pude caminar entre ocho y quince kilómetros por día, cinco o seis días por semana. Entonces empecé a correr un kilómetro y medio por cada dos que caminaba. Dos meses antes comencé a practicar durante la misma cantidad de tiempo que duraría la carrera; también aumenté el recorrido entre veintidós y veintisiete kilómetros. Llegué a correr más de treinta y cinco kilómetros por semana.

El día de la carrera sentí que estaba lista. Había "luchado la buena batalla", con un programa regular de entrenamiento. Pronto sabría si habría de "acabar la carrera" ¡de 40 kilómetros!

Era una fría y lluviosa mañana en Seattle, a las 7:30 a.m. comencé corriendo y caminando. Para conservar la energía, me detuve y me reabastecí en cada estación de asistencia. A los 12 kilómetros, me puse a la par de otra maratonista novicia y permanecí con ella, corriendo y caminando, por el resto de la carrera, animándonos mutuamente y disfrutando de este tramo juntas. Al completar 30 kilómetros, las rodillas me dolían, pero seguí esforzándome, y a las 5 horas y 45 minutos, llegué rengueando ¡a la meta final!

Como es de esperar, no aparecí en los titulares ni me aclamó nadie al llegar, pero sí tengo una medalla que prueba que lo logré.

La vida cristiana es como una carrera de maratón. Uno necesita leer la Biblia para obtener las instrucciones, hacer un plan para vivir la vida cristiana; ponerlo en práctica, y por fin, acabar la carrera y mantener la fe. ¡Sólo que el premio será mucho mejor que una medalla!

¿Qué le gustaría hacer para vivir un estilo de vida más saludable? Confeccione un plan, póngalo en práctica, y celébrelo cuando haya "acabado su carrera".

Endulce el mensaje pro salud

Y estas palabras que yo te mando hoy, estarán sobre tu corazón; y las repetirás a tus hijos, y hablarás de ellas estando en tu casa, y andando por el camino, y al acostarte, y cuando te levantes. Deuteronomio 6:6,7.

Cheryl asistió a un seminario acerca de cómo vivir sanamente. Volvió a su casa, y puso la cocina patas arriba. De un tirón eliminó las hamburguesas, los helados, el azúcar refinado, la harina blanca, la margarina, los alimentos procesados, las barritas de golosinas y las bebidas cafeinadas. Enroló a su familia en un programa de ejercicios y los adoctrinó acerca de la reforma pro salud.

La mayoría de los entusiastas de la salud aplaudirían a Cheryl por su celo, pero en realidad los resultados fueron negativos. ¿Por qué? Porque sus familiares —molestos por su determinación de quitarles todo lo que les gustaba e imponerles un estilo de vida restrictivo que no entendían ni mucho menos aceptaban— se alejaron disgustados.

Así como uno no puede volver de la iglesia como una persona salvada, y esperar que toda la familia lea la Biblia y ore, tampoco puede obligar a quien aún no ha captado la visión respecto al estilo de vida, a que acepte forzosamente la reforma pro salud. Para lograr su objetivo, debe presentar el tema de manera atractiva; endulzarlo un poco; motivar a su familia a seguir un nuevo estilo de vida, haciéndolo interesante y hasta divertido. La idea es persuadir, no empujar.

Esto es lo que he aprendido de las familias que han hecho exitosamente la transición de uno a otro estilo de vida:

1. *Viva lo que cree.* Uno no puede esperar que los demás hagan lo que uno no hace. Los hechos hablan más fuerte que las palabras. ¿Ven sus hijos que se pone los zapatos deportivos y sale a caminar o a correr, enfrentando la brisa matinal? ¿Le ven escoger una manzana, en lugar de un pedazo de pastel, o agua en lugar de bebidas gaseosas? Ore, pidiéndole a Dios fuerza de voluntad para vivir según sus convicciones.

2. *Sepa por qué hace lo que hace.* Vivir saludablemente debe tener sentido. La explicación es sencilla: si algo debilita su sistema inmunológico, obnubila sus sentidos o sus facultades mentales, o lo expone a un ataque al corazón, a una embolia cerebral o a la diabetes, es malo. ¡Así de simple!

3. *Sea flexible y mantenga el equilibrio.* No permita que su celo por la salud haga que los suyos se sientan miserables. No deje que su inquietud por lo que se pone en la boca le haga olvidar lo que sale de ella, en términos de críticas y censuras. Cuando sienta que hay un "sermón" en la punta de su lengua... ¡muérdasela!

4. *Haga los cambios poco a poco.*

5. *Exprese su dicha y alabe a Dios.* Por sana que esté, la gente gruñona no le cae bien a nadie.

Considere un cambio saludable que le gustaría ver en sus familiares. ¿Qué podría hacer para que ese cambio los atraiga, en vez de ahuyentarlos?

Hay que tener mucha fe para no ser sanado

Porque a vosotros os es concedido a causa de Cristo,
no sólo que creáis en él, sino también que padezcáis por él. Filipenses 1:29.

Mientras mi esposa conducía el auto para llevarme a donde yo tenía que predicar, me preguntó:

—¿Sobre qué vas a predicar hoy?

—Acerca de que se requiere más fe para no sanar que para sanar.

—¿Qué? —exclamó ella, distrayéndose un instante de la ruta.

—Hay gente que no tiene fe suficiente como para que no se la sane, de modo que a Dios sólo le queda... ¡sanarla!

Siempre hemos pensado que si tenemos fe suficiente, Dios nos sanará; pero en realidad, bien podría suceder lo contrario. Si tenemos mucha fe, es posible que no nos sane.

Por si usted cuestiona mi tesis, tal como mi esposa lo hizo, aquí le presento algunas evidencias bíblicas. Todos los discípulos de Jesús, excepto uno, murieron como mártires. Y el que no murió como tal, fue exiliado a Patmos. Juan el Bautista pereció solo en una mazmorra. Elías recibió una doble porción del Espíritu de Dios, pero murió después de una prolongada enfermedad. ¿Por qué? Aparentemente, aunque no es la voluntad de Dios que la gente sufra, sí es su voluntad formar un día una guardia de honor con aquellos que siguieron confiando en él durante una enfermedad devastadora o un mal terrible, diciendo como Job: "Aunque él me matare, en él esperaré". (Job 13:15).

Solemos pasar por alto las historias donde los hijos de Dios consagrados no obtuvieron los milagros que pedían. En lugar de ésas, contamos las de las langostas que, aunque devastaron los campos vecinos, no tocaron el del hermano que fue fiel en la entrega del diezmo. Y si las langostas comieron la cosecha en el campo que este hermano fiel en los diezmos había dedicado a Dios, nos referimos a esto diciendo: Si el Señor quiere dar de comer a sus criaturas en un campo de su propiedad, está bien.

La realidad muestra que la vasta mayoría de quienes piden un milagro, no reciben lo que piden. No obstante, estas personas demuestran que no sirven a Dios por lo que pueden obtener de él. Le sirven, independientemente de lo que suceda. Y en realidad, de esto se trata, cuando de verdadera fe hablamos.

Una de mis citas favoritas es de un autor anónimo. Dice así: "Hay una paz que llega después del dolor: es la de la esperanza rendida, no cumplida; paz que no aguarda el mañana, sino la tempestad; paz que no encuentra la paz del éxito, sino la de los conflictos soportados. Es la paz de una vida de entrega, libre de deseo y de pasión. Esa paz triunfó en el Getsemaní con un: 'Sea hecha tu voluntad'".

Ojalá que usted encuentre hoy la paz que Dios ofrece, independientemente de cómo sea su día.

La Palabra: escoba de Dios

Santifícalos en tu verdad; tu palabra es verdad. Juan 17:17.

¿Le gustaría un panecillo de salvado de avena o prefiere una rosca glaseada? ¿Arroz integral o papas fritas?

No fue tan difícil decidir sobre esto, ¿verdad?

¿Y si habláramos de elegir entre ver su programa televisivo favorito o leer la Biblia? ¿Le resultaría más difícil la pregunta?

El fondo del asunto es que todas estas categorías tienen algo en común y son tan importantes para nuestra salud espiritual como para nuestra salud física.

Es probable que haya oído o leído que el salvado de avena y el arroz integral son las mejores opciones, particularmente por su elevado contenido de fibra. Las fibras que contienen no están allí sólo para darles color; desempeñan un papel importantísimo en los intestinos. Funcionan como las escobas en casa. Barren hasta los rincones más escondidos, y arrasan con los restos de alimentos que nuestros cuerpos no pueden utilizar. También purifican nuestros sistemas, librándolos de peligrosos carcinógenos (agentes que causan cáncer) y otros microorganismos que, en caso de dejarlos, nos enfermarían con males tan comunes como el cáncer de colon, la diverticulitis, y la colitis ulcerativa.

La Palabra de Dios también es vital y desempeña un papel similar al de las fibras. Leerla debería ser nuestra elección principal. No está para lucir bonita en los estantes, ni para llevarla a la iglesia en estuches lujosos, sino para ser comida y digerida; para llegar a formar parte de nosotros.

Mientras Jesús oraba al Padre, por sus discípulos y por nosotros, pidió que fuéramos santificados por la verdad. Declaró que su Palabra —la Palabra de Dios, la Biblia— es la verdad.

El término griego que se traduce como santificar, es haziago, que significa purificar. La Palabra de Dios es nuestra escoba espiritual. A medida que la leemos, alcanza las partes más íntimas de nuestro ser, y nos muestra nuestra necesidad de Cristo. En manos del Espíritu Santo, barre el templo de nuestras almas, para limpiarnos de hábitos, deseos, apetitos y rasgos de carácter que, en caso de dejarlos prosperar, nos infectarían con la enfermedad del pecado. Debemos purgarnos de estas cosas para poder atravesar exitosamente los momentos finales de la historia de la Tierra. Nuestro Salvador habrá de venir muy pronto. La fibra espiritual de la Palabra de Dios nos ha sido dada para ayudarnos, tanto en lo físico como en lo espiritual.

¿Ha usado hoy su escoba espiritual? ¡Es la única manera de mantenernos espiritualmente limpios!

La ira y su conexión con la adrenalina

Airaos, pero no pequéis; no se ponga el sol sobre
vuestro enojo, ni deis lugar al diablo. Efesios 4:26.

De niña, a veces oía a mis padres hablarse con enfado. Sucedía, generalmente, cuando papá conducía en cierta dirección, y mamá pensaba que debíamos ir en otra. No era un diálogo hostil; no intentaban lastimarse mutuamente. Sólo procuraban dejar en claro sus respectivos puntos de vista. Pero sus voces fuertes y sus palabras negativas me afectaban. Aún pasada la tormenta emocional —que solía desvanecerse pronto—, yo sentía pesar en mi corazón. Y pensaba que tenía que haber una manera mejor de resolver las diferencias.

Dados los efectos destructivos de la ira acumulada, hasta hace poco tiempo los psicólogos aconsejaban deshacerse de ella cuanto antes, independientemente de a quién se lastimara. Pero nunca es adecuado herir a otro para sanarse uno. En lugar de esto, la Biblia nos exhorta a ser "benignos unos con otros, misericordiosos", perdonándonos unos a otros, como Dios también nos perdonó a nosotros (Efe. 4:32).

Nuevas investigaciones prueban lo equivocado de aquella posición psicológica, y lo acertado de la admonición bíblica. La solución al problema del enojo no radica en expresar la ira, sino en su prevención, su reconocimiento a tiempo y la determinación de aprender a controlarla. Malo no es sentir enojo —una emoción temporal, capaz de producir la energía necesaria para corregir la injusticia—, malo puede ser el modo de expresar esa emoción. La conducta que se sigue es lo que importa. Si con ésta se lastima usted o lastima a otros, ¡está mal!

Si reprime su enojo, entorpecerá la forma en que Dios propuso que su cuerpo funcionara. La ira produce un flujo de adrenalina que Dios diseñó para la supervivencia del hombre: un estímulo de lucha o de huida. La ira acumulada mantiene el motor andando, por así decirlo; recargando los tejidos y los órganos del cuerpo con substancias químicas innecesarias. Esto daña las arterias, eleva la presión arterial y causa dolores de cabeza, úlceras y enfermedad cardiaca prematura.

Pero lo mismo ocurre si expresa su enojo con palabras airadas o si se conduce con violencia. Carol Tavris revisó una investigación sobre la ira, y luego escribió el libro *Anger, The Misunderstood Emotion* (El enojo: la emoción incomprendida). En él concluye que la ira ventilada, libremente expresada; lejos de disminuirse aumenta y establece un hábito hostil. Según ella, es mejor mantenerse calmado ante las irritaciones del momento y distraerse, dedicándose a alguna actividad placentera hasta que la furia ceda.

Este método es bueno para la salud, porque evita el flujo innecesario de adrenalina que envenena el sistema. Permite que uno se sienta mejor más rápido, y con más claridad mental para resolver los problemas de manera que nadie salga perjudicado.

Señor, ayúdame a controlar mi enojo de manera saludable, para que no me lastime ni lastime a los demás.

¡Hay un Dios!

¡Oh, Jehová, tú me has examinado y conocido!... <u>Me guiará tu mano y me asirá tu diestra</u>...
<u>*Porque tú formaste mis entrañas; tú me hiciste en el vientre de mi madre*</u>. Salmo 139:1,10,13.

Hace trece años, mi vida era un verdadero desastre. Consumía drogas y bebidas alcohólicas, fumaba, padecía de exceso de peso, faltaba a clases, tenía una actitud horrible ante todo y con todos, y trataba muy mal a mi familia. Incluso llegué a abandonar la escuela secundaria y perdí todo un año, nada más mirando televisión y parrandeando.

Creía en el poder del yo. Si quería algo, lo conseguía. De modo que cuando decidí volver a la escuela secundaria, me preparé para los exámenes y logré graduarme con mi clase, aunque mis notas fueron apenas suficientemente buenas para aprobar el curso. Al fin y al cabo, ¿qué más daba? Nadie en mi familia había ido nunca a la universidad.

Cuando conocí a Rick y me casé con él, comencé a mejorar mi estilo de vida, pero no fue sino hasta que mi abuelo murió de cáncer del colon, que me hice vegetariana. Probablemente, él había muerto por comer a diario tocino y huevos. Mi abuelo fue el único padre que conocí, y su muerte fue devastadora para mí.

Poco después, cuando mi abuela sufrió una embolia cerebral, me sentí destrozada. ¿Por qué me pasaba todo esto?

Al llevarla vez tras vez a sus sesiones de terapia, me impresionó la importancia de la fisioterapia, y decidí inscribirme en el programa de asistente de fisioterapia de la Facultad de Michigan. Pero no me permitieron entrar.

Al no poder conseguir lo que quería, me mudé a nuestra casa de veraneo en Tennessee, para tratar de entrar al programa de asistente de fisioterapia en Roane State, en LaFollette.

Allí fue donde conocí a Kari, estudiante de fisioterapia de la Universidad de Andrews (institución adventista del séptimo día que quedaba a pocas millas de nuestro hogar en South Bend). Mientras yo corría entre 10 y 12 millas al día, preparándome para una carrera maratón, Kari andaba en su bicicleta o corría a mi lado y me contaba historias bíblicas (algo que yo nunca antes había oído). Con el correr del tiempo, Kari y yo nos hicimos amigas, y ella me entusiasmó para que me inscribiera en el programa de fisioterapia de la Universidad Andrews.

Un día, mientras estudiábamos el cráneo humano en la clase de anatomía, me vino a la mente y al corazón la idea de que *¡Dios era real!*

La evolución no podía explicar los pequeños orificios en el maxilar, cuyo tamaño era precisamente el necesario para que los nervios trigéminos pasaran a fin de que pudiésemos masticar. ¡Tenía que haber un Dios! Y este Dios personal estaba dirigiendo mi vida, aunque yo no sabía nada acerca de él. ¡Qué asombroso!

<u>Piense de nuevo en cómo Dios lo ha guiado en el pasado, y permita que la realidad de su presencia infunda energía en su vida.</u>

Mi travesía hacia la salud espiritual

Y escribe al ángel de Laodicea: '… te vomitaré de mi boca. Porque tú dices: yo soy rico, y me he enriquecido, y de ninguna cosa tengo necesidad; y no sabes que tú eres un desventurado, miserable, pobre, ciego y desnudo'. Apocalipsis 3:14,16,17.

Era una noche fría en Míchigan. En casa conversaba con un grupo de buenos amigos. Yo compartía con ellos lo que tenía en mente: nuestro nuevo hogar, las últimas adquisiciones, los cruceros de mis sueños. De pronto, Peter me interrumpió: "Donna, ¿qué vas a hacer con tu orgullo?"

Mi amistad con él me contuvo lo suficiente para no estallar de rabia y refutarle.

Lloré por los próximos diez meses. Pero aquella experiencia fue el colirio que me ayudó a ver mi verdadero estado de miseria. Sí, yo llevaba la Biblia a la iglesia, y dirigía el departamento de cuna y la comisión social. Ser vegetariana y dar el diezmo parecían formar parte de la estructura misma de mi ADN. ¡Pero no tenía amor para los que se perdían!; sólo lo tenía para mí misma.

Mi travesía entre la tibieza espiritual y el amor por Cristo comenzó cuando le supliqué a Dios que hiciera lo que fuera necesario para que yo pudiera tener 15 minutos diarios cada mañana, para dedicarlos a él. Dado que mi mente era espiritualmente letárgica, sabía que sin su intervención no podría lograrlo.

Así, comenzando por Génesis, descubrí que un Dios suficientemente grande como crear el universo, bien podía ¡volver a crearme! Me asombré al repasar la travesía de Abraham y las cosas tontas que hizo, sólo para darme cuenta de que Dios nos llamó a todos a participar en una travesía similar hacia la completa confianza. Meneé la cabeza al advertir que algunos israelitas no estaban dispuestos a dejar la esclavitud de Egipto, sólo hasta percatarme de que yo tampoco quería abandonar mi cómodo estilo de vida. Lloré amargamente al ver cómo Jesús, el Cordero Inmolado, derramó su sangre por mí, aun cuando yo no estaba lo suficientemente despierta para ponerla sobre el dintel de mi puerta.

A medida que despertaba de mi letargo, la batalla espiritual se intensificaba. Cuanto más Dios abría mis ojos, más claramente yo veía a Satanás, sus estrategias y sus planes para mi vida; y más atraída me sentía a volver a mi versión de Egipto: jugar tenis en el club, ir de compras, gratificación instantánea.

En Getsemaní alcancé a distinguir su voz, instándome a mantenerme despierta y orar. Comencé a orar a lo largo del día y a andar por el santuario del desierto.

Hoy me doy cuenta que Laodicea no es un lugar que uno "visita". Es, más bien un lugar en el corazón (un corazón atado a sí mismo). Alabo a Dios por este viaje hacia la salud espiritual, y por mi nuevo corazón que hoy late por la gente que se pierde.

Precioso Padre Celestial, te ruego que cierres mis ojos al yo y abras mi corazón hacia la gente que se pierde.

El costo de la miseria

Mas gracias sean dadas a Dios, que nos da la victoria
por medio de nuestro Señor Jesucristo. 1 Corintios 15:57.

Durante los 28 años que David fumó, pensó muchas veces abandonar ese hábito, pero nunca lo hizo. Recientemente, a Larry su mejor amigo, un hombre de 45 años, que había fumado por más de veinticinco años, se le diagnosticó cáncer de pulmón. Ésta fue una llamada de alerta para David, quien se inscribió en un programa para dejar de fumar.

David aprendió que las consecuencias médicas del hábito de fumar constituyen el problema de salud número uno en los Estados Unidos, y que anualmente causa más de cuatrocientas cincuenta mil muertes. Un promedio de 37.000 muertes por mes, 1230 muertes al día, 51 muertes por hora y casi una muerte por minuto.

La perspectiva de sufrir de una enfermedad terminal, larga y dolorosa, como enfisema o cáncer amedrentó a David. Aunque por lo general, el cáncer de pulmón es el que más se relaciona con el hábito de fumar, también hay otros cánceres ligados a este hábito, por ejemplo, los de labio, boca, garganta, laringe, esófago, estómago, hígado, páncreas, colon y vejiga. Además, existe la posibilidad de contraer enfermedades coronarias o una embolia. Se estima que el hábito de fumar es el agente causal del 30% al 40% de todas las muertes por enfermedades coronarias en los Estados Unidos, así como también del 15% de las casi ciento cincuenta mil muertes por embolia cerebral. David se enteró de que el riesgo de sufrir de una enfermedad arterial periférica aterosclerótica es diez veces mayor, o más común entre fumadores, y también, que la muerte por ruptura de un aneurisma abdominal es de dos a cinco veces más común entre ellos.

Obviamente, el costo de la miseria relacionada con el hábito de fumar es incalculable. Y sin embargo, ¡las compañías tabacaleras ganan más de cincuenta mil millones de dólares anuales por la agonía que infligen!

La pregunta es, ¿podrá David deshacerse de este hábito? Sí, lo hará, porque ha decidido no tratar de obtener la victoria por sí mismo. En vez de ello, ha escogido 1 Corintios 15:57 como su texto de victoria, y ha reclamado la promesa de que todo lo puede con Cristo (Fil. 4:13). Además, ha llegado a la conclusión de que fumar es pecado, porque el tabaco mata lentamente, y la Ley de Dios es clara al decir: "No matarás". Por lo tanto, David está abandonando este hábito. Ha dejado de lado sus cigarrillos y se ha propuesto mantenerse alejado de los fumadores, para evitar la tentación. Además, cuenta con un grupo de amigos que está orando por él, y sus compañeros de clase del programa para dejar de fumar confían en que lo logrará. Hace sólo días que dejó de fumar, pero ya agradece a Dios por la victoria.

Si después de 28 años de adicción, Dios le pudo dar a David la victoria, también puede dársela a usted.

Cuando los problemas infantiles crecen

Si alguno quiere venir en pos de mí, niéguese
a sí mismo, y tome su cruz, y sígame. Mateo16:24.

Los problemas infantiles no resueltos crecen con uno. Los problemas emocionales del adulto suelen remontarse a problemas no resueltos de la niñez. De ahí la importancia de ayudar a los niños a resolver sus problemas emocionales cuando todavía son jóvenes e impresionables, y cuando la gente mayor aún los trata con simpatía y amabilidad.

Lina siempre llega tarde al trabajo, a las reuniones, a las comidas y a las citas. De niña, nadie le exigía llegar a tiempo. Ahora le resulta difícil romper con ese hábito y sujetarse a una buena ética laboral.

Roberto tiene sobrepeso, la salud quebrantada y dificultad para adoptar hábitos alimentarios adecuados. Todo empezó cuando su madre lo alimentaba con golosinas o meriendas no nutritivas, lo consolaba con alimentos y le permitía arrasar con el refrigerador. Todo, en nombre de un "te quiero" mal entendido.

Juana deja caer la ropa al piso, y hasta camina sobre ella. Sus hábitos desordenados la siguen hasta su lugar de trabajo. Es inteligente y trabajadora; podría avanzar en su carrera en la agencia de guarderías y atención infantil, de no ser porque los administradores saben que una supervisora desorganizada representa un modelo negativo. El problema no resuelto de Juana la detiene.

Cuando los problemas de la niñez crecen hasta convertirse en problemas de adultos, ¿hay esperanza?

¡Claro que sí! Todos los problemas heredados y cultivados pueden vencerse cuando —habiendo aceptado a Cristo como Salvador— uno se ha convertido de verdad, pues para entonces sabe que todo lo puede en Cristo que fortalece su sentido de autocontrol y su determinación de cambiar (véase Fil. 4:13).

Satanás, sin embargo, quiere que crea que ya no tiene caso y que ha ido demasiado lejos para recibir ayuda.

Cuando sienta la tentación de creer en las mentiras de Satanás, considere esta declaración de una mensajera de Dios: "Todas las fuerzas satánicas no tienen poder para vencer a un alma que con fe sencilla se apoya en Cristo" (Elena G. de White, *Palabras de vida del Gran Maestro*, p. 122).

Jesús echó fuera demonios, resucitó muertos, sanó enfermos; y ellos le obedecieron de inmediato. En cuanto ordenó al hombre paralítico que yacía al borde del estanque, tomar su lecho y marcharse, éste obedeció y se fue sin necesidad de terapias ni demoras.

¿Y usted?, ¿qué espera? Siga las instrucciones: despójese de su carga, niéguese a sí mismo(a), tome su cruz y siga el ejemplo de Cristo, porque con él "todo es posible".

Día de delicias

Y lo llamares [al sábado] delicia, santo, glorioso de Jehová; y lo venerares, no andando en tus propios caminos, ni buscando tu voluntad, ni hablando tus propias palabras, entonces te deleitarás en Jehová. Isaías 58:13,14.

Crecí en un hogar donde se guardaba el sábado en la muy católica Polonia. Mi padre, desde niño manifestó un intenso amor a Cristo y un corazón deseoso de encontrar la verdad. Su mayor deseo era conseguir una Biblia, para leerla por sí mismo. Una noche soñó con un vendedor que tenía una Biblia en su maletín. Nunca olvidó aquel sueño. Cierta vez cuando visitaba una familia amiga, llamó a la puerta un vendedor de libros protestantes. Cuando el dueño de casa lo despidió sin comprarle nada, mi padre salió tras él y le preguntó si vendía Biblias. Mi padre no sólo compró una Biblia, sino todos los libros que el hombre llevaba. Y así aprendió que el sábado es el día de reposo.

Cuando se tiene la Biblia, no es difícil encontrar textos alusivos al séptimo día sábado. Ya en los primeros versículos del segundo capítulo de Génesis (2:1-3) leemos cómo Dios mismo descansó, bendijo y santificó el séptimo día. Y en Éxodo 20:8, ordenó a los esclavos israelitas recientemente liberados, que se acordaran del séptimo día para santificarlo. Obviamente, la adoración en el séptimo día era importante para Dios, y por lo mismo, especialmente grata para mi padre. Representaba un monumento conmemorativo en el tiempo, para recordar y alabar al Creador que él amaba.

Hasta donde me acuerdo, el sábado era una delicia para mí. De niño me vestía con mi camisa y mis pantalones de sábado, y esperaba afuera, a la luz del sol, que el resto de la familia saliera, ya lista, para caminar juntos hacia a la casa de un hermano de iglesia, donde celebraríamos nuestro servicio de culto.

Nunca faltamos al culto; ni siquiera durante la guerra, cuando bajo la dominación Nazi en Polonia era ilícito celebrar reuniones religiosas. Entonces, solíamos llevar regalos y flores a la casa de ese hermano, para hacer como que íbamos a una fiesta. Y para evitar que al oírnos, los vecinos nos denunciaran, recitábamos las palabras de los himnos, en vez de cantarlas. Tras el almuerzo especial del sábado, mi padre solía llevarnos al parque que daba al caudaloso río Wistula, o a jugar a la orilla del lago Lansk. Es por eso que mis recuerdos de infancia acerca del sábado siempre se relacionan con mi padre. Ése era el día que él pasaba con nosotros.

Muchos años después, cuando el inglés se convirtió en mi idioma, descubrí que la expresión ABBA —que es el término bíblico equivalente a papi— está en medio de la palabra sábado (sa<u>bba</u>th), y pensé: "¡No en balde el sábado es una delicia!"

<u>Santifique el día sábado y vea si no le acerca a su Papi celestial.</u>

El canto del ave

Alegraos, oh justos, en Jehová… cantadle cántico nuevo; hacedlo bien, tañendo con júbilo.
Porque recta es la palabra de Jehová, y toda su obra es hecha con fidelidad. Salmo 33:1,3-4.

Elena era una niña muy dotada. Tenía una disposición optimista y confiada, y era sociable, valerosa, resuelta y perseverante. Pero cuando tenía 9
años de edad, una compañera de curso enojada, le tiró una piedra en la cara, le
quebró la nariz y le desfiguró el rostro. A raíz de ese incidente, Elena permaneció en coma por tres semanas, y casi falleció. Cuando despertó, su apariencia
había cambiado tanto, que su padre —que había estado de viaje—, al volver no
la reconoció.

Era muy poco lo que en 1836 podía hacerse para reparar semejante daño.
Sobre esto, ella misma escribió lo siguiente: "Cada rasgo de mi rostro parecía
cambiado. Lo que veía era más de lo que podía soportar. La sola idea de cargar
con mi desgracia a lo largo de la vida me resultaba insoportable. No podía vis-
lumbrar placer alguno en mi existencia. No quería vivir, pero tampoco me atre-
vía a morir, porque no me sentía preparada" (*Spiritual Gifts*, Vol. 2, p. 9).

Elena se convirtió en una niña débil, tímida y desanimada. Sus amigos pronto
se alejaron de ella. Quedó tan frágil de salud, que no pudo seguir asistiendo a clases por mucho tiempo más; y aun en las ocasiones en que fue, no lograba recordar
lo que había aprendido. Las manos le temblaban tanto que no podía escribir, y
cuando trataba de leer, las letras parecían danzar en el papel; se sentía mareada y
a punto de desmayar.

Unos cincuenta años después, cuando visitó el sitio del accidente, Elena escribió lo siguiente: "Esta desgracia, que por algún tiempo pareció tan amarga y difícil de sobrellevar, terminó siendo una bendición disfrazada. El golpe cruel que
arruinara los motivos de alegría terrenal fue lo que me hizo volver los ojos al
cielo. Si la tristeza que nublara mis años juveniles no me hubiera llevado a buscar consuelo en Jesús, quizá nunca lo habría conocido".

Tras esa declaración, comentó la historia del ave que nunca habría cantado si
antes su amo no hubiera cubierto su jaula por completo. Cuando en total oscuridad pudo escuchar la canción, aquella ave aprendió a cantarla a la perfección.
Sólo así pudo entonarla después, a plena luz. "De este modo Dios obra con sus
criaturas. Tiene una canción para enseñarnos. Cuando la hayamos aprendido en
medio de las profundas sombras de la aflicción, podremos cantarla por siempre.
(*Review and Herald*, Nov. 25, 1884.)

Con el tiempo, Elena se convirtió en un líder espiritual y en una prolífica
autora. Si busca información bajo su nombre —Elena G. de White—, encontrará que entre otras cosas se distingue por haber publicado más libros que ninguna otra mujer en la historia. ¡Increíble! ¿verdad?

Dios puede tomar cualquier incapacidad que creamos tener y transformarla en
una oportunidad. ¡Confíe en él!

Nuevos dientes... nueva vida

Porque por ahí andan muchos... que son enemigos de la cruz de Cristo. El fin de los cuales será perdición, cuyo dios es el vientre... Mas nuestra ciudadanía está en los cielos... Jesucristo... transformará el cuerpo de la humillación nuestra, para que sea semejante al cuerpo de la gloria suya, por el poder con el cual puede también sujetar a sí mismo todas las cosas. Filipenses 3:18-21.

Sea cual fuere la causa, perder un diente es siempre una experiencia traumática. Hay varias razones para esta pérdida, siendo la más común la enfermedad de las encías. En este caso, quienes la padecen suelen no darse cuenta de que están en problemas, hasta el día en que notan que sus dientes empiezan a aflojarse, o hasta cuando van al dentista para un examen general, y acaban descubriendo que ya es demasiado tarde para salvar la dentadura.

Otra de las causas de pérdida de dientes es la caries dental extrema. En este caso, quienes la padecen saben que tienen un problema, pero temen ir a ver al dentista, de manera que posponen la consulta hasta que sienten dolor y ya están en serios problemas.

En los casos de trauma, puede que las personas vean acercarse el peligro, pero no puedan hacer nada para evitarlo (no puedan escapar a tiempo, para evitar el choque); o que, directamente, no lo vean venir.

Podríamos decir que quienes niegan tener la enfermedad del pecado son como las personas que padecen de una enfermedad de las encías. Lucen bien por fuera, pero por dentro, sus raíces se están debilitando insidiosamente. Se enorgullecen de lo que en realidad debería avergonzarlos.

Los que se muestran rebeldes y rehúsan pedir ayuda a Dios, endiosando su propio apetito, son como los que tienen problemas de caries.

Quienes se encuentran en el lugar equivocado, en el momento equivocado, y no pueden escapar de las consecuencias desastrosas de las acciones ajenas, son como los que sufren un trauma.

Por medio de implantes, parciales, puentes o dentaduras postizas, los dientes nuevos y funcionales pueden ¡devolverle la vida! Con ellos se logra masticar otra vez, mejorar la digestión y lucir mejor.

A veces tenemos que experimentar una gran destrucción antes de estar listos para mirar más allá de los estrechos horizontes de nuestro dolor y pedirle a Jesús que rehaga nuestros cuerpos miserables, a fin de que se parezcan al suyo glorioso. Lo bueno es que, mientras nos disponemos a hacer esto, él promete tomar nuestro dolor, sanar nuestra enfermedad y darnos, enteramente, una nueva vida.

Señor, te ruego que hoy me des una nueva vida.

Si su vida depende de ello, ¡cambie!

Jesús le dijo: 'Levántate, toma tu lecho, y anda'. Después,
le halló Jesús en el templo, y le dijo: 'Mira, has sido sanado
no peques más, para que no te venga alguna cosa peor'. Juan 5:8,14.

Quienes tratan de hacer demasiados cambios a la vez en su estilo de vida, suelen acabar mal. El fracaso los lleva al desaliento, lo cual hace aún más difícil comenzar otra vez. Sin embargo, si uno está enfermo, puede que su vida dependa de un cambio radical.

Considere la diabetes, por ejemplo. Por lo general, los diabéticos de tipo II piensan que si siguen las instrucciones del doctor, todo va a estar bien. Pero con frecuencia no entienden que aunque cuenten con la mejor atención médica y los mejores remedios, su nivel de glucosa en la sangre no está bajo óptimo control.

Lo que se necesita es un cambio radical. Al hacer ejercicios (caminando unas cinco millas al día o su equivalente) y comer sólo alimentos de origen vegetal y no productos refinados, el 50% de los diabéticos tipo II pueden, entre tres y seis semanas, mejorarse lo suficiente para no necesitar medicinas. Entre el 80% y el 90% de las neuropatías diabéticas se curan completamente de este modo.

Las enfermedades cardíacas también requieren un cambio radical. La señal más común de un problema del corazón es ¡la muerte repentina! Así que, no espere a sentir dolor en el pecho (síntoma de angina) para hacer algunos cambios. El Dr. Dean Ornish, de la Universidad de California en San Francisco, demostró que si el contenido graso en la dieta se reduce al 10% de la ingestión calórica, acompañado de ejercicio físico y otros cambios, ocurre una disminución promedio del 5,5% de placa aterosclerótica en doce meses. La mayoría de los ataques al corazón no ocurren porque la acumulación progresiva de placa finalmente cierra la arteria, sino porque, la "costra" sobre la placa puede romperse, permitiendo que el colesterol que hay adentro pase lentamente al torrente sanguíneo. Esto provoca la formación de coágulos capaces de ocluir la arteria, aun cuando la placa no sea grande. Sin embargo, al cambiar la dieta puede lograrse que la "costra" se vuelva estable en pocas semanas.

Si está bien de salud y quiere permanecer así, conviene que decida las metas que le gustaría alcanzar, y que también se ponga cuanto antes en un plan progresivo de mejoramiento en su estilo de vida. Y si no está bien de salud, ¡con mayor razón! ¡No espere más! Que usted llegue o no al mañana depende ¡de cómo viva hoy!

Para mantener la salud espiritual, póngase cuanto antes en un plan progresivo de mejoramiento de su vida. Y si ya contrajo la enfermedad del pecado, pídale a Dios que le dé fuerza de voluntad para hacer rápidamente el cambio que necesita, hoy mismo.

Lecciones sobre las crisis de supervivencia

Esto recapacitaré en mi corazón, por lo tanto esperaré. Por la misericordia de Jehová no hemos sido consumidos, porque nunca decayeron sus misericordias. Nuevas son cada mañana. Lamentaciones 3:21-23.

El 8 de febrero de 1996, mi esposo sufrió una embolia cerebral masiva. A causa de ello, perdió todo el movimiento del lado izquierdo, se le afectó el habla, y se le dificultaron las percepciones espaciales y el pensamiento analítico. El neurólogo me dijo que él ya nunca podría volver a trabajar.

Antes de la embolia, Jan y yo éramos dos profesionales dedicados a nuestros respectivos proyectos: teníamos nuestras propias carreras, organizaciones, programas radiales diarios, seminarios y planes de escribir. Su especialidad era la salud; y la mía, la familia.

Espero que nadie tenga que seguir nuestras huellas, pero si la crisis toca a su puerta, o a la de alguien que conoce, confío en que las lecciones que aprendí sobre la vida, el amor y las relaciones, le den perspectiva y valor. Éstas son las siete principales:

Lección 1: Nada es para siempre. Alabado sea Dios que ha prometido hacer todo nuevo (Apoc. 21:5).

Lección 2: Las relaciones son más importantes que la productividad. Sería bueno que Jan pudiera arreglar los artefactos descompuestos en la casa, andar en bicicleta y nadar como solía hacerlo, pero nada de eso es necesario. Lo que importa es nuestro amor, y éste sólo se ha fortalecido.

Lección 3: Uno puede sobrevivir las crisis; puede adaptarse a cambios importantes. Hubo un tiempo en mi vida en el que creí que no podría arreglármelas si algo le sucediera a Jan. Ahora sé que sobreviviré. Puedo adaptarme al cambio.

Lección 4: No deje para mañana vivir el hoy. Hoy es el único día que se nos ha dado. Continúe viviendo cada día al máximo, sin lamentarse.

Lección 5: Viva un día a la vez. No se preocupe por el futuro, pero siga soñando. Los sueños mantienen viva la esperanza. Y la esperanza es una compañía acogedora en los tiempos difíciles.

Lección 6: La oración tiene un poder enorme. A escasos minutos de haber sufrido el ataque, Jan ya contaba con cadenas de oración en todo el mundo, rogando por él. Su recuperación ha sido milagrosa. Cuando el pueblo de Dios ora, Satanás pierde su poder.

Lección 7: Dios es bueno. Aunque las crisis y el dolor pueden empañar nuestra visión, Él está con nosotros y su Palabra nos ofrece consuelo y ánimo. ¡Sus misericordias nunca decaen!

Cuando le toque enfrentar tiempos difíciles, procure descubrir las lecciones que encierran y agradézcale a Dios "porque nunca decayeron sus misericordias. Nuevas son cada mañana".

¿Tiene tanta suerte como Kyle?

Estad siempre gozosos. Orad sin cesar. Dad gracias en todo, porque esta
es la voluntad de Dios para con vosotros en Cristo Jesús. 1 Tesalonicenses 5:16,18.

Kyle es un niño muy afortunado, me dijo su mamá, sonriendo. Yo daba por sentado que estar discapacitado siempre es malo.

—¡Oh, no! —replicó ella—. ¡Fíjese!, si Kyle hubiera nacido en la generación anterior, no habría podido tener una computadora que se activa con su voz.

Me asombró que ni Kyle ni su madre sintieran resentimiento ni amargura contra el sistema que exigió que se vacunara al niño cuando era bebé, lo cual le causó una reacción alérgica que le hizo sufrir discapacidades físicas graves de por vida. A pesar de estar confinado a una silla de ruedas y tener que soportar innumerables hospitalizaciones y cirugías, Kyle era ahora un brillante alumno de sexto grado en una escuela pública regular. Desde pequeño, se había propuesto firmemente vencer cada obstáculo que se le presentara.

Cuando lo conocí, estaba hospitalizado, esperando una nueva cirugía. No se veía bien. Había enfermado de gravedad, pero seguía aferrado a la vida, mientras sus padres permanecían junto a él 24 horas al día, asistiendo al personal en todo lo que fuera necesario. Fue entonces —cuando todo iba tan mal—, que su madre hizo el comentario sobre lo afortunado que era Kyle.

¿Se mostró Kyle gruñón y quejoso por tener que estar hospitalizado? No. ¿Se lamentó de su suerte al compararse con sus compañeros de clase? No (por lo menos, no a menudo). ¿Hizo cuanto pudo para cumplir con lo que le pedían los médicos? Sí, todo lo que estuvo a su alcance.

Eso me hizo pensar. ¿Qué tal si se hubiera dado por vencido? ¿Qué tal si su madre no hubiera tenido una actitud de agradecimiento? ¿Qué tal si su padre le hubiera echado la culpa a otros, por los problemas de su hijo?

Kyle me hizo recordar que mis reacciones provienen de mis elecciones. Para empezar, mis frustraciones eran sólo momentáneas, no las tendría de por vida. Y eso en sí ya era ¡como para estar agradecida!

¿Cuál es su caso? La próxima que se enoje, se queje o se sienta miserable, procure considerar qué podría hacer para responder de una manera más positiva. Acuérdese de lo afortunado o afortunada que es. Diga como el apóstol: "He aprendido a contentarme, cualquiera que sea mi situación" (Fil. 4:11), ¡y alabe a Dios!

Anote diez motivos por los cuales puede considerarse un hombre o una mujer de suerte, ¡y alabe al Señor!

La pregunta del capitán

Y el patrón de la nave se le acercó y le dijo: '¿Qué tienes, dormilón? Levántate, y clama a tu Dios; quizá él tendrá compasión de nosotros, y no pereceremos'. Jonás 1:6.

¿El marco? Una tormenta espantosa en el Mediterráneo. La tripulación, aterrada. Los marinos—en un esfuerzo denodado, aunque infructuoso—, echaban por la borda los enseres que traían, para luego despotricar con maldiciones o clamar a sus dioses, rogándoles que calmaran las aguas y les salvaran la vida.

Notando la ausencia de uno de los pasajeros, el capitán comienza a buscarlo, y lo encuentra en la bodega de la nave, increíblemente dormido: sordo a la tormenta y hasta a los gritos de terror de sus compañeros.

La pregunta del capitán revela asombro y ansiedad: "¿Qué tienes, dormilón? Levántate, y clama a tu Dios; quizá él tendrá compasión de nosotros, y no pereceremos".

Usted conoce el resto de la historia. Los marineros supersticiosos echan suertes, y ésta cae sobre Jonás. Jonás confiesa que él —hebreo que adora al verdadero Dios Creador—, en realidad está huyendo de la misión que Dios mismo le ha encomendado: advertir a los habitantes de Nínive, que a causa de su maldad, su destrucción es inminente.

—¿Qué haremos contigo? —preguntan. Obviamente, la causa del vendaval debía eliminarse. De lo contrario, todos perecerían.

—Échenme al mar, y el mar se aquietará —afirma Jonás. Ellos se resisten, pero no parece haber otra opción. Así que… lo echan al agua. Al instante, la tormenta amaina, la nave sigue su ruta en calma y los marineros aprenden a reverenciar al verdadero Dios.

¿Qué tiene que ver todo esto con la salud? La mayor parte de la gente va camino a una muerte prematura. La mejor protección que uno puede tener es un sistema inmunitario sano y fuerte. Pero ahí están los asesinos asociados al estilo de vida: las enfermedades cardíacas, la diabetes y el cáncer. ¿Sabe la gente que lo que come, bebe y fuma la está matando? Si no cambia su modo de vivir, corre el riesgo de enfermarse.

Dios, nuestro Capitán celestial, tiene un mensaje salvador. En medio de la tormenta nos pregunta: "¿Qué tienes dormilón?". Espero que no tenga que tirarnos por la borda, para que nos dispongamos a compartir el mensaje divino que nos ha encomendado, acerca de la salud: la dieta original del Génesis, a base de hortalizas, semillas y frutas; las carnes limpias citadas en Levítico 11; y los mandamientos para mantener relaciones sanas, según se indican en Éxodo 20.

Como Jonás, nos asusta hablar de estos temas, porque pensamos que la gente no va a cambiar. Pero Jonás estaba equivocado.

Gracias, oh Dios Creador, por el mensaje sobre la salud. ¿Con quién o quiénes quieres que lo comparta?

No se deje engañar por las estadísticas

El camino del necio es derecho en su opinión;
mas el que obedece al consejo es sabio. Proverbios 12:15.

Mi esposo trabajó como bioestadista en la Universidad de Loma Linda, por 27 años. Como investigador, aplicaba las matemáticas a los datos médicos, para determinar factores significativos que incidían en la salud. Como profesor, requería que sus estudiantes leyeran el libro *How to Lie with Statistics* (Cómo mentir con estadísticas), porque sin un análisis detallado de toda la evidencia, es fácil caer en el engaño.

Tomemos, por ejemplo, la controversia sobre las proteínas. Yo crecí pensando que dado que la proteína es esencial para tener huesos sanos, la carne y los productos de origen animal eran imprescindibles en la dieta. Cuando más adelante conocí atletas fuertes y sanos que eran vegetarianos (no comían producto alguno de origen animal), comencé a dudar.

Hay quienes opinan que necesitamos consumir mucha carne, para desarrollar los músculos y tener energía. Según ellos, las hortalizas carecen de proteínas. Pero lo cierto es que la proteína de la carne no va directamente a los músculos. Nuestro cuerpo la procesa del mismo modo en que procesa los demás alimentos. Y en cuanto a las hortalizas, casi todas contienen algo de proteína, de modo que si uno ingiere una amplia variedad de ellas a diario, no tiene por qué carecer de proteína suficiente. ¿Y qué diremos de la energía? Los carbohidratos —no la carne— constituyen la fuente de energía más eficiente.

Algunos sostienen que una dieta abundante en proteínas es el mejor método para bajar de peso. Aunque cierta investigación demuestra que se puede perder peso siguiendo una dieta alta en proteína y baja en carbohidratos, ¿es ésta la *mejor* manera de perder peso? No exactamente. Y ésta es la razón: a pesar de lo que algunos afirman, las proteínas no pueden quemar las grasas. Además, tienen la misma cantidad de calorías que los carbohidratos, 4 por gramo. Y en el caso de la carne de res, por ejemplo, incluso más, pues por su elevado contenido graso, contiene 9 calorías por gramo. Debido a que la dieta alta en proteínas no es equilibrada, puede dañar los riñones. Por lo demás, se ha encontrado que las dietas de proteína líquida seguidas por tiempo prolongado pueden afectar el funcionamiento del corazón.

Al tomar decisiones respecto al estilo de vida, uno no puede guiarse sólo por un estudio, proclamándolo como verdad y desechando el cúmulo de evidencias en contra. Lo mismo cabe decir acerca de la verdad bíblica. Uno no puede —no debería— tomar un texto bíblico, fuera de contexto, para interpretarlo de cierta manera, si el volumen de evidencia en todas las Escrituras lleva a otra conclusión.

La verdad, sea de carácter espiritual o respecto a la salud, puede significar la diferencia entre la vida y la muerte. ¿Qué podría hacer usted, para informarse mejor?

El milagro de Marcus

Yo he oído tu oración, y he visto tus lágrimas; he aquí que yo te sano. 2 Reyes 20:5.

¿Es usted la Sra. Wiggers? Su bebé no está bien. Se nos está yendo. Hemos hecho todo lo posible: lo entubamos, le pusimos un ventilador de alta frecuencia, le administramos un medicamento y le afeitamos la cabecita para la conexión intravenosa; pero no responde... Está cianótico... Luce mal...

Las horas siguientes fueron de indescriptible agonía, mientras Marcel y yo observábamos a nuestro hijito que se debatía entre la vida y la muerte. La doctora nos explicó que la concentración de iones de hidrógeno en la sangre de Marcus había sido de 6,8 por más de una hora y media, lo cual era incompatible con la vida. Dos veces nos sugirió que consideráramos la posibilidad de desconectarlo del aparato que lo mantenía vivo, dado que no estaban seguros de la extensión de los daños sufridos en el cerebro, los riñones y el hígado.

¿Cómo podía dejar que desconectaran a mi hijito? La doctora sugirió que Marcus pasara sus últimos momentos en mis brazos. Yo les rogué que, por favor, siguieran intentando salvarlo siquiera por media hora más. Mientras, mis padres, nuestro pastor, varios integrantes del personal del hospital y nuestros amigos —reunidos en torno a nosotros—, rogaban a Dios con nosotros, que sanara a nuestro bebé. Yo conocía las reglas estrictas de visitación en la Unidad (como máximo, dos personas por paciente); me daba cuenta de que estaban permitiéndonos darle el último adiós. Hasta las enfermeras tenían los ojos llenos de lágrimas. Pronto nos sacarían de la habitación, para que la cirujana pudiera intentar una conexión intravenosa central. La logró; y Marcus comenzó lentamente a mejorar.

Esa noche sucedió algo increíble. Marcel comenzó a cantar la canción de cuna holandesa que solía cantarle a Marcus durante mi embarazo. Al oír la voz de su padre, Marcus abrió los ojitos y movió un piecito. Eso nos animó.

Los días que siguieron estuvieron llenos de altibajos emocionales. Debido a una grave infección, Marcus necesitó el máximo de medicinas a fin de mantener la presión arterial suficientemente alta para permitir la circulación de la sangre al cerebro; también tuvo ataques súbitos, enzimas anormales en el hígado, hemorragias cerebrales, ictericia y un electroencefalograma que mostraba bajas ondas cerebrales. Hicimos ungir a Marcus, y le rogamos a Dios que si era su voluntad, sanara completamente su cerebro. De pronto, nuestro hijito empezó a mejorar. Tenerlo en brazos llenó nuestros corazones de un gozo indescriptible. Dieciséis días después de su nacimiento, pudimos llevarlo a casa.

Antes de irnos del hospital, las enfermeras se me acercaron para decirme: "¿Sabe, Heidi? Los bebés así de enfermos no suelen salir del hospital en tan buenas condiciones. Aquí hemos visto la intervención del Señor". Coincidimos con ellas.

¿Es motivo de alegría que Dios oiga nuestras plegarias, vea nuestras lágrimas y prometa sanarnos? ¡Gracias, Señor!

Violencia y música

Poned la mira en las cosas de arriba, no en las de la tierra. Colosenses 3:2.

La violencia, especialmente entre la gente joven, va en aumento y es ya un problema de salud pública de consideración. En la búsqueda de respuestas, surge una pregunta: Dada la forma como en los videos musicales, los actores y los músicos a menudo idealizan la violencia, ¿será que sus videos contribuyen a la epidemia de violencia que sufrimos?

Sabemos que la música entra al cerebro a través de sus regiones emocionales: el lóbulo temporal y el sistema límbico. Desde allí, ciertos tipos de música tienden a producir una respuesta en el lóbulo frontal, que influye en la voluntad, en el valor moral, y en el poder de razonar (así ocurre con la música de Mozart, por ejemplo). Otras clases de música, como el rock y el rap, evocan muy poca (si acaso alguna) respuesta del lóbulo frontal, pero en cambio, provocan una enorme respuesta emocional, con muy poca lógica o interpretación moral.

Los investigadores de la Facultad de Medicina Bowman Gray de la Universidad Wake Forest, en Winston Salem, Carolina del Norte, estudiaron 518 videos musicales de cuatro redes de cablevisión estadounidense. Hallaron que un porcentaje significativamente alto de videos musicales transmitidos a través de MTV contenían uno o más episodios de manifiesta violencia con exhibición de armas. Los videos de rap contenían las mayores descripciones de violencia, seguidas por los videos de rock. En comparación con la población general de afroamericanos, en los videos se los representaba exageradamente involucrados en actos de violencia o con armas. La mayoría de los videos que contenían escenas de violencia mostraban a los hombres como perpetradores. Quince por ciento mostraban a niños portando armas.

¿Qué efecto tienen estos videos musicales sobre la conducta? Un estudio llevado a cabo en un hospital mental de máxima seguridad, expuso a 222 pacientes a siete meses de MTV, seguidos de cinco meses sin esos videos. ¿Qué pasó tras quitárselos? La agresión verbal disminuyó en un 32%; la agresión contra objetos se redujo en un 52%, y la agresión contra otras personas disminuyó un 48%.

¿Influye la música en nuestra conducta? ¡Por supuesto que sí! La programación de videos musicales del tipo de MTV estimula continuamente los sentidos visuales, mediante imágenes fugaces, provocativas, de escenas rápidamente cambiantes. Además, también estimulan el oído. Esta combinación de estímulos a los ojos y los oídos parece calculada para inducir una suspensión aún más profunda de los procesos analíticos, y como resultado da la violencia.

¿No es tiempo ya de que controlemos cuidadosamente lo que oímos y vemos? ¿No es hora de que dejemos de contaminar nuestro cerebro con imágenes de violencia, auditivas y visuales? ¿No es hora ya de que nos deshagamos de la basura?

Señor, ayúdame a mirar, oír y ver solo lo que me ayude a enfocarme en las cosas de arriba.

Amor significa TIEMPO

Sea bendito tu manantial, y alégrate con la mujer de tu juventud,
como cierva amada y graciosa gacela. Sus caricias te satisfagan en
todo tiempo, y en su amor recréate siempre. Proverbios 5:18,19.

Hace algunos años, acepté trabajar como profesor en una academia adventista con internado. Además de mis clases, estuve a cargo del programa de pruebas y asesoramiento, serví como coordinador de las actividades religiosas, y fui consejero de la asociación de estudiantes.

El comienzo del año escolar fue intenso. Aprender y emprender tantas actividades y llegar a conocer a los alumnos me llevaba mucho tiempo. Durante las primeras seis semanas, pasé la mayor parte de mis días, noches y fines de semana en la escuela. Mientras tanto, mi esposa Peggy, convaleciente de una enfermedad y sin empleo, pasaba el tiempo sola, en este nuevo ambiente y lejos de amigos y conocidos.

Un día, al entrar a casa apurado, sólo para cenar rápidamente, Peggy me tomó de la mano y me llevó hasta el sofá.

—Necesito hablar contigo por un momento —me dijo cálidamente. Su forma de comunicarse era directa y personal—. Ya no me siento especial.

La queda sencillez de su mensaje me atravesó el corazón. ¿Qué era lo realmente importante en la vida? ¿Podía cualquier trabajo ser tan importante como nuestra relación?

Decidimos que ese fin de semana saldríamos juntos. Alguien más tendría que ocuparse de mis deberes laborales. (La escuela sobrevivió.) Peggy y yo fuimos a la montaña y pasamos juntos un sábado maravilloso. Caminamos por los senderos del bosque, tomados de las manos, cantando coritos de alabanza, orando y renovando nuestros votos mutuamente.

Las relaciones profundas se cimentan con tiempo. Uno de los componentes más fundamentales de un matrimonio verdaderamente rico es, justamente, el tiempo que los esposos pasan juntos: tiempo para adorar juntos, para hablar juntos, para trabajar y jugar juntos. Aquel día nos prometimos mutuamente no dejar que nada nos impidiera dar a ese tiempo la prioridad en nuestras vidas. Los años han pasado, pero siempre hemos tratado de ser fieles a aquella promesa. Éstas son algunas de las cosas que hacemos para lograrlo:

Cada día nos proponemos salir a caminar juntos. Con ello cumplimos varias de nuestras metas: compartimos los sucesos del día, oramos juntos, y junto a nuestra mascota caminamos tres kilómetrtos (nuestra cuota diaria de ejercicio).

¿Sabía que las investigaciones revelan que las personas felizmente casadas, y las que cuentan con sistemas de apoyo de parientes o amigos cercanos, viven más y con mejor salud?

¿Hay algún ser amado que necesita de su TIEMPO hoy?

El potencial creativo del polvo

Entonces Jehová Dios formó al hombre del polvo de la tierra, y sopló en su nariz aliento de vida, y fue el hombre un ser viviente. Génesis 2:7.

En medio de una maratón de limpieza, pasando la aspiradora y lustrando los muebles de mi casa, me pregunté de pronto si habrá polvo en el cielo...

Polvo. Es tan común para todos, y sin embargo, ¡qué vital para la vida misma! Usted y yo somos polvo... más el aliento de vida de Dios. En estos momentos, usted experimenta el polvo, más la energía de la vida: sus pulmones inhalan y exhalan aire, el cual lleva a la sangre el oxígeno que da vida; su corazón bombea esa sangre a través de kilómetros de vasos sanguíneos, haciendo posible que su cerebro piense y dirija los movimientos y funciones conscientes e inconscientes de su cuerpo. ¡Y todo esto, a partir del polvo! ¡Asombroso!

El mundo en el que vive también es de polvo. Hay polvo en el suelo, en el subsuelo, en el agua, en el aire; el polvo puede ser tan fino que ni siquiera lo ve, o de un tamaño que le haga arder la piel si el viento alza sus partículas y arremete contra usted a velocidad suficiente.

Hay polvo en el espacio. Los científicos dicen que hay polvo galáctico en el espacio sideral. El polvo del espacio forma imágenes bellísimas que el hombre ha podido captar mediante telescopios y fotografías. No obstante, una nube de polvo sideral lanzada por el espacio a velocidades meteóricas podría volatilizar instantáneamente a un ser humano desprotegido.

Por un instante, piense en el cielo. ¿Habrá polvo en el cielo? ¿Tendrá que limpiar el polvo de su hogar celestial, lavar su auto celestial, o mantenerse lejos de los charcos celestiales enlodados? ¿Qué tal si el polvo celestial tuviera propiedades especiales de modo que cuando cayera sobre una persona le transmitiera la habilidad de volar, o incluso de entrar en otros mundo o en otra era, a la velocidad del rayo? ¿Será que el polvo celestial es sólo polvo? Sea como fuere aquello, lo importante para mí es que mis comienzos no fueron accidentales. Fui creada del polvo de la tierra, por un Dios Todopoderoso que me dio vida y propósito. Aquel que creó el polvo y su potencial creativo, ¡me creó a mí! Mi asignación es viajar hacia lo desconocido, donde Dios mismo será mi Guía. Mi misión es ponerme en contacto con la gente que se pierde, para compartir con ella las buenas nuevas de salvación.

¡Qué poder asombroso exhibió Dios cuando formó al hombre de algo tan común y aparentemente tan inútil como el polvo, y a la vez con tan insondable potencial! En el mundo de Dios, aun el polvo es significante. ¡Qué maravilla!

Dios y Creador maravilloso, gracias por haberme formado a partir de tu polvo extraordinario.

Cantaré un cántico nuevo

A Jehová cantaré en mi vida; a mi Dios cantaré salmos mientras viva. Salmo 104:33.

Pensé que era mi imaginación; pero no. Ahí estaban de nuevo los fragmentos de la vieja melodía familiar: inconfundibles, aunque incompletos, flotaban por el pasillo del hospicio para ancianos.

"Oh, yo siempre amaré esa cruz…"

Silencio.

"…Y algún día, en vez de una cruz…".

¡Apenas podía creer lo que oía! ¡Tenía que verlo por mí misma! ¿Sería posible que fuera la misma viejita que siempre encontraba, tan menuda y desvalida, en su sillón de ruedas? ¿Ésa que colocaban en el pasillo, no muy lejos de la estación de enfermeras, con la esperanza de que absorbiera siquiera una pequeña parte de la vida que transcurría: que viera, escuchara y se calmara?

Yo solía oírla gritar, llorar o balbucir incoherentemente. ¿Sería ésta la misma voz, que ahora cantaba fragmentos de aquel himno familiar que aprendiera en mi niñez hacía tantos años? Sí, mis ojos confirmaban lo que mis oídos acababan de oír.

Su mente parecía que se le había ido. ¿De dónde provendría su canto?

Entonces recordé que en casos de demencia o de enfermedad de Alzheimer, cuando ninguna otra cosa parece poder penetrar en las mentes desquiciadas de los pacientes, uno puede acercárseles por medio de himnos o canciones que les resulten familiares.

¡Alabado sea Dios! ¡Un milagro ante mis ojos! ¡Una mente, aparentemente yerma, cantando alabanzas a Dios! ¡Ni siquiera la demónica demencia podía destruir esta maravilla!

Por años, he estado poniéndole música a las Escrituras, para conservar mejor en mi corazón la Palabra de Dios. Una escritora inspirada señaló que "para fijar sus palabras [las de Dios] en la memoria, pocos medios hay más eficaces que el repetirlas en cánticos" (Elena G. de White, *Evangelism*, p. 496). ¡Amén! Bien puedo asentir ante eso. Debido a un déficit de atención que he sufrido desde niña, tengo motivos para alabar a Dios por el milagro que trajo a mi vida al guardar las Escrituras en las neuronas de mi memoria, mediante la música.

Aunque por años me alejé de Dios, él sabía que al fin comprendería su amor inefable; como también sabía que atesoraría las Escrituras que aguardaban, escondidas, en lo profundo de mi corazón.

Vuelve a mi mente la viejecita aquella de mente deteriorada. De los profundos recovecos del banco de su memoria, un día emergieron alabanzas a su Dios. Y ese día… tocó mi corazón. Me conmovió, profundamente.

Señor, si en los días por venir, mi mente llega a deteriorarse… te ruego que aceptes el deseo del salmista como si fuera mío: "A Jehová cantaré en mi vida; a mi Dios cantaré salmos mientras viva".

¿Por qué no comienza a memorizar hoy alguno de sus himnos favoritos?

La presencia y el poder sanador de Cristo

Y había allí un hombre que hacía treinta y ocho años que estaba enfermo. Cuando Jesús lo vio acostado, y supo que llevaba ya mucho tiempo así, le dijo: '¿Quieres ser sano?' Juan 5:5.

¿Puede imaginar lo que significa yacer a la orilla del estanque de Betesda por 38 años, esperando ser sanado? El relato termina con el breve recuento de las palabras que Jesús dijo al hombre: "Levántate, toma tu lecho, y anda" y el milagro ocurrido: "Al instante aquel hombre fue sanado, y tomó su lecho, y anduvo". La sanidad se produjo por la sola presencia de Jesucristo.

En su libro *The Jesus I Never Knew* (El Jesús que nunca conocí), Philip Yancey cuenta la historia de una prostituta enferma e indigente, que para sostener su adicción a las drogas "alquilaba" a su hijita de dos años a hombres pervertidos. Cuando esta mujer le contó a un amigo de Philip Yancey, lo que estaba haciendo, él no supo qué decirle. Al cabo de un momento de silencio, finalmente le preguntó: "¿Nunca se le ocurrió ir a pedir ayuda a la iglesia?"

Sorprendida, y hasta con cierta ingenuidad en la mirada, ella le preguntó a su vez: "¿La iglesia? ¿Para qué habría de ir a la iglesia? Yo ya me sentía espantosamente mal. ¡Ellos sólo me harían sentir peor!".

¡Si tan sólo esta mujer pudiera haber sabido que la presencia sanadora de Cristo podría haber sido suya! Si no hubiera permitido que la gente la intimidara, podría haber comprobado que la presencia sanadora de Cristo se experimenta más a menudo a través de su Palabra.

El esposo de Ellen Dippenar falleció a causa de un accidente; su hermana, de un ataque al corazón; y su único hijo, de poliomielitis. Entonces, mientras vivía sola, Ellen misma sufrió un ataque al corazón y fue hospitalizada. Estando en el hospital, tuvo un leve problema en la vista —resequedad en la córnea—, de modo que le pidió a una de las enfermeras que le trajera unas gotas oftálmicas. Desafortunadamente, la enfermera le dio ácido carbólico, lo cual la dejó ciega. Y para colmo, Ellen contrajo lepra. Uno por uno, los dedos de los pies se le ulceraron y necrosaron, causándole una gran deformidad. Durante 55 años, tuvo que someterse a 57 cirugías. Pero cuando alguien le preguntó cómo ella podía seguir sonriendo, contestó: "Dios todavía me ama. Por eso todavía estoy viva. Anhelo que llegue el día en que Jesús regrese. Cuando eso ocurra, me trasladará con un cuerpo perfecto, y me encontraré con mi amado esposo, mi hermana y mi hijo".

Hay muchos tipos de sanidad. Aunque sin duda Ellen debe haber deseado que Jesús pasara por su casa y la sanara de su lepra, su ceguera y sus pies deformes, nada de eso ocurrió. Pero un día… llegará. Ellen depositó en Cristo su confianza y eso mantuvo su positiva actitud ante la vida. Y esto, en sí ¡es un milagro!

¿Hay algún aspecto de su vida que necesita sanidad? Enfóquese en Cristo (en vez de hacerlo en usted) y note la diferencia.

Morir para vivir

Respondió Jesús y le dijo: 'De cierto, de cierto te digo, que el
que no naciere de nuevo, no puede ver el reino de Dios'. Juan 3:3.

La existencia de todo ser humano comienza con una sola célula. Esta célula se divide repetidamente, diferenciándose cada vez más para constituir las distintas partes del cuerpo con sus respectivas funciones. Cuando llega a la vida adulta, el cuerpo humano se compone de sesenta trillones de unidades estructurales de material vivo de diversos tamaños, formas y funciones, llamadas células.

¿Tiene idea de lo que esta cantidad representa? ¡Es unas seiscientas veces mayor que la de las estrellas de la Vía Láctea! A este grado llega la maravillosa complejidad de nuestro cuerpo.

Bullendo de energía, segundo a segundo, las células se mantienen en plena actividad, construyendo y reconstruyendo sin cesar. Trabajan día y noche, a menor o mayor velocidad, pero sin suspender sus funciones ni siquiera durante el sueño. Y con excepción de las células nerviosas, todas se reproducen.

Las células del hígado, por ejemplo, se reproducen fácilmente. Si quirúrgicamente nos quitaran una parte del hígado, las células restantes se multiplicarían hasta que el órgano volviera a su tamaño original.

La buena salud espiritual también requiere de un proceso de muerte y renacimiento.

Hace dos mil años, Jesús presentó uno de sus sermones más profundos a una audiencia de un solo hombre, un fariseo llamado Nicodemo. Su mensaje fue: "el que no naciere de nuevo, no puede ver el reino de Dios… Os es necesario nacer de nuevo" (Juan 3:3, 7).

Al oírlo, Nicodemo quedó perplejo. "¿Cómo puede un hombre nacer siendo viejo? ¿Puede acaso entrar por segunda vez en el vientre de su madre, y nacer?" (v. 4).

Jesús le explicó que el renacimiento debía producirse del agua (significando purificación) y del Espíritu. Dicho de otro modo, debemos dejar atrás nuestra carga de enojo, heridas, envidia, celos y dolor. Sea lo que fuere lo que nos aparte de Dios, debemos morir a ello, enterrarlo, a fin de que el Espíritu pueda volver a crearnos.

Este proceso de muerte al pecado no ocurre únicamente durante el bautismo. Es, más bien, algo que debe ocurrir a diario. Cada día tenemos que morir al pecado y volver a consagrarnos a Dios. Si las células sólo murieran y nunca se reprodujeran estaríamos mal, cuando morimos al pecado o nos vaciamos de él, necesitamos —para recuperarnos— reemplazarlo con otra sustancia vivificadora. Debemos nacer de nuevo con un amor como el de Cristo mismo. Cuando su gracia redentora se convierte en parte de nosotros, somos de veras ¡nuevas criaturas!

Señor, ¿hay algo en mi vida que me impide nacer de nuevo hoy contigo?

Para seguir la receta

Deléitate asimismo en Jehová, y él te concederá las peticiones de tu corazón. Salmo 37:4.

Mamá rara vez se enfermaba, pero un día se quedó en cama, dejando que nos valiéramos por nosotros mismos en la cocina. Fue entonces cuando decidí hacer unos bizcochos, tal como ella los hacía. Busqué el libro de recetas y encontré la que buscaba. Mientras medía la cantidad de harina requerida, se me cayó un poco sobre la mesa. Cuando leí que necesitaba polvo de hornear, me pregunté para qué serviría. ¿Y qué decir de la sal? ¿Qué sentido tenía ponerla en los bizcochos? Cavilando de este modo, seguí mezclando los ingredientes...

Cuando saqué los bizcochos del horno, lucían bien, así que le llevé algunos a mi mamá. Para mi total sorpresa, no bien se llevó uno a la boca, casi lo escupió. "¿Qué le pusiste?", preguntó, conteniendo las arcadas.

Yo no podía ni siquiera imaginar cuál habría sido el problema, pero tuve que admitir que tenían un gusto espantoso. Tras repasar juntas los pasos que yo había seguido al prepararlos, mamá descubrió el motivo. Los bizcochos resultaron incomibles, porque yo no había seguido la receta al pie de la letra.

Dios ha creado un universo en el cual la felicidad, la salud y la armonía dependen de que sigamos atentamente las recetas indicadas. En materia de salud, especificó cuáles son los alimentos que debemos evitar. Para relacionarnos adecuadamente con los demás, nos dejó la Regla de Oro. Y en lo que concierne a nuestra búsqueda del cielo, nos dejó los diez mandamientos y su gracia. Cuando retocamos o reajustamos el plan de Dios, para experimentar con nuestras propias ideas a fin de encontrar gozo, arriesgamos mucho más que una tanda de bizcochos incomibles. Nos exponemos a perder la posibilidad de conseguir verdadera felicidad y vida abundante.

A continuación presento dos de mis recetas bíblicas favoritas. La primera comienza destacando por qué es importante: "Oh hombre, él te ha declarado lo que es bueno, y qué pide Jehová de ti". Y la receta dice: "Solamente hacer justicia, y amar misericordia, y humillarte ante tu Dios" (Miq. 6:8).

La segunda receta es bien sencilla. Si uno se deleita en el Señor, él le dará los deseos de su corazón (Sal. 37:4).

Si aprendiéramos a vivir según las recetas de Dios, en vez de tratar de inventar las nuestras, ¡cuánto mejor serían los resultados!

¿Por qué no escudriñar hoy las Escrituras, para encontrar alguna de las recetas de Dios? Anótela, sígala y compruebe personalmente el resultado. ¡Ah! ¡Qué rico!

Niños que pueden hacer frente a la muerte

Enjugará Dios toda lágrima de los ojos de ellos; y ya no habrá muerte, ni habrá más llanto, ni clamor, ni dolor; porque las primeras cosas pasaron. Apocalipsis 21:4.

El último día de mis vacaciones de verano acabó en una tragedia que yo me pasaría negando por los próximos dos años. Nuestro abuelo llegó con la noticia de que mis tíos habían tenido un accidente y estaban hospitalizados. Stevie, de diez años, había muerto y Gary, de 13, estaba tan grave que no se esperaba que viviera. (¡No podía ser cierto!)

Para ese entonces no se nos decía que los cinturones de seguridad salvaban vidas, pero se la habían salvado a Neil, de 15 años, a mi tía y a mi tío. Stevie y Gary no habían usado los suyos ese día.

Las siguientes 36 horas fueron muy confusas. Mis padres consiguieron que tres familias se encargaran de cuidarnos a mis hermanos y a mí, hicieron instalar los cinturones de seguridad en nuestro coche y manejaron de Portland a California, con mi otro tío. Yo quise ir con ellos, pero me dijeron que era muy chica para eso.

Gary murió el lunes por la mañana, antes de que mis padres y mi tío llegaran a Fresno. ¡Yo no podía aceptarlo! En mi mente inventaba cientos de razones por las cuales era imposible que semejante cosa hubiera ocurrido. Nunca lloraba por eso. ¿Por qué tendría que llorar por algo ficticio?

Dos años más tarde, mientras visitaba el hogar de mis tíos, al recorrer con sigilo cada habitación, reconocí finalmente que en verdad, Stevie y Gary ya no estaban con nosotros…

Muchos adultos creen que los chicos no pueden hacerle frente a la muerte. Sin embargo, todos necesitamos decidir cómo enfrentar nuestras pérdidas, de manera aceptable para nosotros. Los niños no son una excepción. También ellos necesitan sentir y expresar la tristeza y aflicción que les embarga. Yo necesitaba reconocer la realidad, llegar a un desenlace aceptable y despedir a mis amados. Por no entenderlo así, mis padres procuraron protegerme. Sus intenciones fueron buenas; pero cuando no se me permitió experimentar la verdad, dejé correr mi fantasía más de la cuenta…

Por ahora, la muerte es parte de la vida. Me alegra que sea sólo temporaria, como también me alegra que haya de llegar el día en que pueda volver a ver a Stevie y Gary, junto a otros de mis amados que también partieron demasiado pronto…

Padre, consuela hoy a los afligidos y dolientes… Ojalá que llegue pronto el día en que la muerte deje de existir. Amén.

Renovar las rutinas

Cuando me acuerde de ti en mi lecho, cuando medite en ti en las vigilias de la noche. Salmo 63:6.

Noche a noche, mis hijos saben que antes de dormir, van a recibir sus "besitos y abrazos de buenas noches". Es nuestra rutina. Sin ella, sentiríamos que algo anda mal; que algo nos falta...

Las rutinas son buenas para las relaciones familiares y también para la salud. Tomemos, por ejemplo, la necesidad de dormir que tiene el cuerpo. La falta de sueño repercute seriamente en la salud mental. Deteriora nuestra capacidad de lidiar con el estrés cotidiano, nos impide pensar claramente, dificulta tomar decisiones e incluso amenaza nuestras vidas. El cerebro somnoliento comete muchos errores; y a veces, hasta de los que cuestan la vida.

En la revista especializada británica *Occupational and Environmental Medicine* (Medicina Ocupacional y Ambiental), investigadores de Australia y Nueva Zelanda señalan que la falta de sueño puede producir varios de los mismos efectos que produce la embriaguez. Las personas que duermen demasiado poco pueden tener niveles elevados de estrés, ansiedad y depresión, y exponerse a riesgos innecesarios. Otras cifras sugieren que la fatiga del conductor es factor contribuyente entre el 30 y el 40% de todos los accidentes de camiones pesados.

Dormir lo suficiente es vital. Pero los beneficios del buen dormir no dependen sólo de cuántas horas se duerme, sino, más bien, de cuándo y cómo se duerme.

Según el citado artículo, los voluntarios examinados que fueron a dormir unas dos horas antes, o después, de su horario habitual, no se sintieron descansados y alertas al levantarse, aunque habían dormido la cantidad de horas requerida. En otro estudio se demostró que los voluntarios que por un par de semanas se acostaron a la misma hora, se levantaron sintiéndose más descansados y alertas, aunque en promedio habían dormido alrededor de media hora menos por noche. Dados estos hallazgos, aproveche su ritmo natural y resista la tentación de dormir a horas distintas durante el fin de semana.

Compruébelo personalmente. Comience a suspender sus actividades a cierta hora. Yo he encontrado que tener un momento a solas con Dios temprano por la mañana, me ayuda a acostarme a tiempo. Si llego tarde a esa cita, siento que he perdido una parte importante de ese momento especial de comunión con mi Padre celestial.

¡Ah!, de paso, en caso de que sufra de insomnio, procure hacer lo que hacía el rey David; en su lecho, acuérdese de Dios, medite en él en las vigilias de la noche.

Amado Señor, ayúdame a establecer algunas rutinas renovadoras en mi vida, para que pueda descansar bien ¡y disfrutar más de ti!

Medicina de la mente

Porque cual es su pensamiento en su corazón, tal es él. Proverbios 23:7.

Yo no bebo café. Ni siquiera sé cómo prepararlo. Pero una noche en particular, tuve una necesidad especial. Había estado trabajando hasta tarde tratando de terminar un proyecto importante, y me vencía el sueño. Al recordar que mi secretaria solía tener un frasco de café instantáneo en su escritorio, me serví varias cucharadas de él en un vaso con agua fría, me lo tomé y esperé.

En diez minutos, ya me sentía con energía. Sí, la cafeína moviliza la glucosa en la sangre. Después, me sentí más alerta. ¡Claro!, el café también estimula el sistema nervioso. Luego corrí al baño, confirmando que la cafeína es diurética. El estímulo duró las tres horas que necesitaba para acabar con el proyecto.

A la mañana siguiente, le confesé a mi secretaria lo que había hecho. Ella me escuchó y se sonrió.

—Me alegro de que mi café le haya ayudado —me dijo—; pero, ¿no se dio cuenta de que es descafeinado?

Ahí vi que había sido víctima de lo que se conoce como efecto placebo. Como yo estaba plenamente convencido de que iba a funcionar, ¡funcionó!

El efecto placebo se usa comúnmente para probar nuevas medicinas. A un grupo de individuos se le da la medicina en cuestión, mientras a otro grupo se les da algo de apariencia similar, pero sin las mismas propiedades medicinales. Sorprendentemente, los que reciben el llamado placebo informan que se sienten bien, y a veces hasta mejor que quienes reciben el verdadero medicamento.

Este poderoso efecto que la mente ejerce sobre el cuerpo se relaciona directamente con el sistema inmunológico. Todos los días encontramos cientos de gérmenes que nos pueden enfermar y hasta matarnos. Cuando nuestro sistema inmunológico está sano y bien, las cosas malas que nos atacan rebotan (por así decirlo) y así se mantiene la buena salud.

Sabemos ahora que una dieta saludable, unida a un buen estado físico y emocional puede estimular y fortalecer el sistema inmunológico, mientras que la enfermedad, las emociones negativas, las drogas y el estrés en exceso pueden debilitarlo.

El rey Salomón nos recomendó hace tiempo una poderosa medicina: "El corazón alegre constituye buen remedio, mas el espíritu triste seca los huesos". Prov. 17:22.

Señor, ayúdame a tener cuidado con lo que ponga en mi mente hoy.

¿Cuál es su destino?

Voy, pues, a preparar lugar para vosotros. Y si me fuere y os preparare lugar, vendré otra vez, y os tomaré a mí mismo, para que donde yo estoy, vosotros también estéis. Juan 14:2,3.

Los adolescentes suelen preguntar qué tienen de malo las bebidas alcohólicas, las drogas, el tabaco, la pornografía o el sexo fuera del matrimonio. A mí me encanta ver la sorpresa reflejada en sus rostros, cuando les respondo: "¡Nada!, siempre y cuando no les importe cuánto hieren a los demás o a ustedes mismos, ni a dónde van a ir a parar". Luego les cuento la historia de una alondra.

Cada día, esta alondra salía al jardín con toda su familia en busca de gusanos. A todos les encantaban, especialmente cuando eran grandes y jugosos. Pero no siempre resultaba fácil encontrar suficientes gusanos para llenar el estómago de todos.

Un día en que la alondra buscaba gusanos cerca de la orilla del jardín, oyó una voz que decía: "Dos gusanos por una pluma de alondra".

De inmediato, se acercó al hombre, y le preguntó:

—¿Realmente cambiaría dos de esos gusanos por una de mis plumas?

—¡Sí, claro! —replicó el hombre.

¡Qué bueno!, pensó la alondra. Esto es fácil. Y acto seguido, se quitó una pluma, para dársela al hombre, a cambio de dos jugosos gusanos. Al día siguiente, volvió a hacer lo mismo; y lo mismo, en los días subsiguientes. Sus parientes le explicaron que en el fondo ésta no era una buena idea, porque también necesitaba sus plumas; pero como tenía tantas, consideró que no habría de perjudicarla comerciar con algunas de ellas.

Con el pasar de los días, la alondra comenzó a sentir frío, y preguntó:

—¿Cuándo vamos a volar hacia el sur?

—En un par de semanas —contestaron sus parientes, y le advirtieron—; ya no te quites más plumas. Pero ella no los escuchó, y cada día siguió viendo al hombre que a cambio de una pluma le daba dos gusanos.

Un día frío de otoño, su madre y su padre levantaron el vuelo junto con sus hermanos y hermanas, sus tías y tíos, sus primos y sus abuelos.

—¡Vamos ya, alondrita! ¡Es tiempo de volar hacia el sur!

La alondra lo intentó. Aleteó. Saltó un poco. Volvió a aletear, pero se dio cuenta de que ya no tenía plumas suficientes para volar.

Por eso digo, que no hay nada de malo con las bebidas alcohólicas, las drogas, el tabaco, la pornografía y el sexo fuera del matrimonio. Pero si su destino es el cielo, permítanme preguntarles, ¿de qué manera estas cosas les ayudan a acercarse más al Señor Jesús, que es quien hace posible el cielo?

¿Cuál es su destino final? ¿Está viviendo el estilo de vida que habrá de llevarle a donde quiere ir?

La historia del alveolo seco

Y me ha dicho: 'Bástate mi gracia; porque mi poder se perfecciona en la debilidad'. Por tanto, de buena gana me gloriaré más bien en mis debilidades, para que repose sobre mí el poder de Cristo. 2 Corintios 12:9.

Como asistente dental, aprendí una lección espiritual de un paciente que tenía un alveolo seco (cavidad donde antes se alojara un diente). Dos días después de la extracción de un diente, el paciente volvió al consultorio quejándose de intenso dolor. El dentista encontró que el coágulo de sangre ya no cubría el alveolo, lo que expuso el hueso al contacto con el aire provocando dolor intenso.

Cuando se extrae un diente, el alveolo vacío debe sangrar para limpiar la herida y facilitar la formación del coágulo. El dentista suele dar instrucciones específicas al paciente acerca de cómo cuidar esta zona tan sensible. Sabe que por lo general, es breve el período en que el lugar de la extracción puede sangrar (unos 15 minutos). Si no se forma un coágulo, o si se forma pero luego se deshace, el lugar no vuelve a sangrar, lo cual no es bueno en caso de extracción de dientes, porque el hueso expuesto y las terminaciones nerviosas ocasionan un dolor insoportable.

¿Cuál es el tratamiento? El dentista debe introducir medicamentos en el alveolo expuesto y relleno dental, para formar un coágulo sustituto. Esto, por lo general, soluciona el problema, excepto en casos más persistentes, cuando el lugar sigue doliendo; entonces el dentista hace sangrar nuevamente la herida para que se forme otro coágulo.

A veces tenemos experiencias traumáticas que nos causan dolor y sufrimiento; como si nos extrajeran un diente sin anestesia. ¿Qué debe hacer si tiene "tejido óseo" expuesto y el dolor no se va?

Debe dejar que Jesucristo, el Dentista celestial, se encargue del problema. Es posible que tenga que raspar el lugar nuevamente, causándole otra experiencia dolorosa. Pero mientras sangra, piense que la gracia y la misericordia de Dios están a la espera de cubrir el alvéolo doloroso que siente en el corazón. Esa sensación de vacío desaparecerá en cuanto permita que el Señor le aplique su medicina divina. Nadie se dará cuenta jamás de que le han extraído ese "diente", porque la gracia de Dios es suficiente para cubrir el orificio entero. Su gracia es suficiente para toda debilidad y todo dolor. ¡Éstas sí son buenas nuevas!

Ojalá podamos decir como el apóstol Pablo, "de buena gana me gloriaré más bien en mis debilidades, para que repose sobre mí el poder de Cristo".

El desayuno: alimento cerebral

Oh, Jehová, de mañana oirás mi voz; de mañana
me presentaré delante de ti, y esperaré. Salmo 5:3.

Los educadores han notado que los niños que desayunan bien rinden mejor en la escuela. Por eso suele decirse que el desayuno es alimento cerebral. Se considera esencial para aprender y entender la lectura, la escritura y las matemáticas.

Un estudio realizado en 1998 con chicos que vivían en barrios pobres y que desayunaban en las escuelas, confirma esta teoría. Los que desayunaban tenían mejor rendimiento escolar y mejor desenvolvimiento emocional: se portaban mejor.

Cuando los niños persisten en portarse mal en la escuela, todos sufren. En el estudio citado, se comprobó que el desayuno era un factor importante que ayudaba a los niños problemáticos a comportarse debidamente en clase. A otros, incluso los ayudó a no dormirse sobre el pupitre.

En promedio, las calificaciones de los chicos que desayunaban con más frecuencia superaban a las de los que rara vez desayunaban. Además, en los que desayunaban se notaba una notable disminución de ausentismo y tardanza.

¿Será que sólo los niños necesitan desayunos que alimenten el cerebro? Los estudios realizados demuestran que desayunar contribuye a la buena salud, a la velocidad del tiempo de reacción, y al máximo rendimiento en el trabajo. Independientemente de la edad, el desayuno sigue siendo el alimento cerebral indispensable para comenzar bien el día. ¡Pero no tengo ganas de desayunar! —protestan los niños y los adultos por igual. Esto ocurre porque tratan de comer antes de que sus cuerpos hayan despertado por completo. Si comieran una cena liviana, por lo menos cuatro horas antes de irse a dormir (sin meriendas ni antojos de medianoche), y se acostaran temprano, para poder levantarse temprano al día siguiente y salir a caminar con energía, aspirando la brisa matutina, y luego tomaran una ducha estimulante, y se secaran frotándose bien, dudo que se quejarían de que no tienen apetito a la hora de desayunar. Para entonces estarían más que listos para un desayuno saludable, consistente en cereales integrales, frutas, nueces, almendras, avellanas, etc.

No obstante, ¿será éste el único alimento que el cerebro necesita por las mañanas? Obviamente, no. Las horas tempranas de la mañana, antes de que la mente se embote con la "comida chatarra" del día, son las mejores para alimentarse espiritualmente. Por este medio, se agudiza el razonamiento y se aumenta la capacidad retentiva. La mañana es el tiempo ideal para renovar la mente con las promesas y enseñanzas de la Palabra de Dios. Para tener un cerebro sano, oremos como el rey David: "Oh Jehová, de mañana oirás mi voz".

¿Ya disfrutó hoy del desayuno espiritual y físico que es alimento para el cerebro?

La presencia de Dios en tiempos difíciles

*En toda angustia de ellos él fue angustiado, y el ángel de su faz
los salvó; en su amor y en su clemencia los redimió, y los trajo,
y los levantó todos los días de la antigüedad.* Isaías 63:9.

Ocurrió en febrero de 1999. Mis pies apenas tocaban la acera mientras caminaba aprisa, cruzando el predio escolar rumbo a mi auto. Ver la tarde dorada y sentir la brisa fresca en el rostro elevaba mi nivel de endorfinas. Quise girar, y saltar y gritar "¡Estoy viva!". Por primera vez en años, me sentía con energía suficiente para inscribirme en una clase de capacitación profesional.

Cuatro años antes, tras cinco meses de extraños dolores de cabeza, finalmente comprendí que la sola determinación de la mente sobre la materia no acabaría con mi mal. Un asaltante silencioso minaba poco a poco mi salud y mis ganas de vivir. Pero los incontables viajes para consultar a los médicos y los innumerables exámenes y análisis no lograban acercarme a un diagnóstico concluyente. Con cada día que pasaba, mi fuerza se iba desvaneciendo hasta dejarme demasiado débil para caminar.

Durante años había luchado contra una enfermedad patógena infecciosa desconocida, y ahora era tan aguda, que tenía el colon plagado de pequeñísimos abscesos y úlceras. Los meses de náuseas, dolorosa inflamación abdominal y torturantes dolores de cabeza habían hecho sus estragos. En uno de mis peores días, me di cuenta de que incluso había perdido la voluntad de vivir. Un día, mientras mis lágrimas humedecían la almohada, recordé este versículo de Isaías: "En toda angustia de ellos él fue angustiado". De pronto, vi en mi mente a mi ángel de la guarda, sentado a mi lado en mi lecho, y me pregunté si acaso lloraría conmigo. Fue, en verdad, un pensamiento consolador.

Durante aquellos penosos meses sentí los brazos de Dios, a través del amoroso apoyo de familiares y amigos, en todo el mundo, animándome y orando por mi recuperación. Gradualmente, mi doctor —con ayuda de un laboratorio médico— fue descubriendo la complejidad de mi enfermedad y creó un plan de tratamiento a largo plazo. Ahora, cumplido el plazo de Dios, a medida que las toxinas de amebas y de mercurio se erradican de mi cuerpo, estoy sintiendo la sanidad y la capacidad de concentrarme y pensar claramente.

He aprendido que Dios permite que pasemos por circunstancias y tiempos difíciles, para probar la validez de nuestra fe. La manera como reaccionamos ante las crisis es el termómetro que indica cuánto realmente creemos que Dios matiene el control y hace lo que es necesario, para construir un carácter sólido en nosotros. La condición misma que hoy nos incapacita puede ser la inspiración para el cántico que un día entonaremos ante el mundo.

Gracias, Señor, porque tienes el control y pules nuestros caracteres a través de las circunstancias y los tiempos difíciles.

¿Una gran explosión?

Y creó Dios al hombre a su imagen, a imagen de Dios lo creó;
varón y hembra los creó. Génesis 1:27.

Si alguna vez se ha preguntado si Dios creó la vida, o si ésta surgió por casualidad cuando algo explotó en el espacio, me gustaría que visitara una fábrica de semiconductores donde se elaboran chips para computadoras.

Cada chip —con un sinnúmero de alambres, conexiones, resistencias, condensadores, transistores y diodos— se confecciona sobreponiendo capa tras capa de alambres y demás componentes, de manera que cada capa quede aislada de la de abajo, excepto cuando los alambres u otras partes deban tocarse para hacer una conexión eléctrica. En cada nivel, cada alambre se coloca en el lugar preciso, arriba o abajo, según se muestre en el dibujo o plano original.

Para producir el chip, se comienza con un delgado disco de silicio del tamaño de una moneda grande, sobre el que se extiende una fina capa líquida de material sensible a la luz, que se seca rápidamente. Se expone una foto del primer dibujo, reducida a un cuadrado de 1/16 pulgada por lado, sobre esa capa de material sensible a la luz; y luego se pasa líquido de revelado sobre el disco. Hecho esto, toda la capa de material sensible desaparece, y sólo quedan las líneas y formas de la fotografía del dibujo. El técnico puede entonces ver ya el dibujo en el disco, utilizando un microscopio.

Aproximadamente diez mil de estas diminutas fotografías se exponen una al lado de otra en todo el disco. Cada lugar en el que se expuso la primera fotografía se convertirá en un chip. Como vemos, hay que seguir varios pasos para colocar cada capa de dibujos en su lugar, utilizando máquinas controladas por computadoras y robots veloces como el rayo.

Una vez acumuladas todas las capas sobre el chip, alguien deberá soldar los entre veinte y cincuenta alambritos diminutos que contiene. Y luego habrá que recortar cada chip y empacarlo con conectores de alambres más grandes, adecuados para conexiones a placas de circuito. Los chips permitirán, entre otras cosas, que usted tenga un reloj digital con calculadora, cronómetro, programador y lista de números de teléfono.

¿Puede un chip para computadoras existir por casualidad? ¡De ninguna manera! El cerebro humano es mucho más intrincado. ¿Una gran explosión? Lo dudo. Sólo Dios pudo haber hecho un cerebro creativo, capaz de pensar, sentir y ser lo suficientemente listo ¡para inventar los chips para computadoras!

Señor, el cerebro que creaste en mí ¡es tan formidable! Ayúdame a seguir un estilo de vida que me permita mantenerlo sano.

Duplicidad de normas

Hay camino que al hombre le parece derecho;
pero su fin es camino de muerte. Proverbios 14:12.

Sentado en mi oficina, el muchacho era una mezcla de agitado abatimiento y frustración adolescente:

—Simple y llanamente, la cafeína es una droga adictiva; pero mis padres la beben por litros. ¡No pueden ni abrir los ojos por la mañana, sin antes tomarse por lo menos tres tazas de café! Nadie les dice nada por eso, pero como a mí no me gusta el café, y prefiero fumar, ¡un poco más y el mundo se viene abajo!

Sonreí por su vehemencia, pero en realidad, lo que me contaba no era como para reírse. Tras una acalorada discusión con sus padres, la noche anterior le habían dado un ultimátum:

—Si quieres vivir bajo este techo, ¡olvídate del cigarrillo!

Por encima de su irritabilidad, me asombraba su dominio del tema.

—Tanto la cafeína como la nicotina estimulan el cerebro, intensifican la vivacidad, disminuyen la sensación de fatiga y aumentan temporalmente la memoria. Ambas propician la emisión de dopamina, neurotransmisor que ayuda a levantar el ánimo. ¿Entonces? ¿A qué viene esta duplicidad de normas?

Me dolía verlo sufrir.

—El uso del café es tan común en nuestra cultura, que pocos se detienen a pensar en sus propiedades —respondí.

En los Estados Unidos, uno de cada cuatro adultos fuma, mientras que cuatro de cada cinco beben té o café diariamente; y ni hablar de los que consumen cafeína en forma de chocolate, bebidas gaseosas y analgésicos, con lo cual la ingesta promedio de cafeína de diversos tipos asciende a 400 mg por día.

Pero en el caso del muchacho que me hablaba, el verdadero problema no era cuestión de nicotina o cafeína, sino —más bien— de ejemplo y aceptación.

Aquellos padres que rehusaban admitir su propia adicción a la cafeína condenaban a su hijo por su adicción al tabaco y lo amenazaban con echarlo de la casa, lo cual le hacía sentirse rechazado. Mejor hubiera sido permitir que la franqueza y el amor incondicional suavizaran su corazón.

La duplicidad de normas no tiene sentido. Es incoherente criticar los malos hábitos ajenos, mientras se excusan los propios.

¿Qué tipo de modelo representa usted? Lo que le parece correcto ¿es realmente correcto? ¿Ama a los demás incondicionalmente, tal como Dios le ama?

Tornados de muerte y destrucción

Humillaos, pues, bajo la poderosa mano de Dios, para que él os exalte cuando fuere tiempo; echando toda vuestra ansiedad sobre él, porque él tiene cuidado de vosotros. Sed sobrios y velad; porque vuestro adversario el diablo, como león rugiente, anda alrededor buscando a quien devorar. 1 Pedro 5:6-8.

El 1 de marzo de 1997, un vendaval impresionante azotó el estado de Arkansas, dejando su marca serpenteante a lo largo de 400 kilómetros de destrucción. Lo que en el horizonte se veía como una bestia fantasmal e imparable resultó ser un tornado.

Por lo general cuando un frente frío avanza en la atmósfera, otro frente masivo caliente se levanta contra él. Al elevarse este enorme volumen de aire, entra más aire caliente, que también asciende. A medida que el proceso se repite, el aire comienza a rotar. Por su movimiento uniforme, cobra ímpetu y fuerza. Para cuando toca tierra, sus vientos devastadores pueden alcanzar una velocidad de hasta 700 kms por hora.

Los tornados suelen causar daños increíbles. En apenas horas, fácilmente arrasan una superficie de tres a seis kilómetros de ancho por ciento cincuenta de largo. A su paso, fragmentos y escombros del tamaño de una aguja pueden hacer agujeros del tamaño de una pelota de fútbol. Los vientos producidos por los tornados, que avanzan a velocidades preocupantes, pueden lanzar con fuerza una ínfima pajita y clavarla en el tocón de un árbol. Como si se hubieran puesto bombas en lugares estratégicos, los edificios explotan, debido a los distintos niveles de presión interna y externa.

Sólo la debida preparación y la mano amante y bondadosa de nuestro Padre celestial pueden librarnos de estos agitados embudos de muerte.

Estos desastres naturales preanuncian tiempos todavía más peligrosos. ¿Se ha preparado para afrontarlos? Estas tormentas que ocurren irregularmente, aunque aumentan en frecuencia, exhiben poder y capacidades que sobrepasan por mucho nuestro control. Los resultados de estos actos satánicos bien pueden asociarse con los eventos del fin, según se describen en la Biblia. Aunque no hay mucho que podamos hacer frente a un tornado, hay Alguien en quien podemos confiar totalmente para nuestra protección. Nuestra única seguridad reside en Jesús. Permanezcamos en él, para poder sostenernos en pie (Apoc. 6:17).

¡Gracias, Señor, por tu promesa de protección! Cuando me sienta en medio de la tempestad de la vida, ayúdame a recordar que aun el viento y las olas te obedecen.

El descanso es la manera personal como Dios nos dice: "Te amo."

Venid a mí todos los que estáis trabajados y cargados, y yo os haré descansar. Mateo 11:28.

El descanso viene colmado de sonrisas y lleno de paz. Da fuerzas al cansado y restablece el ánimo del quebrantado. Aunque llega a su apogeo el sábado, siempre está listo para efectuar transformaciones sanadoras: obliga a los poderes del cansancio, del agotamiento y de la fatiga a retroceder, y los reemplaza con paz, energía y esperanza.

Quizá sea por eso que el Creador ligó el descanso con el sábado. Sabiendo que trabajaríamos intensamente toda la semana, dedicó un día entero para conectarnos con su poder y colmarnos de su presencia, a fin de reforzarnos y revigorizarnos para la siguiente semana.

Wayne Mullers dice: "El sábado es un tiempo para detenernos: para no dejarnos seducir por nuestros deseos; para cesar de trabajar, cesar de hacer dinero, cesar de gastarlo. Considere lo que tiene. Mire a su alrededor. Escuche su propia vida. Al final del día, ¿dónde hallará esa ansia desesperada de consumir, de ir de compras y de adquirir lo que no necesita? Se habrá disuelto. Poco a poco, se habrá desvanecido".

¿Por qué no planea con antelación hacer de su próximo sábado un día de descanso, de relajación y de relación con Dios? En vez de practicar deportes o buscar otras formas de entretenimiento, ¿qué tal si da a su mente la oportunidad de pensar profundamente, mientras su cuerpo descansa?

Ponga un poquito del sábado en cada día de la semana, tomándose diez minutos de descanso estabilizador. Esto no significa, necesariamente, acostarse a dormir. Significa dejar de lado toda actividad y concentrarse en el Creador durante esos diez minutos; hacer algo especial con él, dar un paseo y admirar su obra, probar una de sus mejores bebidas, escuchar el viento…

Piense en todas las cosas que le agobian o que le cansan. Escríbalas en tarjetas individuales, póngalas en un cesto y entrégueselas Dios. Cite las palabras de Jesús registradas en Mateo 11:28 —su promesa de reemplazar nuestras cargas con su descanso—, y pídale que personalice ese milagro para usted… ¡AHORA!

Recuerde, "No es la actividad desenfrenada lo que deberíamos honrar en nuestro medio, sino el amor. La actividad desenfrenada y el amor no son lo mismo. Una es velocidad; el otro, Dios" (Dr. Richard A. Swenson).

Descanso. Es la manera personal de Dios de decirnos "Te amo".

Cierre los ojos, respire profundamente, sonría y agradezca a Dios por su amor expresado en el don del descanso.

Belleza para la mente

En mi corazón he guardado tus dichos, para no pecar contra ti. Salmo 119:11.

La noche del 3 de marzo de 1947 fue oscura y fría. Yo estaba sola, acostada en la sala de parto de un hospital. Cada tanto, una enfermera pasaba a verme. Para mí, dar a luz siempre había sido una lucha... una verdadera lucha. Para pasar el tiempo entre contracción y contracción, esta vez repetí textos bíblicos en silencio, hasta que el doctor finalmente anunció: "Es una niña". Los versículos que he atesorado en mi corazón me han ayudado en los momentos difíciles de mi vida, porque he podido concentrar mis pensamientos en algo más que en mí misma.

La Palabra de Dios atesorada en la mente y en el corazón puede traer gozo y nuevas dimensiones de comprensión, no sólo en momentos de aflicción o de estrés, sino también en momentos de paz. Aprender de memoria versículos bíblicos y poesías fue parte importante de mi temprana infancia y de mis días de escuela. Llegué hasta defender mis creencias con un "así dice el Señor".

Con el correr del tiempo encontré que guardar la Palabra en mi corazón no sólo me ha impedido pecar a sabiendas, sino además me ha permitido descubrir un tesoro de belleza en las Sagradas Escrituras. Considere, por ejemplo, el primer versículo del Salmo 19: "Los cielos cuentan la gloria de Dios". Trate de imaginar la belleza de una noche estrellada, gloríese en las tonalidades del arco iris, atrape un rayo de sol a través del cristal de la ventana, note los colores cambiantes de la puesta de sol, siga el paso del copo de nieve al caer... ¡No hay límite a las ideas que un pasaje de las Escrituras puede generar!

Me encanta lo que a este respecto dice Elena G. de White: "Al contemplar las grandes cosas de la Palabra de Dios, observamos una fuente que se amplía y profundiza bajo nuestra mirada" (*La educación*, p.171).

Dijo el hombre sabio: "Porque cual es su pensamiento en su corazón, tal es él" (Prov. 23:7), y San Pablo aconseja en Filipenses 4:8: "Por lo demás, hermanos, todo lo que es verdadero, todo lo honesto, todo lo justo, todo lo puro, todo lo amable, todo lo que es de buen nombre; si hay virtud alguna, si algo digno de alabanza, en esto pensad".

En un mundo lleno de violencia, lujuria, codicia y deshonestidad, sólo podemos escapar de la depravación moral y mental, llenando conscientemente nuestras mentes con la Palabra de Dios. Sus palabras son vida y verdad. "Los manantiales de paz y gozo celestial abiertos en el alma por las palabras de la Inspiración, se convertirán en un río poderoso de influencia bendita para todos los que se pongan a su alcance" (*La educación*, p. 191).

Le invito a memorizar un texto bíblico por día durante los próximos 21 días. ¡Vea si no produce un cambio positivo en su vida!

El estilo de Dios es mejor

A todos los sedientos: Venid a las aguas; y los que no tienen dinero, venid, comprad y comed. Isaías 55:1.

Cuando Dios creó a los seres humanos y al resto del mundo animal, creó asimismo diversos alimentos para cada animal, conforme a la química de sus respectivos cuerpos. Las vacas comen alimentos distintos de los que comen los gatos. Las aves comen alimentos diferentes de los que comen los peces. El alimento que Dios creó para cada animal es absolutamente perfecto para el funcionamiento de su organismo. Para los humanos Dios creó las frutas, los cereales, los frutos secos (nueces, avellanas, castañas, almendras, etc.) y las hierbas; y para los bebés humanos, la leche materna.

Cuando el hombre llevó a cabo el procesamiento de alimentos, complicó el panorama nutricional. De hecho, los alimentos procesados se ven apetitosos y tienen buen sabor, pero suelen obstruir las arterias, sobrecargar de calorías el organismo y causar enfermedades cardíacas, alta presión arterial, diabetes, nivel de colesterol elevado, enfermedad de la vejiga, osteoartritis, dolor lumbar y muchos tipos de cáncer (colon, recto, próstata, seno, útero y ovarios). ¡Qué desastre nutricional!

Los seres humanos han tratado de mejorar la leche materna, utilizando fórmulas a base de leche de vaca. Pero Dios diseñó la leche de vaca para criar terneros, por lo cual contiene, entre otras cosas, tres veces más proteína, calcio y sodio que la leche materna. A través del proceso de laboratorio, el hombre ha conseguido disminuir las concentraciones de estos elementos para asemejarlos a la leche humana, sin embargo la proteína de la leche de vaca suele ocasionar alergias en muchos bebés. Además, tampoco tiene los factores que ayudan a los intestinos a madurar o a tener los leucocitos y anticuerpos vivos que protegerán al bebé contra enfermedades tales como asma, infecciones bacterianas, estreñimiento, colitis, infecciones gastrointestinales, eczema, amigdalitis e infecciones del tracto urinario entre otras.

En su intento de crear una fórmula nutritivamente adecuada para los bebés, los laboratorios le añaden —químicamente— substancias que la leche de vaca no tiene, pero que se encuentran naturalmente en la leche materna. Sin embargo, la leche materna es una unidad integral de función y nutrición completas. Es viva y asombrosa la interacción que se da entre sus elementos. El hombre nunca podrá duplicar satisfactoriamente lo que Dios ha creado.

La salvación es gratuita —tal como la leche materna—, pero nosotros tratamos de sustituir el don de Jesús con nuestras propias obras. Procuramos comprar la salvación siendo "buenos". Y en el intento nos enfermamos: físicamente a causa del estrés, emocionalmente al deprimirnos por no poder ser lo suficientemente "buenos".

Señor, cuando me tiente a hacer las cosas a mi manera, ayúdame a recordar que la tuya siempre es mejor.

Hijos de la luz

Porque Dios, que mandó que de las tinieblas resplandeciese la luz,
es el que resplandeció en nuestros corazones, para iluminación del
conocimiento de la gloria de Dios en la faz de Jesucristo. 2 Corintios 4:6.

El sol provee vida y salud a la Tierra. Sin él, moriríamos congelados. De no ser por el sol que mata los gérmenes, no se podrían controlar las enfermedades. En el plano espiritual, de no ser por la luz que proviene del Hijo de Dios, careceríamos de esperanza. También careceríamos de la esperanza de la vida eterna. Yo he pensado mucho acerca del sol, y he llegado a la conclusión que mi relación con el Hijo de Dios es similar a la que la Tierra tiene con ese orbe gigante que llamamos sol.

Por miles de años, el hombre pensó que la Tierra era el centro del universo y que el sol giraba a su alrededor. Ésa es la impresión que da. Por eso, cuando Copérnico dijo que la Tierra giraba alrededor del sol, se lo consideró un hereje.

Tal como en la época de Copérnico, es difícil admitir que no somos el centro del universo. Nacemos percibiendo, de alguna manera, que la vida gira alrededor de nosotros. A medida que crecemos, aprendemos que no es así, pero igual nos dejamos engañar por nuestra naturaleza egoísta. Queremos hacer lo que se nos ocurre, comer lo que nos apetece y oír lo que nos agrada. Nos engañamos a nosotros mismos, pensando que podemos hacer lo que se nos da la gana, sin sufrir consecuencia alguna. Pero cuanto más pecamos —haciendo las cosas a nuestra manera antes que a la manera del Hijo de Dios— más oscuridad recae sobre nuestro corazón. Así, el engaño llega a nublar nuestra visión, al punto de prácticamente imposibilitar el paso de los rayos de entendimiento provenientes del Sol de Justicia.

Satanás (el dios de este siglo) procura con ahínco mantener vivo el evangelio de la importancia propia. Sabe que para nosotros es imposible mirar en direcciones opuestas al mismo tiempo. Si logra mantenernos distraídos con nuestras necesidades y deseos, seguiremos tambaleando en la oscuridad sin poder ver la luz del Sol de Justicia que nos muestra la verdadera fuente de vida. Enseñándonos a tratar a los demás como deseamos que nos traten, a amarlos como Dios nos ama, y a recordar que los primeros serán postreros.

Es tiempo ya de poner nuestra importancia personal en la perspectiva correcta y de empezar a girar alrededor del Sol de Justicia, permitiendo que el calor de su amor y la luz de su Palabra nos sanen de nuestro modo de ser pecaminoso, oscuro, frío y egoísta.

¡Oh, Dios!, ayúdame a dar la espalda a mis motivos egoístas, para permitir que tu Hijo, el Sol de Justicia, ilumine mi vida.

Libertad del dolor

Te alabaré, oh Jehová Dios mío, con todo mi corazón, y glorificaré tu nombre para siempre, porque tu misericordia es grande para conmigo, y has librado mi alma de las profundidades del Seol. Salmo 86:12,13.

Durante dos años sufrí dolores terribles a causa de una enfermedad conocida como fibromialgia. Había leído el consejo del apóstol Santiago para cuando uno se enferma: llamar a los ancianos de la iglesia para que oren y le unjan con aceite en el nombre del Señor, pues la oración de fe pondrá bien al enfermo —el Señor lo levantará (Sant. 5:14,15)—, pero no lo había tomado al pie de la letra. No me sentía al borde de la muerte.

No obstante, a menudo había orado pidiendo sanidad por este dolor crónico que afectaba los cuatro cuadrantes de mi cuerpo. Reconciliado con la probabilidad de una vida en continua agonía física, había aceptado ya la situación como el "aguijón en la carne" con el que tendría que seguir bregando y viviendo cada día. Llegué incluso a sentirme orgulloso de mi habilidad de funcionar y llevar adelante un ministerio productivo como líder en la iglesia, a pesar de mi mal.

Un día en el que me sentía particularmente adolorido, comenté mi situación con un grupito de amigos que se había reunido en un comité especial para considerar con oración las decisiones que debían tomar. Fue entonces cuando les pedí que oraran por mí. De inmediato, presentaron mi situación ante el Señor. En sus oraciones pidieron que Dios me guiara a considerar un posible servicio de ungimiento.

Al orar al respecto, sentí mi necesidad no sólo de obtener sanidad física, sino también espiritual: sanidad de mi dependencia de mí mismo, para depender más de mi Salvador. Además, sentí la certeza de que experimentaría la sanidad en respuesta al ungimiento al que me sometería. El momento y el método quedarían a opción de Dios, pero supe en ese instante que él oiría y respondería nuestras oraciones de fe.

Mientras mis amigos me rodeaban para proceder al ungimiento, sentí la paz de la presencia de Dios. Estaba seguro de que él obraría. También confiaba en su voluntad y en el método que escogiera para cumplir sus propósitos.

A la mañana siguiente desperté al primer día sin dolor en más de dos años. Y con mayor sorpresa aún, descubrí mi necesidad constante de depender del Señor para cada aspecto de mi vida, y especialmente, en el espiritual. La necesidad es constante, pero así también, mi conciencia de la presencia y de la fuerza de Dios. Cada día, al alabarlo agradecido por liberarme del dolor, lo alabo aún más por la libertad que me da su gracia perdonadora.

¿Sufre de algún tipo de dolor: físico, emocional o espiritual? Pídale al Señor por sanidad, y alábelo por su amor y liberación.

¿Se ha "convertido" su copa?

Jehová es la porción de mi herencia y de mi copa; tú sustentarás mi suerte. Salmo 16:5.
Mi copa está rebosando. Salmo 23:5.

En su libro *The God Who Would Be Man* (El Dios que sería hombre), H.M.S. Richards relata la visita del obispo Taylor Smith —capellán principal de las fuerzas armadas— a un hospital militar, durante la Primera Guerra Mundial. Al notar que dos hombres heridos estaban sentados a la mesa frente a un recipiente boca abajo, les preguntó:

—¿Saben qué dos cosas hay debajo de ese recipiente?

—No —contestó uno de ellos.

—Oscuridad e inutilidad —dijo el capellán, tras lo cual enseguida puso el recipiente boca arriba—. ¿Ven?, ahora está lleno de luz y listo para verter en él gachas de avena, sopa o lo que quieran. ¡Es un recipiente que se ha convertido!

¡Qué concepto interesante! Dios nos ha dado nuestra copa, taza o plato hondo de vida, pero está en nosotros optar por ponerlo boca abajo —ser oscuros y huraños y finalmente inútiles— o boca arriba, para llenarlo hasta rebosar de sus bendiciones y compartirlas luego con otros.

Sólo recuerde que habrá veces en que se nos pedirá beber la copa de la aflicción. En vez de invertir la copa y rehusar lo que puede ser una lección espiritual para nosotros, podemos convertir nuestra copa de aflicción en un elixir de ánimo, antes que en un veneno de pesar corrosivo. De este modo, Dios podrá hacer de la copa boca arriba una bendición para nosotros y para quienes nos rodean.

El versículo 5 del Salmo 16 me ayuda enormemente, cuando empiezo a auto compadecerme a causa de mis circunstancias. Si Dios me ha puesto en esta circunstancia en particular, lo desafío cuando comienzo a quejarme. Cuando al cruzar el desierto, el pueblo de Dios comenzó a quejarse ante Moisés, en realidad se quejó a Dios y de Dios. Por eso Dios dijo a Moisés: "¿Hasta cuándo oiré esta depravada multitud que murmura contra mí?" (Núm. 14:27).

Merlin Carothers, el apóstol de la alabanza, escribió algo que siempre me coloca en mi lugar: "El momento decisivo no llega sino hasta que comenzamos a alabar a Dios por nuestra situación, en vez de clamar a él para que nos libre de ella". Hace algunos años, tuve que someterme a una cirugía facial, a causa de un carcinoma de células escamosas epiteliales. Se me helaba la sangre de sólo pensarlo, así que... empecé a decir, vez tras vez, "¡Gracias, Padre, gracias!" Imaginé mi copa de vida boca arriba, lista para recibir lo que Dios quisiera verter en ella. Y él la llenó. ¡La llenó de calma!

¿Está su copa de vida boca abajo, llena de oscuridad e inutilidad? De ser así, póngala boca arriba y permita que Dios la llene de luz y utilidad.

El placer de comer

Así que guardaréis el día de reposo, porque santo es a vosotros. Éxodo 31:14.

Comer a toda hora está perjudicando la salud de millones. Sin embargo, la mayoría de los consumidores de bocadillos o meriendas entre comidas no se detienen a considerar que aun cuando ingieran alimentos saludables, este hábito acaba por dañar el organismo, demora la digestión, y deja toxinas y alimentos fermentados en el estómago y los intestinos, por períodos más largos de lo necesario.

El cuerpo tiene sus propios ritmos naturales. Uno de ellos es el del sistema digestivo. Cada vez que uno come fuera de hora, interrumpe el proceso digestivo. Esto se demostró en un experimento en el que participaron cinco personas. Cada participante desayunó normalmente. En promedio, sus estómagos demoraron cuatro horas y media en vaciarse. Días después se dio a esas cinco personas una misma clase de desayuno, pero los investigadores introdujeron ciertas variantes.

1. Uno de los participantes comió un helado dos horas después del desayuno. Como resultado, necesitó seis horas para digerir completamente el desayuno.

2. Tres de los participantes comieron algo cada media hora después del desayuno, pero no almorzaron. Sus meriendas fueron un emparedado de mantequilla de maní, un trozo de pastel de calabaza con un vaso de leche, y media rodaja de pan con mantequilla. Después de nueve horas, todavía tenían en el estómago alimentos sin digerir de sus respectivos desayunos.

3. La quinta persona en este experimento comió dos barras de golosina con chocolate entre el desayuno y el almuerzo, y otras dos entre el almuerzo y la cena. En este caso, más de la mitad del desayuno permanecía en el estómago después de trece horas y media, juntamente con porciones de las demás comidas ingeridas.

Cada vez que uno come *algo*, activa los jugos digestivos que ayudan a descomponer los alimentos. Si ingiere nuevos alimentos en las horas subsiguientes al desayuno, cuando aún no ha terminado la digestión de esa primera comida, el estómago demora su trabajo para procesar el nuevo alimento. Si come a cada rato durante el día, el estómago agotado no podrá descansar sino hasta tarde en la noche.

El sistema digestivo no es el único órgano que necesita descanso. Por eso, Dios creó el sábado. Durante 24 horas, cada siete días, debemos descansar de nuestras faenas y preocupaciones. Es posible pensar que no importa si ponemos ropa a lavar, si estudiamos para un examen o si cortamos el césped en sábado; pero sí importa, porque demora el proceso restaurador del cuerpo y del alma que se lleva a cabo cuando dedicamos 24 horas a Dios.

Señor, concédeme la victoria sobre los bocadillos a deshora y sobre el trabajo en sábado, para que mi cuerpo y mi mente puedan recibir el descanso restaurador necesario para funcionar como tú esperas.

Crear "botones" en el cerebro

En cuanto a la pasada manera de vivir, despojaos del viejo hombre, que está viciado conforme a los deseos engañosos, y renovaos en el espíritu de vuestra mente, y vestíos del nuevo hombre, creado según Dios en la justicia y santidad de la verdad. Efesios 4:22-24.

Los mensajes o estímulos nerviosos se procesan en el cerebro y se envían a las diferentes partes del cuerpo por medio de neuronas o células nerviosas con prolongaciones denominadas dendritas y axones. Las dendritas se comunican con otras neuronas y con los axones. Estos pueden medir varios decímetros, y son los que transmiten los impulsos nerviosos desde el cuerpo celular hacia la periferia. Entre el extremo de una dendrita emisora y una dendrita receptora existe un espacio diminuto denominado sinapsis. En este punto de contacto se encuentran minúsculas protuberancias o botones segregadores de sustancias químicas que permiten la transmisión de impulsos nerviosos de una neurona a otra. Los científicos investigadores del cerebro han descubierto que los pensamientos o las acciones que se repiten a menudo generan estos botones en los puntos de contacto con las dendritas para facilitar la repetición del mismo pensamiento o de la misma acción la próxima vez: así se forman los hábitos. ¿Es posible cambiar los hábitos? La respuesta depende de la construcción de nuevas vías o puntos de contacto por medio de la elección consciente de otra reacción, creando así botones de contacto adicionales en las nuevas vías.

He aquí cómo funciona: ¿Se ha sentido tentado a comer una porción de pastel cuando estaba a dieta? Primero pensó: "¡Se ve delicioso!" Y de inmediato, el mensaje en código impulsado dijo a la neurona ejecutora: "¡Dispara!"

Pero en ese preciso instante añadió otro pensamiento: "No. Mejor será que no lo coma". Y enseguida, la sustancia química GABA (el ácido gammaaminobutírico) se segrega por otra vía para llegar hasta la neurona ejecutora de la acción. Esta nueva orden llega con el mensaje: "¡No dispares!" Cuanto más fuerte es la firmeza de la decisión, tanto mayor será la energía que ingresa en la célula.

¿Qué sucede si cedió a la tentación? Pues, deberá comenzar a trabajar en la elaboración de una nueva vía o punto de contacto. Uno nunca pierde terreno en la nueva vía: ¡los nuevos botones de las dendritas no se borran por una caída ocasional; y cada éxito fortalece el punto de contacto logrado! Si persiste en su intento, con el tiempo verá que habrá desarrollado una respuesta tan contundente hacia lo que es correcto, que difícilmente volverá a reaccionar como lo hacía antes.

Piense en algo bueno, sea amable, sonría. ¿No es una maravilla que se produzcan cambios químicos en las vías nerviosas, que cuando se establecen firmemente llegan a ser una bendición para nosotros?

El ejercicio movió mi montaña

*En descanso y en reposo series salvos; en quietud
y en confianza será vuestra fortaleza.* Isaías 30:15.

Sufrir de multisensibilidad química ha sido como tener una montaña inaccesible frente a mí. Exponerme a sustancias químicas y aun a olores tan suaves que otros ni siquiera perciben me ha traído muchísimos problemas: dolores de cabeza intensos, fatiga, dolores musculares y confusión mental. He orado mucho por esto, pidiéndole ayuda a Dios para saber qué hacer.

Hasta cierto punto, tomar suplementos nutritivos me ayudó; pero en el mes de octubre, Dios me instó a hacer algo más, así que comencé un programa de ejercicios, dedicando una hora cada mañana, a ejercicios respiratorios y de estiramiento. Poco tiempo después, empecé a notar que tenía más flexibilidad corporal y paz mental; exactamente lo que necesitaría para un desafío inesperado: la mudanza de mamá.

En diciembre, volé a Boston para ayudarle a empacar. Iba a ser una tarea descomunal. Su apartamento estaba repleto de cosas, y yo tenía menos de una semana para encargarme de todo. ¿Tendría la energía suficiente?

Abordé el avión con la seguridad de que si Dios me había ayudado a conseguir un vuelo a precio razonable en plena temporada navideña, también se encargaría de todo lo demás: el clima, ayudarme a encontrar una empresa de mudanza de buena reputación, mantener el auto funcionando y darme el aguante necesario. Así que, cerré los ojos y dormí la siesta plácidamente durante todo el viaje, sin sentir hipersensibilidad alguna a las sustancias químicas.

Durante la semana siguiente, cada mañana antes del amanecer, hablé con Dios e hice mi hora de ejercicios, enfocándome en el poder sustentador del Señor, y luego conduje el auto rumbo al apartamento de mamá, sintiéndome revigorizada y positiva respecto a las tareas que me esperaban.

Pero a mitad de la semana, cuando ya me sentía bastante exhausta, llegó mi hermana menor, que vive a treinta kilómetros de donde vive mamá, estuvo sólo dos días y empacó apenas seis cajas. Me enojé tanto por su actitud, que me sentí a punto de estallar, de modo que me fui del apartamento temprano, para alimentar a solas mi autocompasión. En realidad, necesitaba conversar con mi Padre celestial; necesitaba adquirir otra perspectiva y bajarme del trono para permitir que Dios se sentara en él. Necesitaba recordar que la clave de mi fortaleza residía en confiar implícitamente en el Dios que mueve montañas (véase Marcos 11:23).

Finalmente, tras 150 cajas e innumerables viajes al apartamento de mi madre (en un segundo piso), todo quedó listo.

Descubrí que, en verdad, el ejercicio es uno de los métodos de Dios para "mover montañas"; digo... el ejercicio físico ¡y el ejercicio de la fe!

¿Tiene una "montaña" en su vida que aún no ha podido quitar de en medio? Tal vez sea tiempo de pedirle a Dios que le muestre lo que debería hacer, y confiar en él para que se encargue del resto.

Cuidado con los excesos

Mirad también por vosotros mismos, que vuestros corazones no se carguen de glotonería y embriaguez y de los afanes de esta vida, y venga de repente sobre vosotros aquel día. Lucas 21:34.

Por definición, exceso es la "acción de excederse", el "hecho de exceder el límite de lo normal, razonable y proporcionado". El versículo de hoy nos advierte en contra de los excesos —la intemperancia— en el comer, el beber y los cuidados o preocupaciones de la vida. ¿Por qué Jesús nos habrá prevenido contra esto?

Obviamente, excesos tales como la glotonería, la embriaguez y la sobrecarga de preocupaciones embotan los sentidos, dejando a sus víctimas más vulnerables a la tentación. Jesús advierte que los intemperantes no estarán en condiciones de discernir la cercanía de su venida ni estarán listos para recibirlo.

La lección espiritual es clara; pero también hay aquí una lección de salud. El exceso en el comer lleva a la obesidad, y las investigaciones muestran que hay una relación entre la obesidad y el riesgo de contraer cáncer. La obesidad aumenta el riesgo de contraer cáncer de próstata 2,5 veces, y triplica el riesgo de contraer cáncer de colon. Una mujer con 25 kilos de sobrepeso corre 10 veces más riesgo de contraer cáncer de endometrio.

Cuando la medida de la cintura del hombre es de 94 centímetros o más (37 pulgadas o más), y la de la mujer es de 80 centímetros o más (31,5 pulgadas) indica que necesita adelgazar.

Es interesante notar que la grasa alrededor de la cintura es más peligrosa que la grasa alrededor de las caderas. Determine la proporción entre la cintura y la cadera, midiéndose la cintura justo debajo de las costillas; y las caderas, alrededor de la parte saliente del hueso a los lados de los muslos. Divida la medida de la cintura por la de la cadera. Idealmente, el resultado no debería exceder de 1 para el hombre y 0,85 para la mujer. Es mejor tener forma de pera: más grande alrededor de las caderas, que alrededor del estómago. A medida que aumenta la medida alrededor de la cintura, aumenta también el riesgo de padecer de alta presión arterial, diabetes, ataques al corazón, cáncer de seno y cáncer de endometrio.

Así que, por bien de su salud espiritual y física, ¡cuídese de los excesos!

¿Hay algún aspecto de su vida en el que está luchando contra la intemperancia? ¿Qué cambios considera que Dios querría que usted hiciera a fin de alistarse para su venida?

Regalos de nuestro Buen Pastor

Jehová es mi pastor; nada me faltará. En lugares de delicados pastos me
hará descansar; junto a aguas de reposo me pastoreará. Salmo 23:1,2.

Me encanta el Salmo 23, llamado Salmo del Pastor. Creo que a todos nos gusta; pero en lo personal, a medida que pasan los años, descubro en él más y más su belleza y su poder. Uno de los exégetas de este salmo sugiere que consideremos "delicados pastos" y "aguas de reposo", todo lo que nos proporciona alivio de las presiones comunes de la vida diaria y nos levanta el ánimo.

Cuando necesito un respiro —un rápido escape del momento— me imagino de pie a orillas de un arroyo. El día está fresco, y el ambiente, calmado. Es asombrosa la paz que siento con sólo ver esta escena en mi mente, siquiera por un instante.

Otro escritor señala que los pastos de Dios están siempre frescos y verdes porque están cercados por el amor protector de Dios y su ley. Qué buena idea es ésta; especialmente cuando nos sentimos tentados a "quemar" la "cerca" de Dios, con el fuego de nuestras propias ideas sobre lo que es correcto o nos conviene.

Hoy, más que nunca, necesitamos dehesas, lugares de pasto cercados...

Mi lugar privado es el rincón del dormitorio donde tengo un cómodo sillón, buena luz y muchísimo material de lectura, con ideas magníficas de autores maduros. Ese rincón es mi prado.

Nuestro espíritu se ve permanentemente asaltado por fuerzas ajenas que ya ni reconocemos. Me refiero a la invasión de nuestros sentidos, algo que especialmente he notado en los últimos treinta años. Siglos atrás, Pascal había escrito: "Nuestros sentidos no admitirán nada extremo. Demasiado ruido nos confunde, demasiada luz nos encandila, demasiada lejanía o cercanía estorba la visión, demasiada verbosidad o brevedad debilita el argumento, demasiado placer causa dolor, demasiada conformidad molesta". Siglos después, ¡sigue siendo así!

Puede que suene anticuado en el clima de hoy, pero en realidad no se nos exige que estemos constantemente corriendo, física, mental o espiritualmente. Para desacelerarnos, recomiendo meditar en este magnífico salmo diariamente. Sé que muchos lo memorizamos cuando niños, pero ahora que hemos crecido "demasiado" en nuestras ocupaciones, necesitamos "desempolvarlo" y encontrar qué es lo que realmente significa "encontrarnos en el valle" y ver sólo una salida... o ninguna, ante nosotros.

Mientras tanto, recordemos que la música, las amistades, los libros, los privilegios religiosos, la libertad y el amor son regalos —delicados pastos y aguas de reposo— provenientes de nuestro Buen Pastor.

Señor, guíame a un lugar tranquilo donde mi alma pueda animarse hoy.

Pruebas y confianza

Sino gozaos por cuanto sois participantes de los padecimientos de Cristo, para que también en la revelación de su gloria os gocéis con gran alegría. 1 Pedro 4:13.

Por lo general, la palabra sufrimiento trae a la mente escenas de cuerpos demacrados, agobiados de dolor y cubiertos de moscas, bebés hambrientos o padres afligidos que han perdido uno o más de sus hijos. En su caso, quizá surja la imagen de una experiencia personal: la pérdida de un ser amado, la traición o el rechazo de alguien, o alguna enfermedad o lesión física.

Sea cual fuere su vivencia, el dolor lo consume. Tratar de cambiar "de canal" mental, desviar el pensamiento en otra dirección o aun ignorarlo no da resultado. El cuerpo entero se compadece de la parte afectada; las emociones se desenfrenan. La rutina diaria se interrumpe, mientras la mente, el cuerpo y las emociones se apresuran a apoyarse mutuamente. Lo más desesperante es el sentimiento de separación de Dios, la extrema soledad que se siente cuando nadie más entiende nuestro corazón o siente lo que sentimos, y Dios permanece en silencio...

No hace mucho, mi recuperación de una cirugía mayor —que supuestamente sería sin contratiempos— se complicó a causa de un dolor agudo e incesante. Pronto llegué hasta a perder la noción del día y de la noche. Mi único alivio provenía del fuerte medicamento que ingería, pero éste prácticamente imposibilitaba el pensamiento racional y alerta; así que los planes de ponerme al día con mis escritos durante mi recuperación acabaron saboteados por las fuertes pulsaciones en mi pierna.

Una noche de insomnio, mientras estaba sentada envuelta en una manta, y tomaba una infusión caliente, me largué a llorar... Me sentía tan deprimida por las persistentes punzadas, que le supliqué a Dios alivio... y resolución. Era tal mi tensión, que hasta me vi de pronto con los puños cerrados y todos los músculos de mi cuerpo en posición de lucha. Fue entonces cuando me asaltó la idea de que en vez de luchar, debía fluir con la corriente. Debía dejar de pelear con el dolor y relajarme, para experimentar esta vivencia.

De repente, la palabra "regocijo" llegó como un susurro a mi mente. Así que, cambié de inmediato mi enfoque y comencé en ese mismo instante a alabar a Dios por el dolor, por el sufrimiento y por el privilegio y... ¡me quedé dormida!

Hoy, aunque también intenso, el dolor es diferente; pero el remedio sigue siendo el mismo. Debo alabarle por el dolor: estar contenta y agradecida por el tremendo honor y la confianza que implica.

Le sugiero que reflexione en esta cita: "...de todos los dones que el Cielo puede conceder a los hombres, la comunión con Cristo en sus sufrimientos es el más grave cometido y el más alto honor". (Elena G. de White, *El Deseado de todas las gentes*, p. 197).

La próxima vez que sienta el peso agobiante del dolor, alabe a Dios por el don de poder tener comunión con Cristo al meditar en su sufrimiento.

Corazones endurecidos

Porque él es nuestro Dios y nosotros somos el pueblo de su prado;
¡somos un rebaño bajo su cuidado! ¡Si ustedes oyen su voz, no endurezcan
el corazón como en Meribá, como aquel día en Masa en el desierto. Salmo 95:7,8.

En mi labor en el Instituto Weimar y en Lifestyle Center of America, he conocido muchas personas que tienen el corazón endurecido; bueno, por lo menos con las arterias endurecidas. Esas personas sufren de diabetes, obesidad, artritis, de todo lo que usted quiera. Y estos pacientes han aprendido los principios del programa NEWSTART (Nutrición, Ejercicio, Agua, Luz del sol, Temperancia, Aire puro, Descanso y Confianza en el poder divino), que han ayudado a muchos a recuperar la salud. Una pareja me comentó: "Estamos cansados de sentirnos enfermos, de tomar medicinas y luego sufrir a causa de los efectos secundarios que provocan, teniendo que tomar entonces más medicinas para ello. Deseamos aprender a permanecer sanos en forma natural".

Mientras los pacientes se esfuerzan por romper hábitos de toda una vida y recuperarse de las debilitantes enfermedades, frecuentemente expresan lo siguiente: "Yo he sabido esto durante muchos años, simplemente no lo ponía en práctica".

¿Cuál es su experiencia al respecto? ¿Usted también, como el pueblo de Israel, anhela otra vez las ollas de Egipto (Éxo. 16:3) y luego se pregunta cuál será la razón por la que no se siente bien? Dios les advirtió a los israelitas (Éxo. 15:26), que si escuchaban y hacían lo que él les ordenaba, obedeciendo sus leyes, incluyendo las leyes de la salud, no tendrían que sufrir las enfermedades de las que sufrían los egipcios. Pero ellos no escucharon.

Tampoco yo lo hice. Sabía que Dios había revelado información más específica a través de su mensajera, Elena G. White, quien escribió acerca de que vendría un tiempo cuando no iba a ser lo mejor consumir productos lácteos. Pero yo era ya vegetariana. ¿Por qué comportarme en forma fanática y dejar de consumir leche y queso? Mientras tanto, llevaba sobre mí una carga de 20 libras extra y soportaba una molesta congestión que no podían curar los medicamentos. Cuando llegué al Instituto Weimar para estudiar cómo dar masajes, probé en mi propio caso el estilo de vida que sabía que debía estar practicando. ¡Qué sorpresa! Los kilos extra desparecieron al instante. También desapareció mi congestión. Aprendí a sanar y a permanecer sana al seguir las leyes de la salud dadas por Dios.

Nuestro hijo Elijah ha iniciado el proceso saludable que lo librará de mucho dolor y enfermedades. Leche materna, una dieta compuesta de alimentos vegetales, libre de productos animales, mucha agua, aire puro, luz solar y todo lo demás mencionado. ¿Y adivinen qué? No se enferma de resfriados, infecciones del oído y otras enfermedades "típicas" de los niños.

Señor, deseo vivir el estilo de vida que diseñaste para mí. Fortalece mi voluntad para hacer lo que sé que debo hacer.

El valor del tiempo

Vino luego a sus discípulos, y los halló durmiendo, y dijo a Pedro: ¿Así que no habéis podido velar conmigo una hora? Velad y orad, para que no entréis en tentación; el espíritu a la verdad está dispuesto, pero la carne es débil. Mateo 26:40,41.

La primera vez que verdaderamente me di cuenta del valor del tiempo fue cuando recibí una llamada telefónica de mi madre, contándome que mi hermana había muerto, al chocarla un conductor ebrio.

Rebeca había partido. Mi alma gemela, mi confidente, mi adversaria en los debates... Ese día, el tiempo no había durado para ella ni siquiera 24 horas. Había terminado. Ella había usado 22 años, 17 días, 2 horas y 56 minutos de tiempo, y ésta era su parte: ni un minuto más; ni un minuto menos.

En la portada de la Biblia que me regaló tres meses antes de su muerte, había escrito: "A Tabitha, en tu vigésimo cumpleaños. Con cariño, Rebeca"; y tras ello: "Venid a mí todos los que estáis trabajados y cargados, y yo os haré descansar. Llevad mi yugo sobre vosotros, y aprended de mí, que soy manso y humilde de corazón; y hallaréis descanso para vuestras almas; porque mi yugo es fácil, y ligera mi carga" (Mat. 11:28-30).

En sólo veintidós años, Rebeca había aprendido el secreto que muchos de nosotros todavía esperamos llegar a aprender: aceptar la invitación de Jesús de ir a él, para aprender de él, y hallar descanso en él.

¿Cuán a menudo no prestamos atención a su invitación y hacemos lo que se nos ocurre, so pretexto de estar ocupados? Programamos citas y corremos de un lado a otro a lo largo de la vida. Luchamos con nuestros trabajos y con nuestras relaciones, pasamos noches sin dormir a causa de nuestros hijos, corremos a las reuniones y a las tiendas, y paramos en la iglesia para un rápido momento de descanso, el sábado de mañana, antes de empezar la nueva semana de apuro y estrés.

¿Qué pensará Dios de todo eso? Sus instrucciones son sencillas y directas: "Venid a mí"; pero según parece, nosotros las olvidamos, en nuestro apuro por seguir andando cada mañana. Puede que una oración frente al espejo del baño, con el cepillo de dientes en la boca, sea el único momento para Dios, hasta que nos golpee la tragedia.

Dios nos ha extendido su franca invitación para disminuir nuestro grado de estrés, eliminar nuestros problemas y recibir su paz. Pero nada de eso sucederá, a menos que apaguemos el televisor, nos desconectemos de Internet y cancelemos las actividades que sólo construyen nuestro ego, no tesoros en el cielo.

¿Por qué no entregar cada momento de nuestras vidas a Cristo? Tomemos tiempo para entregarle nuestras cargas y confiar en él, a fin de que nos ayude a seguir adelante.

¿Ha aceptado la invitación de Cristo de ir a él y entregarle sus cargas? Si aún no lo ha hecho, ¿no es ya tiempo de hacerlo?

De todo corazón

Crea en mí, oh Dios, un corazón limpio, y renueva
un espíritu recto dentro de mí. Salmo 51:10.

Mientras cada miembro del equipo de cirugía realizaba sus respectivos preparativos preoperatorios, un silencio sobrecogedor invadía el quirófano. Sólo ocasionalmente rompían el murmullo del respirador y el bombeo rítmico de la máquina para el by-pass, las voces quedas de los médicos, en tanto abrían el pecho del paciente para efectuar un *by-pass* triple.

Como enfermera de cuidado crítico, en práctica en el Hospital Bautista de Nashville, Tennessee, se me había asignado observar la cirugía.

Un médico con bata blanca se acercó a la mesa de operaciones. Como se me pidió ubicarme a la cabecera del paciente, pude ver claramente el corazón casi sin movimiento, a pocos centímetros de donde yo estaba. El cirujano principal tomó con suavidad el corazón y lo sostuvo quedamente, hasta que cesó de latir. Y enseguida, hizo una señal al técnico encargado, para que aplicara la pinza quirúrgica que permitiría desviar la sangre del paciente hacia la máquina que la haría circular durante la operación.

Requirió poco tiempo reparar y reemplazar los vasos dañados del corazón. Tan suavemente como antes lo había detenido, el cirujano volvió a poner en marcha el corazón. Mientras esperábamos, conteniendo la respiración, el corazón lentamente comenzó a latir. Con otra señal —esta vez de victoria—, el cirujano ordenó soltar la pinza quirúrgica, y la maravillosa sangre vivificadora volvió a circular impulsada por la bomba creada por Dios. Ya no había silencio en el quirófano; sólo regocijo y felicitaciones.

Aquel momento de regocijo me hizo pensar en el Creador Maestro, que tan a menudo revela sus lecciones espirituales a través de las reacciones físicas de estos cuerpos nuestros tan maravillosa y asombrosamente creados.

El Gran Médico tiene que detener, reparar y restaurar nuestros corazones enfermos de pecado. A medida que "soltamos las pinzas", la sangre de Cristo inicia nuestro nuevo flujo de vida espiritual. Y quedamos al cuidado tierno y amoroso de Jesús, por medio de su Espíritu Santo.

Tal vez aquel paciente no se haya dado cuenta de lo grave de su situación sino hasta cuando ya no pudo tener control sobre su vida y necesitó una intervención quirúrgica. Ahora debo preguntarme, ¿estoy permitiendo que mi vida espiritual flote a la deriva?

Aquel día, cuando dejé el quirófano, sólo atiné a orar: "Crea en mí, oh Dios, un corazón limpio, y renueva un espíritu recto dentro de mí".

¿Cómo está la salud de su corazón? ¿Por qué no pedir a Dios, ahora mismo, que cree en nosotros un corazón enteramente saludable?

El poder de la religión personal

Jehová te bendiga, y te guarde; Jehová haga resplandecer su rostro sobre ti, y tenga de ti misericordia; Jehová alce a ti su rostro, y ponga en ti paz. Números 6:24-26.

Los investigadores tienen ahora sorprendentes evidencias de que quienes creen en Dios como un Padre celestial que los ama y los cuida, y cultivan activamente esa fe, cuentan con uno de los recursos más eficaces para controlar el estrés en los tiempos de crisis, y así obtener y mantener la salud. Observe lo que cinco personas famosas tienen que decir acerca del poder de la religión personal para desintoxicarnos del estrés:

El cardiólogo George Sheehan —paladín del jogging para mantenerse en forma—, adjudica a la religión un poder casi inigualable para aliviar el estrés, por brindar una sensación interior de calma y tranquilidad: la sensación de que ninguna derrota es definitiva; y considera que las personas encuentran un sentido de seguridad duradera mediante su conexión con un poder superior.

Durante sus tres años como prisionero de guerra en Auschwitz, el psiquiatra judío Víctor Frankl halló que si podía ayudar a sus compañeros de prisión a creer que su experiencia (por horrenda que fuera) tenía sentido, podría ayudarles a mantener la voluntad de vivir. Más tarde, en su obra clásica *El hombre en busca de sentido*, escribiría lo siguiente: "Me atrevo a decir que no hay nada en el mundo que pueda tan eficazmente ayudarle a uno a sobrevivir aun las peores condiciones, como saber que su vida tiene sentido... En cierto modo, el sufrimiento deja de ser tal en el momento en que se encuentra que tiene sentido". (Véase Romanos 8:28.)

En su libro *Stress/Unstress: How You Can Control Stress at Home and on the Job* [Con estrés y sin estrés: Cómo controlar el estrés en el hogar y el trabajo], El Dr. Keith Sehnert sugiere encontrar diariamente un momento de calma, para orar y leer la Biblia u otro material de lectura devocional, como componente vital de un programa equilibrado para controlar el estrés.

En su seminario *Stress: Beyond Coping* (Estrés sin esforzarse), Skip MacCarty cuenta de una época en la que, frente a cinco considerables factores de estrés, pasó muchas noches de insomnio. Pero una de esas noches, durante una larga caminata, decidió practicar un principio clave de su seminario. Mientras caminaba, discutió detenidamente con Dios cada uno de sus problemas, y luego, uno a uno, los dejó en sus manos. Dice que al volver a casa pudo —por primera vez en varias semanas— dormir en paz.

El renombrado psiquiatra Paul Tournier dijo que solía vivir inquieto, siempre mirando al reloj; pero que cuando comenzó a dedicar una hora al día a la reflexión en calma, a la meditación y a la oración con devoción, se volvió más feliz, más sano, capaz de discernir sus prioridades y más productivo.

¿Por qué no pasar hoy un tiempo extra con nuestro Amigo Eterno, y descubrir lo poderosa que puede ser esta relación para desintoxicarle del estrés?

Obediencia o abuso

¿No sabéis que sois templo de Dios, y que el Espíritu de Dios mora en vosotros?
Si alguno destruyere el templo de Dios, Dios le destruirá a él; porque el
templo de Dios, el cual sois vosotros, santo es. 1 Corintios 3:16,17.

El cerebro funciona a distintos niveles. El más elevado es el del criterio o pensamiento crítico. El segundo es el de la función motora voluntaria: la capacidad de mantenerse en equilibrio, respirar a voluntad, enfocar los ojos en un objeto o tocarse la punta de la nariz con los ojos cerrados. Y el nivel inferior es el de la función motora involuntaria: las acciones automáticas de la respiración o de los latidos del corazón.

Al abusar del cuerpo con sustancias nocivas, falta de descanso o comida en exceso, se pierde el nivel más elevado. Al persistir porfiadamente en este abuso, el segundo nivel deja de funcionar. Y si se sigue abusando del cuerpo de este modo, finalmente el cerebro pierde también la capacidad de accionar los músculos del corazón o de los pulmones y la persona muere.

Una de las sustancias con las que se maltrata el organismo es el alcohol: las bebidas alcohólicas. Cuando el nivel de alcohol en la sangre comienza a elevarse, la función más delicada o sensible del cerebro se detiene abruptamente. A menudo pregunto: "Si usted fuera un observador sobrio en una fiesta, ¿cuál sería, a su juicio, la primera evidencia de que los que beben tienen alcohol en la sangre?" Las respuestas más comunes son: hablar arrastrando las palabras o con dificultad en la pronunciación, caminar en forma inestable, visión borrosa… Pero, no. La primera evidencia es la falta de criterio, de juicio analítico, ese maravilloso sentido que nos indica cuándo hablar y cuándo callar. La discreción, el criterio o juicio analítico es resultado del pensamiento en el lóbulo frontal, la parte del cerebro donde el Espíritu Santo se comunica con nosotros, ¡el templo donde el Espíritu de Dios mora en el ser humano!

Muchos no comprenden este asunto tan importante. Somos salvos por gracia, a través de la fe solamente, no por obras (por la semejanza a Cristo). La obediencia no gana la salvación, pero la salvación la requiere. "La fe sin obras es muerta" (Sant. 2:20, 22). Se nos juzga por nuestras obras (Apoc. 20:12, 13). "A fin de rendir a Dios un servicio perfecto, uno debe tener una idea clara de sus requerimientos. Debería obrar de manera que los delicados nervios del cerebro no se debilitaran, entumecieran ni paralizaran, imposibilitando discernir las cosas sagradas y valorar la expiación, la sangre purificadora de Cristo, como de inapreciable valor" (*Testimonies for the Church*, t. 2, p. 456).

Señor, dame sabiduría y dominio propio para no abusar de tu templo en mí.

Guardar el mandamiento con promesa

Honra a tu padre y a tu madre, para que tus días se alarguen en la tierra que Jehová tu Dios te da. Éxodo 20:12.

Me maravilla el poder sanador de las relaciones interpersonales cercanas; especialmente, de las relaciones familiares. Diversas investigaciones han demostrado que contar con relaciones cercanas afecta la propensión a la enfermedad en general. Uno de los estudios longitudinales más interesantes comenzó en 1952, cuando el Dr. Stanley King y sus asociados escogieron al azar 126 estudiantes varones sanos de la Universidad de Harvard y les preguntaron cuán íntimamente conocían a sus padres y si tenían buenas relaciones con ellos o no.

Treinta y cinco años después, se consiguieron los expedientes médicos de aquellos participantes y se procedió a estudiar en detalle su historial médico y psicológico. Esto es lo que se encontró: En comparación con el 45% de los entrevistados que se habían llevado bien con sus madres, el 91% de los que no se habían llevado bien con las suyas tuvieron enfermedades graves en su mediana edad. Entre ellas, enfermedades de las arterias coronarias, hipertensión arterial, úlceras duodenales y alcoholismo. De manera similar, en comparación con el 50% de entrevistados que se habían llevado bien con sus padres, el 82% de los que no habían tenido una estrecha relación con los suyos, habían sido diagnosticados con enfermedades en su mediana edad.

Esta significativa correlación entre las buenas relaciones con los padres y la salud futura de los hijos se dio independientemente de los antecedentes médicos familiares, el hábito de fumar, el estrés emocional, la salud posterior o el divorcio de los padres y la historia conyugal de los estudiantes.

Los investigadores concluyeron que solamente el hecho de que alguien nos conozca y se interese por nosotros es una defensa biológica, psicológica, social y espiritual que reduce el efecto negativo de los factores estresantes y patógenos y promueve la función inmunológica y la sanidad.

Dios ordenó que mantuviéramos una relación sana con nuestros padres, cuando escribió con su propio dedo el quinto mandamiento en las tablas de piedra. ¿No es interesante que éste sea el único mandamiento que contiene la promesa de larga vida? Dios, nuestro Creador, obviamente sabía que nos había creado con este factor protector, y procuró alertarnos al respecto, ordenándonos honrar a nuestros padres. ¡Cuán diferente sería el mundo si confiáramos en la Palabra de Dios!

¿No es tiempo ya de que obedezcamos el mandamiento de Dios, perdonando si es necesario a nuestros padres y siendo amables con ellos, a pesar de cualquier herida del pasado, y de que comencemos a disfrutar de las ventajas de salud que esto nos proporcionaría?

El poder de la oración intercesora

Y quitó Jehová la aflicción de Job, cuando él hubo orado por sus amigos;
y aumentó al doble todas las cosas que habían sido de Job. Job 42:10.

Casi todos conocemos a alguien, o hemos oído hablar de alguien, que milagrosamente se recuperó de su enfermedad, gracias a la oración. Sin embargo, una cosa es creer que la oración sana, señalando uno que otro caso en el que así ocurrió, y otra es probarlo científicamente. Esto, sin embargo, fue exactamente lo que hicieron dos investigadores.

El Dr. Dale Mathews, profesor y médico internista de la Facultad de Medicina de Georgetown, y la enfermera profesional Sally Marlowe, llevaron a cabo un estudio sobre la oración, utilizando la misma estructura y los mismos controles que cualquier científico usaría para evaluar un nuevo medicamento.

Al empezar, en una intensa sesión trataron —con oración e imposición de manos— a 40 pacientes de artritis provenientes del Centro de Tratamiento contra el Dolor y la Artritis ubicado en Clearwater, Florida. Luego, dividieron a los pacientes en dos grupos. La mitad de ellos (sin saberlo) fue objeto de una dosis de oraciones a distancia, diariamente, durante seis meses, mientras que la otra mitad no lo fue; como por supuesto tampoco lo fue el grupo de control a lo largo de todo el experimento. Ambos grupos de pacientes permanecieron bajo la supervisión de profesionales clínicos capacitados, que utilizaron medidas de diagnóstico estandarizadas (como por ejemplo, pruebas de la fuerza de asimiento y análisis de sangre) para controlar las señales de progreso.

Ahora que los resultados se conocen, no hay duda alguna de que Dios escucha las oraciones de su pueblo y honra sus peticiones. La sanidad se produce, aunque la persona por la cual se ore no sepa nada respecto a las oraciones en su favor.

Pero hay aún otro aspecto de la oración intercesora que tal vez hayamos omitido; y éste es el efecto positivo que la oración tiene sobre la propia persona que ora. ¿Recuerda el caso de Job? Él perdió todo en un día. Pasó, literalmente, de rico a pobre. Y encima tuvo que soportar el terrible dolor de las llagas que lo cubrían de pies a cabeza. Sin embargo, ni cuando su esposa le sugirió maldecir a Dios y morirse, ni cuando sus amigos lo acusaron de maldad, disminuyó su fe. Su respuesta fue: "Aunque [Jehová] me matare, en él esperaré"; y continuó orando. ¡Qué fe! Pero, ¿pensó usted alguna vez en el momento en que Dios le devolvió todo lo que Job había perdido? No fue mientras oraba por sí mismo, aunque agonizaba de dolor, sino cuando oró… ¡por sus amigos! Aparentemente, hay una bendición tipo boomerang para quienes oran por otros. Job la recibió. Usted y yo… ¡también podríamos recibirla!

Señor, concédeme un corazón que llore, se regocije y ore por los demás, independientemente de mi propia situación.

Luz al final del túnel

Al Señor busqué en el día de mi angustia; alzaba a él mis manos de noche, sin descanso; mi alma rehusaba consuelo. Me acordaba de Dios, y me conmovía; me quejaba, y desmayaba mi espíritu. No me dejabas pegar los ojos; estaba yo quebrantado, y no hablaba. Salmo 77:2-4.

Carolina abrió los ojos y exhaló un suspiro. Debía de pararse, pero no podía mover el cuerpo a voluntad. ¿Qué le estaba sucediendo? El sol brillaba afuera, pero ella no lograba disipar la confusión que nublaba su mente. Desde la perspectiva de los demás, tenía todo para querer vivir, pero desde su propia perspectiva, ¡no tenía nada! Si alguien le hubiera preguntado cómo se sentía, ¡podría haber contestado con el Salmo 77!

Los sentimientos de desesperación, el insomnio, la culpa y la sensación de estar lejos de Dios, expresados por David, son síntomas de lo que hoy conocemos como depresión. Ésta es una enfermedad genéticamente determinada, causada por la falta de ciertas sustancias químicas en el cerebro. La persona que la padece siente que no hay luz al final del túnel; y carga sobre sus hombros un peso abrumador. Sus sentimientos pueden llegar a ser tan intensos que incluso podrían inducirla a pensamientos o acciones suicidas.

Las manifestaciones leves de esta afección médica pueden aliviarse por medio del ejercicio físico, pero a menudo, la persona que la sufre está demasiado enferma para poder iniciar una actividad de este tipo. Aun una persona cristiana y consagrada puede llegar a sentir que Dios la ha abandonado, y exclamar como David, "Me acordaba de Dios, y me conmovía".

Para estas personas, los fármacos pueden no sólo ser indicados, sino necesarios para salvarles la vida. A la persona que realmente padece de depresión clínica le es tan imposible arreglarse y animarse, como para un joven diabético reducir la glucosa de su sangre sólo por pensar que dicho nivel está bajo. Ambos sufren de trastornos químicos, que requieren tratamiento químico.

Los cristianos a menudo se sienten culpables por sentirse deprimidos. Piensan que por ser cristianos deberían tener "el gozo del Señor", de modo que suman más carga a la que ya acarrean. Para ellos, las buenas nuevas son que su depresión no es error ni pecado suyo. Tienen una enfermedad; ¡y *ésta es tratable!* A pesar de algunos posibles efectos secundarios, cuando los antidepresivos se utilizan con cuidado y juiciosamente, pueden cambiar y hasta salvar la vida.

Es mi oración que podamos tratar a todos los que sufren de depresión, con compasión y aliento, animándolos a buscar la ayuda médica que necesitan para mantener su equilibrio químico tan normal como sea posible, y recordándoles que el mismo salmista que escribió las lastimeras palabras del Salmo 77 escribió también el Salmo 81:1: "Cantad con gozo a Dios, fortaleza nuestra".

¡Oh, Señor, concédeme compasión por quienes sufren enfermedades que yo no entiendo! Y cuando mi propia vida se torne desolada, concédeme sabiduría para buscar la ayuda que necesite. Amén.

Mayores y mejores

Señor, digno eres de recibir la gloria y la honra y el poder; porque tú creaste todas las cosas, y por tu voluntad existen y fueron creadas. Apocalipsis 4:11.

La mayoría de nosotros hemos aprendido que es mejor que nos cuidemos, porque nuestros días están contados. Pero también hemos aprendido que aun cuando hayamos descuidado nuestros cuerpos, si empezamos a tratarlos como conviene, la mejoría puede ser asombrosa.

Hulda Crooks perdió a su esposo cuando ella tenía alrededor de sesenta años. Su propia salud se estaba deteriorando, y su doctor le dijo que si no comenzaba a hacer ejercicio físico, pronto iba a seguir los pasos de su esposo. Así que, tomó en serio el asunto, y comenzó a caminar, aumentando diariamente la distancia que recorría. Luego, decidió dedicarse al excursionismo. Empezó a hacerlo siguiendo los senderos del monte San Gorgornio, cerca de su casa, en el sur de California. Con el tiempo, se propuso ascender el monte Whitney (la montaña más alta de los 48 estados contiguos). Para cuando llegó a sus 91 años, ya había ascendido 23 veces hasta la cima del monte Whitney.

¿Y qué decir del célebre Jack La Lanne? En alguna parte escuché que, después de los 30 años, perdemos anualmente dos por ciento de masa muscular, y que para cuando llegamos a los 70, ya no nos quedan fuerzas ni para levantarnos de una silla. Hace 50 años, él fue el primer gurú del ejercicio físico en televisión. A sus 45 años, podía hacer 1.000 lagartijas y 1.000 flexiones en la barra tocándola con la barbilla, en menos de una hora y media. Yo no podría hacer esas 1.000 flexiones ¡ni en una semana! Y es posible que entre quienes lean esto no haya muchos que puedan ¡siquiera hacer una! A los 60 años, La Lanne se sujetó las muñecas a la espalda, se amarró los tobillos juntos, se enganchó a un bote que pesaba 1.500 kilos y luego lo arrastró en el mar moviéndose como una marsopa, desde la isla de Alcatraz hasta el conocido Fisherman's Wharf (embarcadero de pescadores) en San Francisco, California, o sea, unos diez kilómetros.

En verdad, a pesar de unos 7.000 años de maltrato y negligencia transcurridos bajo el dominio de Satanás, nuestros cuerpos han sido maravillosamente creados. Así que, si está envejeciendo y le preocupa el deterioro de su salud, ¿por qué no empieza a tratar su cuerpo correctamente? ¡Quién sabe las posibilidades que Dios ha creado en usted! Piense en la gloria y la honra que podrá dar al Dios del universo por su maravillosa creación.

Señor, concédeme la autodisciplina que necesito a fin de mejorar mi vida como una ofrenda para ti.

Cuando se le confían pruebas

Y Jehová dijo a Satanás: ¿No has considerado a mi siervo Job, que no hay otro como él en la tierra, varón perfecto y recto, temeroso de Dios y apartado del mal? Job 1:8.

A veces creemos que pasamos por grandes pruebas y tribulaciones. ¿Se imagina perder siete hijos, tres hijas, todos sus sirvientes, y miles de ovejas, camellos y ganado... en un solo día? ¿Y que tras semejante desastre, alguien venga y le informe que también usted ha perdido todas sus posesiones materiales? ¿Y que como si todo eso fuera poco, ahora también tenga el cuerpo cubierto —de pies a cabeza— con llagas dolorosas, malolientes y supurantes; y que hasta su cónyuge le diga: "¡Maldice a Dios y muérete!"?

Gracias a Dios que tenemos la historia de Job, quien en su dolor exclamó: "aunque él me matare, en él esperaré" (Job 13:15). El relato de su vida nos permite entender con mayor claridad la controversia entre Cristo y Satanás, que encarnizadamente se libra sobre cada alma. Dios no causa nuestro sufrimiento. Sólo permite que Satanás nos presione, para demostrarle al Maligno que en realidad somos dignos de la confianza divina.

Satanás formuló la acusación: "¿Acaso teme Job a Dios de balde? ¿No le has cercado alrededor a él y a su casa y a todo lo que tiene?" (1:9). Para probar que Job no servía a Dios por las bendiciones que de él recibía, sino por amor, Dios permitió a Satanás que lo atormentara al máximo.

Dios demostró que Job era digno de confianza. ¿Podría decir lo mismo de usted y de mí? ¿Murmuramos y nos quejamos cuando pasamos por pruebas y dificultades?

Si durante la próxima prueba, mientras Dios pruebe ante Satanás que usted es digno de la confianza divina, usted se somete al fuego purificador, la escoria se quemará y su carácter brillará como el oro más puro. Usted será como Jesús, que le está considerando como digno de confianza para su universo libre de pecado.

Meditemos en este pensamiento alentador: "Cristo vivía rodeado de la presencia del Padre, y nada le aconteció que no fuese permitido por el amor infinito para bien del mundo. Esto era su fuente de consuelo, y lo es también para nosotros. El que está lleno del Espíritu de Cristo mora en Cristo. El golpe que se le dirige a él cae sobre el Salvador, que lo rodeará a usted con su presencia. Todo cuanto le suceda viene de Cristo. No tiene que resistir el mal, porque Cristo es su defensor. Nada puede tocarlo sin el permiso de nuestro Señor". (Elena G. de White, *El discurso maestro de Jesucristo*, pp. 62, 63).

Independientemente de lo que hoy pase en su vida, ¿puede decir como Job: "Aunque me matare, en él esperaré"?

Un agujero podrido

Examinaos a vosotros mismos si estáis en la fe; probaos a vosotros mismos.
¿O no os conocéis a vosotros mismos, que Jesucristo está en vosotros,
a menos que estéis reprobados? 2 Corintios 13:5.

Mis pacientes me dicen: "Mi diente se partió y yo ni sabía que algo andaba mal". ¿Cómo es que ocurre esto? El problema comienza de manera casi imperceptible. Las caries se producen en los dientes cuando, al liberar ácido sobre el esmalte, la placa bacteriana destruye el esmalte. Al atravesar el esmalte, el ácido bacteriano socava la parte más sensible del diente y produce la caries.

La cavidad que se ve pequeña en la superficie es mucho más grande por debajo. Como ha socavado el diente sin ser detectada, hace que el esmalte se rompa, dejando un agujero grande en el diente. Por eso conviene hacerse examinar por el dentista con regularidad. El dentista sabe cómo detectar las caries y su tamaño. Lo hace a través del examen directo del diente, o por medio de rayos X. Utilizando cierto instrumento, también puede ver si la cavidad hay que rellenarla.

Hay quienes piensan que, porque aún no duele, una manchita negra diminuta en el diente no es razón suficiente para ir a ver al dentista. Pero se equivocan al permitir que la pequeñez de la manchita los engañe. En cuanto la caries atraviesa el esmalte, se expande con rapidez. La zona cariada continuará agrandándose y comenzará a afectar el nervio. Al principio, puede que el diente se muestre sensible al frío y a lo dulce. Luego, a medida que la caries crezca más cerca del nervio, será sensible también al calor, y podría, esporádicamente, presentar sensibilidad sin causa aparente. Con el tiempo, la caries llegará al nervio, lo cual producirá intenso dolor, y las bacterias dañarán al nervio más allá de toda posible recuperación. Las bacterias entrarán a la cubierta protectora del nervio y producirá un flemón en el diente.

Este problema puede prevenirse fácilmente, por medio del rellenado del diente, antes de que la caries alcance el nervio. Si la persona espera demasiado y deja que el nervio se dañe, el dentista tendrá que limpiar la cavidad y hacer todo lo necesario para reparar el diente y devolverlo a la normalidad.

Satanás es destructor, y busca socavar nuestra relación con Jesús, creando una situación similar, "un agujero putrefacto" en nosotros. Jesús es el restaurador. Con su ayuda, el estudio de la Biblia y la oración, él se encargará de detener el deterioro en nuestra vida y traer salud a nuestras almas.

¿Qué puede hacer hoy para asegurarse de que Satanás no interponga "un hoyo putrefacto", entre usted y Jesús?

Escape del pozo de la desesperación

Pacientemente esperé a Jehová, y se inclinó a mí, y oyó mi clamor. Y me hizo sacar del pozo de la desesperación, del lodo cenagoso; puso mis pies sobre peña, y enderezó mis pasos. Puso luego en mi boca cántico nuevo, alabanza a nuestro Dios. Verán esto muchos, y temerán, y confiarán en Jehová. Salmo 40:1-3.

Tuve, por un tiempo, un lunar en la cara. Cada vez que me afeitaba, sangraba; por eso, un día me sometí a una intervención quirúrgica para eliminarlo. El doctor me dijo que era un lunar común, no canceroso. Me sentí agradecido por la buena noticia. Sé bien que no todos son tan afortunados.

Onecia tenía un lunar en la pierna, y también se lo hizo extirpar quirúrgicamente. Pero los resultaron no fueron buenos. El lunar resultó ser un temido melanoma. La sola mención de esta palabra puede significar angustia y terror para quien la recibe, pues a menudo encierra una sentencia de muerte.

Días después del diagnóstico, Onecia llamó para pedir que la ungiéramos.

Esa noche, los ancianos y yo nos arrodillamos alrededor de ella y de su esposo. Con lágrimas en los ojos, la ungimos, rogando a Dios que la sanara, según fuera su voluntad. Luego, ella se sometió a cirugías más extensas e injertos de piel. A continuación, presento su historia, en sus propias palabras:

"El pozo de temor y desesperación en el que uno se sume en momentos como estos es indescriptible. El temor es peor que la propia enfermedad. El rito de ungimiento requiere de arrepentimiento y sumisión a Dios, mientras que el don que Dios nos da es la *purificación del espíritu y la salida del pozo del temor.* En mi caso, se me devolvió la salud. Es importante para mí repasar en mi mente el servicio de ungimiento, con el pastor y los ancianos que con amor oraron por mí, y el Dios misericordioso que nos dio esperanza en aquel momento de desesperación. Satanás siempre está dispuesto a tentarnos a dudar, pero el Dios que derramó el cielo entero por nosotros está aún más dispuesto a ayudarnos en nuestros momentos de necesidad. ¡No dude en pedirle ayuda!"

A causa de esta experiencia, Onecia alaba a Dios, y nunca renunciará a confiar en él.

Pero, ¿qué si su experiencia hubiera dado un resultado distinto, como ocurrió con el Dr. Calvin Thrash? Él fue un hombre santo que, junto a su esposa Agatha, fundó el Uchee Pines Institute, un centro de estilo de vida sana en Seale, Alabama. A él también, tras la aparición de un lunar en su espalda, le diagnosticaron un melanoma; pero aunque se lo extirparon con éxito, el cáncer volvió. El Dr. Thrash fue ungido, pero falleció. ¿Y el milagro? Él también fue librado del pozo del temor y la desesperación, y murió alabando a Dios por su amor inefable.

¿Siente ansiedad hoy por lo que le está sucediendo a usted o a alguno de sus seres queridos? Confíe en Dios y podrá experimentar el milagro de verse, o verles, salir del pozo del temor y la desesperación.

El efecto vigorizante del que ayuda

No nos cansemos, pues, de hacer bien; porque a su
tiempo segaremos, si no desmayamos. Gálatas 6:9.

El cristianismo fomenta una filosofía de servicio tendiente a "alcanzar y tocar" a los demás. Los cristianos hacemos esto porque Dios mismo nos lo ordena. He aquí diez reglas al respecto:

1. Tengan misericordia de los pobres (Prov. 14:21). **2.** Ayuden a los vecinos (Isa. 41:6). **3.** Alimenten a los hambrientos (Isa. 58:7). **4.** Den de beber a los sedientos (Mat. 10:42). **5.** El que tenga dos abrigos, dele uno a alguien que lo necesite (Luc. 3:11). **6.** Dé generosamente (Luc. 6:38). **7.** Preocúpense los unos por los otros (1 Cor. 12:25). **8.** Sean benignos y misericordiosos unos con otros (Efe. 4:32). **9.** Sostengan a los débiles (1 Tes. 5:14). **10.** Visiten a los huérfanos y a las viudas (Sant. 1:27). **11.** Vistan a los desnudos (Sant. 2:15,16). **12.** Si sus enemigos están con hambre, denles de comer (Prov. 25:21).

Lo que la mayoría no nota es que, en realidad, cuando con sencillez uno practica la bondad, la benevolencia y el servicio desinteresado a los demás, mejora no sólo la salud y el bienestar de ellos, sino los propios.

En su libro, *The Healing Power of Doing Good* (El poder sanador de hacer el bien), Allan Luks dice que cuando la gente se ofrece a ayudar a los demás desinteresadamente, siente una oleada de buenas sensaciones que él llama "efecto vigorizante del que ayuda", lo cual reduce el estrés considerablemente y libera endorfinas (analgésicos naturales del cuerpo).

Los que con regularidad visitan a los enfermos en los hospitales, para orar con ellos o por ellos, llevarles flores o cantarles suelen sentir este efecto vigorizante del que ayuda. Casi ocho de cada diez voluntarios señalan que las buenas sensaciones del "síndrome de ayuda" regresan a sus mentes, aunque con menor intensidad, cada vez que recuerdan los actos de ayuda prodigados. ¡Imagínese!, con sólo pensar en esas buenas acciones, les vuelve la sensación de disfrute y bienestar, ¡el efecto vigorizante del que ayuda!

A la hora de ayudar a otros, encontrar el tiempo para hacerlo es el mayor obstáculo. Creo que una de las razones por las que Dios creó el sábado es ésta, justamente: para darnos la oportunidad de dedicarnos a sanar y servir al prójimo.

La mayor parte de los cristianos observan un día especial para la adoración y la reflexión, pero demasiados de ellos olvidan que Jesús dijo que también debemos hacer el bien los sábados. Notemos sus palabras: "¿Qué hombre habrá de vosotros, que tenga una oveja, y si ésta cayere en un hoyo en día de reposo, no le eche mano, y la levante? Pues, ¿cuánto más vale un hombre que una oveja? Por consiguiente, es lícito hacer el bien en los días de reposo" (Mat. 12:12).

Planifique hoy lo que puede hacer para ayudar a alguien el próximo sábado. Al hacerlo, experimentará la bendición mayor del "efecto vigorizante del que ayuda".

¿Qué habría dicho Pablo en el siglo XXI?

Si yo hablase lenguas humanas y angélicas, y no tengo amor, vengo
a ser como metal que resuena, o címbalo que retiñe. 1 Corintios 13:1.

Las palabras de este versículo nos resultan tan familiares que es fácil repetirlas automáticamente, sin considerar su verdadero significado. ¿Se ha preguntado qué habría dicho el apóstol Pablo sobre el amor, si hubiera escrito hoy al respecto? Tal vez algo como esto:

Si hablara con la confianza y seguridad del presidente del país y cantara con la facilidad de Celine Dion, pero no tuviera amor, mis palabras serían como raspar con las uñas el parabrisas congelado.

Si pudiera programar la computadora central de la NASA y superar a mi profesor de química. Si pudiera memorizar los Salmos y leer Levítico sin dormitar, o si pudiera incluso predecir el futuro; pero no tuviera amor, mi valor sería igual al de una jarra de agua tibia.

Si donara mi ropa de moda al Ejército de Salvación y dejara que mi hermanita revolviera mi ropero, si me entregara para que me quemaran como mártir, o donara un galón de sangre cada hora, pero no tuviera amor, mis ofrendas serían inútiles.

El amor es paciente, incluso cuando requiere perderme de disfrutar comer un helado, por quedarme a enseñarle a leer a un inmigrante.

El amor es amable; no se rebaja a hacer bromas sobre los polacos, los judíos o los gallegos, burlarse de los blancos o de los negros, o contar cuentos sobre los que tienen los ojos achinados.

El amor no se engríe por tener las mejores calificaciones o una beca para la Universidad de Harvard. El amor no se jacta de tener un nuevo Corvette o un pase de temporada para la principal estación de esquí del mundo. El amor nunca se burla de la muchachita con sobrepeso a la que la camiseta de gimnasia le queda chica.

El amor sonríe cuando queda atorado en la autopista. El amor prepara con honradez su declaración de la renta. El amor no se queja porque el árbitro aplicó mal el reglamento. El amor cree que Dios siempre provee lo mejor de la vida. El amor se aferra a la esperanza cuando la familia se desintegra.

El amor no cambia como el largo de los vestidos o los peinados de moda. El amor es como el conejito de las pilas Energizer: dura y dura y sigue funcionando. Al final, sólo van a quedar tres cosas: fe, esperanza y amor. Pero la mejor de las tres es el amor.

Dios le ama en grado sumo, y le pide amar a los demás como él le ama. En una escala de 1 a 10, (el 10 es la calificación más alta) ¿cómo se calificaría en lo que respecta a amar de veras a los demás? ¿Qué podría hacer para mejorar esa calificación?

Hacer limonada

De cierto os digo, que si tuviereis fe como un grano de mostaza, diréis a este monte: Pásate de aquí allá, y se pasará; y nada os será imposible. Mateo 17:20.

Al día siguiente del funeral de mi padre, me sorprendió que en vez de flores, mi afligida madre recibiera… un paquete. Al abrirlo, encontró una cesta cubierta de musgo seco, y una notita en la que se explicaba que se trataba de un jardín primaveral en miniatura. Según las instrucciones, la cesta debía colocarse a la luz del sol y regarse. En poco tiempo, mi madre tendría un jardincito lleno de tulipanes, jacintos y narcisos.

Cuando, en efecto, la cesta floreció, lucía tan hermosa que mamá decidió llevarla a la iglesia. Le resultaba doloroso sentarse en su lugar acostumbrado, sin su compañero de casi cincuenta y ocho años… Pero justo cuando el servicio de culto estaba por empezar, el pastor se le acercó para pedirle si podía encargarse de contarles un relato a los niños.

Ella asintió. Mientras avanzaba hacia el frente por el pasillo lateral de la iglesia, se preguntaba qué historia habría de contarles. Entonces, sus ojos se posaron en la cesta de flores de primavera; de modo que se le ocurrió explicarles a los niños cómo el abuelo Roy se encontraba ahora en un cierto lugar aguardando la venida de Jesús, del mismo modo en que los bulbos de las flores habían esperado en la cesta el momento de florecer. Los niños la escucharon absortos, mientras ella les explicaba este tema tan difícil. Al concluir su relato, mamá les preguntó:

—¿Y cómo será el abuelo cuando Jesús venga?

McKenzie estiró los bracitos y con una enorme sonrisa contestó:

—¡Completamente nuevo!

Al concluir el servicio, el pastor le contó a mamá que nunca había oído una explicación más hermosa acerca de la muerte, y le sugirió que se dedicara a escribir relatos para niños.

Ella lo hizo, y ése fue el comienzo de una vida "completamente nueva". Con el respaldo de mi hermana Margie y de algunos amigos, escribió *The Waiting Place* (El lugar de espera) y también un libro acerca del universo. Además de estos libros, ha escrito canciones y diseñado juguetes que ahora están a la venta.

Sin duda, usted habrá oído aquello de "Si la vida te da limones, haz limonada". Yo creo que mamá no sólo hizo limonada, ¡sino pasteles de limón con merengue! A sus 77 años sigue sonriendo, cantando, haciendo bien a todos, alabando a Dios y esperando milagros…

Hoy es un día completamente nuevo, para comenzar a perseguir sus sueños y florecer para Dios.

Restaurar la vida abundante

Mas a Jehová vuestro Dios serviréis, y él bendecirá tu pan y tus aguas. Éxodo 23:25.

Melvin quería, realmente, ir a Río de Janeiro. El presidente de su empresa y varios delegados viajarían para encontrarse allí con dirigentes de otros países. Como jefe de seguridad, su trabajo consistía en hacer los arreglos necesarios para la seguridad y protección del grupo, y supervisar la operación en cuanto llegaran. Era una asignación emocionante y además le daba la oportunidad de su vida, de conocer una de las más bellas ciudades del mundo.

Pero Melvin estaba teniendo serios problemas de salud. Tenía sobrepeso, la presión arterial demasiado alta, y ni siquiera las inyecciones diarias de 52 unidades de insulina le bastaban para controlar su diabetes. Había tenido estos problemas por 17 años, pero a pesar de seguir las instrucciones de los médicos al pie de la letra, seguía empeorando. A medida que se acercaba la fecha del viaje, se sentía tan enfermo y desanimado, que comprendió que le sería prácticamente imposible ir.

Fue entonces cuando su jefe lo instó a asistir al Weimar Institute, centro de salud con internado en California. Un centro especializado en problemas de salud como los de Melvin.

—Allí siguen principios bíblicos —le explicó.

Todo rayo de esperanza era bienvenido. Melvin, de sólo 49 años de edad, estaba decidido a luchar por su vida.

En Weimar, siguió una dieta natural a base de verduras frescas, no procesadas ni refinadas. Aprendió que los alimentos con alto contenido de fibra estabilizan los niveles de glucosa en la sangre. Aprendió que ingerir muy poca grasa ayuda a activar la insulina natural del organismo y que normalizar el peso es un factor importante para revertir la enfermedad.

Se le explicó que el ejercicio ayuda al cuerpo a utilizar el exceso de glucosa en la sangre. Pronto estaba caminando 22 kilómetros diarios. Esto le ayudó a bajar la presión arterial, perder peso, reducir su necesidad de insulina, desvanecer la depresión y ponerse en forma.

A fin de mes, apenas podía creer los resultados. Había bajado 12 kilos y normalizado la presión arterial sin necesidad de medicamentos, y tenía el nivel de glucosa en la sangre dentro de los límites normales, aunque ya no se aplicaba inyecciones de insulina.

Y sí, fue a Río de Janeiro. Se sintió estupendamente, y en excelentes condiciones.

Dios nos ha dado principios sobre salud y alimentación, cuya práctica nos asegura salud en abundancia. No acepte su afección o enfermedad como algo que tiene que soportar, sin antes darse la oportunidad de cambiar a un estilo de vida saludable.

Señor, gracias por bendecir mis esfuerzos de volver a practicar tus principios.

El día del médico

Os saluda Lucas, el médico amado, y Demas. Colosenses 4:14.

En los Estados Unidos, el 30 de marzo es el día del médico. Mucho antes de que las compañías de tarjetas de felicitación inventaran días especiales (para aumentar sus ventas), la esposa de Charles Almond, de Winder, Georgia, sugirió que se observara un día anualmente, para reconocer y honrar a los miembros de la profesión médica. Se escogió el 30 de marzo, porque fue en esa fecha en 1842, cuando en manos del Dr. Crawford Long, médico de Georgia, el éter se utilizó por primera vez como agente anestésico en cirugía. La contribución del Dr. Long a la cirugía sin dolor marcó un punto importante en la historia de la medicina.

La primera celebración local del día del médico fue en 1933, cuando los ciudadanos de Barrow County, Georgia, colocaron claveles rojos en las tumbas de médicos fallecidos, entre los que se encontraba el Dr. Long. Pero no fue sino hasta 1990, que el Congreso oficialmente designó el 30 de marzo como Día Nacional del Médico e invitó al público a observarlo con el debido reconocimiento y ceremonial.

La vida de un médico puede ser frustrante. Pero las presiones del público, el gobierno, los empleadores y las compañías de seguros —para reducir los costos y mejorar la calidad— crean tensión constante y dilemas éticos, que hasta hace algunos años eran desconocidos para los médicos. Los inconvenientes de la administración de atención médica, el papeleo acumulado, la reducción de los reembolsos, las largas horas de trabajo, el temor a las demandas legales, la vida familiar fragmentada, la abrumadora deuda por su educación, y la falta de autonomía ha llevado al límite a innumerables doctores. Muchos han optado por jubilarse antes de tiempo, o entrar en campos no clínicos. Un creciente número de padres que son médicos esperan que sus hijos escojan carreras diferentes.

Para quienes no están en el campo de la medicina, a veces es difícil tener una gran simpatía por la situación del médico de hoy, pues ellos todavía disfrutan de un estilo de vida confortable y de considerable prestigio en la comunidad.

Cuando Jesús sanó a los diez leprosos, sólo uno volvió para agradecerle. Por eso, el Señor le dijo: "¿No son diez los que fueron limpiados? Y los nueve, ¿dónde están? ¿No hubo quien volviese y diese gloria a Dios, sino este extranjero?" (Luc. 17:17,18). Incluso el Gran Médico lamentó la falta de gratitud de la gente.

Gracias, Señor, por tus siervos, los médicos, que devuelven la salud a tantos.

¡Pida, crea y reciba!

Pedid, y se os dará; buscad, y hallaréis; llamad, y se os abrirá. Mateo 7:7.

Estaba a cargo del departamento Ministerios para la Salud de la Comunidad, sirviendo a mi iglesia en la ciudad de Chino, California, y a la comunidad de habla portuguesa en esa zona. Decidimos que sería conveniente comprar un aparato que pudiera medir el nivel de colesterol en la sangre. Fue todo un éxito. Todos querían que se les midiera el colesterol.

Un día, una anciana se me acercó y me dijo, preocupada: "Doctora, mi colesterol está demasiado alto. No sé qué hacer. Está a más de 260 mg/dl y estoy en problemas".

Cuando comencé a aconsejarle respecto al efecto de la dieta y el ejercicio físico sobre el colesterol, me interrumpió para decirme que no necesitaba consejos; sólo necesitaba someterse a otra prueba, para verificar si la dieta que estaba siguiendo había dado resultado.

—¿Cuánto hace que le hicieron la prueba anterior? —pregunté.

—Dos semanas —respondió.

Le dije que no había pasado tiempo suficiente para que su nivel de colesterol se redujera significativamente, y traté de prepararla para lo peor.

Se sentía tan inquieta acerca del posible resultado de la prueba, así que traté de calmarla. Entonces, mientras yo preparaba la máquina, ella comenzó a orar a Dios.

—Por favor, Señor. Ayúdame en este examen. Haz que salga normal... Por favor...

Le hice una punción en el dedo, coloqué la gotita de sangre en el aparato y, mientras esperaba el resultado, intenté alentarla. Le dije que debía cambiar su estilo de vida, y que pasado un tiempo, notaría los resultados en su próximo análisis de sangre. Cuidadosamente, procuraba prepararla para lo peor o para ningún tipo de cambio.

Cuando la máquina dio el resultado... fue de 165 mg/dl. Me quedé atónita, pero ella no estaba sorprendida.

—Usted no esperaba que Dios me hiciera el milagro, ¿no? ¿Usted no confía en Dios?

Sorprendida, sólo atiné a felicitarla y continué mi trabajo.

Desde entonces, he pensado mucho en lo que sucedió aquel día. ¿Por qué no solemos mencionar la oración, cuando recomendamos un cambio de estilo de vida a quienes sufren de enfermedades que se podrían haber prevenido? En realidad, la oración debería figurar en primer lugar en la lista. Primero, tal como esta mujer lo hiciera, debemos pedir el milagro de la sanidad; y luego, el milagro de suficiente fuerza de voluntad para vivir un estilo de vida saludable. Dios realmente dice que si se lo pedimos, nos dará lo que le solicitamos.

¿Ha pedido hoy a Dios el cumplimiento de la promesa de Mateo 7:7? ¿Por qué no pedir, creer y recibir?

¿Está sano el lóbulo frontal de su cerebro?

*Mirad que ninguno pague a otro mal por mal; antes seguid siempre
lo bueno unos para con otros, y para con todos.* 1 Tesalonicenses 5:15.

Phineas Gage, de 25 años, trabajaba preparando con explosivos la base para la
vía férrea en una zona montañosa. Pero lo que sucedió aquel 13 de septiembre de 1848 acabó con la persona que su familia y sus amigos y empleadores conocían, y lanzó a la sociedad un hombre que parecía ser Phineas, pero que no lo era.

Durante los prepárativos para la explosión, Phineas taladró un agujero en la
roca y echó en él la pólvora que la haría explotar. Algo debe haberlo distraído en
ese momento, porque en vez de agregarle arena, para luego apisonarla con una
barra de hierro, introdujo la barra directamente en el agujero con pólvora, y
comenzó a apisonarla subiendo y bajando la barra que inevitablemente también
chocaba con la roca. El roce hizo saltar una chispa que encendió la pólvora y
produjo una explosión que proyectó con fuerza la barra de hierro, de unos tres
centímetros de diámetro y un metro de largo, fuera del agujero. La barra atravesó la cabeza de Phineas. Le penetró por debajo del pómulo izquierdo, pasó por
detrás del ojo y a través del lóbulo frontal del cerebro, y salió cayendo a varios
metros de distancia.

Antes del accidente, Phineas había sido un esposo amante y amado, y un obrero responsable, inteligente y trabajador. Los ferrocarriles Rutland and Burlington
lo consignaban como su capataz más eficiente y responsable. Además, siempre
había sido un hombre de moral intachable y un feligrés devoto y reverente.

El accidente no le afectó el movimiento, el habla ni la memoria, pero sí su
comportamiento que desmejoró notablemente. Phineas se tornó irreverente y
dado a la profanidad. Perdió todo respeto por las costumbres sociales y se volvió
del todo irresponsable. Acabó perdiendo su trabajo, abandonando a su esposa y
a su familia, y uniéndose a un circo ambulante.

Si le interesa contar con un carácter íntegro y la capacidad de tomar decisiones adecuadas, no haga nada que comprometa la función del lóbulo frontal de su
cerebro. Comience por comer alimentos sanos, que nutran el cerebro, y evite el
consumo de toda clase de sustancias tóxicas. ¿Sabe por qué las bebidas alcohólicas, la cafeína y la nicotina afectan tanto la conducta de quienes las consumen?
Porque atacan precisamente al lóbulo frontal, causando pérdida de control y confusión mental. ¿Por qué tan a menudo el café y el chisme van de la mano?
Porque, según parece, la cafeína "suelta la lengua". Las llamadas drogas ilícitas
destruyen las células del cerebro, pero aun ciertos fármacos recetados pueden ser
perjudiciales, especialmente, los que restringen la corriente sanguínea.

*¿Está sano su cerebro? Recuerde, la manera en que hoy trate su cuerpo afectará
mañana su manera de pensar.*

Experiencia en la cumbre

Respóndeme, Jehová, respóndeme, para que conozca este pueblo que tú,
oh Jehová, eres el Dios, y que tú vuelves a ti el corazón de ellos. 1 Reyes 18:37.

El monte Lassen, situado en el norte de California, se veía ante nosotros en todo su esplendor. Ni siquiera el sol de julio había logrado derretir toda la nieve. ¡Qué desafío ofrecía a nuestro grupo familiar: padres, tías, tíos y primos! ¡Teníamos que escalarlo! Para Roberto y para mí sería una experiencia nueva.

Se nos advirtió de lo riguroso del ascenso, a causa de los senderos empinados y serpenteantes y los campos nevados que habría que atravesar. Pero eso no nos desalentó. Tras un reconfortante desayuno de campaña, la caravana familiar se dirigió hacia el punto de partida.

Todo fue como nos lo anticiparan. A medida que ascendíamos, mientras unos avanzaban con ímpetu y firmeza, otros nos retrasábamos bajo el cansancio. Pero no nos detendríamos. Nuestro objetivo era llegar a la cumbre. Otros se nos habían adelantado y nos esperaban, ¡y eso era alentador!

Mientras los del primer grupo caminaban entre las enormes rocas, rumbo a la cima, se llenaban de asombro y alabanzas ante la belleza, la inmensidad y las maravillas de la creación de Dios. Pronto, comenzaron a cantar *Señor, mi Dios*. El eco doblaba sus voces en la cumbre.

Recordemos por un instante la experiencia de Elías en la cima del monte Carmelo. Dios había manifestado su poder y majestad de modo formidable. Cuando Elías oró diciendo: "Respóndeme, Jehová", "cayó fuego de Jehová, y consumió el holocausto, la leña, las piedras y el polvo, y aun lamió el agua que estaba en la zanja". Dios estaba vivo, y los profetas de Baal fueron aniquilados. Elías trabajó todo el día sin alimento ni descanso. Su valor no decayó, a pesar del estrés. Más tarde, Dios le contestó de nuevo. Llovió, tal como lo había anunciado; y con la lluvia sintió el estímulo emocional que le daría energía suficiente para correr más unos 37 kilómetros delante del carruaje de Acab, hasta llegar a Jezreel. Entonces se enteró de la amenaza de Jezabel. Su cuerpo ansiaba descanso, pero el temor por su vida en peligro lo motivó a correr hacia el desierto, sin alimento ni descanso.

Allí, exhausto, se sintió deprimido y abatido. Sólo después de haberse recuperado con alimento, descanso y comunión con Dios pudo reanudar su obra, tal como Dios se la encomendara.

Elías olvidó momentáneamente que las mismas cosas que conducen a la experiencia en la cima del monte son las que nos protegen en el valle del desaliento: atender nuestras necesidades físicas y comulgar con Dios.

¡Señor, ayúdame a no olvidarlo! ¡Oh, Señor, no permitas que me olvide de esto!
Quiera Dios hoy concederle una experiencia en la cumbre, mientras comulga con él.

La programación de Dios

Oísteis que fue dicho: No cometerás adulterio. Pero yo os digo que cualquiera que mira a una mujer para codiciarla, ya adulteró con ella en su corazón. Mateo 5:27,28.

Dios ha puesto un "programa" en nuestros cerebros, que permite mantener nuestra relación conyugal viva, estimulante y satisfactoria. Cuando ese programa se usa adecuadamente, crea relaciones matrimoniales satisfactorias y duraderas; pero si no nos damos cuenta de su naturaleza exclusiva, fácilmente puede conducirnos a la aventura extramarital.

El programa al que me refiero funciona así: La mayor necesidad del hombre es la plenitud sexual (compañía); mientras que la de la mujer es plenitud emocional (comunicación). Cuando el hombre satisface las necesidades emocionales de la mujer, cierta tendencia en él genera expectativas de una retribución o compensación sexual, algo que la mujer está más dispuesta a darle, porque él ha satisfecho sus necesidades emocionales. Ésta es la clave de un matrimonio vibrante.

El problema surge cuando, aunque la mujer esté felizmente casada, siente que es otro hombre el que llena sus necesidades emocionales, pues a causa de esto, se sentirá atraída sexualmente por ese hombre. Él, por su parte, habiendo satisfecho las necesidades emocionales de ella, considerará natural esperar una compensación sexual.

La mujer no puede asumir el rol de compañera de un hombre, sin que con el tiempo él espere tener sexo con ella. Y el hombre no puede asumir el rol de buen escucha, sin que con el tiempo se derribe la resistencia de ella a negarse a tener sexo con él.

Llenar estas necesidades dentro de la relación matrimonial es una de las maneras de evitar la aventura extramarital. Pero no es suficiente. La mujer debe cuidarse especialmente de no trabajar tan cerca de un hombre, que se convierta en la compañera que él necesita para su propia creatividad, profesión o autoestima. Y el hombre no debe conversar tanto con una mujer, que ella sienta satisfechas en él sus necesidades emocionales.

He aquí la pregunta: ¿Es sano que un hombre casado o una mujer casada trabaje con una persona del sexo opuesto?

La respuesta es: No; no exclusivamente o por largo tiempo, de modo que las necesidades de compañerismo y comunicación emocional se vean satisfechas, respectivamente, por alguien que no sea su cónyuge.

Dios, dame la sabiduría que necesito para evitar la tentación de usar mal el programa que creaste en mí, para vivir una vida semejante a la de Cristo en mi hogar y en mi lugar de trabajo.

Los remedios naturales de Dios

Y Jehová Dios plantó un huerto en Edén, al oriente; y puso allí al hombre que había formado. Y Jehová Dios hizo nacer de la tierra todo árbol delicioso a la vista, y bueno para comer; también el árbol de vida en medio del huerto, y el árbol de la ciencia del bien y del mal. Génesis 2:8,9.

En los comienzos del jardín de Dios, todo era perfecto. No había espinas, descomposición ni substancias tóxicas. Aunque Satanás cambió todo eso, lo asombroso es que también en la naturaleza Dios aventajó a Satanás, creando remedios para contrarrestar el mal.

Imagínese, por un momento, paseando en su jardín. El aire está lleno de dulces fragancias y de los sonidos de la primavera. Al detenerse a oler las rosas que acaban de abrirse, nota que otra criatura de Dios también ha encontrado la misma flor. La ve sobrevolando alrededor, hasta que al fin se posa en ella para libar su nutritivo néctar. De pronto, mientras observa a esta pequeña obrera, siente un dolor punzante en el brazo, y al bajar la mirada, ve alejarse de él a una amiguita de la obrera, mientras un punto enrojecido se inflama en su piel... ¡Acaba de picarle una abeja! De inmediato, le vienen a la mente todos los remedios de cuya eficacia ha oído, que podrían ayudarle a resolver este problema tan común: carbón, bicarbonato de sodio, barro, una papa cruda...

En eso, alcanza a divisar al otro lado del jardín unos retoños de cebolla que brotan del suelo. Esto le recuerda otro remedio casero: un trozo de cebolla sobre la picadura de abeja sirve para extraer su veneno. Corre, pues, hacia la huerta, desentierra una cebolla, la lleva a la casa, la lava y la corta, y finalmente la aplica sobre la mancha enrojecida que tiene en el brazo. En apenas minutos, sale el veneno y el aguijón emerge sin dificultad en la superficie. Disminuye el dolor y usted comienza a sentirse mejor.

Cuanto más aprendemos de la naturaleza, tanto más apreciamos al Dios omnisapiente y maravilloso que ha provisto en ella lo necesario para mantenernos sanos. Lo alabamos por los remedios que contiene la naturaleza y por los que nos llegan a través de la medicina moderna, cuando no disponemos de remedios naturales.

Descubrir los remedios de la naturaleza puede ser tan beneficioso para su cuerpo, como cuando al estudiar la Palabra de Dios encuentra sus remedios para el alma. Si estudia la Biblia, los mensajes de aliento de Dios podrán obrar en su mente y ayudarle a encontrar la paz que necesita. De la misma manera que Jesús nos limpia y nos quita los "aguijones" del alma, siempre hay algo bueno en la naturaleza que Dios ha creado, para arreglar los males que Satanás inventó. Así es como nuestro amante Dios Creador lo planeó, desde el principio.

¿Procura Satanás envenenar su vida con miedo, dudas, preocupación y dolor? Abra su Biblia y comience a buscar el remedio en la Palabra de Dios. ¡Lo encontrará!

Pulse el botón de pausa

Acuérdate del día de reposo para santificarlo. Seis días trabajarás, y harás toda tu obra; mas el séptimo día es reposo para Jehová tu Dios; no hagas en él obra alguna.
Éxodo 20:8-10.

Vivimos en el mundo del "estoy muy ocupado". Comidas rápidas, cambios de aceite en el auto en 15 minutos, revelado de fotografías en una hora. Hasta hay cirugías que permiten que el paciente pueda irse a la casa el mismo día de la operación. La sociedad moderna está atrapada en el botón de control que dice "adelantar rápido". Sin embargo, hasta los aparatos de video tienen un botón de pausa. Si queremos tener una salud óptima y vivir más, es imperativo que encontremos el ritmo perdido entre la acción y el descanso; la proporción saludable entre el trabajo y el juego; el equilibrio entre el hacer a nuestra manera y el hacer a la manera de Dios.

Hay una respuesta a la cantinela de "estoy muy ocupado". Se encuentra en el mandamiento de Dios que dice: "Acuérdate del día de reposo para santificarlo". Es la fórmula ganadora: seis días para nosotros y uno para Dios o, si la calculamos en horas, 144 horas para nosotros y 24 para Dios. Pero para obtener sus beneficios, no debe esparcirse un poquito aquí y otro poquito allá. Del mismo modo que una siestecita no puede reemplazar una buena noche de descanso, tampoco unas mini vacaciones pueden reemplazar la pausa de 24 horas que Dios nos manda observar.

Wayne Muller dice en su libro *Sabbath: Remembering the Sacred Rhythm of Rest and Delight* (El sábado: recordando el ritmo sagrado del descanso y la delicia): "El sábado es más que la ausencia de trabajo; es el día en que participamos de la sabiduría, la paz y la delicia que crecen solo en el ámbito del tiempo: tiempo consagrado, específicamente, al juego, el descanso y la renovación".

Celebre el comienzo del sábado. Los judíos y muchos cristianos creyentes en las Escrituras observan el sábado el séptimo día, desde la puesta del sol del viernes hasta la puesta de sol del sábado. Para celebrarlo, es menester dejar de lado las cosas que uno habitualmente hace durante la semana, por ejemplo, leer los periódicos y ver televisión, y reemplazarlas con rituales sabáticos de actividades que siempre le ha gustado hacer, pero para las cuales nunca había encontrado el momento oportuno: encender las velas; colocar flores frescas en la mesa y servir los alimentos en su mejor vajilla; preparar un manjar especial, algo que semana a semana se asocie con el tiempo de Dios, a fin de que al probarlo le recuerde a Dios y todo lo que él ha hecho por uno; adorarle y alabarle. Cuando la mente se concentra en Dios, es imposible pensar en uno mismo y en todo lo que hay que hacer.

¿Experimenta usted el descanso y la delicia que Dios quiere que disfrute? Tal vez pueda empezar a planificar ahora cómo apretar el botón de pausa y celebrar el sábado santo de Dios.

Para curarse del insomnio

Pero mientras navegaban, él se durmió. Y se desencadenó una tempestad de viento en el lago; y se anegaban y peligraban. Lucas 8:23.

La fatiga es una de las diez razones más comunes por las cuales la gente consulta al médico. El remedio debería ser sencillo: dormir más; pero por extraño que parezca, un elevado porcentaje de gente cansada no puede dormir, porque se despierta luego de pocas horas de descanso. Aunque el 34% de las personas de la tercera edad se quejan de sufrir de insomnio, los problemas del sueño son comunes a todas las edades.

El rey Saúl sufría de insomnio. Estoy segura de que haberse apartado de Dios no le debe haber ayudado en absoluto a combatir su mal. La culpa puede mantenernos despiertos durante la noche. Es notable el contraste entre el insomnio de Saúl en el palacio y el sueño profundo de Pedro en la cárcel. Para poder liberarlo, tuvo que venir un ángel a despertarlo. No obstante, la mejor ilustración del sueño profundo la dio Jesús mismo, cuando se quedó dormido en un bote en medio de la furiosa tempestad. ¿Cómo pudo lograrlo?

Las emociones fuertes creadas por problemas pueden mantenernos despiertos, caminando toda la noche. La culpa, el enojo, el temor, la ansiedad, la amargura… Pero, ¿sabía que también su estilo de vida puede causarle insomnio? Todo tiene que ver con la producción de la hormona llamada melatonina. En 1993, se descubrió que la melatonina era un somnífero natural, que disminuía en 14 minutos el tiempo necesario para conciliar el sueño. Ayudaba a los viajeros a vencer el desfase horario, y era especialmente útil para resolver los problemas de sueño de las personas de la tercera edad. En dos años, la melatonina llegó a ser tan popular, que sólo en Estados Unidos había 24 compañías que la ofrecían. Todo el mundo la compraba; pero la mayor parte de la gente no tenía ni idea de que la producción de melatonina en el organismo puede mejorarse siguiendo un estilo de vida adecuado.

Una de las cosas que puede hacer para incrementar la melatonina en la noche, es exponerse a la luz solar, temprano en el día. Por otra parte, si desea dormirse pronto, evite las luces artificiales brillantes. Duerma en total oscuridad, y procure dormirse antes de la medianoche. Dos horas de buen dormir antes de la medianoche equivalen a más de cuatro horas de sueño después de las doce de la noche.

El ejercicio también estimula la producción de melatonina. Además, puede obtenerla por medio de su dieta. Tienen un elevado contenido de melatonina la avena, el maíz, el arroz, la cebada, los tomates y las bananas. Los alimentos ricos en triptófano y en vitamina B6 tienden a aumentar los niveles de melatonina. Así que, coma nueces, semillas de ajonjolí (sésamo) y de calabaza, y pimientos. El ayuno también tiende a estimular la producción de melatonina, especialmente durante las horas de la noche.

Piense en el estilo de vida de Jesús. ¡Sospecho que el nivel de producción de melatonina en él era elevado! ¿Qué aspectos de su estilo de vida deberíamos imitar?

Elimine de su vida lo que no sirve

Aún te falta una cosa: vende todo lo que tienes, y dalo a los pobres, y tendrás tesoro en el cielo; y ven, sígueme. Lucas 18:22.

¿Cuánto tiempo pasa recogiendo cosas y guardándolas, buscando algo que tenía; o revolviendo los cajones de la cómoda para encontrar una media perdida? ¿Amontona sobre su escritorio correspondencia no deseada? ¿Tiene su ropero abarrotado con ropa que no usa?

Don Aslett —autor de *Clutter's Last Stand* (La última oportunidad para el desorden)— estima que en Estados Unidos, la familia promedio tiene el 75% más juguetes y el 25% más muebles de los que realmente necesita. Además, los garajes, originalmente destinados a los automóviles, ahora guardan refrigeradores viejos y secadores de ropa dañados, y son cementerios de equipos deportivos en desuso. Nos hemos convertido en una generación rica en posesiones, pero cabe preguntarnos: ¿Controlamos nuestras posesiones, o ellas nos controlan?

Quizá la respuesta de Cristo al joven rico pueda ayudarle a eliminar de su vida lo que ya no sirve. He aquí algunas ideas para lograrlo:

Cada vez que compre una prenda nueva, despójese de uno o dos artículos usados que tenga en el ropero. Si le cuesta decidirse respecto a alguna prenda, guárdela por seis meses. Si en ese tiempo no la ha usado, regálela o véndala.

Revise su correspondencia junto al cesto de papeles. Abra la correspondencia importante y organícela por categorías: cuentas por pagar y cartas que debe contestar. Reduzca los montones de revistas viejas, recortando los artículos o recetas que quiera conservar y, una vez archivados esos recortes, entregue el resto aun centro de reciclaje.

Encuentre en su comunidad familias pobres con niños menores que los suyos, a quienes les encantaría recibir los juguetes o la ropa que sus hijos crecidos ya no usan, y regáleles esos juguetes o esas ropas.

Organice una venta al aire libre, y convierta en dinero lo que usted ya no usa. Le sorprenderá ver lo que la gente compra cuando considera que el precio es justo.

Y antes de que piense que es sólo su casa o su garaje lo que tiene que despejar, ¿qué acerca de su vida? Muchos cristianos guardan emociones negativas de culpa y de venganza. Otros se aferran a hábitos nada saludables. Como Cristiano —el personaje de la obra clásica de John Bunyan, *El progreso del peregrino*—, es posible que deba acercarse al pie de la cruz, para dejar allí la pesada mochila de pecado que carga a sus espaldas. Propóngase, a partir de este día, que —sean emociones, hábitos o posesiones— se despojará de todo lo que le obstruye o desordena su vida, y le controla, para liberarse de una vez por todas… de lo que no le sirve.

¿Tiene algo que obstruye o desordena su vida y que Jesús podría pedirle que dejara? ¿Por qué no hacerlo ahora?

Entrega de delicia

Deléitate asimismo en Jehová, y él te concederá las peticiones de tu corazón. Salmo 37:4.

Cuando mi reproductor de discos compactos se atascó el verano pasado, me invadió el pánico. Sentí que con él había muerto parte de mi alma. La música era lo que me mantenía viva. Las palabras escritas en un teatro de la ópera en Alemania expresaban claramente mis sentimientos: "Bach nos dio la palabra de Dios, Mozart nos dio la risa de Dios, Beethoven nos dio el fuego de Dios". Yo creo que Dios nos dio la música, para que pudiéramos orar sin palabras. Ahora, mi línea de comunicación con Dios se había obstruido.

Yo siempre disfruté de la música. Desde niña, no escuchaba la narración de eventos deportivos; escuchaba música. Lo hacía por medio de una radio de transistores pequeña debajo de la almohada, cuando se suponía que debía estar durmiendo.

Cuando un accidente de automóvil me hizo ir a parar a un hospital por ocho meses, mis amigos y compañeros de clase vinieron a mi rescate con un reproductor de casetes y una radio AM-FM. Ésa fue la mejor medicina que jamás haya tenido, ¡y sin efectos secundarios! Cuando al cumplir mis 15 años, mis padres la completaron añadiéndole altavoces, ¡¡me sentí feliz!!

El tiempo pasó. Las cosas cambiaron, pero mi amor por la música permaneció intacto. Siempre les pedía a mis compañeras de habitación que pusieran música. Paralizada desde el cuello para abajo, dependo de los demás para muchas cosas, de por sí sencillas.

Pronto, sin embargo, aprendí a vivir sola. Disfruté de mi independencia, pero sólo podía escuchar música cuando alguien me acompañaba (unas seis horas al día).

Al cumplir 37 años, mi familia me regaló un equipo de música completo: con radio, receptor, reproductor de discos compactos para 5 discos y lo que para mí era lo más importante de todo: ¡control remoto! Ahora podría escuchar música cada vez que quisiera, sin ayuda. ¡Me sentí tan dichosa!

Aquel día en que la música "murió", supe que tenía que hacer arreglar mi equipo cuanto antes. Me resistía a volver a las horas de silencio; pero la única persona que yo conocía que podía ayudarme, saldría ese mismo día en un viaje de una semana. Me sentí devastada; pero antes de partir, ella hizo arreglos para que alguien recogiera el equipo y lo llevara a reparar, y me prometió que su hijo volvería a instalármelo.

En Mateo 25, el Rey dice "Venid, benditos de mi Padre, heredad el reino", a todos los que dieron de comer al hambriento, a los que dieron de beber al sediento, y a los que recogieron a los forasteros, cubrieron al desnudo, y visitaron a los enfermos y los presos. A esta lista yo añado: "Y a todos los que devolvieron la música al alma de una tetrapléjica".

¡Piense en eso! Dios desea dar a cada uno los deseos de su corazón, pero es posible que necesite de usted como intermediario. ¿Quién podría necesitarlo hoy?

¿Como Marta o como María?

Aconteció que yendo de camino, entró en una aldea;
y una mujer llamada Marta le recibió en su casa. Lucas 10:38.

Personalmente creo que se ha difamado bastante a Marta. En todos nosotros hay dos lados, una armonía, cierto equilibrio en nuestra naturaleza, que incluye el lado de Marta tanto como el de María. Se requieren ambos remos —el de la fe y el de las obras— para avanzar por las aguas cambiantes de la existencia con un estilo de vida equilibrado y saludable.

Nuestra Marta interior se encarga del lado práctico de la vida: la limpieza, las labores, la atención de la familia con sus múltiples obligaciones. En cambio nuestra María interior se ocupa de la salud espiritual, y nos acerca a Jesús en el huerto cada mañana, para que nos abrace, mientras le expresamos nuestro amor, le agradecemos y le llevamos en oración a nuestros amados y nuestras inquietudes cotidianas.

María en nosotros estudia la forma de hacer el bien; Marta en nosotros hace el bien. Las necesitamos a las dos. Tal vez haya aquí una lección que no habíamos considerado antes. Aquel día, Marta trabajó arduamente para alimentar —por lo menos— a trece personas más. Ella fue un ángel para ese grupo cansado y hambriento. Mientras María disfrutaba del privilegio de sentarse a los pies de Jesús, aprendiendo y apoderándose de su sabiduría, Marta estaba atareada, preparando la comida para todos. Se nos dice que "Marta se preocupaba con muchos quehaceres" (Luc. 10:40). Hace años, teníamos en casa cinco hijos a los cuales alimentar a diario; ¡bien puedo entender por qué Marta estaba preocupada con demasiados quehaceres!

Recordemos que Dios es tanto el Dios que cuida del hogar, como quien cuida del corazón. Fue Marta la que inadvertidamente respondió al llamado de la hospitalidad: "No os olvidéis de la hospitalidad, porque por ella algunos, sin saberlo, hospedaron ángeles" (Heb. 13:2).

Además, cuando su hermano Lázaro falleció, fue Marta la que salió al encuentro de Jesús; María permaneció en la casa (Juan 11:20). En realidad, ¡se necesitan ambas! Algunos somos los que salimos al encuentro de la gente y le damos la bienvenida, mientras otros somos los que aguardamos tranquilamente en casa. No hay por qué menospreciar a ninguno.

Mi querida amiga Joyce me llamó un día y me dijo que finalmente se había dado cuenta de por qué éramos tan buenas amigas: ¡ella era Marta y yo era María! Bendito sea su corazón generoso; ella es quien prepara las comidas que lleva a la iglesia, y la que limpia todo después que comemos. ¿Yo? Yo soy la que como su deliciosa comida, le agradezco, ¡y ruego a Dios que le conceda muchos años más!

¿Qué podría hacer usted hoy para equilibrar sanamente los aspectos de Marta y de María en su propio ser?

¿Se ha soltado su resorte?

Los afligidos y menesterosos buscan las aguas, y no las hay; seca está de sed su lengua; yo Jehová los oiré, yo el Dios de Israel no los desampararé. En las alturas abriré ríos, y fuentes en medio de los valles; abriré en el desierto estanques de aguas, y manantiales de aguas en la tierra seca. Isaías 41:17,18.

En inglés, la palabra "spring" tiene —entre otras— dos acepciones que traen a la mente imágenes diferentes. Como "primavera", el término evoca narcisos en forma de trompetas, cerezos en flor, el verdor de la hierba y el brillo limpio del sol; imágenes de renacimiento al ritmo de la naturaleza, que sonríe a la vida una vez más. La primavera es una época maravillosa del año.

La otra acepción a la que me refería es "resorte": esa pieza elástica que, por más que la estiren o la aplasten, recobra su forma original. Los colchones, los trampolines y los autos los contienen. Y figuradamente, solemos también verlos en el andar grácil de alguien, o en el ánimo de aquellos que se recuperan de sus enfermedades o de sus crisis.

Cuando sienta su alma deformada, estirada, o aplastada; ¿tiene lo que necesita, para recobrar su forma interior?

Puede que piense que no; ¡pero Dios sí lo tiene! Y su promesa se encuentra en una tercera acepción del término "spring": la que significa "fuente o manantial". Desde que me mudé a Tennessee, me ha fascinado ver los manantiales de agua helada que brotan de entre los estratos de roca. Hay uno justo al fondo de la propiedad de uno de nuestros vecinos. Por décadas —quizás hasta por siglos—, ha corrido constantemente, formando a su paso un arroyo de buen tamaño, que serpentea entre los pastizales. Antes de la conveniencia de la refrigeración dentro de la casa, la gente solía refrigerar la leche y otros alimentos perecederos en sus frías aguas. Aun nosotros llegamos a usarlas para enfriar sandías, cuando nos quedamos sin espacio en la nevera. Pensé entonces: ¡qué gran bendición es tener un manantial!

Si usted nunca ha visto la fuente de un manantial borbollante; si no ha bebido de su agua cristalina ni ha sumergido los pies en él en un abrasador día de verano, sintiéndose revitalizado al instante, puede que le resulte más difícil comprender la intensidad de la esperanza y de la sanidad que en mi alma "estirada y aplastada" siento, al leer la promesa de Isaías 41:17 y18: "abriré...manantiales de aguas en la tierra seca".

Dios se ha propuesto abrir manantiales en nuestras vidas. No solamente goteos o chorros delgaditos. No una que otra gota, aquí o allá. No. Si usted siente que su situación es más bien desoladora, él hará correr ríos en su vida; si se encuentra en un desierto de perplejidades, él va a crear un estanque de agua limpia y serena, para refrescarle; si su vida se ha tornado seca y yerma, él le promete no solo un manantial de agua, sino varios.

¡Señor, inunda mi alma con tus manantiales de vida!

La paradoja de la pérdida de peso

El consejo de Jehová permanecerá para siempre; los pensamientos
de su corazón por todas las generaciones. Salmo 33:11.

Ciertamente, Jesús hizo algunas declaraciones paradójicas que dejaron a más de uno rascándose la cabeza.

Cosas como "el que halla su vida, la perderá; y el que pierde su vida por causa de mí, la hallará" (Mat. 10:39); "el que es más pequeño entre todos vosotros, ése es el más grande" (Luc. 9:48); "muchos primeros serán postreros, y los postreros, primeros" (Marc. 10:31); "amad a vuestros enemigos, bendecid a los que os maldicen" (Mat. 5:44).

Si la obesidad hubiera sido un problema en sus días, estoy seguro de que Jesús habría dicho algo igualmente paradójico. Tal vez, algo así como: "Si quieres perder peso, debes ganarlo". ¿Le parece descabellado? Permítame explicarle.

"Perder peso" es la principal resolución de Año Nuevo que cada año se hace... y se quebranta. Por dondequiera que mire (anuncios televisivos o impresos, carteles en los postes de teléfono, mensajes por correo electrónico, etc.), uno puede encontrar algún aviso publicitario acerca del método más reciente para adelgazar rápidamente.

En los Estados Unidos se gastan alrededoor de treinta y tres mil millones de dólares anualmente en aras de la obsesión por adelgazar. Aunque muchos tratan de lograrlo por razones estéticas, hay también razones médicas de peso, por las cuales las personas obesas deberían perder peso. Muchas enfermedades crónicas como la diabetes tipo II, la hipertensión arterial, las enfermedades del corazón y hasta el cáncer están relacionadas con la obesidad.

Entonces, ¿por qué creo que Jesús habría dicho que debemos ganar peso a fin de poder perderlo? Porque él sabe que cuando uno adelgaza rápidamente, por medio de artimañas, inanición y dietas de moda, termina perdiendo el peso equivocado, o sea, músculo y agua, mientras al mismo tiempo prepara el cuerpo para aumentar en grasa, lo cual es exactamente lo opuesto de lo que en realidad quiere.

Una manera saludable de adelgazar consistiría en buscar el equilibrio entre el ejercicio cardiovascular (aeróbico), un entrenamiento de resistencia, estiramientos, y la nutrición adecuada. Sobre todo, sin obsesionarse por su peso en la balanza. Controle su peso por medio de mejoras en el porcentaje de grasa de su cuerpo o cómo le queda la ropa.

"Ganar peso muscular para perder peso en grasa" puede parecer una idea radical, pero cuando entendemos la fisiología que se esconde detrás de la manera en que nuestro cuerpo funciona, podemos ver por qué su plan es un plan "por todas las generaciones" (Sal. 33:11).

Señor, ayúdame a recordar siempre que tu consejo es acertado, aun cuando parezca paradójico.

Es tiempo de celebrar tradiciones

Y le haréis fiesta a Jehová por siete días cada año; será estatuto perpetuo por vuestras generaciones. Levítico 23:41.

Las tradiciones cobran forma y fuerza cuando las creencias, los rituales, las costumbres, las canciones y las historias se transmiten de una generación a otra. Y las tradiciones crean relaciones significativas y fuertes. Cierto erudito del Antiguo Testamento señaló que Dios planeó que el antiguo Israel celebrara varias tradiciones y días festivos 91 veces al año. Esas celebraciones constaban de todos los elementos que siempre han caracterizado a los momentos especiales: música, comidas especiales, estandartes, rituales, risas y regocijo. No es difícil imaginar la reunión de las familias: niños saltando, correteando y gritando de gozo; adolescentes conversando en grupos pequeños; padres saludándose entre sí y poniéndose al día con todo lo que pasó desde la celebración anterior; y abuelos complacidos y orgullosos, contemplándolo todo. ¡Qué manera tan divertida de crear y fortalecer los lazos familiares!

Del mismo modo que Dios pidió a los israelitas que celebraran eventos, en lo personal creo que formar sus propias tradiciones debería ser parte de la vida de toda pareja. Cuando dos personas se casan, traen consigo algunas de las tradiciones familiares de sus respectivos hogares de origen. En ocasiones, las tradiciones de ambos se acoplan fácilmente, en otras, pueden crear conflictos. Una de las desafiantes tareas de la pareja recién casada es crear nuevos rituales y tradiciones que serán una fusión singular de sus respectivos medios familiares. Esto es lo que distingue a una familia de otra, y lo que crea recuerdos.

Comiencen con rituales diarios y semanales que les gustaría establecer. Tal vez, tomarse de las manos mientras oran o besarse después de orar, cantar una bendición o una oración de buenas noches, besarse al despedirse, hacer sonar la bocina del auto al salir a la calle, llamar por teléfono a media mañana para decir "te amo". Celebren el sábado: despierten a los suaves acordes de una melodía sabática, lean un relato inspirador, reciten algún texto bíblico, canten un himno...

Nunca dejen pasar un día especial sin algún tipo de celebración ritual: un platillo favorito para desayunar, una tarjeta o un regalo, una canción, o salir a cenar. Celebren los aniversarios. Conozco una pareja que se resistía a esperar todo un año para celebrar su aniversario de bodas, de modo que establecieron "mensiversarios", que celebraban cada día 18 del mes, ya que se casaron, un 18 de julio.

Los cumpleaños deberían ser especiales, como también el día de San Valentín (día del amor y la amistad), la Pascua, el Día de Acción de Gracias, Navidad y cuanta ocasión se les ocurra para crear momentos memorables que añadan encanto al deleite de estar juntos, a la intimidad que en lo más profundo deseamos.

Confeccione una lista de las tradiciones que su familia celebra. Siempre hay lugar para una más. Dé vuelo a su imaginación y comience hoy a crear una nueva tradición.

Bendiciones en la enfermedad

Te alabaré; porque formidables, maravillosas son tus obras; estoy maravillado, y mi alma lo sabe muy bien. No fue encubierto de ti mi cuerpo, bien que en oculto fui formado, y entretejido en lo más profundo de la tierra. Salmo 139:14,15.

Desperté el jueves por la mañana, sintiendo que la cabeza me pesaba 20 kilos más de lo normal, y con un gran malestar estomacal; supe de inmediato que no podría trabajar ese día.

Llamé a la oficina, para explicarle a mi secretaria mi nada placentera situación, y pasé el día entero durmiendo, despertando cada tanto, en intervalos de uno o dos minutos. Durante esos intervalos intentaba levantarme, porque pensaba que permanecer en cama era perder el tiempo (cuando tenía tanto por hacer en la casa, sumado a los proyectos que debía concluir y las cartas que tenía que escribir). Estaba acostumbrada al movimiento y la actividad constantes. No podía darme el lujo de enfermarme.

Para mi desazón, cada vez que intentaba levantarme, me sentía muy mal y tenía que acostarme de nuevo a dormir. Cuando al mediodía se me ocurrió comer algo, sólo atiné a comer unas naranjas y unas galletitas. Aunque físicamente me sentía satisfecha, mentalmente, no lo estaba. Traté entonces de comer un par de galletitas más, pero sentí náuseas, y estuve a punto de perder el poco alimento que había ingerido.

Como no podía trabajar ni comer, decidí leer un rato, y luego volver a acostarme, hasta el día siguiente. Veinticuatro horas después, me sentí lo suficientemente bien para trabajar, y agradecí a Dios poder estar ya fuera de la cama.

Mientras reflexionaba acerca del día anterior, aparentemente improductivo, el Espíritu Santo me permitió ver las bendiciones que para mí había representado.

— ¿Ves? —me dijo—, he puesto dentro de tu cuerpo funciones innatas que le permiten sanarte. Sin estos síntomas, podrías haber muerto. Si no hubieras sentido en la cabeza ese peso de veinte kilos que te obligó a acostarte y a dormir, tu cuerpo no habría obtenido la energía renovada y la fuerza vital que necesitaba, para luchar contra los agentes de la enfermedad que estaban invadiéndolo. Sin la sensación de náuseas que evitó que comieras más de una porción pequeña, se habría visto forzado a abandonar su lucha contra la enfermedad invasora, para dedicarse a digerir porciones mayores de alimento, lo cual habría prolongado tu enfermedad. Ayer descansaste todo el día, gracias al ingenioso sistema que coloqué en tu cuerpo, para ayudarte".

Mi respuesta fue:

— Señor, te alabo, "porque formidables, maravillosas son tus obras; estoy maravillado, y mi alma lo sabe muy bien".

La próxima vez que algún virus o la gripe le haga sentirse miserable, recuerde que todo es parte del maravilloso plan de Dios para sanarle. ¡Alabado sea Dios!

El marco de la consideración

Porque él conoce nuestra condición; se acuerda de que somos polvo. Salmo 103:14.

Los chicos aprecian la imparcialidad y la justicia desde mucho antes de estudiar algún curso cívico o acerca de las complejidades del sistema judicial. Vea si no, cómo los niños en edad escolar controlan su propia conducta en el juego. Son rápidos para descubrir y denunciar las injusticias; se obligan unos a otros a turnarse en el juego, y acaban con sus deliberaciones acordando repetir el juego. Siempre es alentador ser tratado con imparcialidad y justicia, según nuestras circunstancias.

En su obra *King Lear* (El rey Lear), Shakespeare presenta un ejemplo digno de imitar. Propone reconsiderar nuestra opinión de una persona, sobre la base de sus circunstancias extremas. Permítame explicarme:

Al principio, el rey planea dividir su reino entre sus tres hijas, estipulando que lo mantengan a él y a sus cien caballeros; pero su hija Cordelia, rehúsa adularlo como sus hipócritas hermanas. Lear decide entonces dejar todo su legado a sus otras dos hijas. Por su sinceridad y adherencia a sus principios, Cordelia queda así desheredada: sin tierras ni dote.

Pero en vez de recibir un trato generoso de parte de sus hijas reinantes y sus esposos, Lear se encuentra con que lo han echado de su hogar, abandonándolo en medio de una tormenta. Más adelante, las dos astutas hijas rivalizan por los afectos del malvado Edmundo. Una de las hermanas envenena a la otra, y más tarde, se quita la vida.

Al final, debilitado por la ira y los maltratos, el quebrantado anciano se encuentra con Cordelia, su hija desheredada. Consciente de cuánto la había maltratado, Lear le dice: —Si me das veneno, lo beberé... Tú tienes motivos para dármelo; ellas [las otras hermanas] no.

Cordelia responde de manera sorprendente: —No hay motivo; no hay motivo alguno.

Ciertamente, ella tenía motivos; sólo que los había pasado por alto, en consideración al aturdimiento, a la fragilidad y a la debilidad de su padre. Por eso, en vez de rechazarlo, le dio la aceptación que él necesitaba.

Esta voluntad —semejante a la divina—, dispuesta a reconsiderar la opinión propia sobre la situación ajena, en virtud de la fragilidad y flaqueza del otro, ha contribuido notablemente al fortalecimiento de las relaciones humanas. Reconsiderar la opinión propia sobre la situación ajena, procurando comprender al otro y ponerse en su lugar —aun cuando haya estado equivocado— puede mejorar cualquier relación.

Reconsiderar nuestras opiniones: procurar ver a los demás desde el ángulo más favorable para ellos, teniendo en cuenta sus circunstancias, hace más llevaderas las relaciones. El texto bíblico de hoy destaca este tipo de actitud, semejante a la divina.

¡Gracias, Señor, por considerar mis flaquezas y circunstancias, y por tratarme desde esa perspectiva!

Que el jefe se encargue

Sé vivir humildemente, y sé tener abundancia; en todo y por todo estoy enseñado, así para estar saciado como para tener hambre, así para tener abundancia como para pade- cer necesidad. Todo lo puedo en Cristo que me fortalece. Filipenses 4:12,13.

Si alguna vez ha sentido estrés —¿y quién no?—, compare su vida con la del apóstol Pablo. "Yo más; en trabajos más abundante; en azotes sin número; en cárceles más; en peligros de muerte muchas veces. De los judíos cinco veces he recibido cuarenta azotes menos uno. Tres veces he sido azotado con varas; una vez apedreado; tres veces he padecido naufragio; una noche y un día he estado como náufrago en alta mar; en caminos muchas veces; en peligros de ríos, peligros de ladrones, peligros de los de mi nación, peligros de los genti- les, peligros en la ciudad, peligros en el desierto, peligros en el mar, peligros entre falsos hermanos; en trabajo y fatiga, en muchos desvelos, en hambre y sed, en muchos ayunos, en frío y en desnudez; y además de otras cosas, lo que sobre mí se agolpa cada día, la preocupación por todas las iglesias" (2 Corintios 11:23-28). ¿Cómo podía Pablo manejar todo esto? La respuesta es: no lo hacía. ¡Dejaba que Dios lo hiciera! (Fil. 4:12, 13).

Supongamos que usted es empleado de una empresa importante, de un solo propietario, y que está tramitando un negocio multimillonario que enriquecerá a su compañía o la llevará a la quiebra. Cada decisión y acción suya es crucial. Pero usted no tiene nada de qué preocuparse, porque el jefe, el propietario, está al control de todo. Usted confía en que él sabe lo que hace. Todo está en manos de él, no en las suyas.

Usted puede tener esa misma paz, confiando en el poder, la fortaleza y la sabi- duría infinita de su Salvador. No tiene que vivir estresado ni hundido bajo el peso de sus pruebas y responsabilidades. ¡Deje que el Jefe se encargue!

"Cuando consigamos . . . reposar confiadamente en su amor y encerrarnos con él, descansando pacíficamente en su amor, la sensación de su presencia nos inspirará un gozo profundo y tranquilo. Esta experiencia nos reporta una fe que no nos permite ponernos nerviosos o preocuparnos, sino depender de un poder que es infinito. Tendremos el poder del Altísimo con nosotros... Jesús está a nuestro lado... A medida que lleguen las pruebas, el poder de Dios vendrá con ellas" (*My Life Today* [Mi vida hoy], p. 184).

¿Por qué no ejercitar los músculos de nuestra confianza, y permitir que Dios lleve la carga?

Claves para la salud física y espiritual

Toda la Escritura es inspirada por Dios, y útil para enseñar, para redargüir, para corregir, para instruir en justicia, a fin de que el hombre de Dios sea perfecto, enteramente preparado para toda buena obra. 2 Timoteo 3:16,17.

La mayoría de mis pacientes de fisioterapia tiene algún tipo de incapacidad física. Para ayudarles a recuperar la mayor funcionalidad posible, los desafío a desarrollar *fuerza, flexibilidad y resistencia.*

Fuerza: Cuando los músculos no se usan, se atrofian; se achican y debilitan. La fuerza del cuerpo no es estática; aumenta o disminuye. Fortalecemos nuestros cuerpos desafiándolos, empujándolos poco a poco. Si uno no desafía a su cuerpo moviéndose y levantando peso, éste se debilitará. Y cuando los músculos se debilitan, las funciones del cuerpo declinan y uno está más propenso a lesionarse.

Flexibilidad: Otro problema de la inactividad es que el cuerpo tiende a atiesarse. Las lesiones ocurren cuando los músculos están tensos y no se estiran. La flexibilidad se mantiene mediante la actividad.

Resistencia: El ejercicio aeróbico o cardiovascular pone a trabajar el corazón y los pulmones, esto los fortalece y aumenta su eficiencia. ¿Le gustaría tener más energía durante el día? Son los ejercicios de resistencia los que la producen.

Hay cierto paralelismo directo entre estos tres factores de movimiento que permiten recuperar la funcionalidad corporal, y los mismos que permiten recobrar la salud espiritual. Sin ejercicio espiritual nos debilitamos moralmente.

Por eso le sugiero una "terapia" similar. Comiéncela con ejercicios de *fuerza.* La Biblia dice que el Señor es nuestra fortaleza. (Vea: Sal. 27:1; Éxo. 15:2; 2 Sam. 22:33; Sal. 18:1 y Sal. 18:32.) Siendo así, uno no puede fortalecerse espiritualmente por sus propios medios. Debe, más bien, conectarse con la fuente de fuerza divina: acercarse a Dios. ¿De qué manera? El consejo del apóstol dice: "Procura con diligencia presentarte a Dios aprobado, como obrero que no tiene de qué avergonzarse, que usa bien la palabra de verdad" (2 Tim. 2:15). La versión del Rey Jacobo rinde este pasaje utilizando la palabra "estudio", en vez de "diligencia".

¿Y qué decir de la *flexibilidad*? Cuanto más nos acerquemos a Dios, tanto más nuestras acciones se verán motivadas por el amor, no meramente por hacer buenas obras. El amor es fluido, satisface las necesidades. Se inclina cuanto fuere necesario, para alcanzar a los demás donde estén. El legalismo es rígido y causa lesiones. El amor sana.

¿Y de la *resistencia*? Cuanto más estudiemos la Palabra de Dios, tanto más desearemos estudiarla. Es como entrenarse para correr una maratón: uno comienza de a poco, pero antes de lo que imagina, está y se siente listo para asimilar verdades y conceptos más complejos.

Señor, ayúdame a recordar que la fuerza, la flexibilidad y la resistencia son las claves para la salud física y espiritual.

Qué aprendí durante el vuelo 847

Pero yo os digo: Amad a vuestros enemigos, bendecid a los que os maldicen, haced bien a los que os aborrecen, y orad por los que os ultrajan y os persiguen. Mateo 5:44.

Mi padre siempre ha sido mi mentor, tanto en lo espiritual como en otros aspectos de la vida. Recuerdo que le encantaba felicitar a todos los que a su juicio realizaban un buen trabajo; y se esmeraba especialmente al felicitar a los empleados cuya eficacia laboral se esperaba o se exigía, aunque no siempre se agradecía. Cierta vez, felicitó a una azafata, por la forma como trató a unos pasajeros que habían sido rudos con ella. Luego, agradecida, la azafata hizo arreglos para hacer sentar a mi padre ¡en primera clase!

Desde niña he procurado seguir el ejemplo de mi padre, intentando tratar a los demás cortés y respetuosamente. El año pasado, mi esposo y yo salimos de vacaciones. Durante un vuelo de casí cuatro horas, me tocó sentarme al lado de una mujer obesa que tosía persistentemente. No se trataba de una tos común. Sonaba como si se le fuera a salir el estómago. A lo largo del vuelo, cada 15 segundos más o menos, la mujer tosía y tosía. Llegó un momento en que sentí que yo misma me estaba enfermando.

Para cuando vi que no sólo me estaba enfermando, sino también molestando, comencé a pedir a Dios que me ayudara, haciendo que la mujer no tosiera más. Pero la tos… siguió.

Entonces vino a mi mente un pensamiento. Esta pobre mujer debe de sentirse horriblemente mal. De modo que cambié mi oración. "Señor, esta señora no se siente bien. Ayúdala a dejar de toser, para que pueda tener algo de alivio y sentirse mejor". No mucho tiempo después, la tos cedió un poco, y mi tolerancia mejoró.

A lo largo del vuelo, la azafata se ha de haber dado cuenta de que yo me sentía incómoda al lado de esta señora; pero procuré mostrarme igual de amable y sonriente. Casi al final del vuelo, cuando ya me había quedado dormida con la cabeza apoyada sobre el hombro de mi esposo, sentí de pronto que acababan de colocar algo en mi regazo. Al abrir los ojos, para mi sorpresa encontré una botella de champaña envuelta en una servilleta de tela, y una nota en ella que decía: "Gracias, por su sonrisa y sus buenos modales. De parte de American Airlines, vuelo 847".

Hasta la fecha, la botella de champaña sin abrir, me recuerda que debo tratar siempre a la gente con respeto y consideración, y orar por los que les hacen difícil la vida a los demás, porque ellos mismos se sienten terriblemente mal.

¿Le viene a la mente alguien que le molesta? ¡Tal vez sea hora de orar!

Úselo o piérdalo

¡Te alabo porque soy una creación admirable! ¡Tus obras son maravillosas, y esto lo sé muy bien! Salmo 139:14, NVI.

Hay un antiguo adagio que reza: "Lo usas o lo pierdes". Esto es especialmente cierto en lo que respecta al cuerpo humano.

Recientemente, se llevó a cabo una investigación científica en el Centro Médico de la Universidad de Harvard, con relación al aspecto del cerebro tras una autopsia. El cerebro de quienes jugaban bingo con frecuencia (lo cual no exige destreza intelectual) se veía completamente diferente del cerebro de quienes participaban en actividades que los estimulaban intelectualmente. Puede que tengamos cien mil millones de neuronas, pero si no las usamos, las perderemos.

Cuando un bebé nace con un ojo desviado, si no se le corrige quirúrgicamente dentro de determinado tiempo, nunca podrá ver con ese ojo. Para mantener la funcionalidad de la retina del ojo, hay que usarla.

Si los músculos y las articulaciones no se usan, se producirán deformaciones de contracciones, que no permitirán que uno pueda usar de nuevo esos músculos y articulaciones.

Para mantenerse sano, el corazón tiene que usarse más que para latir lo necesario frente al televisor o detrás de un escritorio. El ejercicio que uno hace para mantenerse en forma es beneficioso para el mecanismo cardiovascular. Por décadas, en su clínica aeróbica, en Dallas, Tejas, el Dr. Kenneth Cooper ha puesto a la gente a hacer ejercicios. Sus pacientes tienen menos morbilidad, más longevidad y sobre todo, mejor calidad de vida.

Como médico, debo decir —vez tras vez— que en verdad somos "una creación admirable". Me maravilla la complejidad del cuerpo humano, tanto en su anatomía como en su fisiología. Pero no se nos ha creado para lucir en un estante. El mantenimiento adecuado de las funciones corporales exige que las usemos.

Cuando leo y estudio las Escrituras, me asombra el volumen de información que se encuentra en ellas, pero esta información carecerá de poder transformador en nuestras vidas, si no *colaboramos con el Espíritu Santo*. Sin la participación humana obrando bajo su dirección, se perderá la conexión íntima con Dios. Como el extremo corroído de una batería en desuso, si dejamos de *cooperar* con el Espíritu Santo, la corrosión de las cosas mundanas se interpondrá entre nosotros y él, anulando nuestro contacto con Dios. En otras palabras, si no obramos unidos con el Espíritu Santo, perderemos nuestra conexión con Dios.

Señor, enséñame a cooperar con tu Espíritu Santo, para mantener en buenas condiciones mi relación contigo.

¿Podemos?

No te maravilles de que te dije: Os es necesario nacer de nuevo. Juan 3:7.

Hoy fuimos a ver a Tess. Era su primer día de vida; tenía apenas una hora de nacida. Cuando llegamos, estaba sola en una cuna en la sala de recién nacidos, justo frente al ventanal desde donde podíamos verla. A simple vista, parecía estar descansando, pero no. Sus piecitos se movían, buscando instintivamente su lugar favorito de descanso en el vientre materno. Lo mismo hacían sus manitas. Cerrados los ojitos, apretaba los párpados con fuerza, evitando el fuerte resplandor de la luz. Movía los labios, pero lo que buscaba no estaba allí.

Como su madre todavía estaba recuperándose en la sala de maternidad, Tess estaba completamente sola. Los rostros sonrientes del otro lado del ventanal no podían ayudarla a encontrar el lugar adecuado para sus pies o sus manos. Tampoco podían apagar esa luz tan brillante que le molestaba, ni mucho menos indicarle cuándo tragar. ¡Tanto nuevo por hacer! ¡Tanto esperar por mamá! ¡Tanto valor que necesitaba ya!

Pronto, otro bebé llegó a la sala, y una familia más se amontonó junto al ventanal. Era hora ya de felicitar a ambas familias y retirarnos. "Descansa tranquila, Tess", pensé para mis adentros. Esto me recordó la muerte de mi madre, cuatro meses antes. "Descansa en paz, mamá."

Fue un pensamiento extraño, pero me llevó a preguntarme cuántas veces, entre el nacimiento y la muerte, realmente "descansamos en paz". La psicología lo recomienda. La Biblia lo ordena. ¿Pero lo hacemos? ¿Podemos? Como Tess, luchamos por sobrevivir. A veces, tenazmente. A veces, tímidamente. Cuando sobrevivir ya no significa asunto de vida o muerte, lo convertimos en asunto de riqueza o pobreza. ¿Podemos obtener las calificaciones necesarias para que se nos acepte en las mejores universidades?; ¿para que nos acepten nuestros padres, nuestros jefes, nuestras comunidades, y por fin, nosotros mismos? Hay vidas extraordinarias. ¿Por qué no sentimos que la nuestra está entre ellas? Más esfuerzo, más destreza, más disciplina nos ayudará, paso a paso, a escalar la dura ladera de la vida.

Tess llegó al mundo sin ropa, sin tarjeta de presentación, sin pretensiones. Pero su llegada hizo que el chico que creció junto a los nuestros se convirtiera en papá; y nuestros vecinos, en abuelos. Todos y cada uno rebosando de amor por una nenita preciosa. "Descansa en paz, Tess. Nunca olvides todo lo que lograste en ésta, tu primera hora de vida. Si todos los demás pudiéramos hacer lo mismo en la próxima hora, podríamos, realmente, descansar en paz".

Señor, enséñame cómo: hazme... nacer de nuevo.

El ayuno de Isaías

¿No es más bien el ayuno que yo escogí, desatar las ligaduras de impiedad, soltar las cargas de opresión, y dejar ir libres a los quebrantados, y que rompáis todo yugo? ¿No es que partas tu pan con el hambriento, y a los pobres errantes albergues en casa; que cuando veas al desnudo, lo cubras, y no te escondas de tu hermano? Isaías 58: 6,7.

Antes de aprender los principios de salud de la Biblia, ya era toda una experta en jugos. Con manzanas, zanahorias y apio hacía el coctel MZA en mi extractor de jugos; y con piña y tallos de apio, una nutritiva bebida verde. Si sentía que me estaba resfriando o engripando, o perdiendo energía, ayunaba bebiendo jugos, para recuperar mi vigor.

Años atrás, luché con lo que di en llamar el abuelo de los virus de la gripe, uno que rehusaba irse después de las 24 horas permitidas. Traté de eliminarlo con mi coctel MZA, pero no tuve suerte. Lo asalté con jugos verdes, pero tampoco cedió. Incluso llegué a preparar una infusión cargada de jugo de rábanos picantes, que tampoco mató el virus, pero que casi me mató a mí al tragarlo.

Por último —adolorida, congestionada y acabada— me acosté, y tomé la Biblia, para averiguar qué decía sobre el ayuno. Fue entonces cuando descubrí lo que señala Isaías: que el ayuno escogido por Dios consiste en ayudar a los necesitados, y conlleva una promesa, "Si así procedes… al instante llegará tu sanidad… Llamarás, y el Señor responderá; pedirás ayuda, y él dirá: '¡Aquí estoy!'" (vers 8, 9, NVI).

Aun cuando me sentía miserablemente, no veía las horas de poder poner a prueba este ayuno tan fuera de lo común. Como no conocía a nadie en mi vecindario, que realmente estuviera hambriento, me senté a preparar un cheque por veinte dólares para enviar al fondo de ayuda de ADRA (agencia de cooperación y ayuda humanitaria de la Iglesia Adventista). Mientras imaginaba que mi cheque permitiría poner un poco más de arroz o de avena en el tazón de varios niños hambrientos en Sudamérica, sentí —no sin sorpresa— cierta calidez en mi corazón. Los escalofríos propios de la gripe comenzaron a ceder. En cuanto a "cubrir al desnudo", me preguntaba cómo hacerlo cuando recordé a una amiga, madre soltera, cuya lavadora se había roto. Tras una llamada telefónica, ella y su montaña de ropa llegaron a casa para "visitar" a mi lavadora. Su gratitud por este gesto fue tan sincera, que casi pude sentir que estaba recuperándome.

Desde ese día, el ayuno tomó un nuevo significado para mí. Todavía disfruto de mis ayunos con cocteles de MZA y bebidas verdes, pero procuro no dejarme afectar por ninguna enfermedad sin antes hacer algo bueno por alguien menos afortunado. De este modo, puedo ayudarle y ayudarme al mismo tiempo.

La próxima vez que sienta que no puede vencer ese resistente virus de la gripe, ¿por qué no prueba, aparte de los jugos frescos y nutritivos, el ayuno que recomienda Dios?

Ruido, ruido por todas partes

Él se levantó, reprendió al viento y ordenó al mar: '¡Silencio! ¡Cálmate!'
El viento se calmó y todo quedó completamente tranquilo. Marcos 4:39, NVI.

Soy apóstol del silencio. Trabajo en una biblioteca donde, por supuesto, el silencio es importante. Pero aun en ella se producen los ruidos inevitables de la copiadora, las puertas que se cierran, los cuchicheos o susurros amortiguados y el tecleo en las computadoras. Mis amigos me dicen que ya rayo en el fanatismo con esto. Pero el ruido nos asalta por doquier. No hay manera de pasarlo por alto. Hasta nuestros vehículos nos "hablan" con zumbidos o tintineos, para llamarnos la atención cuando nos olvidamos de apagar las luces o de quitar la llave al estacionar.

Hace algunos años, decidí leer cuidadosamente un antiguo número del Congressional Record (Registro del Congreso), interesante documento que recibimos diariamente. El Dr. Lloyd John Ogilvie era capellán del Senado de Estados Unidos. Su oración me llegó profundamente. Por eso quiero ahora compartirla con usted.

"Querido Padre: Nuestras vidas están contaminadas de ruido. Los sonidos estridentes de una sociedad ruidosa bombardean nuestros oídos y agitan nuestras almas. El televisor rara vez se apaga. Solemos encender la radio al mismo tiempo que el motor del auto. La música se transmite adondequiera que vamos, sea el almacén o el gimnasio. En las calles, suenan las bocinas, chirrían los neumáticos y se excitan los ánimos. Entretanto, la gente a nuestro alrededor habla constantemente, tratando de encontrar lo que quiere decir en el aluvión de sus palabras. ¡Es tan fácil perder el arte de permanecer en silencio!

"Incluso en este momento de quietud, nuestras mentes corren, nuestro sistema nervioso está en alerta roja y estamos como velocistas, esperando la señal del revólver para partir. Cálmanos, Señor, para que podamos trabajar creativamente hoy.

"Señor, oímos tu voz diciendo: '¡Silencio! ¡Cálmate!'. Anhelamos el milagro de esa calma y lo aceptamos como don tuyo. Exhalamos nuestra tensión e inhalamos tu Espíritu. En este momento de oración, háblenos el susurro de tu amor y seguridad, tu gracia y tu dirección. Prepáranos para un día en el cual podamos permanecer en calma interiormente, aunque vivamos en un mundo ruidoso. En el nombre de nuestro Señor y Salvador, amén".

En Isaías 30:15 se nos dice: "En quietud y en confianza será vuestra fortaleza". En esta tierra bulliciosa y alborotada, no hay manera de entrar al corazón de Dios, sin ir a la cima de la montaña con Jesús. Esto significa apagar las computadoras, los televisores, las radios, los teléfonos y todos los demás aparatos y artefactos que nos gritan.

Señor, que mi vida pueda responderte con la misma calma que manifestaron el viento y las olas de otrora, cuando ordenaste: "¡Silencio! ¡Cálmate!".

He estado allí; he hecho eso; y ahora, ¿qué?

Yo he conocido que no hay para ellos cosa mejor que alegrarse, y hacer bien en su vida; y también que es don de Dios que todo hombre coma y beba, y goce el bien de toda su labor. Eclesiastés 3:12,13.

Mi colega es un apasionado del golf. Ha estado en los campos de golf de Escocia, Inglaterra, Palm Desert y en otros igualmente famosos. Hasta ha tenido el placer de acertar un hoyo con un solo golpe. *He estado allí; he hecho eso; y ahora, ¿qué?*

Al Sr. B. le encanta viajar a lugares distantes y exóticos: Sudán, Marruecos, las islas del Pacífico, Groenlandia, Antártida. Él y su esposa regresan con historias fascinantes de sus aventuras y viajes. *He estado allí; he hecho eso; y ahora, ¿qué?*

El Dr. J. ha alcanzado reconocimiento nacional en su especialidad médica y ha sido invitado a dar conferencias y organizar congresos desde Hawai hasta Filadelfia y desde Seattle hasta Miami. *He estado allí; he hecho eso; y ahora, ¿qué?*

El Sr. K ha logrado tal independencia financiera que ahora su única preocupación fiscal es ¡qué hacer para no perderla! *He estado allí; he hecho eso; y ahora, ¿qué?*

Salomón conocía bien los temas de interés para el hombre: el trabajo, el conocimiento, las riquezas, las mujeres y la adoración. Y esto es lo que aprendió al respecto:

Trabajo: Trabajar y tener éxito en la vida "despierta envidias".

Conocimiento: "¡Aun esto es querer alcanzar el viento!" (Ecl. 1:17, NVI)

Riquezas: Que uno alcance la riqueza, pero otro sea el que la disfrute "¡es absurdo, y un mal terrible!" (Ecl. 6:2).

La mujer: La vida es fugaz. "Goza de la vida con la mujer amada, cada día" (Ecl. 9:9).

Adoración: "Cuando vayas a la casa de Dios… mide… tus palabras. Cumple tus votos: vale más no hacer votos que hacerlos y no cumplirlos" (Ecl. 5:1,2, 4, 5, NVI).

La vida es un viaje; debemos gozarla como tal. No deberíamos sacrificar el gozo de ese viaje por alcanzar riquezas, conocimiento, fama por nuestro trabajo, placeres nuevos con el sexo opuesto. Tampoco a causa del orgullo o arrogancia por nuestra filiación religiosa o nuestra adoración a Dios.

El consejo de Salomón es sencillo. Trabaje arduamente; goce del fruto de su trabajo, que es el comer y el beber; comparta sus conocimientos y sabiduría con otros, para beneficiarlos; ame a su esposa y pase tiempo con ella; honre a Dios en todo lo que haga. Cuando miremos retrospectivamente nuestra vida, ¿diremos: "*He estado allí; he hecho eso; y ahora, ¿qué?*", por haber estado persiguiendo el viento? ¿O diremos: "He amado a Dios y he guardado 'sus mandamientos'; estoy listo… lista… para el día en que Dios haya de juzgar 'toda obra, buena o mala, aun la realizada en secreto'"? (Ecl. 12:13, 14).

¿Qué podría hacer para gozar al máximo su viaje a lo largo de este día?

Parálisis emocional

Al ver Jesús la fe de ellos, dijo al paralítico: <u>Hijo</u>, <u>tus pecados te son perdonados</u>...
A ti te digo: Levántate, toma tu lecho, y vete a tu casa. Marcos 2:5,11.

Rut se sentía emocionalmente paralizada ante la sola idea de estar sola. De niña había visto cómo su madre luchaba infructuosamente contra el cáncer. Y luego, cuando por razones de trabajo su padre comenzó a ausentarse por algunos días, su sensación de abandono se agravó.

Mucho tiempo después —embarazada por segunda vez, y madre ya de una nena de dos años—, Rut volvió a sentirse abandonada cuando su esposo tuvo que servir al país como médico en Nueva Guinea, durante la Segunda Guerra Mundial; y de nuevo, a sus cincuenta y nueve años, cuando quedó viuda al sufrir su esposo un infarto.

Desde niña, siempre le habían dicho: "Ya eres grande; ¡no llores!", así que siempre evitó llorar. Sin poder ventilar su aflicción sanamente, siguió ocultando sus emociones de por vida.

A sus 82 años, Rut (mi madre) yacía, muriéndose de desnutrición, deshidratada, físicamente paralizada a causa de una enfermedad contra la que había estado luchando por los últimos diez años: parálisis supranuclear progresiva. Esta enfermedad parecía ser una manifestación física de su dolor emocional. Lentamente, su cuerpo dejó de funcionar. Al principio, tenía problemas para caminar. Luego comenzó a no poder voltear la cabeza. Y poco a poco, la parálisis afectó el resto de su cuerpo. Aunque seguía lúcida, perdió la capacidad de hablar, y finalmente, también la de tragar. Rehusó someterse a la lenta tortura de ser alimentada por sonda y escogió morir como siempre había vivido: con gracia y dignidad.

A menudo, la sensación de soledad nos abruma y paraliza. Nos sentimos abandonados y rechazados. En el fondo, creemos que no somos lo suficientemente buenos como para que alguien nos quiera. Pero Jesús nos dice lo mismo que dijera al paralítico, hace dos mil años: "Hijo, tus pecados te son perdonados". Y luego: "Levántate, toma tu lecho, y vete a tu casa" (Mar. 2:5, 11).

Jesús quiere decirle: ¡Te amo! ¡Te acepto! ¡Puedes confiar en mí! No tienes por qué permanecer paralizado (o paralizada) por sentimientos de separación y soledad. ¡Levántate y ven a casa!

La amistad de mi madre con Dios había sido su cuerda salvavidas desde su niñez; <u>y su servicio a los demás, la tarea de su vida</u>. Mi madre pasó sus últimos días, hasta el postrer momento, en brazos de sus hijos. Cuando exhaló su último suspiro, supe que ella dormirá en Cristo hasta el día en que él vuelva. Planeo estar presente, para oírle a él decir: "¡Levántate! ¡Es hora de que vengas a casa!"

¿Se siente, a veces, paralizada por el rechazo y la soledad? Jesús puede sanar su parálisis emocional, tanto como la parálisis física. ¿Por qué no pedírselo?

El factor intranquilidad

Has escudriñado mi andar y mi reposo, y todos mis caminos te son conocidos. Salmo 139:3.

Todavía puedo oír la voz de mi madre diciéndome, de niña: "¡Quédate quieta! ¡Deja de molestar!" Obediente, yo me sentaba enseguida y me quedaba quieta; ¡pero no por mucho tiempo! En cosa de minutos, ya estaba moviéndome de nuevo: me rascaba un brazo, meneaba los pies o me retorcía en la silla. Durante mi infancia debo de haber oído aquel regaño de mamá ¡cientos de veces!

Cuando tenía alrededor de ocho años, vi cómo un viejito conocido cruzaba la calle. Las manos le temblaban mucho al andar. Mamá me contó que tenía el mal de San Vito, por lo cual no podía evitar moverse así. ¿Tendría yo el mismo mal?

Se me ocurrió que si lograba mantenerme perfectamente quieta durante cinco minutos demostraría no tener la enfermedad del Sr. Lampson. Pasé exitosamente la tortura de mi "experimento", y comprobé que no estaba enferma; pero fue una de las cosas más difíciles que he hecho en mi vida.

Con el pasar de los años, volví a pensar que algo andaba mal conmigo. Comentarios como "¿No puedes dejar de menearte?" siempre me han hecho sentir culpable de no poder quedarme quieta como los demás; así que, para lograr la aceptación de mis pares, seguí intentando quedarme quieta.

¡Pero no más! ¡Al fin he encontrado apoyo para mi manera de ser inquieta! Según los resultados de una investigación realizada en 1998 en la Clínica Mayo, ese constante moverse es, definitivamente, un factor positivo para perder peso. Durante ocho días, 16 voluntarios habían engullido abundantes calorías. Todos habían aumentado de peso. El que más, había aumentado 8 kilos, pero algunos, sólo uno. El Dr. Michael Jensen, que condujo el experimento, dijo que la diferencia entre ambos casos consistía en lo que llamaba "el factor intranquilidad". Los que por naturaleza eran más intranquilos aumentaban de peso menos que los demás. ¡Qué afirmación para mí! Ser inquieta, retorcerme y moverme no sólo contaba con la aprobación de la prestigiosa Clínica Mayo, sino que en sí mismo era un maravilloso agente reductor.

"Todo movimiento cuenta —explicaba Jensen—; no sólo los más grandes, como subir y bajar escaleras. Levantarse del asiento a menudo, estirarse, mover los pies o menearse". ¡Era como si hablara de mi estilo de vida!

El factor "intranquilidad" me ayudó a darme cuenta de ¡cuán fácilmente aceptamos la culpa. En cuanto alguien frunce el ceño y desaprueba nuestra conducta, suponemos que tiene razón, y cambiamos de proceder; o por lo menos, lo intentamos. Si insistimos en nuestro comportamiento anterior, como yo lo hice, nos sentimos culpables. Ahora, me siento libre de moverme mientras oro, de pararme cuando leo y caminar mientras pienso.

Es estupendo contar con "aprobación científica"… ¡para ser como soy!

Sabio Señor, ¡gracias por hacerme tal como soy! Amén.

Vigorizados por el juego

Ahora bien, hay diversidad de dones, pero el Espíritu es el mismo.
Y hay diversidad de ministerios, pero el Señor es el mismo. 1 Corintios 12:4,5.

Juego con mi clase de alumnos universitarios, confiando en que el fragmento del video que les muestro —uno que presenta a los tenores Carreras, Domingo y Pavarotti en concierto, en Roma— confirmará mi postura en cuanto a la importancia del juego en la enseñanza focalizada en el estudiante.

Les muestro algunas de las señales que los cantantes usan, como parte de un juego de cooperación. "La audiencia quiere oír una pieza más, y los tenores se proponen cantar algo que no han hecho antes —explico—. Primero, planean lo que harán. Ahora, observen cómo uno a otro se dan la entrada".

Nos dejamos llevar por la atmósfera del momento, como si fuéramos parte de la audiencia de Terme di Caracalla. Gente que participa del gozo colectivo ante la espontaneidad creativa de la música. Al terminar, yo —como maestra— no sé qué más hacer. ¿Arruinaría mi demostración, diciendo más de lo que conviene decir?

A fin de comprender cuán importante es el juego para el aprendizaje de los niños, mis alumnos necesitan ver cuán importante es para *su propio desarrollo* como maestros. Así que, me arriesgo a hacer un comentario final:

"Tal como entre estos tenores, algunas de sus más grandes enseñanzas surgirán mientras jueguen, poniendo a prueba nuevas ideas sólo por divertirse. ¡Yo misma estoy corroborándolo con ustedes!"

Todos reímos, y mis alumnos se retiran. ¿Habrán captado la idea? No lo sé. Yo misma estoy apenas asimilándola; pero en este momento siento… el milagro de la enseñanza obrando en y para mí. Aunque he dejado mi alma y corazón en esta clase, salgo del aula con más energía de la que tenía cuando entré. Siento ese regocijo del cielo que me llega en momentos especiales, cuando doy lo mejor de mí en mis clases. Me encanta pintar, coser y disfrutar de la música, así como de otras muchas actividades, pero sólo obtengo esta singular corriente de vitalidad a través de la enseñanza.

Eric Liddell —ganador de la medalla de oro olímpica en 1924, cuya historia se llevó al cine en la película *Chariots of Fire* (Carrozas de fuego) —, lo explicó así: "Creo que Dios me hizo con un propósito. Pero también me hizo veloz, y cuando corro, ¡siento su placer!". Se nota: uno casi puede ver el placer de Dios en la expresión gozosa del rostro de Eric cuando, con la cabeza echada hacia atrás y los rubios cabellos ondeando, prácticamente vuela sobre la pista. ¡Qué Dios, que nos ama de tal manera!

¿Qué hace que sienta más claramente el toque vigorizante de Dios? Para algunos, es la enseñanza; para otros, correr. ¿Cuál es su talento?

Mejores son dos que uno

Mejores son dos que uno; porque tienen mejor paga de su trabajo. Porque si cayeren, el uno levantará a su compañero; pero ¡ay del solo! que cuando cayere, no habrá segundo que lo levante. Eclesiastés 4:9,10.

Cuando uno se corta un dedo, sangra de inmediato. Los vasos sanguíneos se contraen súbitamente, a fin de disminuir el flujo sanguíneo para que comience la coagulación. Por otra parte, el hematoma —la sangre acumulada fuera— presiona contra los vasos sanguíneos, para evitar que la sangre siga saliendo. Entonces, ocurre una serie de reacciones que activan las plaquetas, para puedan adherirse a la herida mediante un pegamento especial —el llamado factor de von Willebrand—, sumado al colágeno y a otras proteínas (particularmente, la trombina). A medida que las plaquetas se acumulan en el sitio lesionado, forman una red que tapona la lesión. Luego, comienza una serie de reacciones que tienen que ver con por lo menos diez factores coagulantes de la sangre. Al final, los fibrocitos vienen al epitelio destruido para reconstruir el tejido, a fin de que luzca tan normal como antes; y así se completa la curación de la herida.

¿No sería magnífico que los miembros de iglesia reaccionaran en su relación con las almas heridas, así como cooperativamente lo hacen los vasos sanguíneos, las plaquetas y el plasma, quienes acuden a la zona lesionada para sanar la herida?

El Dr. Thomas Oxman y sus colegas de la Facultad de Medicina de la Universidad de Texas examinaron la relación existente entre el apoyo social y la religión y el fallecimiento de hombres y mujeres, seis meses después de haberse sometido a una cirugía de corazón abierto. Esto es lo que encontraron:

Seis meses después de la cirugía, quienes no formaban parte de ningún grupo social (club, iglesia o sinagoga, por ejemplo) tenían cuatro veces más probabilidades de morir, aun tras controlarse los factores médicos que podrían haber influido en su supervivencia, como la gravedad de su enfermedad coronaria, o una cirugía de corazón previa.

Seis meses después de la cirugía, quienes no encontraban fuerza ni consuelo en su religión estaban tres veces más propensos a morir; y en el mismo período, los que no participaban regularmente en ningún grupo ni hallaban consuelo en su fe tenían siete veces más probabilidades de morir.

Imagínese, lo que la combinación de religión y apoyo social en el ambiente de la iglesia es para la medicina, el factor que determina una diferencia septuplicada en el índice de mortalidad a seis meses de la cirugía de corazón abierto. Si hubiera un medicamento autorizado que redujera la mortalidad de esta manera, prácticamente cada médico del país se la recomendaría a sus pacientes.

Señor, ayúdame a recordar las lecciones de la cortadura en el dedo. Que en vez de destructor, sea siempre un agente sanador, para las almas heridas que me rodean.

El odio: la peor arma del diablo

Todo aquel que aborrece a su hermano es homicida; y sabéis
que ningún homicida tiene vida eterna permanente en él. 1 Juan 3:15.

Querida mamá (así comenzaba Jules el mensaje electrónico que me envió): Soy de Ruanda. En abril de 1994 durante el genocidio en mi país, perdí a mi madre, mi hermana mayor y varios de mis parientes. Mi padre había sido asesinado antes por el mismo ejército. No entiendo cómo pude escapar, porque los asesinos estaban muy bien organizados y planeaban matar a todos los de mi grupo étnico.

Cuando mi madre se dio cuenta de que los asesinos estaban cerca, nos dividió en grupos y nos envió en diferentes direcciones, con la esperanza de que siquiera algunos de nosotros pudiéramos escapar. Yo era líder de un grupo de tres niños.

Veinte minutos después, vi a mi madre, mi hermana y algunos vecinos en el suelo, con el rostro y la ropa ensangrentados. Ya los habían asesinado. Teníamos que seguir nuestro camino, porque el enemigo estaba cerca, matando a otra gente. Ninguno de nosotros lloró en ese momento. Nuestras vidas estaban en peligro: teníamos que ser fuertes; de lo contrario, no podríamos escapar; el enemigo nos atraparía y nos mataría también a nosotros.

Ninguno de mi grupo murió; pero no es fácil olvidar lo que nos sucedió a nosotros y a nuestra querida familia, ni a quienes corrían tras nosotros para matarnos.

A veces no entiendo el sentido de esta vida en la Tierra: no veo razón para el odio ni para que derive en genocidios y tantos otros males.

Recuerdo a menudo lo que me pasó. Temo fracasar en el futuro, si no hago algo con mi vida ahora. Sé que debo orar para poder practicar el perdón, pero perdonar no es fácil.

Querido hijo, Jules (contesté):

Fuera del pecado, no hay razón para odiar. El odio es el arma más cruel del diablo, porque destruye tanto al que odia (ningún asesino tiene vida eterna), como a su víctima. A ti no te mataron físicamente, pero los recuerdos te apuñalan mentalmente a diario. El perdón es el regalo inmerecido que debes dar a los asesinos. El regalo que debes darte a ti mismo es una promesa como la que se encuentra en Salmo 119:165: "Mucha paz tienen los que aman tu ley, y no hay para ellos tropiezo". Cuando te asalte un mal recuerdo, obsequia y obséquiate estos "regalos". Recuerda el perdón que diste, y repite la promesa bíblica. Con el tiempo, el amor de Dios dentro de ti será más fuerte que el odio.

¿Le molesta sentir emociones negativas? Intercambie regalos y vea cómo la Palabra de Dios atesorada en el corazón ayuda a cambiar esta clase de emociones.

Ningún hombre es una isla

Porque ninguno de nosotros vive para sí, y ninguno muere para sí. Pues si vivimos, para el Señor vivimos; y si morimos, para el Señor morimos. Así pues, sea que vivamos, o que muramos, del Señor somos. Romanos 14:7,8.

¿Ha oído hablar del llamado estudio Ni-Hon-San (Nipón, Japón; Honolulu, Hawai; y San Francisco, California)? En él, los investigadores seleccionaron 11.900 japoneses, para comparar el estado de salud de los que vivían en Japón, con el estado de salud de los que habían emigrado a Honolulu y San Francisco.

La incidencia de enfermedades cardíacas fue menor en Japón, intermedia en Hawai y mayor en California. La diferencia no radicaba en la dieta, la presión arterial ni el nivel de colesterol. Incluso encontraron que la incidencia en el hábito de fumar era más elevada en Japón, aunque el predominio de enfermedades cardíacas era menor allá.

Al principio, parecía que cuanto más cerca del territorio norteamericano vivían los japoneses, tanto más se enfermaban. Sin embargo, ésta era una conclusión errónea. Luego, los investigadores clasificaron a los japoneses americanos de California, según el grado en que retenían su cultura tradicional japonesa, socializando entre ellos como una comunidad cerrada muy unida. Entonces encontraron que el grupo de japoneses americanos más tradicional, que mantenía los lazos familiares y sociales como lo hacían en Japón, tenía una incidencia de enfermedades cardíacas tan baja como la de los que vivían en Japón. Por contraste, el grupo más "occidentalizado" (en el sentido de vivir una vida muy individualista), tenía una incidencia de enfermedades cardíacas entre tres y cinco veces mayor. En otras palabras, los lazos familiares y sociales protegen contra la enfermedad y la muerte prematura.

En Romanos 14:7 leemos: "Porque ninguno de nosotros vive para sí, y ninguno muere para sí". El texto se refiere a la presencia constante de Dios, pero sobre la base de esta investigación, podría también usarse respecto a las relaciones humanas.

¿Dónde encontrar gente con la que podamos asociarnos y mantener una sana camaradería? Pruebe la iglesia. Durante los días laborales estamos demasiado ocupados; pero al llegar el sábado, ¡qué bien viene ese día de descanso! La iglesia a la que asisto —una iglesia china, en Silver Spring, Maryland—, sirve comidas informales en la iglesia cada semana. Yo siempre llevo comida, aun cuando no sea mi turno. Después de todo, igual tengo que comer si estoy en casa; así que, ¿por qué no comer con mis amigos y disfrutar de su camaradería?

Ningún hombre es una isla. Todos necesitamos de todos. ¡Y es bueno para nuestra salud que así sea!

¿Qué podría hacer hoy para estrechar su relación con sus vecinos o algún amigo? Recuerde que nadie debe vivir para sí.

La dieta de moda

Si no os volvéis y os hacéis como niños, no entraréis en el reino de los cielos. Mateo 18:3.

"Abuelita, ¿es éste un perro caliente de verdad?", preguntó Megan cuando le sirvieron una imitación vegetariana de la tradicional salchicha. A la sazón estábamos comiendo en la cafetería de la Universidad de Loma Linda, y yo le había asegurado que allí no servían carne.

Megan seguía precavida. Al ver la ensalada, preguntó: "Abuela, ¿estás segura de que estos no son trocitos de jamón?" Volví a asegurarle de que todo estaba bien, pero tal vez notó algo de impaciencia en mi voz.

Con gravedad de adulto en sus ojitos de nena de cuatro años, Megan me miró fijamente, y dijo: "Abuela, nunca he comido carne en mi vida, ni quiero hacerlo. Por eso, cuando no estoy en casa, tengo que preguntar".

Megan tenía razón. Las investigaciones en nutrición confirman que la gente que no come productos de origen animal tiene una mayor longevidad, menos ataques al corazón y menos derrames cerebrales, menos problemas de sobrepeso, niveles de colesterol más bajos, menos presión arterial y menos diabetes. Tienen, además, menos probabilidades de sufrir de cáncer de seno, de próstata o de colon. Padecen menos de hemorroides, cálculos renales o de la vejiga, enfermedades renales y artritis gotosa. Tienen huesos más fuertes y menos osteoporosis.

El autor de un artículo editorial de la revista *Journal of the American Medical Association* va más lejos; llega a declarar que: "La dieta totalmente vegetariana podría prevenir hasta el 97% de los ataques al corazón".

El problema es que aunque el cuerpo humano puede nutrirse con alimentos de origen animal, carece de la protección contra cantidades grandes de grasa y de colesterol que los animales carnívoros poseen. Por eso, el exceso de grasa y colesterol se acumula en el torrente sanguíneo. Gradualmente, con el paso del tiempo las arterias se espesan y estrechan, y se forma una placa. Como resultado, disminuye o se interrumpe el flujo de sangre que llega a los órganos vitales, y se establecen las bases para muchas de las enfermedades mortales de hoy.

A lo largo de su vida, el estadounidense promedio que come carne ocasiona la muerte de 2.480 pollos, 98 pavos (guajolotes), 32 cerdos y corderos y 12 vacas.

Hoy por hoy, la dieta del Edén está de moda. En todas partes se habla de que debemos comer más frutas, verduras y cereales, porque contienen fitoquímicos, antioxidantes y fibra: substancias que el cuerpo necesita para protegerse contra el cáncer y otras amenazas contra la salud.

Los que ayer eran tenidos por fanáticos de la alimentación hoy son precursores de una nueva manera de comer. Sean ejecutivos, abogados, campeones de tenis o amas de casa, los vegetarianos son respetados en todas partes. Hoy en día, el vegetarianismo se considera una opción inteligente, sana, y responsable.

Señor, ayúdame a decidirme, y aun a efectuar sacrificios para mi mayor bienestar.

El factor fe

Ten ánimo, hija; tu fe te ha salvado. Mateo 9:22.

Si su asistencia al gimnasio y su última dieta no le han recompensado con la vida vibrante que busca, tal vez necesite un examen espiritual. Cada vez más, las investigaciones científicas están confirmando que los cristianos son más sanos que la población en general, y que hay una relación definida entre la fe espiritual y la salud física. Le llaman ¡El factor fe!

En la Universidad Purdue, el sociólogo médico Kenneth F. Ferraro recopiló las encuestas realizadas entre 1.473 personas de todo el país, acerca de factores que influyen en la salud; por ejemplo, la edad, la situación económica y la educación. En ellas, también se les preguntó cuán frecuentemente oraban, si se considera-ban fuertes en materia de fe, con cuánta frecuencia asistían a servicios religiosos en iglesias, templos o sinagogas y si leían material religioso.

En comparación, los individuos que no profesaban fe alguna mostraron tener dos veces más problemas de salud. En esta categoría, el 9% de los encuestados dijo tener mala salud, cuando entre los creyentes el porcentaje fue del 3%. Además, mientras que el 26% de los que nunca asistían a servicios religiosos dijo tener excelente salud, el porcentaje subía al 36% entre los que asistían a servicios religiosos semanalmente. Según Ferraro: "El hecho de que la gente participe —o no— activamente en su religión determina la mayor diferencia en lo que respec-ta a su estado de salud".

Un estudio nacional sobre envejecimiento, efectuado en 1996 en 4.000 ancia-nos que vivían en sus respectivos hogares en Carolina del Norte, reveló que los que asistían a servicios religiosos se sentían menos deprimidos y se encontraban más sanos que los que no asistían a tales servicios o adoraban a Dios en sus hoga-res. Numerosos estudios señalan que hay mayor índice de suicidios entre los que no van a la iglesia que entre los que asisten a ella con regularidad.

¿Qué es lo que hace del *factor fe* una buena medicina? En primer lugar, la per-sona que alimenta su fe asistiendo a servicios religiosos suele tener una fuerte red de amigos, quienes lo estimulan a que reciba la atención médica adecuada. La comunidad cristiana es una familia atenta, cariñosa y siempre presente.

En segundo lugar, los principios de la Biblia son saludables. No sólo nos indi-can qué comer (Lev. 11), sino además nos recuerdan beneficios tales como el de mantener una actitud positiva: "El corazón alegre constituye buen remedio" (Prov. 17:22).

Y sobre todo, la mejor "medicina": Tener siempre presente que ¡Dios respon-de a nuestras oraciones!

¿Qué tan saludable es su fe? Tal vez sea hora de participar más activamente en un grupo espiritual, y estimular su sistema inmunitario.

Opciones

Instruye al niño en su camino, y aun cuando fuere viejo no se apartará de él. Proverbios 22:6.

Recientemente, una enfermera educadora de un hospital cercano llevó a la escuela primaria de nuestro hijo menor, varias partes del cuerpo —corazones, pulmones, hígados, riñones y cerebros—, y durante una hora, mantuvo la atención de adolescentes y maestros, contándoles la historia de cada órgano.

*El corazón agrandado correspondía a un padre de familia que murió prematuramente debido a una insuficiencia cardíaca congestiva. Su hipertensión arterial por demasiado estrés, su falta de ejercicio físico y una dieta alta en grasa lo habían alejado definitivamente de su familia antes de tiempo.

* Uno de los pulmones era el de una mujer que no fumaba, pero que antes de convertirse en abuela había fallecido de cáncer del pulmón, debido al humo de los cigarrillos que fumaba su esposo. Respirar humo de segunda mano durante dos horas equivale a fumar aproximadamente un paquete de cigarrillos. Otro pulmón alquitranado correspondía a un hombre que había fumado tres paquetes de cigarrillos diarios. Su pulmón se veía negro y mutilado, a causa del tóxico inhalado al fumar. La enfermera señaló que cada cigarrillo quita 7 minutos de vida, y que la nicotina destruye nuestros órganos respiratorios. También dijo que quienes han fumado por mucho tiempo respiran a través de pulmones medio muertos. Esto realmente impresionó a los alumnos.

* El hígado alargado correspondía a un hombre joven que había comenzado a beber a muy temprana edad. El hígado es tan vital para la salud del cuerpo y cumple tantas funciones que, si el alcohol lo daña irreparablemente, el cuerpo ya no puede eliminar los desechos.

* El riñón arruinado pertenecía a un hombre con sobrepeso, que padecía de diabetes y también de hipertensión arterial no controlada. Sin la ayuda de los riñones para filtrar las toxinas del cuerpo, uno tiene que depender de una máquina de diálisis para limpiar su sangre.

* El cerebro inmaduro era de un bebé cuya madre había tomado bebidas alcohólicas durante su embarazo. Del mismo modo que el calor afecta la clara de los huevos revueltos, el alcohol afecta el cerebro inmaduro. Los niños y los jóvenes necesitan ser especialmente cuidadosos respecto a las bebidas alcohólicas, pues los cerebros que no están totalmente maduros son más susceptibles al daño y podrían no desarrollar la capacidad plena de un adulto.

Estos alumnos de primaria nunca olvidarán las lecciones aprendidas aquel día. Todos tenemos elecciones que hacer en relación con nuestros cuerpos. Si educamos a nuestros hijos desde pequeños en lo que respecta a vivir sanamente, podrán vivir hasta una edad avanzada.

¡Oh, Dios Creador! Perdónanos por las cosas que hemos hecho, que han dañado los órganos que tú creaste en nosotros. Danos fuerzas para elegir opciones saludables.

La Biblia y la sanidad

*Respondiendo Jesús, les dijo: Los que están sanos no tienen necesidad de médico,
sino los enfermos. No he venido a llamar a justos, sino a pecadores al arrepentimiento.*

Lucas 5:31.

En gozosa respuesta al llamado de Jesús a seguirle, Mateo —el recaudador de impuestos— organizó un banquete en su honor, al que invitó a varios de sus colegas y amigos. Cuando, como era de esperarse, los escribas y los fariseos comenzaron a murmurar contra los discípulos, Jesús les respondió diciendo: "Los que están sanos [hugiaino, en griego] no tienen necesidad de médico, sino los enfermos. No he venido a llamar a justos, sino a pecadores al arrepentimiento" (Luc. 5:31).

El término griego *hugiaino* deriva de *hugies*, que significa salud, sanidad y entereza. Pablo lo usa repetidamente, aplicándolo a la "sana doctrina" (1 Tim. 1:10), "las sanas palabras" (2 Tim 1:13) y el ser "sanos en la fe" (Tito 1:13); pero quizá el texto bíblico más conocido en el que se usa este término sea el que se encuentra en 3 Juan 2: "Amado, yo deseo que tú seas prosperado en todas las cosas, y que tengas salud, así como prospera tu alma". A lo largo de las Escrituras, la salud está íntimamente ligada al bienestar mental y espiritual. Esto se pone en evidencia, especialmente, en los Salmos. En el Salmo 6 —a menudo interpretado como la angustia de David, a causa de Absalón—leemos: "Ten misericordia de mí, oh Jehová, porque estoy enfermo; sáname, oh Jehová, porque mis huesos se estremecen. Mi alma también está muy turbada" (vs. 2, 3). El Salmo 22 (salmo de la cruz) describe gráficamente este sentir, como también el Salmo 31. "Ten misericordia de mí, oh Jehová, porque estoy en angustia; se han consumido de tristeza mis ojos, mi alma también y mi cuerpo. Porque mi vida se va gastando de dolor, y mis años de suspirar; se agotan mis fuerzas a causa de mi iniquidad, y mis huesos se han consumido" (Sal. 31:9, 10).

En Proverbios, Salomón presenta repetidamente las ventajas de salud que proporciona el conocer y amar a Dios. "No seas sabio en tu propia opinión; teme a Jehová, y apártate del mal; porque será medicina a tu cuerpo, y refrigerio para tus huesos" (Prov. 3:7, 8).

En *El ministerio de curación* —clásico sobre la salud, escrito por Elena G. de White—, la relación profundamente arraigada entre la salud física, mental y espiritual es un tema constante. "Muy íntima es la relación entre la mente y el cuerpo. Cuando una está afectada, el otro simpatiza con ella… El valor, la esperanza, la fe, la simpatía y el amor fomentan la salud y alargan la vida" (pág. 185).

Señor, quiero tener entereza y salud, espiritual y física. Muéstrame lo que debo hacer hoy, para alcanzar tu blanco de salud para mí.

3 DE MAYO - GERARD MCLANE

La oración es eficaz

Y aconteció que el padre de Publio estaba en cama, enfermo de fiebre y de disentería; y entró Pablo a verle, y después de haber orado, le impuso las manos, y le sanó. Hechos 28:8.

Orar por la curación es un concepto fundamental en la mayoría de las culturas. En el Lifestyle Center of America (sanatorio médico), continuamos con esa tradición: oramos a Dios, nuestro Creador, pidiéndole que restaure la salud de nuestros pacientes y que les dé la fuerza de voluntad que necesitan, para seguir practicando un estilo de vida saludable.

Dios está respondiendo a nuestras oraciones. Hemos sido testigos de increíbles milagros, ocurridos en apenas semanas: milagros que no pueden explicarse sólo por el cambio de dieta o de estilo de vida. Muchos vuelven a sus hogares con impresionantes mejorías en su fisiología y bioquímica. Algunos vienen a nosotros apenas pudiendo dar unos pasos, y se van caminando una milla al día. Otros traen una maleta de medicamentos y se regocijan al ver que ya no los necesitan más.

Una de las investigaciones que más me ha impresionado, en lo que al poder de la oración se refiere, comenzó en 1987 con Randolph C. Byrd, M.D., hombre de ciencia y de fe. Él anhelaba poder hacer más por los pacientes a quieres la muerte acechaba. Sabía que la oración podría ser eficaz, pero se preguntaba cómo medir o comprobar su eficacia.

Decidido a descubrirlo, el Dr. Byrd planeó y puso en marcha un estudio científico, para determinar si las personas por las que se oraba durante el transcurso de su enfermedad (o después de someterse a una cirugía) podrían recuperarse más completamente, con menos dolor y con mayor eficacia que otros pacientes en similares condiciones, pero sin el beneficio de la oración.

El Dr. Byrd y sus colegas siguieron durante diez messes el progreso de 392 pacientes en la unidad de cuidado coronario de un hospital de San Francisco. Los resultados de este estudio se citaron en el número de julio de 1988 de la revista *Southern Medical Journal*. Los pacientes se asignaron al azahar para ser —o no—objeto de oraciones intercesoras. Se trataba de un ensayo doblemente anónimo, en el cual ni los pacientes ni quienes los cuidaban sabían a qué grupo pertenecía cada paciente.

El análisis de los datos provistos por el Dr. Byrd demostró que tras participar en este ensayo, los pacientes por los cuales se oró tuvieron menos insuficiencia cardíaca congestiva, requirieron menos terapia de diuréticos y antibióticos, pasaron por menos episodios de pulmonía, tuvieron menos paros cardíacos, y requirieron menos intubación y respiración asistida. En 20 de 26 categorías, los resultados fueron mucho mejores para los pacientes que contaron con oraciones intercesoras como parte de su tratamiento, que para quienes no tuvieron ese privilegio.

¿No es maravilloso darnos cuenta de que las oraciones funcionan hoy en día, tal como en los tiempos bíblicos?

¿Hay alguien que usted conozca que necesita de sus oraciones?

Un día para hacer trampa

Y vino a él el tentador, y le dijo: Si eres Hijo de Dios, di que estas piedras se conviertan en pan. Él respondió y dijo: Escrito está: No sólo de pan vivirá el hombre, sino de toda palabra que sale de la boca de Dios. Mateo 4:3,4.

¿Siente, a veces, antojo de hacer lo que juró que nunca más haría? (Había decidido abandonar las papas fritas y la leche malteada, pero de pronto, ¡PUM!, los antojos dan en el blanco y... ¿Qué va a hacer?)

Wendy Sullivan creó un ardid, para ayudarse a seguir una dieta saludable y lidiar adecuadamente con sus problemáticos antojos. Su estrategia es meritoria. Durante seis días, sólo come alimentos saludables, en porciones razonables; pero el séptimo día come lo que quiere. Es su día de descanso de la dieta. Lo llama "día de hacer trampa".

Este "día de hacer trampa" permite que Wendy controle sus antojos, en vez de dejar que estos la controlen. Ella lo explica así: "Cuando voy a comprar las provisiones y veo un chocolate amargo que me encanta, me digo que voy a comérmelo el domingo. Lo compro, pues, pero lo dejo en la cocina toda la semana, sabiendo que el domingo voy a comérmelo. Lo interesante es que al llegar el domingo, ya no me apetece. El antojo de días atrás ha sido un impulso pasajero. No obstante, siempre es alentador saber que —si quiero— puedo satisfacerlo el domingo".

Wendy continúa con su explicación. "Para algunos, la idea de tener 'un día de hacer trampa" puede sonar a 'rendición' —especialmente cuando lo que se intenta es hacer un cambio completo de estilo de vida y comer más saludablemente—, pero en realidad, es una estrategia eficaz. Verá. Digamos que el lunes siento, de pronto, deseos de comer pizza. Por supuesto, el antojo me invade, está en mi mente. Pero si en esos momentos me digo que nunca más voy a comer pizza, mi cuerpo se rebela y me dan ganas de 'hacer trampa' ¡ya mismo! (A mi cuerpo no le gusta para nada que le niegue lo que le apetece). Así que, me digo que podré comer pizza... pero no hoy. Podré comerla el domingo, mi 'día de hacer trampa'. Así, mi cuerpo y mi mente no se rebelan tanto, porque saben que no estoy diciendo 'no', sino 'esperemos un poco'. Entonces sucede lo interesante: para cuando llega el domingo, por lo general ya no tengo ganas de comer pizza. ¡Se acabó el problema! Como es de suponer, este ardid no siempre da resultado. A veces cedo, pero entonces me doy cuenta de que lo que imaginaba era mejor que lo real".

Con el pecado pasa lo mismo. Nos tienta y crea cierto "antojo" por lo prohibido. Si no tiene una estrategia para vencerlo, es probable que caiga. Pero cuando caiga encontrará que no valió la pena.

¿Qué es lo que realmente le tienta? ¿Qué estrategia tiene para vencer? ¿Qué tal si usa la que Jesús utilizó en Mateo 4:3 y 4?

El aliento de vida

Luego dijo Dios: Haya expansión en medio de las aguas, y separe las aguas de las aguas. E hizo Dios la expansión, y separó las aguas que estaban debajo de la expansión, de las aguas que estaban sobre la expansión. Y fue así. Génesis 1:6,7.

Para tener buena sangre, debemos respirar bien. Las inspiraciones hondas y completas de aire puro, que llenan los pulmones de oxígeno, purifican la sangre, le dan brillante coloración, y la impulsan como corriente de vida por todas partes del cuerpo. La buena respiración calma los nervios, estimula el apetito, hace más perfecta la digestión, y produce un sueño sano y reparador.

Hay que conceder a los pulmones la mayor libertad posible. Su capacidad se desarrolla mediante el libre funcionamiento; pero disminuye si se los tiene apretados y comprimidos. De ahí los malos efectos de la costumbre tan común, principalmente en las ocupaciones sedentarias, de encorvarse al trabajar. En esta posición es imposible respirar hondamente. La respiración superficial se vuelve pronto un hábito, y los pulmones pierden la facultad de dilatarse. Así se recibe una cantidad insuficiente de oxígeno. La sangre se mueve perezosamente. Los productos tóxicos del desgaste, que deberían ser eliminados por la espiración, quedan dentro del cuerpo y corrompen la sangre. No sólo los pulmones, sino el estómago, el hígado y el cerebro, quedan afectados. La piel se pone cetrina, la digestión se retarda, se deprime el corazón, se anubla el cerebro, los pensamientos se vuelven confusos, se entenebrece el espíritu, el organismo entero queda deprimido e inactivo, y particularmente expuesto a la enfermedad.

Los pulmones eliminan continuamente impurezas, y necesitan una provisión constante de aire puro. El aire impuro no proporciona la cantidad necesaria de oxígeno; entonces, la sangre pasa por el cerebro y demás órganos sin haber sido vivificada. De ahí que resulte indispensable una ventilación completa. Vivir en aposentos cerrados y mal ventilados, donde el aire está viciado, debilita el organismo entero, que se vuelve muy sensible al frío y enferma a la menor exposición al aire fresco.

Con los años, el vigor declina y mengua la fuerza vital necesaria para resistir a las influencias malsanas. De ahí que sea tan necesario proporcionar a las personas de edad mucha luz y mucho aire puro. La reclusión en las habitaciones es lo que torna pálidas y débiles a muchas mujeres. A la falta de ventilación se debe una gran parte de la somnolencia y pesadez que hacen enojosa e ineficaz la tarea del maestro.

Haya circulación de aire y mucha luz en cada pieza de la casa.

Abra la ventana de par en par, tome cinco bocanadas de aire lentamente, no sólo levantando el pecho, sino expandiendo el diafragma y... ¡alabe a Dios! ¿Verdad que se siente bien?

Selección de *El ministerio de curación*, pp. 206-209.

Con Cristo estoy crucificado

Con Cristo estoy juntamente crucificado, y ya no vivo yo, mas vive Cristo en mí; y lo que ahora vivo en la carne, lo vivo en la fe del Hijo de Dios, el cual me amó y se entregó a sí mismo por mí. Gálatas 2:20.

"Con Cristo estoy juntamente crucificado": este pasaje irrumpió en mi mente como si los ángeles lo cantaran, para hacerme acordar de mi oración del día anterior en la que le había pedido a Dios que se encargara de mi vida enteramente. A menudo había orado: "Señor, sea hecha tu voluntad", pero en realidad, nunca le había permitido tomar el control de mi vida.

Ahora, mientras el dolor invadía mi cuerpo, meditaba en este texto bíblico. Lo que me pasaba estaba totalmente fuera de mi control. Incapacitado como consecuencia de una cirugía de espalda, sólo anhelaba que cesara el dolor (quería volver a vivir una vida normal). Entonces, me vinieron a la mente las palabras de Cristo a Pedro: "Cuando eras más joven, te ceñías, e ibas a donde querías; mas cuando ya seas viejo, extenderás tus manos, y te ceñirá otro, y te llevará a donde no quieras" (Juan 21:18).

¡Qué verdad! Ha habido días en que mi esposa ha tenido que ayudarme hasta a vestirme. Días en que me hubiera gustado andar y andar, contemplando el hermoso paisaje de las montañas de Sierra Nevada, tuve que pasarlos encerrado, haciendo ejercicios y recibiendo terapia en un gimnasio, para poder recuperar las fuerzas. Días en que me gustaría volver a mi vida de trabajo normal y sin dolor. Sin embargo los paso tratando de ver cómo aliviar el dolor y la incomodidad. Mi médico me ha dicho que ya nunca volveré a una vida sin dolor; pero al contemplar la cruz de Cristo y lo que él sufrió por mí, esto ya no me desalienta tanto. Me doy cuenta de que no estoy solo.

Cristo en la cruz sabe lo que es sufrir en medio del dolor, no poder ir a donde uno quiere, no poder siquiera vestirse para cubrir su desnudez. A través de esta discapacidad, Dios ha aminorado mi marcha para hacerme reflexionar en mi relación con él, mostrándome mi necesidad de rendirme completamente a él, para permitirle guiarme por donde él quiera que vaya. Al abrazar la cruz de Cristo, la vida que ahora vivo ya no es mía. Él puede tomarme y llevarme a donde quiera.

¡Y qué emocionante aventura estoy teniendo en la escuela de evangelismo Amazing Facts (Hechos Asombrosos)! ¿Por qué será que siento que Dios está por resucitarme a una vida de servicio para él, enteramente nueva?

Señor, quiero estar crucificado contigo hoy. Muéstrame cómo necesito vivir cada momento de este día, para hacer de lo que podría ser un mero cliché, una realidad en mi vida.

La tuberculosis mata aún hoy

Y no nos metas en tentación, mas líbranos del mal. Mateo 6:13.

Hacía tiempo que no veía a Tina. De pronto, me enteré de que tenía tuberculosis. Apenas pude creerlo. Pensaba que ésta era una enfermedad del pasado, eliminada desde el descubrimiento de los antibióticos. ¡Qué equivocada estaba!

La tuberculosis es una asesina con credenciales impresionantes. Su descripción aparece aun en antiguos escritos de hace miles de años. Se han hallado evidencias de descomposición tuberculosa en la columna vertebral de momias egipcias, y esta enfermedad era común tanto en la antigua Grecia como en el Imperio Romano. Siglos después, cobró entre otras las vidas de John Keats, Robert Louis Stevenson y Federico Chopin.

Por miles de años no se supo que una simple bacteria era la causa de esta fatal enfermedad. La infección se extiende a través de los nódulos linfáticos y el torrente sanguíneo, y puede causar la muerte de cualquier órgano del cuerpo (aunque los pulmones son los más vulnerables a ella). En los últimos dos siglos ha matado a mil millones de personas.

En la actualidad, la tuberculosis es la principal causa de mortalidad por un agente infeccioso único, responsable del 26% de muertes prevenibles de adultos en países en vías de desarrollo. Se calcula que anualmente ocurren ocho millones de nuevos casos de tuberculosis, y tres millones de muertes se atribuyen a esta enfermedad. Además, ha surgido una nueva forma de bacteria causante de tuberculosis, sumamente resistente, lo cual representa un peligro más para la salud pública en las zonas pobres de muchas grandes ciudades. La tuberculosis también está creciendo rápidamente en países con alto índice de infecciones por VIH (SIDA). Es probable que la mitad de los pacientes con SIDA lleguen a contraer tuberculosis.

¿Qué se puede hacer? No tema. Es casi imposible contraer tuberculosis sólo por pasar al lado de una persona infectada cuando va por la calle. Para de contraer esta enfermedad, debe uno estar expuesto constantemente a los organismos que la producen, ya sea por vivir o por trabajar en estrecha cercanía con un tubercuoloso. Y aun así, dado que por lo general las bacterias permanecen en estado de latencia después de invadir el cuerpo, sólo el 10% de la gente contagiada llegará a contraer la enfermedad activa.

¿Cómo puede uno protegerse contra esta temible enfermedad? Manteniendo el sistema inmunológico saludable.

Del mismo modo que yo creía que la tuberculosis ya no era un problema, Satanás quiere hacernos creer que el pecado tampoco lo es. Quiere que nos asociemos con quienes lo practican, que pensemos que somos inmunes a la tentación; pero sabe que en cuanto aflojemos nuestra resistencia, caeremos en sus redes.

Señor, ayúdanos a hacer decisiones sabias, para que —tanto en el aspecto físico como en el espiritual— podamos mantener sanos nuestros sistemas inmunológicos.

El Señor ha restaurado mi alma

Jehová es mi pastor; nada me faltará. En lugares de delicados pastos me hará descansar; junto a aguas de reposo me pastoreará, confortará mi alma; me guiará por sendas de justicia por amor de su nombre. Salmo 23:1-3.

"Tienes que venir. Mamá se cayó y se quebró la cadera —me urgía mi hermana, Norma—. La van a operar hoy". De inmediato, hice los arreglos necesarios y volé desde Bozeman (Montana) a Tulsa (Oklahoma).

Cuando llegué al hospital, mamá ya había salido de su cirugía. Todavía somnolienta, alzó los ojos y me sonrió. En aquel hospital, Norma era supervisora de enfermería. Mamá se alegró al ver que sus dos hijas pudieron estar con ella durante ese "valle de sombras" por el que había tenido que pasar.

Yo le canté un himno acerca de cómo Dios restaura nuestras almas en los momentos de "valle" de nuestra experiencia. Entonces, ella compartió conmigo algo que me hizo estremecer. Por años, mi madre había sufrido de parálisis en las manos y la cabeza. Esto la había hecho sentir muy sola en la iglesia, pues cada vez que intentaba acercarse a la gente o saludarla, parecía temblar más que de costumbre, y hasta le daba la impresión de que los miembros de iglesia se sentían incómodos y la evitaban. Se me saltaban las lágrimas mientras me contaba cuán sola se había sentido.

Pero "a los que a Dios aman, todas las cosas ayudan a bien" (Rom. 8:28). Ahora parecía que Dios se había propuesto que algo bueno resultara de esta fractura de cadera, pues todos los que atendieron a mi madre en el hospital la colmaron de afecto y la trataron con suma dignidad y amabilidad.

Norma y su esposo, Dave, eran tan apreciados por los miembros de su iglesia, que varios de ellos incluso vinieron a visitar a nuestra madre. Y fueron tan atentos con ella, que hasta lograron que disfrutara de esta "experiencia en el valle". Llevaron a su habitación el sol del amor sanador de Dios, y con él la calidez a su corazón.

Una noche, mientras dormía en una cama plegable en su cuarto, me despertó el sonido de la preciosa voz de mi madre. Cantaba "toma todo este mundo, pero dame a Jesús". La escuché queda y gozosamente, mientras ella continuaba cantando y hablando con su Salvador.

Cuando me alistaba para volar de regreso a Tulsa, mamá me dijo: "¿Sabes?, a través de esta prueba, Dios restauró mi alma. De ahora en más, cuando sienta la frialdad de alguien en su trato para conmigo, me le acercaré con la calidez del amor de Dios".

¿Hay alguien en su iglesia que parece no tener amigos? Tal vez esa persona necesite que usted restaure su alma con el amor que le dé.

La sal de la tierra

Vosotros sois la sal de la tierra; pero si la sal se desvaneciere, ¿con qué será salada? Mateo 5:13.

Esperábamos la oportunidad de conocer la nueva familia que acababa de mudarse a la casa de al lado. Al ver al hombre, Ron se le acercó para saludarlo. "¡Hola! —le dijo—, soy Ron Flowers. ¡Bienvenido a...!" Sin responder al saludo, el hombre agarró las correas de sus dos perros dóberman, dio media vuelta y se alejó.

Aunque desconcertado, Ron se recuperó, pero este primer encuentro marcó la pauta de nuestra relación con el nuevo vecino, mientras residió en la casa de al lado. De vez en cuando, cerca de por medio en el jardín, charlábamos con su tímida esposa. Ella parecía querer nuestra amistad; pero quien más grabado quedó en nuestros recuerdos fue su hijito. Su temprana edad y sus hábitos extraños lo mantenían aislado en nuestro vecindario de adolescentes. Cada vez que nuestros hijos volvían de la academia, él trataba de acercárseles, esperando poder jugar con ellos o que lo invitaran.

Un día, mi esposa Karen se sobresaltó al encontrar al niño sentado en nuestra sala, a solas. Obviamente, había entrado por la puerta principal, sin hacer ruido. "¡Oh, Darron, no sabía que estabas aquí!" —exclamó ella, ya calmada.

"¡Oh, Sra. Flowers, déjeme quedarme! —rogó él—. Me gusta sentarme aquí, porque está todo lindo y nadie se pelea". Karen se sentó a su lado, y le aseguró que podía quedarse tanto tiempo como quisiera.

Un día, Darron y su familia se fueron (nadie supo a donde). Llegaron nuevos propietarios a la casa, y creímos que sería fácil olvidar lo sucedido. Sin embargo, ocasionalmente pensábamos en Darron. Confiábamos en que porque había presenciado cómo era la vida en un hogar donde los esposos se amaban y los hijos reían y jugaban, sabiéndose amados, él mismo pudiera —algún día— formar un hogar así.

Innumerables Darrons a nuestro alrededor anhelan afecto y amor. Buscan modelos de lo que significa tener una familia dedicada y cariñosa. Tienen hambre y sed de la calidez de nuestro toque... nuestro abrazo. A través de nosotros, Dios desea mostrar su amor al mundo. En el caso de Darron, aunque el amor no se haya anifestado en su hogar como él lo hubiera deseado, tal vez nuestra cercanía le haya servido de algo.

¿Qué podría hacer hoy para sazonar la vida de sus vecinos, con el amor de Dios?

Amamantados en su Palabra

Desead, como niños recién nacidos, la leche espiritual no adulterada, para que por ella crezcáis para salvación. 1 Pedro 2:2.

Recuerdo vívidamente cuán ansiosos se ponían mis tres bebés cuando estaban por desayunar, almorzar, cenar, o merendar a media noche, prendidos a mi pecho. Sus cuerpecitos rechonchos, sus bracitos y piernecitas inquietos, sus manitas activas, sus caritas expectantes, sus boquitas bien abiertas y ese jadeo particular con que tomaban su leche, como si fuera la única comida de sus vidas: estáticos por un momento —al comenzar a mamar— y luego, con tremenda paz (como si todos sus problemas se hubieran desvanecido, y supieran con certeza que todo iba a estar bien a partir de ahora). Después dormían maravillosamente, sin la más mínima muestra de tensión en sus caritas, esperando nada más el nuevo ciclo, con la plena confianza de que la comida se les proveería vez tras vez.

He pensado mucho sobre esto, en comparación con nuestra manera de alimentarnos de la Palabra de Dios. Me resulta interesante que Pedro diga que nuestro deseo de la Palabra de Dios debería ser como el de un bebé por la leche. ¿Por qué a veces somos tan reacios a leer nuestras Biblias? ¿Por qué es tan fácil permitir que otras cosas llenen completamente nuestras vidas? ¿Por qué nos alimentamos con entretenimiento en programas de radio y de televisión, antes que con la lectura del Libro inspirado por Dios mismo?

Los bebés no se cuestionan si la leche de la madre es buena para ellos. Sencillamente, la toman con avidez. No tenemos necesidad de decirles que, gracias a eso, están obteniendo leucocitos protectores vivos, en la misma concentración en que se encuentran en la sangre; que podrán absorber eficazmente elementos vitales como el zinc y el hierro; que obtendrán propiedades antiinflamatorias de la leche de su madre; o que, según parece, los bebés amamantados con leche materna tienen menos dificultades con su estima personal o menos problemas de aprendizaje, como la dislexia. Ellos nada más confían en que lo que les damos es bueno para ellos.

¿No deberíamos confiar en nuestro Padre celestial con la misma confianza infantil, y beber ávidamente de la leche de su Palabra? ¿O acaso es preciso que se nos cuenten sus ventajas?: que se nos diga, por ejemplo, que atesorarla en nuestro cerebro nos ayudará a evitar peligrosas tentaciones; que su Palabra ofrece aliento, amor, entendimiento y perdón; que fortalece la facultad de pensar y tomar decisiones; y que, en cuanto la bebamos, sentiremos una paz extraordinaria y la certeza de que con Dios, todo va a estar bien.

Señor, ayúdame a ser como un bebé recién nacido, ¡ansioso de beber la leche de tu Palabra!

Comer para tener dientes y encías sanos

Porque yo te mando hoy que ames a Jehová tu Dios, que andes en sus caminos,
y guardes sus mandamientos, sus estatutos y sus decretos, para que vivas
y seas multiplicado, y Jehová tu Dios te bendiga en la tierra a la cual
entras para tomar posesión de ella. Deuteronomio 30:16.

En estos momentos, aunque acaba de lavarse los dientes, todavía tiene la boca llena de bacterias. Esto, porque la placa bacteriana se forma constantemente en los tejidos de los dientes y de las encías. Tal como nosotros, las bacterias necesitan comer para vivir. Se alimentan del azúcar que encuentran en los alimentos que consumimos. Cuanto más azúcar consumamos, más bacterias, más placas, más ácido y más enfermedades dentales tendremos.

Cuando pregunto a los niños si van a dejar de comer azúcar para que no se les caigan los dientes, todos alzan la mano; pero cuando luego les pregunto si van a dejar de beber gaseosas o de comer golosinas y galletitas, y de mascar chicle, enseguida bajan las manos. No se dan cuenta de que todos esos "alimentos" contienen grandes cantidades de azúcar.

La mayoría de los adultos tampoco tienen idea de cuánta azúcar "escondida" ingieren. Beben jugo de naranja sin preocuparse, en vez de comerse la naranja entera, por lo que consumen ¡azúcar extra! Las pastas son saludables, ¿verdad? En realidad, no lo son tanto como los cereales integrales. Y para postre, hay quienes saborean cierta golosina a base de fresas (frutillas), sin advertir que el azúcar concentrada que contiene alimenta a todo un ejército de peligrosas bacterias. Bastaría con un par de fresas, para satisfacer su deseo de comer algo dulce, añadir elementos nutritivos a su dieta y suplir azúcares naturales que no son tan satisfactorios para las bacterias como el azúcar refinada.

Como dentista, suelo ver niñitos con los dos dientes incisivos desgastados, por haberlos puesto a dormir tomando el biberón. Mientras los niños así alimentados se duermen con los dientecitos bañados en leche, el ácido de la leche produce un grave deterioro de los dientes, conocido como "síndrome del biberón".

También veo muchas caries entre los adolescentes. Sus dientes son más susceptibles a los ácidos que los dientes de los adultos. Su consumo de bebidas gaseosas y golosinas resulta en un marcado aumento de caries durante los años de la adolescencia.

La dieta original de Dios, a base a productos vegetales, es la mejor para satisfacer las necesidades de nuestro organismo. Satanás ha tomado los alimentos de Dios y nos ha enseñado cómo procesarlos, para perjudicarnos. Jesús no quiere que tengamos dientes y encías dañados.

Señor, dame fuerza de voluntad para escoger los alimentos originales de Dios,
antes que los que procesa el hombre.

Un nuevo comienzo

Crea en mí, oh Dios, un corazón limpio, y renueva un espíritu recto dentro de mí...
Vuélveme el gozo de tu salvación, y espíritu noble me sustente. Salmo 51:10,12.

A veces, el peso del remordimiento se vuelve enorme. Aunque es posible que las palabras y acciones de otros me causen dolor, pesa mucho más en mi espíritu el dolor que yo he causado por mis errores e insensibilidades, algo que bien podría definirse como... remordimiento.

¿Cómo enfrentar mis errores y pecados? ¿Cómo controlar el dolor que mis errores han causado? ¿Podré encontrar gozo y paz en mi diario vivir?

Mis pecados han causado daños irreparables. ¿Cómo puedo corregir mis errores? Primero, debo pedir a Dios que me perdone. Debo aceptar su perdón y creer, de todo corazón, que él puede y desea perdonarme. Luego, debo procurar que me perdonen las personas que he lastimado (Mat. 25:23, 24). Quizá sea o parezca imposible arreglar las cosas, pero igual debo pedir perdón y hacer todo lo posible para reparar el daño causado. Y por último, debo dejar todo en manos de Dios.

¿Qué pasa con mi fe cuando el dolor persiste, a pesar de haber pedido y obtenido el perdón de la persona ofendida y el perdón de Dios? Es dolorosamente cierto que procurar el perdón de Dios y de la persona ofendida no siempre borra las marcas emocionales, físicas o materiales que el pecado ha causado. No obstante, debo confiar en que Dios se encargará del asunto, sanando y bendiciendo a todas las personas afectadas. Él ayudará a quienes he herido, y también me ayudará a mí, mientras me acojo a su misericordia y busco su perdón.

A diario coloco la vasija rota de mi vida en las manos de Dios, y le ruego que me conceda gozo y confianza. Me parece que vivir gozosa y victoriosamente está al alcance de quien día a día contempla al que puede convertir la derrota en victoria y la tristeza en gozo y paz. Se trata del sencillo proceso de poner mi vida a sus pies, sabiendo con certeza que su gracia es suficiente.

Creo, sinceramente, que al contemplar a Cristo y su amor por mí puedo andar en novedad de vida. Día a día escojo encomendar a su cuidado amoroso, mi vida y las vidas de quienes he herido, y sé —con absoluta certeza— que llegará el día en que Dios nos dará a todas sus criaturas un nuevo comienzo.

Si siente un pesado remordimiento por algo que ha hecho, tal vez hoy sea el día de pedir perdón y experimentar el gozo de un "nuevo corazón".

La medida del éxito

Todo lo que te viniere a la mano para hacer, hazlo según tus fuerzas; porque en el Seol, adonde vas, no hay obra, ni trabajo, ni ciencia, ni sabiduría. Eclesiastés 9:10.

Dios puede hacer milagros increíbles a través de las manos de cirujanos talentosos que dedican sus dones al servicio divino. Uno de estos cirujanos es el Dr. Benjamín Carson, jefe de neurocirugía pediátrica del Johns Hopkins Hospital, en Baltimore, Maryland, famoso por sus intervenciones quirúrgicas en la separación de gemelos siameses (condición ésta que ocurre en aproximadamente uno de cada dos millones de nacimientos).

En 1997, a pedido del neurocirujano Sam Mokgokong, el Dr. Carson dirigió —en una de estas intervenciones— a un equipo médico compuesto de más de dos docenas de médicos de la Facultad de Medicina de Sudáfrica (único hospital importante con facultad de enseñanza integrada, para estudiantes de raza negra). "Éste no fue sólo un desafío médico —señaló el Dr. Carson—, sino también social. Considerados siempre como ciudadanos de segunda clase a causa del apartheid, esos médicos sabían que si la cirugía en cuestión se efectuaba en este hospital, podrían estar a la altura de cualquiera de las más importantes facultades médicas".

Los gemelos siameses de 11 meses estaban unidos por la coronilla, con la cara dirigida a direcciones opuestas. Habían sido sometidos a 13 intentos de separación, todos infructuosos. El Dr. Carson pidió que se colocara un equipo de música, para poder escuchar música inspiradora a lo largo de la cirugía. Tras 19 horas de labor, habían completado tres cuartas partes de la cirugía, pero las arterias estaban tan enredadas, que se temía que no hubiera en todo Sudáfrica sangre suficiente para poder continuar con la operación. En separaciones anteriores, el Dr. Carson había utilizado de 60 a 80 unidades de sangre, de modo que sugirió suspender la operación y continuarla en un par de meses. Pero el Dr. Mokgokong replicó: "No contamos aquí con el equipo necesario para hacer eso". Así que, tuvieron que seguir con la cirugía.

Tras la operación, el Dr. Carson comentó: "Yo no tenía nada de mi sofisticado equipo, sólo mi escalpelo y fe en Dios. Algunos de los vasos sanguíneos eran más delgados que una hoja de papel. Veintiocho horas después, al hacer el último corte, el coro del Aleluya resonó a través del equipo de música. Se nos puso la carne de gallina. En tres semanas, los niños gateaban normalmente, y para la operación sólo habíamos usado tres unidades de sangre.

Hasta donde sabemos, ésta es la primera vez que alguien ha podido separar completamente, en una sola intervención quirúrgica, gemelos unidos por la cabeza. No sólo preservando la vida de ambos sino también sin efectos secundarios negativos. La autoestima de todos llegó hasta el techo; la gente bailaba en las calles. En esto consiste el éxito: tomar los talentos que Dios nos ha dado y desarrollarlos a fin de elevar a los demás; y nunca avergonzarse de Dios".

Dios quiere hacer milagros también a través de nuestras manos.

Gracia en el desierto

Así ha dicho Jehová: El pueblo que escapó de la espada, halló gracia en el desierto.

Jeremías 31:2.

¿Cómo podemos encontrar gracia —amor y protección divinos— en nuestra desolada desesperación, fatiga y dolor? ¿Qué gracia puede haber en la oscura noche de nuestro pesar? ¿Podemos, realmente, cantar himnos en la tierra extraña de la aflicción, como lo hicieron Pablo y Silas, a medianoche, en la cárcel de Filipos? (Hech. 16:25)-

Parece imposible; pero es justamente cuando estamos quebrantados y desolados, cuando Dios está más cerca de nosotros. Él habita con los de corazón quebrantado. Así lo asegura en su Palabra: "Yo habito en la altura y la santidad, y con el quebrantado y humilde de espíritu" (Isa. 57:15).

Dios ha prometido que precisamente *en* nuestros momentos de mayor desolación lo encontraremos y disfrutaremos de su compasión. ¿Recuerda la historia de los tres compañeros de Daniel que fueron arrojados al horno de fuego? Fueron tres, pero cuando el rey fue a verlos, encontró que eran cuatro, y exclamó: "y el aspecto del cuarto es semejante a hijo de los dioses" (Dan. 3:25). ¿Por qué? ¡Porque era Dios!

"El cuarto" está también con nosotros en nuestra angustia. Dios dice: "y cambiaré su lloro en gozo, y los consolaré, y los alegraré de su dolor" (Jer. 31:13).

Nos quejamos de nuestras circunstancias; pensamos que es imposible vivir como creyentes, en un ambiente que genera conflictos. Pero la frustración puede convertirse en fructificación, y la resistencia, en recursos. Corrie Ten Boom halló la gracia de Dios en Ravensbruck —el campo de concentración nazi al que fue a dar con su hermana—, experiencia que narra en su libro *The Hiding Place* (El escondite). Corrie sobrevivió al campamento nazi (su propio y terrible desierto), y encontró fuerza y gracia para consolar a millones en todo el mundo.

Independientemente de lo que se interponga en nuestro camino, no hay excusa para que languidezcamos en nuestros respectivos desiertos. Con Dios, todo es posible: podemos tener serenidad, aun en medio de lo que humanamente se consideraría una situación sin esperanza.

¿Cómo es esto posible? Los cimientos para sobrevivir la experiencia del desierto se echan mientras se crece… "como árbol plantado junto a corrientes de agua" (Sal. 1:3), estudiando con oración la Palabra de Dios. Uno no aprende a nadar mientras se ahoga, sino antes. El ancla debe asegurarse antes de la tormenta; después sería demasiado tarde.

¿Cómo se preparará usted hoy para el posible cruce del desierto?

Apoyados en él

Por tanto, de buena gana me gloriaré más bien en mis debilidades,
para que repose sobre mí el poder de Cristo. 2 Corintios 12:9.

Me diagnosticaron un lupus justo antes de mi tercer año de secundaria. Por entonces, poco se sabía sobre esta enfermedad (algo que en realidad no ha cambiado mucho). Sólo me aconsejaron no exponerme a la luz solar y evitar fatigarme. Pero como era una adolescente inquieta, no presté mucha atención al consejo del doctor, y pasé horas afuera, bronceándome y haciendo cuanto se me ocurriera hacer. Alejé de mi mente la enfermedad y sólo sufrí un salpullido recurrente en el rostro, una molestia que yo atribuía a una posible alergia.

Me prometí a mí misma no permitir que el lupus interfiriera con mi verdadera vida. Y por muchos años lo cumplí. Asistí a campamentos, salí de excursión, recorrí lugares con mi mochila al hombro, anduve a caballo e hice todo cuanto me propuse. Además, saqué adelante a mis hijitas, y a varios chicos más como madre sustituta, enseñé en la escuela primaria y ocupé diversos cargos en la iglesia. Llegué a pensar que mi salud y mi energía me durarían por siempre.

Pero no. En cuanto mis hijas crecieron, cambió el ritmo de mi vida. Empecé a dormir más, porque me costaba trabajo levantarme. Se me anquilosaron las articulaciones. Comencé a tener fiebre y otros síntomas físicos. Los medicamentos que el reumatólogo me había recetado dejaron de darme resultado, de modo que opté por volver a mi antigua "fórmula": no hacerle caso a la enfermedad ni al dolor. Empecé a cojear, pero decidí que sería más fuerte que mi cojera. Cuando mi doctor me sugirió que usara un bastón, me resistí a la idea. No me permitiría depender de nada, excepto de mi fuerza de voluntad.

Finalmente, llegó el día en que tuve que abandonar mi orgullo y comprar un bastón (algo que hasta entonces había considerado símbolo de debilidad). Sin embargo, mientras me apoyaba en él para caminar, descubrí que podía andar cada vez más rápido y con menos dolor. Dependiendo del bastón, me volví más fuerte y pude caminar paulatinamente más lejos y por más tiempo que antes.

Siempre me consideré fuerte e independiente. Durante la mayor parte de mi vida pude hacer todo por mí misma. Dios era importante para mí, pero en realidad, yo no *dependía* de él. Con el lupus, me vi ante algo que ya no podía manejar ni controlar por mí misma. Tuve que apoyarme en mi Señor; mas al hacerlo descubrí su fuerza. Y como el apóstol Pablo hallé que "la gracia de Dios es suficiente para mí, porque su poder se perfecciona en mi flaqueza".

¿Siente el estrés y el cansancio que causa tratar de vivir dependiendo solamente de su determinación personal y de su autosuficiencia? Tal vez sea hora de cederle al Señor el asiento del conductor de su vida, y disfrutar por fin de la alegría que sólo se obtiene al apoyarse en él.

Cómo detener la muerte de las neuronas

*Vendrás en la vejez a la sepultura, como la gavilla
de trigo que se recoge a su tiempo.* Job 5:26.

Comenzando poco después del nacimiento —cuando la mayor cantidad de neuronas que uno pueda tener están todavía en su lugar— las células cerebrales empiezan a morir a niveles alarmantes: aproximadamente, a razón de 50.000 por día. Si multiplica esta cifra por la cantidad de días que lleva vividos, el resultado es asombroso: en un año no más se pierden alrededor de ¡dieciocho millones doscientos cincuenta mil neuronas!

Sin embargo, a pesar de este increíble drenaje cerebral, el funcionamiento del cerebro en personas sanas no cambia significativamente en un período de cincuenta años, y en algunos casos, hasta mejora, aun hasta a mediados de los setenta años.

El principio de la *redundancia o demasía*, sencillamente indica que tenemos tanto o más neuronas de las que podemos usar; que quizas podemos prescindir de enormes cantidades de ellas. No obstante, es posible que el principio "úselo o piérdalo" esté directamente relacionado con la exterminación masiva de neuronas. ¿Será que no brindamos a nuestro cerebro la riqueza de oportunidades fascinantes que podría aprovechar?

A pesar de la muerte de millones de neuronas, las células cerebrales no dañadas en las personas de la tercera edad pueden convertirse en dendritas adicionales, facilitando de este modo más puntos de comunicación. Éste es el principio de la *plasticidad*. Si aun a edades avanzadas se les exige actuar, las neuronas (por escasas que sean) se vuelven más activas y procuran nuevas conexiones. Cuanto más experiencia, aprendizaje y práctica uno adquiere, más aumenta la cantidad de conexiones.

Para muchos que están envejeciendo, la disminución de la memoria y de la capacidad de procesar la información rápidamente, o de integrar nuevos datos o conceptos, resultan alarmantes o desalentadoras. Pero podemos animarnos: la mayoría de los estudios más recientes al respecto demuestran que aun la pérdida física o el deterioro a diario de miles de neuronas, no necesariamente reduce el potencial de funcionamiento de la persona madura. Es posible que tome más tiempo para procesar ciertas tareas, pero su falta de velocidad puede resultar más que compensada por la sabiduría de su experiencia.

Además, es posible que la mayoría de estas "pérdidas" en funciones puedan interrumpirse, detenerse o aun revertirse mediante el ejercicio. Para optimizar su salud mental, ejercite al máximo todos sus centros pensantes: el pensamiento lógico, la resolución analítica de los problemas, la expresión artística, la imaginación, la memorización, el estímulo sensorial, y las destrezas lingüísticas y motoras.

La plasticidad del cerebro puede continuar aun hasta una avanzada edad, ¡pero hay que usarla para no perderla!

Querido Dios, gracias por crearme con suficientes neuronas para la eternidad. Ayúdame a usarlas, para no perderlas.

La moneda de la actividad

Tomó, pues, Jehová Dios al hombre, y lo puso en el huerto del Edén,
para que lo labrara y lo guardase. Génesis 2:15.

¿Imaginó alguna vez lo que sería vivir en una tierra perfecta, en un lugar de salud perfecta, felicidad perfecta y paz perfecta? Hubo una vez en nuestra tierra un lugar así. Lo conocemos como el Jardín del Edén, el hogar original de Adán y Eva.

¿Puede imaginar cómo habría sido su vida en el Jardín del Edén? Nadar con los delfines al amanecer, caminar tranquilamente por la orilla de la playa al ponerse el sol, beber agua de coco bajo una palmera, trabajar en los rosales… ¿Qué? ¡Espere, espere! ¿Trabajo en el paraíso? Sí. Aunque Adán y Eva tenían mucho tiempo para descansar, relajarse, meditar y jugar, también tenían que trabajar. Dios no quería que sus hijos estuvieran ociosos. Deseaba que se mantuvieran activos, así que, les dio como trabajo labrar y cuidar el jardín en el que vivían.

Al trabajar, Adán y Eva desarrollaron cuerpos más fuertes y más sanos, y experimentaron el gozo y la satisfacción de ver florecer el jardín que cuidaban. Disfrutaron de las ventajas sociales de trabajar juntos por un objetivo en común; y mientras participaban en el maravilloso proceso del cultivo de la tierra, obtenían un sentido cada vez más profundo de conexión espiritual con su Creador.

Las ventajas que Adán y Eva experimentaron en el Edén pueden ser nuestras hoy. Cuando uno comienza a practicar una rutina regular de ejercicio, ve resultados magníficos. En el aspecto físico, se fortalece, duerme mejor y se vuelve menos vulnerable a las lesiones o enfermedades. En el aspecto mental, tiene menos estrés, piensa con mayor claridad, y contempla la vida más positivamente. En el aspecto social, tiene más confianza en sí mismo, porque se siente mejor y luce mejor. En el aspecto espiritual encuentra una conexión más profunda con su Creador, quien lo hizo para que disfrutara de una vida de salud, felicidad y paz.

Pero las ventajas de la actividad sólo se recogen cuando se la practica constantemente. El gran beisbolista Cal Thomas dijo una vez que "la vida es como una institución bancaria. Uno no puede sacar más que lo que ha depositado en ella". Cada día que nos mantenemos físicamente activos es como que depositáramos dinero en el banco. Por supuesto, nada en esta vida es seguro; pero si continuamos depositando la moneda de la actividad regularmente, podemos esperar que todo redunde en una vida más larga, más sana y más feliz.

¿Qué planea hacer hoy para practicar el ejercicio necesario que le permitirá disfrutar de una vida más larga, más sana y más feliz?

Aguas sanadoras

Después me mostró un río limpio de agua de vida, resplandeciente como cristal, que salía del trono de Dios y del Cordero. Apocalipsis 22:1.

Uno de los mayores gozos de mi infancia era chapotear en un arroyo, que corría por entre las colinas cercanas a la finca de unos amigos. Quitarme los sábados de tarde, bajo el sol ardiente del verano, los zapatos y las medias, ponerme un vestido viejo y correr por la frescura de aquel arroyo de aguas cristalinas era lo que para mí significaba "delicia". ¡Ahhh! ¡Qué gusto sentir sobre la piel, la suave corriente refrescante!

Una mañana, a comienzos de la primavera, mi esposo y yo nos sentamos a orillas del río Crow Wing, en el norte de Minnesota. Habíamos escapado del bullicio de la ciudad, para descansar en la vieja granja familiar, ahora desocupada. El río Crow Wing era profundo y, camino al poderoso Mississippi avanzaba rápidamente, alimentado por las aguas del deshielo de primavera. Mientras observábamos el remolino de las aguas presurosas y escuchábamos las voces de su canto, parecía que con la corriente se alejaba el estrés del trajín cotidiano.

No hace mucho, en la propiedad de otros amigos en Oklahoma, caminaba tranquilamente bajo los árboles, rumbo a un arroyuelo alimentado por las aguas de un manantial. A su orilla, hallé el sitio ideal para sentarme: el lugar preciso donde se alcanzaba a oír el murmullo suave del agua ondeando sobre las piedras, y desde donde podía ver cómo la corriente se llevaba incontables hojas y palitos. ¡Qué sitio tan plácido, tan ideal para relajarse y meditar!

Contraste la energía sanadora que uno encuentra junto a la apacible corriente de un arroyo, con el poder destructor de las aguas tormentosas, fuera de control. La primera es símbolo del reino de Dios, con el río del agua de la vida, resplandeciente como cristal, brotando del trono de Dios; mientras que el torrente barroso y oscuro que desciende por el valle, arrastrando las rocas y parte del suelo, ilustra la devastación del reino de pecado y pesar: el reino de Satanás.

Si no seguimos las instrucciones que Jesús nos dejó en Marcos 6:31: "Venid vosotros aparte a un lugar desierto, y descansad un poco", caeremos fácilmente en la corriente de la tentación y de allí a incontables compromisos. Si se ve ante esta clase de "corriente", recuerde quién tiene el control. Del mismo modo que Jesús calmó las aguas del tormentoso mar de Galilea, puede calmar las aguas impetuosas de nuestras vidas.

Yo anhelo que llegue el día en que pueda reflexionar quedamente a orillas del río de la vida, en la nueva Jerusalén. ¡Qué emoción será poder beber del agua de la vida, que mana del trono de Dios!

Querido Señor, aquieta las aguas agitadas de mi vida, con tu palabra viva. Amén.

Mandamientos para vivir sanamente

La ley del sabio es manantial de vida, para apartarse de los lazos de la muerte. Proverbios 13:14.

¡Dios hace todo tan sencillo! No nos dio 2.457 reglas por las cuales regir nuestras vidas. Sencillamente, escogió diez mandamientos absolutamente esenciales para vivir de una manera moralmente correcta. Los primeros cuatro tienen que ver con nuestra conexión con el Dios del universo: nuestro Creador. El **primer** mandamiento dice que debemos adorar sólo a Dios. El **segundo** aclara el primero: Dios desea una relación tan íntima con nosotros, que ni siquiera quiere que adoremos ilustraciones, pinturas o estatuas que le representen. El **tercer** mandamiento tiene que ver con la adoración. Adorar no es sólo rendir culto, sino "amar en grado sumo", "sentir y mostrar veneración o máximo respeto". Este mandamiento exige que no usemos el nombre de Dios, sino de esa manera. El **cuarto** mandamiento nos indica cuándo adorar a Dios, y señala un tiempo para hacerlo. Nos pide observar el séptimo día: las 24 horas del sábado en las que se nos ordena no trabajar. No se me ocurre mejor manera de asegurar la salud espiritual, que guardar estos primeros cuatro mandamientos.

Los siguientes seis mandamientos tienen que ver con nuestras relaciones interpersonales. Quien los observa se mantiene socialmente sano: se libra de mucho dolor y sufrimiento y de hacer daño a los demás. El **primero** de estos mandamientos se refiere a la más cercana de las relaciones: la de padres e hijos. Dios sencillamente nos pide que respetemos a nuestros padres; que los honremos. Hacerlo incluso contribuirá a nuestra salud física. Se vive más y mejor, cuando no se lleva a rastras una pesada carga de amargura. El **segundo** ordena no matar física ni emocionalmente a ningún ser humano. Cuando uno no se frena al hablar, puede matar aun con sus palabras. El **tercero** de estos mandamientos requiere respetar el convenio matrimonial: respetar a su cónyuge y serle fiel, y respetar la unión sagrada de las demás parejas casadas. Específicamente: no cometer adulterio. ¡Cuánto más sanas serían nuestras vidas si no nos permitiéramos ni siquiera pensar en proceder indebidamente en este sentido! El **cuarto** ordena no robar: respetar la propiedad ajena. El **quinto** no mentir: no decir verdades a medias acerca de los demás. Si somos veraces en todo lo que hacemos y decimos, quienes nos rodean podrán sentirse seguros a nuestro lado. Por último, el **sexto**, siéntase feliz por lo que tienen los demás; no envidie sus posesiones, ¡no las codicie!

A continuación encontrará los cinco mandamientos principales que le ayudarán (más que ninguna otra cosa) a reducir el riesgo de contraer alguna enfermedad crónica, como las enfermedades cardiovasculares, el cáncer y la diabetes.

1. No fume. 2. Evite un estilo de vida sedentario: ¡haga ejercicio físico! 3. Coma diversos tipos de frutas y hortalizas (verduras) y evite los alimentos de alto contenido graso. 4. Evite extralimitarse, descanse. 5. Evite las bebidas alcohólicas.

Señor, dame fuerza de voluntad para guardar los mandamientos.

El brillo del poder

No con ejército, ni con fuerza, sino con mi Espíritu,
ha dicho Jehová de los ejércitos. Zacarías 4:6.

Desde la casa de gobierno, las principales empresas del país, y aun entre quienes se deslizan en el tobogán de un patio de recreo, se manifiesta un rasgo común de la existencia humana: el PODER. Poder para manipular y controlar. Poder para causar lo que uno quiere que ocurra. Poder para obtener lo que uno desea. Poder para que otro haga lo que uno quiere que haga. Todos danzamos a su ritmo, siquiera por un rato. Pero su empuje ya llega a la exorbitancia. Ahora hay jergas de poder, juegos de poder, guardarropa de poder, y aun modales de poder, como por ejemplo: "Nunca te agaches para recoger el cubierto de plata que se te haya caído".

La norma general para el poder podría, justamente, resumirse en la primera parte de esa frase: "NUNCA te agaches". Nunca bajes la cabeza. Nunca admitas haberte equivocado. Nunca te sueltes de la escalera del éxito. Pero, ¿a qué nos lleva todo esto?

En mis días de estudiante en la Universidad Andrews, en Berrien Springs, Michigan, una tarde pasé en bicicleta, frente a la entrada de la desperdigada estancia del ex campeón mundial de boxeo Muhammad Alí, a orillas del río St. Joseph. Una verja oxidada y desvencijada cercaba la hacienda. En el camino particular que conducía a la entrada principal, antes cubierto de flores, crecían las malezas. Había grietas en el asfalto, y basura tirada a la entrada. A lo lejos, edificios descoloridos y descascarillados guardaban el lugar donde el otrora gran "deportista" todavía pasaba parte de su tiempo.

En 1988, el cronista deportivo Gary Smith entrevistó a Alí en esa hacienda. Alí lo llevó entonces al granero que usaba como gimnasio. En el suelo, apoyados contra la pared, yacían recuerdos de cuando estaba en la plenitud de sus fuerzas. Fotos y retratos en los que el campeón aparecía dando trompadas y saltando. Un cuerpo escultural. Puños golpeando el aire. El cinturón de campeón sostenido en alto, en señal de triunfo. Pero las fotos tenían vetas blancas, deyecciones de las aves. Por un momento, Alí alzó la mirada a las vigas donde vivían las palomas que se habían adueñado de su gimnasio; y luego hizo algo significativo. (Quizá fuera un gesto de cierre; de desesperación, tal vez.) Se dirigió a la fila de fotos y, una por una, las colocó de cara a la pared. Luego, se encaminó hacia la puerta y murmuró: "El mundo era mío; pero ni el mundo ni yo fuimos nada. ¡Vea, ahora!"

Contemple su propia vida, ahora. ¿Qué es lo que ve? ¿Vive la vida de los hambrientos de poder o una vida semejante a la de Cristo? Cristo se agachó, para lavar los pies de sus discípulos; y por su poder, resucitó de entre los muertos. ¡Recordemos esto!

En vez de luchar por el poder, glorifiquemos a nuestro Padre celestial. Mediante su poder, alcancemos exitosamente el destino para el que Dios nos ha creado en la tierra.

Por lo que más quiera, ¡ore!

Estas cosas os he hablado para que en mí tengáis paz. En el mundo tendréis aflicción; pero confiad, yo he vencido al mundo. Juan 16:33.

¿Sabe qué es un "soldado de oración"? Yo crecí en una iglesia en la que había varios de ellos. Eran los "viejos santos" (probablemente, de la misma edad que tengo ahora), quienes con el pasar del tiempo habían comprendido que la oración seria produce resultados. Ellos oraban persistentemente por algo, hasta que el Señor decía: "<u>Concedido. ¿Qué más quieres?</u>"

Hablar sobre los asuntos que nos preocupan puede aligerar un poco la carga que uno siente, pero <u>la oración genuina hace que se produzca un milagro</u>. La mayoría de los milagros no pueden verse de inmediato. Sobre todo, en lo que respecta a la salud.

Según Herbert Benson, investigador de Harvard, pionero de la "respuesta de relajación", orar por algo puede fomentar la salud mediante una forma especial de alivio del estrés. La oración provoca la respuesta de relajación, reduciendo regularmente la presión arterial en los hipertensos y la glucosa en la sangre de los diabéticos. Puede también calmar la ansiedad, la depresión, el insomnio y los dolores de cabeza.

La investigación científica sugiere ahora que la oración puede beneficiar a los enfermos, aliviando sus dolores crónicos y controlando las náuseas producidas por la quimioterapia. <u>Los científicos han comprobado que la gente que ora se cura más rápidamente que la que no ora.</u>

<u>Como cristianos</u>, no <u>necesitamos evidencias científicas para asegurarnos de que la oración funciona</u>. <u>Lo sabemos desde hace tiempo</u>. Lo más importante, sin embargo, es comprender que a diferencia de lo que afirman los partidarios de la Nueva Era, la oración no es algo "en sí misma". <u>Jesucristo, objeto de nuestras oraciones, tiene la capacidad de ejecutar milagros vistos y no vistos</u>. Por ejemplo, <u>la oración afecta nuestro sistema inmunológico</u>. <u>Afecta nuestra disposición y nuestras actitudes</u>. Las oraciones de arrepentimiento sincero extirpan los sentimientos de culpa y vergüenza que minan la salud, la vitalidad y la vida misma.

Nuestro amante Señor nos conoce mejor que lo que cualquier consejero podría conocernos tras ocho horas diarias de asesoramiento por varios años. Y está listo para demostrarnos que es el Señor de la VIDA, el Señor del ALIVIO, el Señor de la PAZ, el Señor del GOZO, y el Señor de la ENTEREZA. Si lo buscamos con sinceridad y le permitimos guiarnos, él puede cambiar las cosas tan rápidamente como exhalamos el aire al respirar.

¡Qué gran ventaja tenemos sobre el resto del mundo! ¿No deberíamos los cristianos ser la gente más saludable del planeta? ¿Nos apropiamos, por fe, de las preciosas bendiciones de que disponemos? ¿Lo hace usted? Y si no, ¿por qué no?

Conviértase hoy en un guerrero de oración, para alguien que necesite vida, alivio, paz, gozo o buena salud. <u>Siga orando hasta que el Señor diga: "Concedido."</u>

Perdone a los que lo provocan

Antes sed benignos unos con otros, misericordiosos, perdonándoos unos a otros,
como Dios también os perdonó a vosotros en Cristo. Efesios 4:32.

Por lo general, cuando nos sucede algo malo y nos sentimos frustrados, tendemos a culpar a alguien. Buscamos que alguien más sufra, cuando lo que
tenemos que hacer es buscar una solución; dejar de lado el juego de la culpa y
empezar a responsabilizarnos de nuestras propias emociones y conductas.

Jesús trató el tema en su Sermón del Monte. A quienes compulsivamente cri-
tican a los demás, dice: "Saca primero la viga de tu propio ojo, y entonces verás
bien para sacar la paja del ojo de tu hermano" (Mat. 7:5). Procuremos ver lo
bueno en los demás, aprendamos a perdonar y asumamos la responsabilidad de
encontrar solución adecuada para los problemas.

Herdan Harding cuenta la historia de un jugador de béisbol del sistema de
ligas menores de los Dodgers de Los Angeles, quien, cuando fallaba en su juga-
da, rompía o tiraba los bates, aparentemente para desviar las críticas adversas. Sin
embargo, su proceder llamaba aún más la atención; especialmente, de dos
muchachos quienes solían burlarse de él.

Un día, cuando el bateador falló tres veces en su intento de golpear la bola,
los dos muchachos volvieron a ridiculizarlo. Entonces, el jugador se dirigió a la
sección de la valla detrás de la cual estaban los jovenzuelos, y con ademanes les
pidió que se acercaran. Aunque no muy seguros de querer enfrentarlo cara a cara,
los muchachos se armaron de valor y se aproximaron. Pero esta vez el bateador,
en vez de ponerse furioso como solía, optó por responder de modo diferente.
Lanzó el bate al aire y lo tomó por el lado opuesto, luego extendió el mango a los
jóvenes y les preguntó: "¿Quieren un bate de los Dodgers?"

A partir de entonces, esos dos muchachos nunca más lo molestaron.
Asistiendo a casi cada juego, no hicieron sino apoyarlo y alentarlo tan ruidosa-
mente como antes lo habían ridiculizado. Aquel día, el bateador aprendió que
siempre podría *escoger* hacer las cosas de modo diferente. Y con su actitud cambió no sólo su propia perspectiva, sino la respuesta de su entorno.

Quizás no lo sabía, pero en su actitud hacia los muchachos, hizo lo que Pablo
aconsejara en Efesios 4:32. Guardar rencor o aferrarse al dolor de las heridas
recibidas deprime la mente, marchita el alma y acaba enfermando el cuerpo.
Mejor es optar por actitudes y respuestas positivas.

La próxima vez que alguien se burle de usted, cambie de táctica. Devuelva bien
por mal, y compruebe cuánto mejor resulta.

El jugo "acelerado"

Escucha el consejo y recibe la corrección, para que seas sabio en tu vejez. Proverbios 19:20.

Yo solía beber mucho café. Para cuando empecé mis estudios universitarios, bebía ya cuatro cafeteras —unas veinticuatro tazas de café— por día. Si bien no todos beben semejante cantidad, en Estados Unidos se consumen, anualmente, más de treinta y cinco millones de libras de café. Si a esto añadimos los millones de latas de gaseosas con cafeína que se consumen a diario, bien se puede ver que este país enfrenta un serio problema de salud: el cafeísmo.

Los médicos comienzan a recomendar a sus pacientes que abandonen el hábito de beber café. Y con razón. La cafeína no tiene valor nutricional, pero se la vincula con trastornos del sueño, dolores de cabeza, hipertensión arterial, palpitaciones, pérdida de la memoria, temblores y convulsiones. Algunos estudios parecen indicar que incluso actúa como catalizador de carcinógenos, aumentando las probabilidades de contraer cáncer.

En su libro *Live Ten Healthy Years Longer* (Viva sano diez años más), el Dr. Jan W. Kuzma menciona un interesante estudio llevado a cabo entre muchas mecanógrafas. En la primera fase de ese estudio, se examinó a un grupo de mecanógrafas que no habían consumido cafeína por dos semanas. Su trabajo fue impecable, y ellas mismas calcularon su velocidad correctamente. En la segunda fase, cada participante bebió dos tazas de café. Esta vez, su precisión disminuyó considerablemente. Sin embargo, en sus autoevaluaciones indicaron que tanto en velocidad como en exactitud, les había ido mucho mejor ahora que cuando no habían usado cafeína.

¡Tanto se cree que la cafeína mejora el rendimiento! En un sitio de construcción donde trabajé por algún tiempo, solíamos llamar al café ¡el jugo "acelerado"!, porque todos suponíamos que mejoraba la capacidad de desempeño, cuando en realidad, lo único que mejora es la estima personal.

Satanás procura tentarnos con toda clase de jugos "acelerados", que disfrazan nuestra verdadera condición de pecadores y nos hacen creer que somos mejores que lo que somos. Las bebidas con cafeína no son las únicas sustancias de su mesa de ilusiones. También sirve bebidas alcohólicas, tabaco en todas sus formas y narcóticos o estupefacientes que alteran el ánimo y nublan la percepción. Cuando estamos bajo la ilusión de que nuestro desempeño ha mejorado, no hay lugar para el arrepentimiento ni razón para abandonar el mal. Tampoco lo habrá para aceptar la gracia salvadora de Dios.

Así que, despídase del jugo "acelerado", abandone el hábito de beber café o bebidas con cafeína, aunque tenga que soportar por algunos días los molestos síntomas del síndrome de abstinencia; y salude a la mejor bebida del mundo: un vaso de agua fresca y cristalina.

Señor, ayúdame a evitar toda sustancia que nuble mi pensamiento, para que pueda percibir claramente lo que tu Espíritu Santo procure comunicarme.

Sazone sus palabras con sal

Más bien, mientras dure ese 'hoy', anímense unos a otros cada día, para que ninguno de ustedes se endurezca por el engaño del pecado. Hebreos 3:13, NVI.

Este pasaje deja bien en claro que las palabras desalentadoras depriman el sistema inmunológico espiritual, pero ¿sabía que también debilitan el sistema inmunológico físico?

En 1996, los doctores Janice Kiecolt Glazer y Ronald Glazer dieron a conocer un estudio realizado en parejas de edad avanzada, que llevaban —en promedio— cuarenta y dos años de casados, y discutían y se agredían verbalmente constantemente. Según este estudio, cuanto más discutían y se criticaban, tanto más se debilitaban sus respectivos sistemas inmunológicos. Uno podría pensar que discusiones de esta naturaleza tal vez no les afectaran tanto, pues por estar acostumbrados a ese trato negtivo, sabrían cómo defenderse; pero lamentablemente, las palabras desalentadoras causan un efecto negativo, independientemente del tiempo en que las parejas hayan vivido juntas.

Los Glazer también estudiaron a 90 parejas recién casadas que aceptaron pasar 24 horas de su luna de miel en la unidad de investigación de un hospital. A éstas se les pidió que conversaran durante 30 minutos acerca de sus problemas maritales. En cuatro ensayos sobre funciones inmunológicas, quienes exhibieron conductas más negativas y hostiles durante aquella discusión de 30 minutos evidenciaron mayor disminución de dichas funciones en aquellas 24 horas. Aunque estaban recién casados y se consideraban felices en otros aspectos, si se presentan conflictos y la pareja se agredía verbalmente o se decía palabras desalentadoras, disminuía la eficacia del sistema inmunológico. ¿No es asombroso que las palabras tengan el poder de debilitar o fortalecer este importante sistema de defensa del organismo?

Sin palabras de aliento, la vida puede llegar a no tener sentido. Recuerdo haber leído de un millonario que se jactaba de nunca dar propinas por servicio alguno. En Año Nuevo, al enterarse de que su contador principal acababa de suicidarse, fue de inmediato al lugar donde lo habían encontrado. Todos los libros estaban en orden. El hombre había hecho su trabajo a la perfección. ¿Por qué se habría quitado la vida? Tras la investigación de rigor, se encontró una nota que decía lo siguiente: "En 30 años, nunca recibí una palabra de aliento. Estoy harto". Pablo entendía bien el poder del habla; por eso advirtió: "Ninguna palabra corrompida salga de vuestra boca, sino la que sea buena para la necesaria edificación, a fin de dar gracia a los oyentes" (Efe. 4:29). Dicho de otro modo: digan sólo lo que sea de bendición para los demás.

La próxima vez que sienta la tentación de contestar mal o de lastimar verbalmente a alguien, recuerde la admonición paulina: "Sea vuestra palabra siempre con gracia, sazonada con sal" (Col. 4:6). Al hacerlo, ¡estimulará el sistema inmunológico físico y el espiritual de esa persona, y el suyo propio!

Alcohol de segunda mano

El vino es escarnecedor, la sidra alborotadora, y
cualquiera que por ellos yerra no es sabio. Proverbios 20:1.

Todos hemos oído hablar de los efectos mortales del humo de segunda mano, pero, ¿sabía que el alcohol también produce un efecto similar? Cuando los padres ingieren bebidas alcohólicas, afectan a sus hijos. El alcohol produce embriaguez y desinhibición, por lo cual se lo asocia con embarazos no planeados, disolución marital, maltrato infantil, incestos, accidentes automovilísticos, fracaso profesional, rendimiento inferior a las exigencias académicas, aventuras sexuales extramaritales, engaños, robo, deshonestidad, falta de rendimiento laboral, y transmisión de enfermedades venéreas (entre ellas, el SIDA). La lista podría seguir y seguir.

Los padres podrían decir: "Pero yo sólo bebo en ocasiones sociales, en compañía de otras personas. No acostumbro embriagarme. No veo por qué esto habría de lastimar a mis hijos".

Considere la siguiente investigación: según un estudio efectuado entre alumnos de 69 escuelas parroquiales en Estados Unidos durante el año escolar de 1994 a 1995, se preguntó a los estudiantes si alguno de sus padres consumían bebidas alcohólicas y si ellos mismos, alguna vez, las habían tomado. También se les preguntó acerca de sus hábitos sexuales. Los resultados fueron sorprendentes: sólo el 3,5% de los alumnos que nunca habían ingerido bebidas alcohólicas y cuyos padres tampoco lo hacían tenían experiencia sexual. Sin embargo, en casos en que los estudiantes habían probado las bebidas alcohólicas y al menos uno de sus progenitores las bebía regularmente, el porcentaje de quienes tenían experiencia sexual se multiplicó diez veces a más del 30%.

Hay incluso una fuerte relación entre el consumo de bebidas alcohólicas por parte de los padres y la historia de consumo de otras substancias tóxicas por parte de los hijos. Si uno de los progenitores consumía bebidas alcohólicas, el consumo de tabaco por parte de su hijo o hija ascendía del 24,4% al 47,3%; el uso de marihuana, del 11,5% al 27,1%; el uso de cocaína, del 2,2% al 6,7%; y el de otras substancias muy nocivas, del 4,9% al 14,6%. En otras palabras, se halló una significativa relación entre el consumo de bebidas alcohólicas por parte de los padres y el pronunciado incremento del consumo de otras drogas peligrosas e ilícitas por parte de los hijos.

Los padres que ingieren bebidas alcohólicas deben reflexionar seriamente en la manera en que están afectando la salud de sus hijos.

¿Hay algún aspecto de su vida que está causando efectos "de segunda mano", negativos para sus hijos? Si así fuera, pida a Dios que le dé fuerza necesaria para vencer.

Protección contra el dolor y el estrés

Como aquel a quien consuela su madre, así os consolaré yo a vosotros. Isaías 66:13.

Hace algunos años, varios investigadores médicos estudiaron el efecto de los sustos en el sistema nervioso central. Tomaron un cordero y lo colocaron solo en su corral. Luego conectaron diversos artefactos que producían choques eléctricos, que ellos podían activar a voluntad mediante interruptores para impactar al cordero. Cuando el corderito sentía la descarga, brincaba y corría hacia otro lado del corral. Luego los investigadores volvían a darle un choque eléctrico, tras lo cual el animalito corría asustado.

Mientras la investigación continuaba, los científicos notaron que el cordero nunca volvía al lugar donde antes había recibido una descarga eléctrica. Después de una serie de descargas, el animalito acabó quedándose, tembloroso, en el medio del corral. No tenía ya lugar a donde ir ni dónde esconderse. Las descargas venían de todas partes. Emocionalmente derrotado y exhausto, y cargado de ansiedad y estrés, sus nervios colapsaron.

Entonces, los investigadores pusieron en el corral al gemelo de aquel cordero con su madre. En cuanto el corderito recibió la primera descarga eléctrica, corrió a refugiarse junto a ella. Evidentemente, su madre le transmitía seguridad, pues al rato volvía a alejarse y a comer como si nada hubiera sucedido. Los investigadores produjeron una segunda descarga, y de nuevo el animalito corrió junto a su madre, y ella lo consoló.

Los investigadores notaron una notable diferencia entre ambos corderos. El segundo no temía volver al lugar donde había recibido la descarga eléctrica. Para mayor asombro de los investigadores, las siguientes descargas ya ni siquiera le molestaron. No mostró ninguno de los síntomas de nerviosismo, estrés y ansiedad que su gemelo había presentado bajo las mismas circunstancias.

¿Qué había logrado esta notable diferencia? El hecho de que el segundo corderito contaba con alguien a quien recurrir en momentos de estrés. Encontraba confianza y poder en alguien fuera de sí mismo, para enfrentar el estrés.

Nosotros también somos así. Cuando tenemos que enfrentar solos el dolor y la ansiedad, podemos fácilmente sentirnos abrumados. Satanás lo sabe. Por eso procura tanto separar a la gente de sus familiares y amigos.

Del mismo modo en que el segundo corderito encontró tranquilidad y seguridad en presencia de su madre, los creyentes las encuentran en su relación amante y confiada con su Creador. Refugiados a salvo en los brazos de Jesús, podemos soportar cualquier descarga desagradable que este mundo pueda infligirnos.

Amante Señor, toma mi mano y guíame a salvo, a lo largo de esta tierra minada de dolor, preocupación y estrés. Amén.

Muerte en la olla

El aguijón de la muerte es el pecado... Mas gracias sean dadas a Dios, que
nos da la victoria por medio de nuestro Señor Jesucristo. 1 Corintios 15:56,57.

La comida escaseaba a causa de la hambruna. El profeta Elías había mandado a su siervo a preparar una olla de potaje para alimentar a sus alumnos.
Uno de ellos, al ir al campo a recoger hierbas, encontró unas calabazas silvestres.
Las cortó en trozos y las agregó al potaje, sin saber que eran venenosas. Los alumnos deben de haber estado famélicos, pero en cuanto probaron el guisado, clama-
ron: "¡Varón de Dios, hay muerte en esa olla!" Elías, entonces, pidió algo de harina, la esparció en la olla y dijo: "Da de comer a la gente. Y no hubo más mal en
la olla" (véase 2 Reyes 4:38-40).

¿No sería maravilloso que con un poquito de harina pudiéramos convertir
ingredientes de buen gusto, potencialmente nocivos, en productos comestibles?
Lamentablemente, ese milagro sólo le sucedió a Elías. Es nuestra responsabilidad
observar cuidadosamente las substancias con las que sazonamos nuestros alimentos, porque algunas son toxinas excitantes como el glutamato monosódico y
el aspartame (ingrediente principal de edulcorantes como NutraSweet o Equal y
otros que se agregan a las bebidas y alimentos dietéticos), que para algunos pueden ser tóxicos.

Según el Dr. Russell Blaylock, autor de *Excitotoxins: The Taste That Kills* (Las
toxinas excitantes: el sabor que mata), las toxinas excitantes actúan como neurotransmisores comunes en el cerebro y funcionan como mensajeros químicos entre
las neuronas, permitiendo la comunicación neuronal. El problema surge cuando se
acumulan en concentraciones mayores que las necesarias, como cuando uno utiliza cierta cantidad de glutamato monosódico o aspartame (NutraSweet). Éstas actúan como tóxicos contra las neuronas. Las sobreexcita, causando que disparen sus
impulsos demasiado rápido, hasta alcanzar un estado de extremo agotamiento. Los
efectos destructivos de estas substancias se han asociado con la enfermedad de
Alzheimer, la de Parkinson, el SIDA, la demencia y otras enfermedades neurode-
generativas.

Hay una barrera cerebral en la sangre que debería evitar que las substancias
nocivas pasen al cerebro, sin embargo también hay puntos débiles. Por no estar
plenamente desarrollados al nacer, los bebés y los niños son los más vulnerables.
Aun en el cerebro del adulto la barrera se debilita bajo ciertas condiciones, como
lesiones en la cabeza, apoplejías o embolias, tumores cerebrales, infecciones,
hipoglucemia, dietas de bajas calorías y excesivo estrés físico. Para mantener
sana esta barrera se requiere mucha energía celular y contar con un buen suministro de antioxidantes, entre éstos, especialmente, las vitaminas C y E, y minerales como el magnesio.

Señor, dame el autodominio necesario para anteponer la salud al gusto, a fin de
evitar que haya "muerte en la olla".

Caminar es bueno para el alma

Hazme oír por la mañana tu misericordia, porque en ti he confiado; hazme saber el camino por donde ande, porque a ti he elevado mi alma. Salmo 143:8.

Dios creó a los seres humanos con el fin de que se mantuvieran activos. Sin ejercicio habitual, el cuerpo produce toxinas, la grasa se acumula en los tejidos y en las arterias, el corazón tiene que trabajar más pero rinde menos, nos deprimimos más fácilmente y envejecemos más rápido.

El ejercicio físico constituye una de las terapias más valiosas que se hayan ideado. Un científico dijo que si las compañías farmacéuticas crearan una píldora que hiciera por nosotros lo que hace el ejercicio, probablemente ganaría el Premio Nobel en medicina y lograría hacer una fortuna para sus accionistas.

¿Por qué el ejercicio? podría alguien preguntar. La Biblia no dice que deberíamos hacer ejercicio físico. Es cierto, pero la Biblia sí describe cómo vivía la gente en los tiempos bíblicos. ¿Cuál era entonces el sistema de transporte predominante? ¡Caminar! A pesar de todos nuestros inventos científicos, nadie ha sido capaz de crear un ejercicio como éste, que haga tanto por el cuerpo.

Actualmente pensamos muy bien antes de acompañar a alguien por más de un par de cuadras. Sin embargo, considere esto: María —la madre de Jesús— caminó casi ciento cincuenta kilómetros desde su casa en Galilea hasta Judea, estando embarazada. De hecho, lo hizo dos veces: una, para visitar a Elizabeth, y luego, cuando fue a Belén por causa del censo.

No fue sino hasta cuando llegué a Tierra Santa, que comencé a darme cuenta de cuánto la gente tenía que caminar para llegar a cualquier parte. El ómnibus demora una hora para ir de Nazaret a las costa de Galilea, donde Jesús pasó tanto de su tiempo ministrando a los necesitados. Yo lo habría pensado dos veces antes de ir desde el mar de Galilea hasta la colina más cercana, donde probablemente Jesucristo presentó su Sermón del Monte. Me sentí agradecido al poder hacer ese viaje en ómnibus con aire acondicionado. Ahora que he estado allí, no puedo ni siquiera imaginar una caminata desde Jericó hasta Jerusalén. Es una senda cuesta arriba, accidentada y serpenteante todo el tiempo. En ómnibus demoramos más de una hora. Ahora puedo entender por qué Dios no tuvo que instruir a su pueblo sobre el ejercicio físico, ¡lo hacían naturalmente!

Todo lo que tengo que hacer cuando siento la tentación de hacer trampa en mi rutina de ejercicio físico, es recordar cuánto caminó Jesús. Entonces, me levanto, me pongo mis zapatillas para caminatas ¡y salgo a caminar! Quiero ser como Jesús. Cada mañana y cada noche, mientras camino, medito y oro. Y en este proceso he descubierto que caminar no sólo es bueno para el cuerpo, sino también para el alma.

¿Ya caminó usted con Cristo hoy?

La alabanza y las prioridades

¿Por qué te abates, oh alma mía, y por qué te turbas dentro de mí?
Espera en Dios; porque aún he de alabarle, salvación y Dios mío. Salmo 42:11.

Un día, mientras me apresuraba a terminar las tareas cotidianas, para poder irme a descansar rápido y acabar con un día más, clamé a Dios en oración: "Padre, ¡vivo tan ocupada! No tengo tiempo ni siquiera para detenerme y pensar, mucho menos para orar y estudiar la Biblia. ¿Podrías tú cambiar mi situación para pasar más tiempo contigo?

Un par de semanas después contraje nuevamente una infección aguda recurrente, que pronto se convirtió en una enfermedad crónica, lo cual me impidió trabajar por más de un año. Aunque no quería aflojar tanto mi ritmo cotidiano, ni mucho menos dejar de trabajar, vi la mano amorosa de Dios aun en esto.

Durante la primera semana en que estuve tan enferma, escuché un programa radial en el que se destacaba la importancia de desacelerarse, analizar los blancos personales en la vida, simplificar todo lo más posible e invertir el tiempo según las prioridades cuidadosamente elegidas.

Quizá usted piense que porque ahora no trabajo ni puedo hacer lo que solía, tengo un montón de tiempo libre; pero no. Requiere bastante tiempo lidiar con una enfermedad crónica. Mi tiempo, ahora, está lleno de citas médicas y terapias; por lo que debo simplificar mi vida y elegir cuidadosamente lo que haré con el tiempo (según prioridades bien pensadas). Esto se ha vuelto absolutamente imprescindible para mi supervivencia.

Además, he aprendido otras lecciones. He encontrado que prestar cuidadosa atención a un estilo de vida saludable es imperativo, *especialmente cuando se está enfermo*. Hábitos de salud como la buena nutrición, el ejercicio moderado, la abstención de substancias nocivas, la escrupulosa higiene personal, beber abundante agua pura, tomar breves baños de sol, respirar profundamente aire fresco, tomar tiempo para dormir, así como también para la recreación rejuvenecedora y la relajación, y una profunda y constante fe en Dios y en su poder, puede que no curen mi enfermedad, pero parece que afectan profunda y positivamente mis síntomas y mi actitud mental.

Independientemente de cuán relativamente bueno o malo haya sido el día, he aprendido a destacar por lo menos cinco bendiciones que he recibido de mi amante "Papá" celestial. Es difícil sentir pesar o aflicción cuando uno está mirando a lo alto y orando a Dios con alabanza y gratitud por su gran fidelidad, misericordia y bondad.

Mi oración ahora es que las lecciones que he aprendido durante el transcurso de esta enfermedad permanezcan conmigo, aun si Dios llegara a bendecirme con la curación total.

Querido Papá celestial, ayúdame a aprender las lecciones que quieres que aprenda, sea cual fuere el método que utilices para enseñármelas.

Un testimonio del siglo XIX

El hacer tu voluntad, Dios mío, me ha agradado,
y tu ley está en medio de mi corazón. Salmo 40:8.

La epidemia de difteria hacía estragos. Los niños morían como moscas. Había ansiedad y angustia en todos los hogares. Se recetaban fármacos como el arsénico para combatirla. La revista *Farmers' and Miners' Journal* (Diario de los Agricultores y Mineros) recomendaba este remedio: "Tome cantáridas (insectos coleópteros), macháquelas y mézclelas con trementina de Venecia, esparza la mezcla sobre una pieza de tela suave, dóblela, y colóquela sobre la garganta del enfermo. Esto causará una ampolla, y pronto curará la enfermedad de la garganta". El año de publicación: 1862.

En febrero de 1863, dos de los hijos de Jaime y Elena G. de White contrajeron esta temible enfermedad. Llámelo coincidencia o milagro, el caso fue que por esa época llegó a manos de los White un artículo del Dr. James C. Jackson, de Dansville, NY, dando a conocer su éxito en la aplicación de tratamientos a base de agua, para combatir la difteria. Como esto les pareció más sensato que los fármacos nocivos y las cantáridas, los White siguieron escrupulosamente las instrucciones del Dr. Jackson, y sus hijos pronto se recuperaron.

Más adelante, en febrero de 1864, su hijo Willie contrajo neumonía. Estaba tan enfermo que hasta deliraba. Los White se enfrentaban a un dilema que podía significar vida o muerte para su hijo. Al fin, decidieron tratarlo ellos mismos con agua y oraciones. Durante una semana, día y noche lo trataron con agua en la cabeza y compresas sobre los pulmones, orando sin cesar. Al quinto día, el niño tosió con esputos de sangre. Esa noche, los padres estaban tan exhaustos, que pidieron a otra persona que continuara con el tratamiento, mientras ellos trataban de dormir algunas horas; pero Elena se sentía tan ansiosa que no podía conciliar el sueño. Como sentía que le faltaba el aire, abrió de par en par la puerta que daba a un corredor grande, y se sintió aliviada, de modo que al fin pudo dormirse. Entonces soñó que un médico de experiencia, parado junto a la cama de su hijo, le decía: "Lo que te dio alivio también aliviará a tu hijo. Él necesita aire. Lo has mantenido con demasiado calor... El calor de la estufa destruye la vitalidad del aire y debilita los pulmones".

Tras aplicar esta nueva información, la fiebre de Willie cedió. El niño se recuperó rápidamente ¡y tuvo mejor salud que la que había tenido en años!

Querido Señor, gracias por el agua pura y el aire fresco, y el conocimiento que hoy tenemos sobre el uso que podemos darles para combatir la enfermedad.

Veo venir a la Muerte

¿Qué, pues, diremos? ¿Que hay injusticia en Dios? En ninguna manera.
Pues a Moisés dice: Tendré misericordia del que yo tenga misericordia,
y me compadeceré del que yo me compadezca. Romanos 9:14,15.

En agosto de 1998, me diagnosticaron esclerosis amiotrópica lateral (también conocida como enfermedad de Lou Gehrig). En un instante, sentí entre los ojos el impacto de una sentencia de muerte. Tenía dos, a lo sumo cinco años de vida.

Ésta es una enfermedad neuromuscular fatal, que ataca las neuronas motoras, las cuales transmiten las señales del cerebro a los músculos voluntarios en el cuerpo. Cuando las neuronas motoras mueren, los músculos ya no reciben las señales provenientes del cerebro; empiezan a atrofiarse y mueren. De tropezar (inicio de la enfermedad en las piernas) a dejar caer las cosas (inicio en los brazos), a pronunciar con dificultad las palabras (inicio en la garganta), la enfermedad causa, con el tiempo, la parálisis total y la muerte. Pero no afecta a la mente, que permanece lúcida, independientemente de la condición del cuerpo. No hay cura conocida para ella.

Cuando escuché el veredicto, me corrieron las lágrimas por las mejillas, pero más bien porque pensaba en mi familia y en lo que le sucedería. En lo estrictamente personal, sólo me preguntaba cuál sería el propósito de mi vida, de ahora en adelante. ¿Estaría Dios asignándome una tarea, sin darme mayores detalles para hacerla? La acepto, ¡claro!, pero sé que podría convertirse en algo muy frustrante. Al conocer el diagnóstico, no pregunté: "¿Por qué a mí?" pero sí me pregunté qué sentido tendría todo el sufrimiento que experimentaría.

"*¿Por qué le pasan cosas malas a la gente buena?*" es una pregunta común, pero no necesariamente correcta. La Biblia dice "Ninguno hay bueno, sino sólo uno, Dios" (Mar. 10:18). Mejor sería preguntarnos: "*¿Por qué le pasan cosas malas a algunos y no a otros?*" Y como respuesta, nos quedan dos opciones: el azar sin Dios o el control con Dios. Uno no puede contemplar una sola cosa en este mundo sin ver a Dios (Rom. 1:20). Entonces, si Dios es Dios (omnisapiente, todopoderoso), ¡ha de estar en control!; no tengo por qué preocuparme. Puede que yo no sea más que un ínfimo punto en el cuadro panorámico de Dios, pero sin ese punto de color su obra no estaría completa. Dios acaba lo que empieza.

Confíe en él. Él sabe lo que hace. Cuál instrumento usará es su problema, no el mío. Elena G. de White dice: "Mientras viva, deseo no perder de vista a Cristo. Éste es el propósito de mi existencia. Para esto vivo, para glorificar a Cristo, y estar segura de la vida eterna. Éste es el gran propósito que debería inspirar a todos" (*Sermons and Talks* [Sermones y disertaciones], vol. 2, p. 214). Me parece un consejo admirable.

Señor, estoy listo para andar por donde quieras que ande, con confianza inquebrantable en ti.

Distintos y complementarios

Y dijo Jehová Dios: No es bueno que el hombre
esté solo; le haré ayuda idónea para él. Génesis 2:18.

¿En qué consiste un matrimonio bien constituido y sano? Más allá de lo físico, ¿hay, realmente, alguna diferencia entre el hombre y la mujer? Desde la perspectiva feminista, la mujer puede hacer cualquier cosa que el hombre hace. Esto puede ser parcialmente cierto en el mercado laboral, pero ¿qué será lo que verdaderamente satisface las necesidades más profundas del hombre en su masculinidad, y de la mujer en su femineidad? ¿Son los anhelos más íntimos del alma del hombre y los de la mujer, verdaderamente distintos?

En su fascinante investigación *In a Different Voice* (En una voz diferente), Carol Gilligan señala que el hombre se ve a sí mismo competente y maduro, cuando puede moverse en su mundo como un ente separado y completo, libre de hacer sus propias decisiones, sintiéndose seguro. En contraste, la mujer se preocupa más por fomentar las relaciones con sus allegados, viéndose en estrecha unión con familiares y amigos. Para ella, ser completa y plena como mujer depende de sus vínculos afectivos con los demás.

Las diferencias entre el hombre y la mujer pueden remontarse al Jardín del Edén. En su libro *Men and Women: Enjoying the Differences* (Hombres y mujeres: disfrutando de las diferencias), Larry Crabb escribe: "El juicio de Dios sobre Eva recayó tanto en su capacidad exclusivamente femenina de dar a luz, como en su relación con Adán. En otras palabras, su vínculo físico con Adán la conduciría a experimentar momentos de terrible dolor (al dar a luz), mientras que su vínculo emocional implicaría sufrimiento y conflicto.

"El juicio sobre Adán fue diferente. Dios requirió que él soportara dificultades antes desconocidas, mientras procurara dominar su mundo. De allí en adelante tendría que trabajar en un ambiente hostil en el que a menudo fracasaría, y junto a una mujer que, a partir de entonces, se preocuparía más por las necesidades de ella que por las de él" (pp. 134, 135).

El juicio de Dios sobre Adán recayó en su trabajo, el cual sería más difícil; mientras que sobre Eva, recayó en su necesidad de relacionarse profundamente con su esposo. Sin embargo, Dios también creó al hombre para satisfacer las necesidades relacionales más profundas de su esposa; y a la mujer, para satisfacer la profunda necesidad de afirmación de su esposo mientras avanza resueltamente en su mundo. En el diseño de Dios, ambos se ajustan perfectamente. Cada uno suple lo que el otro necesita: son complementarios. Y como todos somos diferentes de maneras especiales, en cada pareja, cada cónyuge se ajusta de modo conveniente sólo para ellos.

Gracias, Señor, por crear al hombre y a la mujer tan distintos y tan complementarios. Concédeme sabiduría para glorificarte mientras satisfago las necesidades más profundas de mi cónyuge.

De las carnes inmundas a la vida real

Y les dijo: 'Vosotros sabéis cuán abominable es para un varón judío juntarse o acercarse a un extranjero; pero a mí me ha mostrado Dios que a ningún hombre llame común o inmundo'. Hechos 10:28.

Empezaba a comer mis huevos con salchichas cuando una mujer que vendía libros cristianos llamó a la puerta. Me interesaba criar a mis hijitos de uno y dos años, para el Señor, de modo que compré un juego de relatos bíblicos. Mientras conversábamos, surgió el tema de las carnes limpias e inmundas. Ella mencionó las instrucciones dadas en Levítico 11 acerca de lo que no se debe comer. Me explicó que los animales limpios tienen las pezuñas hendidas y rumian. Esto significaba que animales como el conejo y el cerdo no eran limpios. De las criaturas marinas, se podían comer las que tuvieran aletas y escamas, lo cual excluía los camarones, las langostas y las almejas. Dios decía de éstos que no debíamos comerlos ¡y ni siquiera tocarlos cuando estuvieran muertos!

A esta altura, la interrumpí: "Pero, ¿no recuerda la visión de Pedro, cuando Dios le pidió que comiera de los animales antes considerados inmundos? Ahí queda claro que ahora podemos comerlos".

Debbie sugirió que releyéramos este pasaje en la Biblia. Mientras juntas leíamos el capítulo 10 de Hechos, pude ver que Dios estaba indicando a Pedro que ningún hombre es inmundo. Su visión no tenía nada que ver con la comida. Quedé estupefacta. Me desconcertó que los pastores y maestros que me enseñaron las Escrituras hubieran omitido un asunto tan importante como éste. Antes de irse, Debbie me invitó a asistir a una reunión de oración en su iglesia.

Pensando aún en lo que habíamos hablado, volví a mi desayuno ya frío y noté la salchicha de cerdo en el plato. De haber sido otras las circunstancias, la habría recalentado, pero esta vez opté por tirarla a la basura.

Esto marcó el comienzo de un despertar espiritual, mental y físico en mi vida. Los mensajes de la Biblia cobraron vida y sentido para mí. Jesús llegó a ser más real que nunca antes. Gradualmente —a medida que las verdades bíblicas comenzaban a formar parte de mi vida y de mis pensamientos— mis elecciones y perspectivas cambiaron. Me hice vegetariana; y como resultado, mis alergias, la fiebre del heno y otros achaques recurrentes desaparecieron para siempre. Comer en armonía con la dieta original del Creador ha sido una bendición para mí.

Antes había oído que Jesús era nuestra "vida"; ahora, lo experimento en cada faceta de mi existencia. ¡Él es real! Sus preceptos son vida. ¡Y todo comenzó cuando decidí confiar en su Palabra!

¡Alabado sea Dios por la verdad bíblica que trae vida a quienes la aceptan!

El fresco soplo del Espíritu

Entonces Jesús les dijo otra vez: 'Paz a vosotros. Como me envió el Padre, así también yo os envío'. Y habiendo dicho esto, sopló, y les dijo: 'Recibid el Espíritu Santo'. Juan 20:21,22.

Desde que Dios "sopló en su nariz aliento de vida, y fue el hombre un ser viviente" (Gén. 2:7), el ser humano se ha sostenido con vida gracias a un importante gas que llamamos oxígeno. Diariamente, esta experiencia —similar a la del Edén— se repite millones de veces desde que los bebés nacen y respiran por primera vez. Sin oxígeno, la vida cesaría en cuestión de minutos.

Dios nos dio pulmones que contienen millones de diminutos sacos de aire (alvéolos), tapizados de intrincados vasos capilares llenos de sangre. Al respirar, introducimos el oxígeno en los pulmones. El oxígeno se conecta con la sangre a través de finas paredes. La sangre —llena de dióxido de carbono— llega a los pulmones para intercambiar el dióxido de carbono por oxígeno. Entonces, millones de glóbulos rojos transportan la sangre cargada de oxígeno, para nutrir el cerebro y los demás órganos, tejidos y células.

Dios ha diseñado un ingenioso proceso de reciclaje, para que no nos quedemos sin oxígeno. La vida vegetal de la Tierra absorbe y utiliza el dióxido de carbono que espiramos y emite oxígeno. Nosotros inspiramos el oxígeno, y el proceso comienza de nuevo. El aire más puro es el "ionizado negativamente" y se encuentra en su mejor estado cerca del agua en movimiento: cascadas, ríos burbujeantes, y océanos. También está presente tras las tormentas eléctricas, en edificios que tienen muchas plantas, en las montañas y en los bosques. El aire puro puede aminorar el ritmo respiratorio, aliviar las alergias, reducir la presión arterial, y ayudarnos a pensar con más claridad. Obviamente, se necesita de manera especial durante la oración y el estudio de la Biblia.

El Espíritu Santo impresiona nuestras mentes, de modo que es importante mantener nuestro cerebro sano y bien oxigenado. Pero es justamente en el hogar donde uno suele obtener el peor aire; especialmente, cuando se "protege" la casa con aislamiento térmico y, contra el gasto inútil de energía, con puertas que —cerradas— no permiten la más mínima entrada de aire. Las toxinas provienen del humo, los gases de combustión en las calles o en los garajes, las cocinas o estufas de gas, los electrodomésticos, el gas radón, el mobiliario, las substancias químicas personales y de limpieza, el polvo. También de las partículas que desprenden los animales (a través de las plumas, la piel o el pelo), los pesticidas, el agua con cloro y hasta los aromatizadores de ambientes.

La Biblia alude al aliento de vida como "espíritu". Jesús compara su aliento con la recepción del Espíritu Santo. Del mismo modo que el oxígeno sostiene la vida física, el Espíritu Santo sostiene la vida espiritual. Abandone la respiración espiritual superficial, manténgase firme con santa seguridad, y tenga siempre abiertas las ventanas mentales para recibir el aire fresco del Espíritu.

¿Ha salido ya para vigorizarse con el aire puro y fresco que Dios nos regala?

¿Todavía de mal humor?

Grandes cosas ha hecho Jehová con nosotros; estaremos alegres. Salmo 126:3.

Hay una fuerte conexión entre el gozo y la duración de la vida. En 1975, se llevó a cabo un estudio en Oxford, Ohio, con 660 personas mayores de 50 años, a las que se interrogó sobre diversas cosas. Entre ellas, acerca de sus actitudes respecto al envejecimiento. Los investigadores verificaron en 1998 cuáles participantes todavía vivían, y tomaron nota de cuándo habían muerto los demás. El estudio reveló que los que contemplaban el envejecimiento como una experiencia positiva vivieron, en promedio, 7,5 años más.

¿Se da cuenta de que esto significa una ventaja mucho mayor que la que se obtiene bajando la presión arterial o reduciendo el colesterol, lo cual respectivamente puede añadir cuatro años a su vida? También supera al ejercicio físico, a no fumar y al mantenimiento de un peso saludable; estrategias todas que pueden alargar la vida entre uno y tres años.

Si esta mañana se levantó con más salud que enfermedad, tiene más bendiciones que los millones que no sobrevivirán esta semana. Si nunca ha experimentado el peligro de la guerra, la soledad de la prisión, la agonía de la tortura ni las punzadas del hambre, aventaja a quinientos millones de personas en el mundo. Si puede asistir a la iglesia sin temor ni hostigamiento, arresto, tortura o muerte, tiene más bendiciones que tres mil millones de personas en el mundo. Si tiene dinero en el banco, en su bolso o en su billetera, y algo de cambio a mano, se encuentra entre los que constituyen el ocho por ciento de los ricos del mundo. ¡Espero que ya no esté de mal humor!

Tal vez sea hora de anotar algunas de las cosas por las que puede agradecer. Yo anoté las siguientes: 1. Por los impuestos que pago, porque significa que tengo trabajo; 2. Por todo lo que tengo que limpiar y ordenar después de una fiesta, porque significa que tengo amigos; 3. Por la ropa que me queda un poco ajustada, porque significa que tengo suficiente para comer; 4. Por el césped que cortar, las ventanas que lavar y las goteras que arreglar, porque significa que tengo una casa; 5. Por todas las quejas que oigo acerca del gobierno, porque significa que tenemos libertad de expresión; 6. Por el espacio que encontré al final de la zona de estacionamiento, porque significa que puedo transportarme; 7. Por la persona que en la iglesia, detrás de mí canta fuera de tono, porque significa que puedo oír; 8. Por la pila de ropa que tengo que lavar y planchar, porque significa que tengo ropa para usar; 9. Por el cansancio y los músculos adoloridos al final del día, porque significa que puedo trabajar.

Vea cuántas cosas más puede añadir a esta lista de agradecimiento, y dé gracias al Señor por ellas.

Medicina "musical"

Cantad alegres a Dios... Servid a Jehová con alegría;
venid ante su presencia con regocijo. Salmo 100:1,2.

A mí me encanta cantar alabanzas al Señor, y he aprendido que la hora del culto de adoración no es el único momento para hacerlo.

Hace años, mientras celebrábamos una cruzada evangelística en el norte de California, un amigo nos llamó para contarnos que se sentía sumamente desanimado. Su esposa lo había abandonado, sus hijos lo evitaban, él había dejado de asistir a la iglesia y su salud se estaba deteriorando.

En su desesperación, nos llamó para pedirnos ayuda. Oramos juntos por teléfono, y luego le sugerimos que hiciera un viaje de 600 kilómetros, para venir a vernos y animarse espiritualmente. Aceptó. Pero justo antes de colgar el teléfono, el Señor nos impulsó a decirle que durante el viaje cantara, cantara cualquier cosa, ¡pero CANTARA!

Cuando llegó a nuestra casa rodante, pudimos percibir que había ocurrido un milagro. ¡Era un hombre renovado, que exudaba gozo! Dios lo había aconsejado a través del canto, mientras venía en camino. Desde aquel día en adelante, la actitud de este hombre cambió de la tristeza y la melancolía al entusiasmo y el gozo; y todo, porque practicó el canto: la terapia de Dios.

En una cruzada reciente, en Lincoln, Nebraska, una señora nos contó cómo la terapia del canto también la había ayudado a ella y a otras mujeres jóvenes. Éste es su testimonio: "Mientras asistía a la reunión del Club La Leche con varias madres que amamantaban, comparamos notas sobre el estrés que experimentábamos con el trajín de los nuevos bebés, sus hermanitos mayores, nuestros esposos, las comidas que teníamos que preparar, el lavado de la ropa y las compras. Una de las madres mencionó que ella no había experimentado tanto estrés desde que su médico le recomendara que, sin importar la hora ni el lugar, cantara en cuanto comenzara a sentirse estresada. Ella lo hizo, y eso la ayudó. Las demás, entonces, decidimos hacer lo mismo. Al reunirnos el mes siguiente, todas convinimos en que cantar nos había ayudado a reducir el estrés. Yo todavía canto cuando estoy disgustada, desanimada, triste o estresada. ¡Funciona! De esto hace ya más de veinte años, ¡pero yo... sigo cantando!"

Hace muchos años, Elena G. de White escribió: "Cantar es un arma que siempre se puede usar contra el desaliento". Pienso que por eso el Salmista dice: "Canten aun sobre sus camas" (Sal. 149:5). ¿Cuándo se va uno a la cama? Cuando está cansado, enfermo o deprimido. ¿No es interesante que se nos recomiende cantar aun en esos momentos?

Que el Señor nos ayude a recordar su bondad y su gran amor... ¡y a seguir cantando!

Amar es perdonar

El amor nunca deja de ser. 1 Corintios 13:8.

Creo a pie juntillas que nuestra salud física y mental depende de nuestra actitud hacia los demás y de cómo los tratamos. Y en esto incluyo el perdón. De hecho, si pudiera elegir un don de Dios que personalmente necesito tener y dar, éste sería: la capacidad de perdonar a los demás y a mí misma.

Hace años, Maltbie Babcock escribió: "¿Qué seguridad tenemos de que Dios nos perdona? ¿De haber sido hechos a su imagen? La obtendremos cuando perdonemos ampliamente y de todo corazón a quienes nos han ofendido. Puede que sentimentalmente y a la ligera digamos: 'Errar es humano, perdonar es divino'; pero nunca gustaremos la nobleza y el carácter divino de la acción de perdonar, a menos que perdonemos y conozcamos la victoria de perdonar sobre nuestra convicción de que se nos ha injuriado; sobre la convicción de nuestro orgullo mortificado y de nuestra sensibilidad herida. Aquí estamos en contacto viviente con Aquel que nos trata como si nunca hubiera pasado nada; el que da la espalda al pasado y nos ofrece viajar con él hacia el bien y la alegría, en novedad de vida". Dios nos pide que nosotros también hagamos esto por los demás y por nosotros mismos.

Todos conocemos a alguien a quien —por la razón que fuere— nos cuesta enormemente perdonar. Escondida en algún rincón del corazón, hay una pizca de orgullo que salta como una serpiente y nos muerde cuando esa "cierta persona" hinca sus dientes con sarcasmo y hiere nuestra estima personal. Un día, tras haber recibido nuevamente una mordida descomunal, me pregunté: "Si alguien más me hubiera dicho lo mismo, ¿me habría molestado tanto?" ¡Qué sorpresa tuve al darme cuenta de que ni siquiera me habría detenido a pensar sobre el asunto! No le habría dado la más mínima importancia. ¡Pero se trataba de *esta* persona! ¿Por qué yo reaccionaba así? ¡Todavía no lo sé!

Al considerar esto me di cuenta de lo inadecuada que era… mi actitud. Con ella, sólo me estaba lastimando a mí misma, no a la otra persona (que probablemente ni siquiera había notado lo que estaba sucediendo). Decidí, pues, perdonarla; y ahora estoy aprendiendo a tratar a esta persona como si nada hubiera pasado.

Si hay algo cierto en la vida es esto: "el amor nunca cesa" de ofrecer el don del perdón. Y es el don del amor de Dios el que mantiene el proceso andando. Qué revelación y alivio finalmente poder descartar la forma *cómo me siento* ¡y *determinarme* a amar con el amor que sólo Dios puede dar! Al hacerlo, recibí a cambio un don maravilloso: comprobar que, realmente, ¡ahora amo a esta persona!

Padre perdonador, concédeme tener amor por la persona que corroe mi estima personal: amor suficiente, para perdonar y poder de voluntad para amar.

Yo estaba perdido, pero he sido hallado

Me fue dado un aguijón en mi carne… Y [el Señor] me ha dicho: 'Bástate mi gracia;
porque mi poder se perfecciona en la debilidad'. 2 Corintios 12:7,9.

Durante mis años de infancia en Louisiana la escuela no me importaba mucho. Mi verdadera pasión era andar en motocicleta. A los nueve años, ya corría en carreras con obstáculos. Cada fin de semana, nuestra familia recorría todo el sur, yendo de pista en pista. Correr era mi vida, pero todo aquello acabó el 7 de junio de 1980. Ese día presentí que algo malo sucedería y dudé un momento antes de ir hacia la línea de partida, pero pronto dejé de lado mis presentimientos, y hasta me olvidé de orar como solía. Cundo dieron la señal de partida, comencé bien. Fui el primero en la primera curva. Varias vueltas después, di un salto que me hizo volar 7 metros en el aire. La parte trasera de la motocicleta me cayó encima y me quebró la espalda en la zona lumbar. Lo supe al instante mismo de caer, cuando me pellizqué la pierna y no sentí nada. Tenía sólo 15 años.

Seis meses después, tuve dos accidentes automovilísticos en cinco días. En ambos iba a casi ciento cincuenta kilómetros por hora, y los dos autos quedaron totalmente destruidos. En 1996, mientras buceaba en Cozumel, perdí aire a 16 metros de profundidad y casi me ahogué. Vez tras vez, Dios me salvó la vida.

En octubre de 1997 toqué fondo. Lloré y oré como nunca antes lo había hecho: "¡Oh, Jehová, Dios, toma control de mi vida!; dame fuerzas, conocimiento, valor, sabiduría… lo que consideres que necesito. Moldéame, fórmame. Haz cualquier cosa, con tal de demostrarle a la gente que eres el Dios verdadero y viviente. ¡Moriré por ti!" No fue sino hasta entonces que entendí que necesitaba morir a mí mismo y abandonar los caminos del mundo, si había de vivir para Cristo.

Apenas cuatro meses después de aquella oración, el Señor me bendijo con una esposa encantadora y una hija adoptiva. Juntos encontramos la verdad bíblica. Más tarde tuve el privilegio de cuidar de mi esposa a lo largo de una penosa enfermedad, tras la cual la perdí en junio del 2002. Sin Cristo en mi vida, no habría podido compartir todo esto. Servimos a un Dios amante. Él nos ha prometido que no nos dejará ser tentados más de lo que podemos resistir (1 Cor. 10:13). Creo esto de todo corazón.

Si Dios me acepta a mí, aceptará a cualquiera. En mi caso, tuvo que sacudirme para despertarme. Yo sé que Dios es real porque veo los cambios que ha hecho en mi vida. Yo era una persona amargada, pero ahora veo mi incapacidad como un don. Entiendo que "no soy yo, sino Cristo quien vive en mí". Cuanto más débil soy, más fuerte él se vuelve en mí. Mi vida está llena de felicidad, gozo y paz, todo lo cual supera grandemente lo que las palabras pudieran expresar. En resumen, esto es… ¡gracia inefable!

¡Gracias, Señor, por los aguijones de la carne que nos mantienen humildes y muertos al yo!

Las consecuencias de la necedad

Dejad las simplezas, y vivid, y andad por el camino de la inteligencia. Proverbios 9:6.

Acababa de adquirir un vehículo Explorer con tracción en las cuatro ruedas y apenas podía esperar para ir a probarlo en una playa desierta, buena para practicar surf, en Baja California, México. Tras manejar tres horas hacia el sur de la frontera, salí de la carretera para internarme en un camino de tierra. A unos dos kilómetros de la costa, cruzaba el camino un arroyito de 10 metros de ancho y unos 25 centímetros de profundidad. Me lancé a él como lo había hecho antes, en otros viajes. El agua saltó por todos lados. ¡Hurra! ¡Esto sí que era divertido!

Después de dos días de surf, partimos de regreso. Al acercarnos de nuevo al arroyo que antes habíamos cruzado, se me ocurrió que si me lanzaba con bastante velocidad, el agua saltaría a mayor altura y me lavaría el auto. Así que, aceleré a fondo. El agua cubrió el auto, pero el vehículo se detuvo de golpe.

Por mucho que intenté encender el motor, todo fue en vano. Pensando que tal vez se debiera a que tenía las bujías mojadas, decidimos esperar a que se secaran. Secas las bujías, lo intentamos de nuevo; pero no resultó. Oré. Un hombre que pasaba nos aconsejó pulverizar cierto producto sobre el motor. Tampoco esto funcionó.

Pensamos entonces que si lográbamos llevar el vehículo unos 100 metros, hasta el camino principal, alguien podría ayudarnos. Empezamos a empujarlo. Después de intentarlo por alrededor de una hora, un hombre que pasaba con una camioneta grande nos remolcó hasta la carretera.

Allí paramos unos diez vehículos, pero nadie tenía idea de qué era lo que andaba mal. Finalmente, alguien nos prestó un cable de 10 metros de largo, y un muchacho que conducía un camión nos remolcó 30 kilómetros hasta la ciudad. Todos los que sabían algo de mecánica trataron de ayudarnos, pero no hubo caso. Dándonos por vencidos, llamamos a un amigo en California, para que viniera a buscarnos, y remolcara el vehículo hasta una concesionaria en los Estados Unidos. Llegamos a la frontera al amanecer, casi 24 horas después de haber intentado lavar mi auto en el arroyo.

¿Cómo pude haber hecho semejante estupidez?

¿Por qué hacemos decisiones tontas cuando podríamos evitarlo? ¿Por qué la gente desobedece las leyes de la salud (fumando, tomando bebidas alcohólicas o café, trasnochando o comiendo en exceso), cuando conoce las consecuencias?

Yo arruiné el motor de mi vehículo por el placer del momento, por divertirme en grande. Arreglarlo me costó tres mil dólares. Pero cuando arruinamos nuestro cuerpo, no siempre somos tan afortunados. Por eso, vale la pena recordar el proverbio: "Dejad las simplezas, y vivid".

Señor, concédeme hoy entendimiento, para evitar cometer necedades.

¿Una cucharada extra de la sal de Cristo?

Buena es la sal; mas si la sal se hace insípida, ¿con qué la sazonaréis? Tened sal en vosotros mismos; y tened paz los unos con los otros. Marcos 9:50.

Un poco de sal es esencial. Descubrí esto cuando, al seguir una dieta de frutas por algunos días, empecé a sentir calambres. Un buen amigo, el Dr. Bernell Baldwin, sonrió y me dijo: "Trata una pizca de sal". Lo hice, ¡y funcionó! El sistema electrolítico entero depende de la mezcla adecuada de sales que operan en nuestro cuerpo. Pero en los países desarrollados, rara vez hay problemas por "poca sal".

La sal causa retención de líquidos, lo cual aumenta la hipertensión arterial y puede causar la muerte. Un tercio de la población tiene hipertensión arterial, pero no debe extrañarnos, dado que consumimos veinte veces más sal que la que necesitamos. Los alimentos naturales son bajos en sodio (sal) y altos en potasio, lo cual nos ayuda a controlar la presión arterial. Pero los alimentos procesados elevan considerablemente la cantidad de sal aceptable (3 cucharaditas de catchup contienen 1.000 mg (miligramos) de sal y un pepinillo en vinagre, 3.000 mg, mientras que una cucharadita de sal pura contiene 5.000 mg). Lo realmente sorprendente es que aun los alimentos procesados que creemos que son dulces están cargados de sal. Una taza de postre de gelatina de chocolate contiene 1.200 mg, y una porción de pastel puede fácilmente exceder de 1.000 mg. Casi todas las hortalizas y sopas enlatadas son prácticamente minas de sal.

He oído que si uno sufre de hipertensión arterial, puede vivir 15 años más con sólo dejar de salar sus comidas. Y no sólo eso. Al dejar de salar las comidas, uno despierta sus papilas gustativas y empieza a disfrutar de los sabores naturales de los alimentos y el gusto exótico de las hierbas.

Volviendo a las Escrituras, en los días del Antiguo Testamento la sal era parte esencial de todo sacrificio; significaba que sólo la justicia de Cristo podía hacer aceptable la ofrenda ante Dios (véase Lev. 2:13). En el Nuevo Testamento, Cristo nos insta a ser "la sal de la tierra".

En Palestina, la sal se usaba para sazonar los alimentos y para conservarlos. Se recogía en las marismas a orillas del mar o en los lagos del interior. Si se la dejaba en contacto con el suelo o expuesta a la lluvia o al sol, la sal soluble se desvanecía, dejando sólo impurezas insípidas: ¡la sal perdía su sabor! Como cristianos, no haremos mayor bien a los demás a menos que nos mezclemos con ellos para dejarles nuestro sabor (el de la justicia de Cristo). Si perdemos las características que nos hacen cristianos, seremos sólo cristianos nominales y el cielo será una farsa. Como Cristo dice en Marcos 9:50: "Que no falte la sal entre ustedes, para que puedan vivir en paz unos con otros" (NVI).

¿Por qué no pedirle a Cristo "una cucharada extra de su sal", y comprobar su efecto en nuestra vida hoy?

Verdaderos olímpicos

¿No sabéis que los que corren en el estadio, todos a la verdad corren, pero uno solo se lleva el premio? Corred de tal manera que lo obtengáis. 1 Corintios 9:24.

Milón de Crotona, el mayor de los atletas de la antigua Grecia, ganó su legendaria fama por ser un poderoso y valiente luchador. Inició su intenso entrenamiento cuatro años antes de asistir a sus primeras Olimpíadas, ocurridas en el 532 a.C. Según la leyenda, día tras día, Milón alzaba sobre sus hombros un ternero y caminaba tan lejos como podía. Continuó con esta práctica, semana a semana, mientras él crecía en fuerza y tamaño, y su ternero, en peso. Después de cuatro años de seguir este régimen, Milón asistió a su primera Olimpíada llevando consigo a su toro fiel. Entonces, para impresionar a la multitud, sacrificó al animal, lo cargó sobre sus hombros y así recorrió 400 metros alrededor del estadio. Luego, Milón luchó hasta obtener la victoria, iniciando así su ilustre carrera atlética. La historia de Milón tipifica la pasión de los griegos por el atletismo.

Los Juegos Olímpicos Griegos se iniciaron en el año 776 a.C., aproximadamente treinta años antes de que Isaías comenzara su obra como profeta de Israel. Desde entonces, se celebraron cada cuatro años hasta el año 393 d.C., cuando el emperador cristiano Teodosio ordenó que se eliminaran los cultos y centros paganos.

El apóstol Pablo utilizó la idea de los juegos para explicar y describir varios conceptos cristianos. Admiraba la determinación, la perseverancia y la resistencia de los atletas, pero consideraba que el blanco debería ser mucho mayor que la fama asociada con la corona de laureles que no habría de durar (1 Cor. 9:25); el blanco debería ser la vida eterna (1 Tim. 6:12; Fil. 3:14). Al procurar este blanco, dependemos totalmente de Dios como fuente de energía y fortaleza, alabándole por el éxito, mientras trabajamos con y por los demás y no contra ellos.

En un espectáculo de lucha cuerpo a cuerpo, Esopo, fabulista de la isla de Samos durante el siglo VI a.C., se encontró un día con un vencedor jactancioso al que le preguntó si el oponente al que había vencido era el más fuerte de los dos.

—¡No señor! —respondió el atleta—, sin dudas se demostró que mi fuerza era mayor.

—Entonces, simplón —replicó Esopo—, ¿qué honor has ganado si, por ser más fuerte, prevaleciste sobre un hombre más débil? Más podría aceptarse que dijeras que por tu destreza venciste a alguien que te superaba en fuerza física.

Con este diálogo, Esopo destacaba lo irracional de las competencias humanas. El apóstol Pablo nos insta a alcanzar blancos de conducta superiores a éstos, exhortándonos a depender de los brazos eternos de fortaleza, para ayudarnos a elevar a otros; lo que es en esencia, el verdadero espíritu de los atletas olímpicos genuinos.

¿Qué está haciendo para elevar a otros a alturas mayores que la suya?

¡No apague su conciencia!

Sus pies le harán caer en una trampa, y entre sus redes quedará atrapado. Job 18:8, NVI.

Cuando fui al Amazonas con alumnos de la Universidad de Loma Linda, me aterraban los murciélagos. Volaban a nuestro alrededor noche a noche, acercándose bien y luego alejándose de nosotros abruptamente. Una noche, mientras predicaba en la iglesia, un murciélago vino directamente hacia mí. Instintivamente, procuré defenderme, con la Biblia que tenía en la mano.

Otra noche, tuvimos que dormir en un refugio al aire libre (una especie de choza con techo de paja y sin ventanas). A medida que la oscuridad avanzaba, comencé a preocuparme por los murciélagos que volaban a nuestro alrededor. Entonces, pregunté a los nativos si los murciélagos eran vegetarianos… o chupaban la sangre.

Los nativos me dijeron que aunque los murciélagos podían mordernos, no debíamos preocuparnos por ello; no eran peligrosos.

Todavía intranquila y asustada, recordé de pronto que un amigo que tuve en el sur de Brasil solía colgar botellas en las ventanas abiertas del cobertizo, para evitar que los murciélagos mordieran a los caballos. Así que, decidí hacer lo mismo. Recolecté todo lo que pude encontrar: botellas, zapatos, piedras y palos, y los colgué alrededor del refugio de palmeras.

Los murciélagos vinieron y rodearon el lugar toda la noche, pero no entraron a la choza. Su radar de sonido les anunció que había una barrera de obstáculos, y no se atrevieron a pasarla.

Más tarde aprendí cómo los biólogos cazan a los murciélagos, para estudiarlos. Van a sus cuevas, y simplemente ponen una red en la entrada. Los murciélagos caen en ella por no darse cuenta del obstáculo. Según los especialistas, los murciélagos están tan acostumbrados a salir de su cueva, vez tras vez, sin encontrar obstáculos por meses y años enteros, que "apagan" su radar; por eso los investigadores pueden cazarlos tan fácilmente.

Esto mismo sucede con los seres humanos. Cuando pensamos que conocemos nuestro camino, confiamos demasiado en nosotros mismos y acabamos no dándonos cuenta del peligro. No vemos ningún problema en tener amigos de conducta cuestionable, ni en tomar unos tragos de bebidas alcohólicas, como tampoco en participar en algún vicio menor para divertirnos un poco, y así caemos en la trampa. Lamentablemente, esta trampa puede comprometer nuestra felicidad, nuestra salud, y a menudo hasta nuestras vidas. Así que, cuídese de las redes de Satanás y ¡nunca apague su radar espiritual!

¿Es su conciencia lo suficientemente fuerte como para evitar el pecado? ¿Cómo puede percibir más claramente los engaños de Satanás?

La blasfemia de un santo

Por esto, mis amados hermanos, todo hombre sea pronto para oír, tardo para hablar, tardo para airarse; porque la ira del hombre no obra la justicia de Dios. Santiago 1:19.

Si alguna vez el refrán "Suficiente para hacer que un santo blasfeme" pudo aplicarse a un hombre, esa vez fue hoy. Todo le salió mal a mi papá. Se machucó un dedo con el martillo y se golpeó la cabeza contra una viga. Se cayó de la escalera, se lastimó los dedos de los pies, y se aplastó los de las manos con la puerta del garaje. Y hace una semana, se desgarró un ligamento en la rodilla, de modo que hoy apenas podía caminar. Toda la mañana, papá había aguantado pacientemente nuestras peleas de chicos; pero como si eso no bastara para probar su paciencia, en un momento de descuido en el cual dejé la jaula abierta, el precioso loro que costaba más de mil quinientos dólares... se escapó.

Naturalmente, yo esperaba una avalancha de "¿Cómo pudiste hacer algo así?", "¿Por qué lo hiciste?", "¿Cuándo vas a aprender?" y otra tanda de frases por el estilo. Pero en vez de eso, con calma aunque cojeando dolorosamente, papá comenzó a recorrer el vecindario, tratando de rescatar el loro que su atolondrado hijo había dejado escapar.

Bajo circunstancias como éstas, cualquier hombre normal habría explotado de ira, pero papá no estaba enojado. Sentía un intenso dolor y luchaba por contener las lágrimas, pero en ningún momento mostró enojo alguno hacia mí ni me criticó por lo que había hecho.

Con el pasar de las horas, y mientras iba de un lugar a otro procurando mantener la vista en el loro en vuelo, su cojera se agravaba. Cada tanto, se detenía brevemente para orar, y enseguida continuaba la búsqueda.

Después de más de dos horas de persecución, el loro se posó en el techo de la casa de uno de nuestros vecinos. Viendo una escalera cerca, papá, esperanzado, se animó a subir al techo. Oró en silencio, y caminó jadeante hacia el ave. Luego, con voz temblorosa, comenzó a hablar al loro, mientras le tendía una mano con extrema cautela... Por fin, tras lo que parecieron horas interminables, el loro se posó en su mano. Entonces, papá lo sujetó con su chaqueta, y ambos volvieron a casa.

Con el loro ya a salvo en su jaula, papá, exhausto y con punzadas en la rodilla, se sentó en el sofá, y luego, con lágrimas en sus ojos me miró.

—Te amo, hijo —me dijo.

—Lo siento, papá —contesté, llorando—; ¡lo siento tanto!

—Lo sé, hijo, lo sé...

¡Gracias, Padre celestial, por ser tan paciente conmigo cuando cometo errores tan tontos!

Estoy agradecido por mi cuerpo

Amado, yo deseo que tú seas prosperado en todas las cosas,
y que tengas salud, así como prospera tu alma. 3 Juan 2.

Cuando yo era chico, mi abuelo me dijo que podría hacer cualquier cosa que me propusiera de todo corazón. Habiendo nacido de muy baja estatura, tuve que aceptar que nunca iba a llegar a tener un tamaño normal; pero a pesar de ser pequeño, crecí con grandes ambiciones: quería ser exitoso e independiente en este mundo enorme; y Dios me permitió hacer realidad mis sueños.

Tal vez alguien considere extraño que dé gracias a Dios por el cuerpo que me dio. Yo se lo agradezco, porque puedo caminar, hablar y conducir; pero sobre todo, porque tengo un cuerpo sano, y porque he tenido la oportunidad de aprender cómo mantenerlo así.

En realidad, no siempre me preocupé por la salud. Solía comer carne y productos de origen animal; pero desde que me casé, mi esposa Tena no permitió que comiera ninguno de los animales no limpios mencionados en Levítico 11. Después de algunos años, gradualmente decidimos abandonar todos los productos de origen animal y reducir el consumo de sal. Descubrimos también que al reducir el tamaño de las porciones y comer dos comidas abundantes al día, dormíamos mejor. Ahora hemos dejado por completo los productos lácteos, y ambos nos sentimos más vigorosos, pensamos con más claridad y hemos adelgazado. He aprendido que mi cuerpo es muy importante para Dios: es el templo de Dios (1 Cor. 6:19), y que yo… ¡soy lo que como!

Como somos muy bajitos (Tena mide 1,12 m. y yo, 1,20 m.), mi esposa y yo hemos encontrado muchas oportunidades de hablar con los demás acerca de Dios y de la importancia de vivir un estilo de vida saludable. Cuando los niños nos ven comprando en el supermercado y nos preguntan por qué somos tan bajitos, les explicamos que así nos creó Dios; él nos ama; y a nosotros nos gusta ser como somos, porque amamos a Jesús. A veces, guiñándoles un ojo, también les digo que coman todas sus verduras ¡para que puedan crecer grandes y fuertes!

A veces, la gente se asombra y comenta: "¡Ustedes se ven tan felices y radiantes!" Cuando les decimos nuestra edad, no lo pueden creer. Entonces, compartimos con ellos nuestro sano estilo de vida. No creemos en los estudios sobre enanismo que dicen que la gente pequeña no sobrepasa los 60 años de edad. Nosotros hemos pasado los 60 y gozamos de excelente salud, damos charlas y cantamos a dúo en la iglesia, y viajamos alrededor del mundo ayudando a construir escuelas misioneras, iglesias y orfanatos.

¡Gracias, Señor, por el cuerpo que creaste para mí! Ayúdame a tratarlo según me enseñaste, conforme a su diseño.

Los "yo te debo"
pueden mantener vivo el amor

El amor... no busca lo suyo. 1 Corintios 13:5.

Por lo general, las deudas no son buenas; y menos cuando insistimos en lo que se nos debe. Los TMD (tú me debes) pueden destruir la relación conyugal. Si uno persiste en pensar en los TMD, se enfocará constantemente en los errores, los desaires y las injusticias de que ha sido objeto, en vez de conversar hasta encontrar una solución al problema y "cancelar la deuda", perdonando y dando por terminado el asunto. Los TMD se encierran en los rincones oscuros de la mente y tienden a salir en los momentos de estrés, para lastimar al otro o causarle sentimientos de culpa. Así que ¡elimine los TMD en su matrimonio!

En lugar de ello, concéntrese en los YTD (yo te debo). YTD por hacerte cargo de la familia; YTD por amarme lo suficiente para pasar por alto mis cambios de humor; YTD por permitirme dedicarme a mis pasatiempos favoritos; YTD por absorber las cargas financieras; YTD por tu comprensión y amabilidad al dejarme solo(a) cuando lo necesito; YTD por creer en mí y por alentarme a convertirme en todo lo que Dios quiere que sea. ¿Se da cuenta?

A continuación, presento diez YTD que —se lo garantizo— harán más significativa su relación conyugal.

1. YTD respeto, porque eres la persona escogida por Dios para mí; eres de la realeza: hijo(a) del Rey.

2. YTD la cortesía de recordar sólo tus puntos buenos.

3. YTD palabras y acciones semejantes a las de Cristo (lo cual sólo podré hacer si mantengo una relación diaria con él).

4. YTD abrazos y besos, toques cariñosos y caricias atentas.

5. YTD por lo menos tres elogios al día.

6. YTD el beneficio de la duda, aun cuando lo que digas sea difícil de creer. En vez de discutir, te creeré.

7. YTD perdón, porque Dios ya me ha perdonado a mí.

8. YTD las palabras "Lo siento", cuando he sido egoísta o te he ofendido de alguna manera.

9. YTD gratitud por las cosas buenas que haces; por amarme y, sencillamente, por ser la persona que eres.

10. YTD mi tiempo: tiempo para escucharte, para reír, para jugar y para adorar juntos; tiempo para amarnos.

Para mantener relaciones sanas y felices, recuerde que el amor "no busca lo suyo", no contabiliza los errores ni anota los TMD. Concéntrese en dar los YTD de amor y verá cuánto mejor será su vida.

¿Hay alguien a quien tendría que dar alguno de los YTD que mencionamos?

¿Le enferma su entorno?

Y Jehová Dios plantó un huerto en Edén, al oriente;
y puso allí al hombre que había formado. Génesis 2:8.

¿Ha oído hablar de Pavlov y sus perros? Tras permitirles olfatear carne mientras escuchaban una campanilla, Pavlov descubrió que la campanilla sola era suficiente para inducir la salivación en los perros. Lo mismo puede ocurrir en nuestro cuerpo. Una vez establecida la asociación correspondiente, casi cualquier cosa en el ambiente puede provocarnos una respuesta automática. A veces, por ejemplo, al·volver a la clínica donde antes recibieron tratamientos de quimioterapia, los pacientes de cáncer vuelven a sentir los efectos secundarios de su tratamiento, aun sin tomar medicamento alguno. Les basta con ver los cuadros de la sala, oler el perfume de algún miembro del personal o simplemente escuchar la música ambiental. Esta investigación, realizada por el Hospital Sloan Kettering Memorial, Nueva York, pone de relieve por qué es esencial prestar atención a cualquier cosa que en la casa o en el trabajo pueda afectar negativamente la salud. Aunque uno no haga la conexión; el cuerpo la hace.

Todos recordaremos dónde estábamos, cuando escuchamos la noticia del ataque a las Torres Gemelas en Nueva York. Los que estuvieron allí, harán más que recordar. El más leve aviso o recordatorio podría provocarles la misma respuesta de estrés que experimentaron durante el ataque. En casos extremos, este tipo de conexión puede resultar en un padecimiento conocido como trastorno de estrés postraumático. Los científicos han demostrado que cuantas más emociones se asocian a un evento, tanto más probabilidad habrá de que el tal evento deje una huella permanente en el cerebro. Nuestras vidas transcurren entre factores desencadenantes sanos y no sanos. Las emociones positivas producen un efecto similar. Por eso es que la gente recuerda las bodas. Para mantener una salud óptima, cree un ambiente que le recuerde lo positivo, y quite de él todo lo que pueda provocarle ansiedad.

Dedique un momento para pensar en su espacio habitual, tanto en casa como en su trabajo. ¿Es su entorno alegre y saludable? ¿Tiene lugares que alimentan el alma y recargan el espíritu? ¿Se siente en calma y feliz en ellos? ¿Le proporcionan comodidad? ¿Le ofrecen la oportunidad de crecer, y le dan sensación de paz?

Antes de su muerte, el gran pintor moderno francés Henri Matisse pasó varios meses postrado, a causa de un cáncer de colon. Entonces, su familia le cambió la cama de lugar, para que pudiera ver el paisaje campestre desde la ventana de su habitación. Más aún, hasta le cambiaban a menudo lo que había en el alféizar de su ventana, para que siempre pudiera sentirse inspirado a pintar. Así, pintó alguna de sus obras más famosas desde su lecho de enfermo. ¿Por qué no imitar a la familia Matisse? Añada a su ambiente ¡una pizca de "sazón visual"!

¡Piénselo!: Cuanto más asemejemos nuestro entorno al ambiente original del Jardín del Edén, tanto más de sus beneficios disfrutaremos.

El combustible creado por Dios

Y dijo Dios: 'He aquí que yo os he dado toda planta que da semilla, que está sobre toda la tierra, y todo árbol en que hay fruto y que da semilla; os serán para comer'. Génesis 1:29.

Dios diseñó el cuerpo humano, y creó el combustible que lo haría funcionar y lo mantendría andando. No obstante, desde entonces el hombre ha comido cuanto le ha gustado, y como consecuencia, se ha acortado el período de vida y han aumentado las enfermedades. Considere el cáncer, por ejemplo:

En 1991, en la revista *American Journal of Epidemiology* (Revista estadounidense de epidemiología), los científicos dieron a conocer qué grupo de alimentos en particular, si se comía dos veces al día, podría reducir el índice de cáncer pulmonar en un 74%. ¿Cuál era ese grupo? Las frutas.

Otro grupo de alimentos logró reducir en un 40% el cáncer de la próstata, y en un 50%, el cáncer pancreático. ¿Tiene curiosidad por saber cuáles son estos alimentos, según los informes de la revista *Cancer* de 1988 y 1989? Las alubias (frijoles, porotos, judías), los tomates y la frutas secas.

La carne se asocia comúnmente al incremento del riesgo de contraer cáncer. Por ejemplo, el consumo de hamburguesas ha aumentado 2,35 veces el riesgo de padecer de linfomas (*JAMA*, 1996).

¿Cuáles son las consecuencias de hacer de la carne la parte más importante de la dieta personal? La persona que así se alimenta obtiene menos fibra y más grasa animal, hormonas, virus y sustancias químicas cancerígenas. Además, corre mayor riesgo de madurez prematura y obesidad. Compare todo esto con una dieta de origen vegetal, rica en sustancias fitoquímicas, fibra y vitaminas A y C (entre otras), y sin ninguna grasa animal nociva. El cáncer del ovario en la mujer también se relaciona con la respuesta a la dosis de carne y huevos que ingiere (*American Journal of Epidemiology*, 1999).

En 1992, las evidencias en favor de una dieta de origen vegetal fueron tan convincentes, que la revista *Nutrition and Cancer* (Nutrición y Cáncer) declaró que en comparación con los que no consumen tantas frutas y verduras (hortalizas), los grandes consumidores de dichos alimentos corren sólo la mitad del riesgo de contraer cáncer. Durante mucho tiempo, las vitaminas A y C (que principalmente provienen de alimentos de origen vegetal) se han asociado con la buena salud. La *American Journal of Clinical Nutrition* (Revista estadounidense de nutrición clínica) dio a conocer un estudio según el cual las personas mayores de 65 años que consumían grandes cantidades de alimentos que contenían vitaminas A y C tenían —en comparación con quienes consumían menos de estos alimentos un 30% menos de probabilidades de muerte prematura.

¡Gracias, Señor, por diseñar una dieta de origen vegetal "alta en octano", como combustible para mi cuerpo!

El poder sanador de la camaradería

¡Mirad cuán bueno y cuán delicioso es habitar los hermanos juntos en armonía! Salmo 133:1.

En su libro *Love and Survival* (Amor y supervivencia), el Dr. Dean Ornish —famoso por su labor en la reversión de enfermedades cardíacas— destaca el poder del amor y la intimidad en el proceso curativo. Dice al respecto: "No conozco ningún otro factor en medicina —ni dietas, ni fumar, ni ejercicio, ni estrés, ni genética, ni estupefacientes, ni cirugía— que tenga mayor impacto en nuestra calidad de vida, en la incidencia de la enfermedad y en la muerte prematura por cualquier causa". Según él, la soledad y el aislamiento aumentan la probabilidad de que uno se deje llevar por comportamientos perjudiciales, como fumar o comer en exceso; que contraiga ciertas enfermedades o que muera prematuramente y no experimente el gozo de la vida cotidiana. "En resumen —observa Ornish—, cualquier cosa que fomente la sensación de aislamiento conduce a la enfermedad y al sufrimiento. Cualquier cosa que fomente la sensación de amor, intimidad, conexión y comunidad es curativa".

Las investigaciones realizadas en la Universidad de California en Irvine refuerzan esta observación. Según ellas, la soledad y la falta de apoyo emocional pueden triplicar las probabilidades de que se nos diagnostique una enfermedad cardíaca, mientras que contar con el apoyo emocional de siquiera una persona alcanza para reducir el riesgo de sufrir enfermedades del corazón.

¿No es asombroso que baste una sola persona para marcar semejante diferencia en el bienestar de otra? ¿Qué está haciendo usted para ser esta clase de amigo o amiga? ¿Forma parte de algún grupo pequeño en el que comparten experiencias, estudian la Palabra de Dios, sirven juntos para ayudar a otros y sufren juntos?

La Biblia ordena este tipo de intimidad, en el que cada uno entra en el dolor y el pesar del otro y sobrelleva sus cargas. Pablo dice: "Sobrellevad los unos las cargas de los otros, y cumplid así la ley de Cristo" (Gál. 6:2).

Job necesitaba desesperadamente la intimidad de un amigo que se compadeciera de él y lo escuchara, cuando clamó: "El atribulado es consolado por su compañero; aun aquel que abandona el temor del Omnipotente" (Job 6:14). En su libro *The Purpose Driven Life* (La vida con propósito), Rick Warren lo dice de esta manera: "Es en los momentos de profunda crisis, aflicción y duda, cuando más necesitamos los unos de los otros. Cuando las circunstancias nos aplastan al punto de hacer tambalear nuestra fe, es cuando más necesitamos amigos creyentes. Necesitamos un pequeño grupo de amigos que tengan fe en Dios por nosotros y que nos saquen adelante. En un grupo pequeño, el cuerpo de Cristo es real y tangible, aun cuando Dios parezca distante".

Si hoy Job estuviera sufriendo en su vecindario o en su iglesia, ¿sería usted el amigo, la amiga, que pudiera ofrecerle el compañerismo necesario, para aumentar sus probabilidades de sobrevivir y salir adelante?

Ahora es el momento de renunciar

Ellos se asombraban aun más diciendo entre sí: '¿Quién, pues, podrá ser salvo?'
Entonces Jesús, mirándolos, dijo: 'Para los hombres es imposible, mas para Dios, no;
porque todas las cosas son posibles para Dios'. Marcos10:26,27.

"Hace cinco días, tres jumbos se estrellaron en California. Más de mil personas murieron. Hace cuatro días, tres aviones más se estrellaron en las afueras de Miami, matando a todos sus ocupantes. Hace tres días, cayeron tres aviones, en Denver, Boston y Atlanta, respectivamente, y tampoco hay sobrevivientes. Ayer, otros mil pasajeros murieron en tragedias aéreas. En los últimos cinco días, el promedio diario de muertes ha sido de mil personas".

Estos accidentes aéreos nunca sucedieron, pero supongamos que hubieran ocurrido. Si mil personas hubieran muerto a diario en tragedias aéreas, el público clamaría, demandando una exhaustiva investigación. Se propagaría la advertencia por todas partes: ¡No vuele! Sin embargo, en los Estados Unidos, día a día mueren por lo menos mil personas a causa de un mal prevenible y autoinfligido: fumar o usar productos a base de tabaco. De hecho, anualmente en los Estados Unidos, los cigarrillos matan más personas que el SIDA, la cocaína, la heroína, las bebidas alcohólicas, los automóviles, el homicidio, el suicidio y los incendios, juntos.

C. Everett Koop, ex cirujano general de los Estados Unidos, declaró una vez que "Dejar de fumar representa la medida individual más importante que los fumadores pueden tomar para mejorar la extensión y la calidad de sus vidas".

Entre los numerosos beneficios que se obtienen al dejar de fumar, se destacan los siguientes: 1. Menos días de enfermedad, menos quejas por problemas de salud, mejor salud en general, menos trastornos pulmonares, y menos gastos por remedios contra resfríos y por seguros médicos y de vida. 2. Si deja de fumar a los 50 años de edad, tendrá el 50% menos de riesgo de morir en los próximos 15 años, que los fumadores. 3. Sus probabilidades de sufrir un derrame cerebral disminuyen rápidamente tras dejar de fumar, y así mismo, el riesgo de contraer cáncer pulmonar u otros tipos de cáncer, ataques al corazón y enfermedades pulmonares crónicas. 4. Tendrá el 50% menos de probabilidades de sufrir de impotencia, que los fumadores.

La voluntad de Dios para usted es que prospere y tenga buena salud. Pero su bendición no podrá concretarse, si usted sigue llenando de tabaco su cuerpo. Es un veneno. Fumar y esperar no enfermarse es como poner azúcar en el tanque de gasolina, y luego preguntarse por qué el motor del auto no funciona.

Comprendemos que el tabaco (sustancia tóxica lícita) puede ser más adictiva aún que los narcóticos, los estupefacientes o las sustancias ilícitas. Para quienes fuman o mastican tabaco, AHORA es el momento de dejar de hacerlo.

Sea lo que fuere que trate de vencer, entrégueselo a Dios. Permita que el poder divino sea suyo.

El control de la ira

Airaos, pero no pequéis; no se ponga el sol sobre vuestro enojo… Ninguna palabra corrompida salga de vuestra boca…Quítense de vosotros toda amargura, enojo, ira, gritería y maledicencia, y toda malicia. Efesios 4:26,29,31.

Si usted es como la mayoría, rara vez pasa un día sin que algo le provoque enojo: sea el individuo que se coló en la fila, el tránsito congestionado, el empleador abusivo que le critica y avergüenza injustamente, la traición de su mejor amigo, el estilo de vida de un hijo. El caso es que se siente miserable. Su mente clama por venganza. Su boca quiere regañar o insultar. Sus puños se aprestan a pelear… Pero como cristiano, ¿cómo controla esa ira ardiente que siente?

Nadie suele pensar en la Biblia como manual sobre el control de la ira; sin embargo, la forma en que el apóstol Pablo trató este tema en Efesios es, básicamente, lo que se aconseja en la psicología de hoy.

En primer lugar, Pablo dice que *está bien enojarse*. Se cometen innumerables injusticias y aun crímenes por los que el cristiano debería enojarse. La clave catalizadora es: *no peque*. ¿Qué es pecar? Hacer algo que le lastime, lastime a otros o quebrante su relación con Dios.

En segundo lugar, *libérese del enojo cuanto antes*; no deje que el sol se ponga sobre su ira. Hable al respecto. Ore por la otra persona. Reconcíliese. Al mantener el enojo, la cólera y la amargura interior se multiplican e infectan. Cuando uno se acuesta enojado, procesa y archiva la ira en el cerebro mientras duerme, lo cual afecta negativamente la salud. Por eso, cuanto antes resolvamos nuestro enojo, más rápido liberaremos nuestra mente, para poder así ocuparla con ideas positivas y volver a sentirnos en paz con Dios.

En tercer lugar, *evite las malas palabras y las amenazas*. Expresar la ira mediante insultos, amenazas y agresiones físicas es dañino. Esto no sólo dificulta la reconciliación. Los ataques al corazón aumentan a más del doble, en las dos horas siguientes a un episodio de enojo moderado o mayor. ¿Vale la pena esto?

En cuarto lugar, *sea amable y bondadoso*. Se sabe que los sentimientos siguen a la conducta. Actúe con bondad y su corazón se enternecerá. Haga algo agradable por la persona que le ha ofendido y se sorprenderá al comprobar cómo esto le prepara para el paso final en el control de la ira.

En quinto lugar, *perdone*; no porque la otra persona se haya arrepentido o porque le pida perdón, sino porque Dios le ha perdonado a usted.

La próxima vez que sienta que empieza a acalorarse, procure controlar su enojo a la manera bíblica. ¿Le parece imposible? Recuerde, ¡Cristo hace que todo sea posible!

Padre perdonador, cuando me enoje, ayúdame a hacer lo que Jesús haría en mi lugar.

El perfume de las moscas muertas

Las moscas muertas hacen heder y dar mal olor al perfume del perfumista; así una pequeña locura, al que es estimado como sabio y honorable. Eclesiastés 10:1.

Mi hermano y yo, disgustados al ver que papá le había regalado un frasquito a mamá para su cumpleaños, exclamamos a coro:

—¿Es todo lo que le trajiste?

—¡Vean muchachos, es perfume de lilas! —dijo ella entusiasmada, mientras abrazaba y besaba a papá—. ¡Y huele TAAAN rico!

Al parecer, el regalo había sido perfecto. Pero, ¿qué cosa era este per... per...? ¿Cómo lo habían llamado?

Cuando mamá abrió el delicado frasquito, permitiéndonos oler su fragancia, comenzamos a percibir su valor. Al rato, le preguntamos a nuestro padre cómo era que se hacían los perfumes.

—No sé —contestó él—; ¡quizá con jugo de moscas!

La puerta trasera se cerró de un portazo, mientras corríamos hacia el granero, a cuyo alrededor crecían las lilas. Pronto llenamos una fuente con retoños de lilas y con lilas recién florecidas. Cazar las moscas fue un poco más difícil, pero nos ingeniamos para conseguir algunas, y cuidadosamente las esparcimos sobre las fragantes flores.

—¿Y ahora qué? —nos preguntamos. ¡Todavía no se habían convertido en perfume! Tras deliberar bastante al respecto, decidimos agregarle agua y calentar la mezcla al sol. En cuanto estuviera lista, la colaríamos y se la regalaríamos a mamá en un lindo frasquito. Cuando el dulce aroma de las lilas invadiera el ambiente, mamá saltaría de gozo y nos abrazaría. ¡Apenas podíamos esperar! Pusimos la fuente sobre el techo del corral y nos fuimos a jugar. De tanto en tanto, volvíamos para inspeccionarla, pero su aroma parecía cada vez más lejano de la dulce fragancia que anticipábamos. Al cabo de uno o dos días, nuestra carrera de perfumistas llegó a su fin.

Hace algunos años, cuando le conté esta historia a mamá (historia de la que nunca se había enterado), se largó a llorar y me abrazó muy fuerte, como si yo hubiera hecho algo especial. Para ella, el amor no se mostraba por la magnificencia del regalo, sino por los sentimientos que lo habían motivado.

Cuando más tarde encontré el proverbio acerca de las moscas en el perfume, pensé ¡qué verdad! ¿Cómo se habrá enterado Salomón? ¿Será que alguna vez le dio a su madre un perfume con moscas muertas?

¿Pierde su valor un regalo de amor, cuando no resulta como uno esperaba? ¿Qué podría hacer hoy usted, para regalar un poquito de amor?

La destrucción de la locura

Después de haberle escarnecido, le quitaron el manto, le pusieron sus vestidos,
y le llevaron para crucificarle. Mateo 27:31.

Cuando los seres humanos lo contraen, el mal de las vacas locas causa un deterioro cerebral incurable, similar al de la enfermedad de Alzheimer, y una muerte horrenda. Por eso, en 1996, las autoridades del Reino Unido ordenaron sacrificar millones de cabezas de ganado probablemente infectado. Lamentablemente, la enfermedad sigue en pie, representando una amenaza para cualquiera que consuma carne de res o productos derivados de ella. Los priones que la producen pasan fácilmente de una especie a otra, y no pueden eliminarse ni siquiera a través de la pasteurización o de la congelación.

¿Cómo se propaga el mal de las vacas locas? Mediante el canibalismo bovino. El proceso "transformador" consiste en tomar los restos no comestibles de los animales sacrificados —incluso de las mascotas muertas y de los animales muertos en la ruta—, para triturarlos y cocerlos. La mezcla inidentificable resultante se da a las reses y a las vacas lecheras como suplemento proteínico nutritivo, con el objeto de aumentar la cantidad de carne y de leche. Las personas contraen la variante humana de esta enfermedad al comer partes de las reses así alimentadas —el cerebro, la espina dorsal, los intestinos, la médula ósea— o, posiblemente, al tomar leche infectada.

El prión —proteína desprovista de material genético— no desencadena un anticuerpo específico, por lo que el sistema inmunológico del cuerpo no lo reconoce como enemigo. El prión cambia la forma de las moléculas normalmente presentes, a su propia imagen, lo cual resulta en el mal de las vacas locas. Las fuentes de alimentación humana más expuestas a la contaminación son los embutidos (salchichas, chorizos, morcillas, salchichón y otros), los perros calientes, y la carne molida o las carnes en cuyas etiquetas se lee "separadas mecánicamente". Las únicas vacas de las que se puede suponer que no comen productos derivados de animales son las que se certifican como "orgánicas", a las que se les da alimentos de origen vegetal.

Me pregunto cuánto tiempo habrá existido el prión del pecado y de la rebelión en la mente de Lucifer, antes de que se manifestara abiertamente. Dios podría haberlo extirpado de raíz; podría haber destruido la "locura" de Lucifer antes de que el agente del mal se mutara y entrara a las mentes de un tercio de los ángeles, y luego a las de la humanidad toda; pero no lo hizo. No podía hacerlo. Debía permitir que el pecado siguiera su curso. Los seres creados del universo no entenderían realmente la naturaleza horrenda del pecado ni servirían a Dios por amor y no a la fuerza, sino hasta que el mal se desarrollara de tal modo que matara al propio Hijo de Dios.

¿Cómo se siente respecto a un Dios que valora tanto su libertad de elección, que permitió que los hombres mataran a su propio Hijo, antes que forzarlos a someterse a él?

El momento de la verdad

Y Jehová Dios plantó un huerto en Edén, al oriente... Y Jehová Dios hizo nacer de la tierra todo árbol delicioso a la vista, y bueno para comer. Génesis 2:8,9.

Supongo que me lo busqué. Me había sentido algo estresado últimamente y pensé que era hora de someterme a un examen médico de rutina. Sin embargo, no estaba preparado para la llamada que recibiría pocos días después.

— Su colesterol está muy alto (258 mg) —me dijo la enfermera—. El doctor quiere que comience a tomar medicamentos de inmediato, para reducirlo a niveles adecuados de 150 a 170 mg.

Fui caminando a la farmacia, a recoger mi medicamento. (Pensé que el ejercicio sería necesario para mantener el colesterol en movimiento. Luego supe que en eso estaba equivocado, pero que el ejercicio era bueno para el corazón.) Y comencé a tomar esas píldoras pequeñitas diariamente, sin falta.

Sin embargo, el momento de la verdad llegó cuando acepté un folleto que distribuía una compañía farmacéutica. Al dorso encontré una lista de alimentos, en la que se indicaba la cantidad de colesterol y contenido graso de una amplia variedad de productos comestibles y comidas preparadas. No era la primera vez que veía una lista semejante, pero ahora la leí con más detenimiento. Fue entonces cuando algo me impactó con el poder de una revelación. Obviamente, hay alimentos que contienen más colesterol y grasa que otros, pero lo sorprendente para mí fue ver... que *las frutas, los cereales y las verduras* (hortalizas) *no tienen colesterol*, son de bajo contenido graso, y ricas en ciertas fibras que ayudan a reducir el colesterol malo en la sangre.

Hace miles de años, nuestro Creador mismo diseñó esta dieta. La Biblia dice que Dios les dijo a Adán y Eva lo siguiente: "He aquí que os he dado toda planta que da semilla, que está sobre la tierra, y todo árbol en que hay fruto y que da semilla; os serán para comer" (Gén. 1:29).

Han pasado apenas cuatro semanas desde aquel descubrimiento y mi cambio de estilo de vida. Ayer me hicieron otro análisis de sangre. El resultado fue estupendo: ¡mi colesterol bajó a 124 mg! El médico me suspendió el medicamento que estaba tomando.

—Ya no lo necesita más —aclaró—. Su cambio en la dieta ha logrado una gran diferencia. Siga con ella y no tendrá que preocuparse de los efectos secundarios de las medicinas, como tampoco de ir a buscarlas a la farmacia ¡ni de venir a verme!

Eran excelentes noticias; pero eso no es todo: adelgacé, gané en vigor y energía, adquirí un increíble aprecio por el sabor de los alimentos más sencillos, y lo que es muy importante, ¡me siento mucho mejor!

¡Gracias, Señor, por avivar mi interés en el conocimiento que ya nos habías dado en el Jardín del Edén!

Dios guardará tu corazón

Y la paz de Dios, que sobrepasa todo entendimiento, guardará vuestros corazones y vuestros pensamientos en Cristo Jesús. Filipenses 4:7.

Eran las 6:30 de la mañana del 23 de junio de 1997, y yo estaba haciendo mis ejercicios del día. De pronto, se me adormecieron los brazos, y sentí como una tremenda explosión y presión en el pecho, y en toda la parte superior de mi cuerpo. Me di cuenta que estaba sufriendo un ataque al corazón. Tenía sólo 51 años de edad y me sorprendió enormemente lo que me estaba sucediendo.

Mi esposo llamó a la línea de emergencia, y en cosa de tres minutos, los auxiliares médicos ya estaban en casa, procurando estabilizarme. Enseguida, me llevaron en ambulancia al hospital más cercano y me administraron morfina y otros medicamentos. Esto era demasiado para mi corazón. En ese momento, sentí que me moría. Mi esposo informó a los doctores acerca de mis reacciones a ciertos fármacos y ellos cambiaron la medicación. Luego de tres horas y media, el ataque cedió y lograron estabilizarme.

Al día siguiente encontraron que una arteria tenía un bloqueo de un 80% en una curva, y durante el ataque se había formado un coágulo de sangre que bloqueó totalmente la arteria. Dos días después, el medicamento administrado disolvió el coágulo significativamente, y los médicos pudieron efectuar una dilatación de la arteria dañada.

Mis cardiólogos me dijeron que de no ser porque tengo buena salud y un sistema inmunológico fuerte, no habría podido sobrevivir. Por lo general, la mayoría de las mujeres que sufren un infarto del miocardio como el que yo tuve, mueren. Los ataques al corazón son los principales causantes de muerte entre las mujeres —a razón de 247.000 al año en Estrados Unidos—, y acaban con la vida de hombres y mujeres más que ninguna otra enfermedad. Tres de mis abuelos y dos tíos fallecieron por insuficiencia cardiaca, así que, mi defecto congénito demuestra que los genes tienen mucho que ver en esto. Pero lo mejor de todo, es que gracias a esta experiencia descubrí la paz de Dios. Mientras iba en la ambulancia, de cara a la muerte, le dije a Dios que si iba a morir lo aceptaba; pero que si él quería que siguiera viviendo, yo sabría que él tenía planes adicionales para mi vida. La paz llegó mientras dejaba el resultado en manos de Dios. Estoy agradecida por tener un Dios personal que cuida de mi corazón, y por los médicos y enfermeras extraordinarios que fueron sus instrumentos en mi caso.

Ahora que mi colesterol está en 163, que camino una o dos millas por día, que tomo los mejores suplementos nutricionales que puedo conseguir y que mantengo la paz de Dios en mi vida, ¡me siento de maravilla!

La paz es un don. ¿Por qué no pedir a Dios que cuide su corazón y que le dé su paz hoy?

El sistema de sonido de Dios

Y vino Jehová y se paró, y llamó como las otras veces: '¡Samuel, Samuel!' Entonces Samuel dijo: 'Habla, porque tu siervo oye'. Y Jehová dijo a Samuel: 'He aquí haré yo una cosa en Israel, que a quien la oyere, le retiñirán ambos oídos'. 1 Samuel 3:10,11.

¿Sabía que, en realidad, no oímos con los oídos? Éstos son sólo elaborados canales que transmiten las ondas sonoras a la parte del cerebro que las interpreta como sonidos. Cualquier interferencia en el camino distorsiona lo que finalmente se oye.

¿Cómo funciona este sistema de sonido especialmente diseñado por Dios? Las vibraciones entran al canal auditivo a través del oído externo. En la extremidad interna del conducto auditivo externo se encuentra el tímpano, membrana tensa que separa el conducto auditivo externo del oído medio. En el oído medio se encuentran los huesecillos del oído (el martillo, el yunque y el estribo). El sonido que llega al tímpano inicia la vibración de estos huesecillos como si se tratara de un diapasón (sólo que con mayor nitidez). Y éstos, a su vez, inician una serie de vibraciones en el fluido del oído interno que tiene forma de caracol (la cóclea). La cóclea da dos vueltas, formando una espiral. El extremo cerrado central del canal registra los tonos bajos, mientras que la extensión externa registra los tonos altos.

¿Cómo puede este sistema de sonido controlar las diferencias de presión del aire en ambos lados del tímpano? Para esto Dios creó la trompa de Eustaquio, que va desde el lado interno del tímpano hasta la garganta. Por la garganta entra suficiente aire a la trompa de Eustaquio, para mantener equilibrada la presión del aire, facilitando así el movimiento del tímpano con las ondas sonoras que llegan al oído.

Nada le gustaría más a Satanás que arruinar este extraordinario sistema de sonido tan maravillosamente diseñado, para que no podamos oír clara y precisamente lo que se nos dice (porque las relaciones se construyen sobre las palabras), ni disfrutar los bellos compases de la música inspiradora, ni percibir los sonidos de la naturaleza creada por Dios (el viento, las cascadas, el hermoso canto de los pajarillos, y el crepitar de las fogatas campestres que dan una gran sensación de alegría y nos acercan a Dios).

Satanás logra esto más eficazmente mediante infecciones a los oídos, sonidos fuertes sostenidos (como el de la música de rock), y alentando un estilo de vida sedentario. Efectivamente, los investigadores han encontrado que las personas que se mantienen en forma retienen mejor su capacidad auditiva, que las demás. Esto podría explicarse por el hecho de que el ejercicio físico regular mejora el flujo de sangre rica en oxígeno, a través de los delgadísimos vasos sanguíneos que se encuentran en el oído. ¿No es asombroso que aun nuestro sistema auditivo pueda sentir el efecto de nuestro estilo de vida?

Señor, ayúdame a mantener sanos mis oídos, para que pueda oírte como te oyó Samuel. Haz que yo también pueda responderte: "Habla, Señor, porque tu siervo oye".

El mayor gozo

Soportándoos unos a otros, y perdonándoos unos a otros si alguno tuviere queja contra otro. De la manera que Cristo os perdonó, así también hacedlo vosotros. Y sobre todas estas cosas vestíos de amor, que es el vínculo perfecto. Colosenses 3:13-14.

¿Puedo decirle algo? Es cierto que tener un gatito rozándole las piernas es agradable y positivo, pero es infinitamente mejor escuchar las palabras amables o sentir el cálido abrazo de un amigo. Nuestro mayor gozo se encuentra en compartir ideas, penas, miradas, abrazos y esperanzas con los demás.

Cuando el Creador enseñó a sus discípulos cómo servir a la gente; los envió de dos en dos. Cuando Pablo fue llamado al ministerio en Macedonia, le pidió a Silas y al Dr. Lucas que lo acompañaran. Cuando Saúl se sintió solo, pidió que David llenara el vacío con música. Al despertar cada mañana, Dorcas ayudaba a sus vecinos.

La gente se siente mejor cuando sirve a los demás. Sin embargo, esas mismas relaciones conllevan los mayores desafíos. Hay gente magnífica y gente terrible. Por eso, el Creador nos suple de herramientas relacionales y el aprendizaje del amor.

¿Cómo intercambiar rencores por aprecio? "No seas vencido de lo malo, sino vence con el bien el mal" (Rom. 12:21).

¿Cómo pensar en los demás primero? "Amarás a tu prójimo como a ti mismo" (Lev. 19:18).

¿Cómo comunicar adecuadamente cosas difíciles de decir? "Sea vuestra palabra siempre con gracia, sazonada con sal, para que sepáis cómo debéis responder a cada uno" (Col. 4:6).

¿Cómo ser paciente con los impacientes? "Por esto, mis amados hermanos, todo hombre sea pronto para oír, tardo para hablar, tardo para airarse" (Sant. 1:19).

Las relaciones funcionan mejor cuando usamos las "herramientas" de Dios.

¿Quiere un poco más de gozo en su vida? Puede ir al refugio de animales y conseguirse un gatito, o puede entablar o profundizar sus relaciones humanas, afirmando a sus amigos a través del correo electrónico, el teléfono o el contacto cara a cara. Comparta un relato. Hable sobre los niños, el trabajo, las compras, el auto o una broma. Sazone su conversación con buen humor y esperanza. Mire a a la gente los ojos y salúdela cuando la encuentra en un pasillo o en el mercado. Coméntele lo bien que le sienta la ropa que usa, o hable del tiempo. Converse con alguien a quien ama. Apague la computadora, el equipo de música y el televisor. Posponga lavar los platos. Elimine todas las distracciones y escuche. Formule preguntas sinceras. Escuche. Anime. Ame.

Haga suya la oración de George Eliot: "Que cada alma que toque la mía, aun cuando sea por el más mínimo contacto, reciba algo bueno, algo de gracia, un pensamiento amable, para hacer que esta vida valga la pena".

Por qué Mozart falleció tan joven

También el cerdo, porque tiene pezuñas, y es de pezuñas hendidas, pero no rumia, lo tendréis por inmundo. De la carne de ellos [de los animales inmundos] no comeréis, ni tocaréis su cuerpo muerto; los tendréis por inmundos. Levítico 11:7,8.

¿Qué es lo que realmente mató a Wolfgang Amadeus Mozart? Según un artículo publicado en la revista *Journal of the American Medical Association* (Revista de la Asociación Médica Americana), probablemente fue un cerdo. Olvídese de la fiebre reumática, los cálculos renales, las enfermedades cardíacas, la pulmonía y aun el envenenamiento. Es posible que haya muerto de triquinosis, infección parasitaria causada por comer carne porcina no bien cocida. Esto explicaría los síntomas previos a su muerte: fiebre, prurito, dolor e hinchazón en las extremidades.

Mozart falleció el 5 de diciembre de 1791, a la edad de 35 años. Años después, en 1846, el Dr. Joseph Leidy de Filadelfia estaba comiendo una lasca de jamón, cuando notó unas manchas extrañas en ellas. Recordó entonces que había visto otras similares en los tejidos musculares de un cadáver que había diseccionado días antes. Tomó, pues, el jamón y lo examinó bajo el microscopio. Lo que descubrió fue horrendo: ¡Estaba lleno de diminutos gusanos que ahora llamamos triquinas! Estos gusanos se abren camino hacia los músculos y pueden matar a su portador. En los seres humanos se contraen casi exclusivamente por comer cerdo o productos derivados del cerdo.

Mozart le escribió una carta a su esposa, 44 días antes de que su misteriosa enfermedad comenzara: "¿Qué es lo que huelo?... ¡chuletas de cerdo! ¡Qué gusto! ¡Las como a tu salud!" Tal vez comiera a la salud de Constanza, pero trágicamente, no a la suya. Murió a los quince días de haberse enfermado. La triquinosis tiene un período de incubación de alrededor de cincuenta días.

En su libro *What Would Jesus Eat?* (¿Qué comería Jesús?), el Dr. Don Colbert dice: "Muchos declaran hoy que en los tiempos modernos la carne de cerdo es segura para comer. No estoy de acuerdo. Los cerdos comen enormes cantidades de alimento, lo cual diluye el ácido clorhídrico en el estómago del animal. Esto a su vez permite que las toxinas, los virus, los parásitos y las bacterias se absorban en su carne. Además de ser glotones, los cerdos son extremadamente sucios; comen basura, heces y carnes en descomposición. Los cerdos suelen albergar parásitos; entre ellos, la triquina, la tenia solitaria y el toxoplasma gondii".

Sí, cocinar la carne de cerdo a temperaturas elevadas matará los parásitos, pero ¿qué del centro de las chuletas o de los filetes, que tan a menudo se sirven casi crudos? En lo personal creo que es más seguro comer lo que Dios nos dice que comamos ¡y evitar la posibilidad de que nos coman los gusanos!

Vuelva a leer el capítulo 11 de Levítico. ¿Hay algo en su dieta que, según Dios, "no es limpio"? Tal vez sea tiempo de mejorar sus hábitos alimenticios.

La fuente de la juventud

Mas nuestra ciudadanía está en los cielos, de donde también esperamos al Salvador, al Señor Jesucristo; el cual transformará el cuerpo de la humillación nuestra, para que sea semejante al cuerpo de la gloria suya. Filipenses 3:20,21.

En 1509, el explorador español Juan Ponce de León oyó hablar a unos indígenas de Puerto Rico, acerca de una isla llamada Bimini, donde existía la fuente de la eterna juventud. Encontrarla se convirtió en su pasión. Al principio, se dirigió hacia el norte, donde en vez de la fuente descubrió la Florida. Prosiguió su búsqueda por 12 años, y en 1521, a los 61 años de edad y sin haberla encontrado, murió de un flechazo.

Siglos después, la gente sigue buscando la legendaria fuente, pero desafortunadamente, la mayoría lo hace en el lugar equivocado: con dietas especiales, con terapia o en sus botiquines médicos. El regalo de Cristo, la promesa de vida eterna mediante la que nos asegura que nos dará nuevos cuerpos es la respuesta final a esta búsqueda. Pero aparte del cielo, el sustituto más cercano para asegurar la vitalidad es, sencillamente, la actividad física. Efectivamente, si usted desea encontrar la fuente de la juventud, no debe quedarse sentado en un sillón tratando de ver si sueña con ella; ¡tiene que levantarse y empezar a caminar!

A medida que la persona envejece, se produce un deterioro o pérdida en la facultad de ver, oír, oler y gustar, pérdida de dientes y de masa ósea en la zona de la mandíbula, menor habilidad para digerir y absorber los alimentos, y reducción de masa muscular y ósea en todo el cuerpo. Esto puede afectar la memoria, el juicio, el tiempo de reacción y el equilibrio. Y también se produce una disminución de las funciones del hígado y de los riñones, y en la aptitud física del corazón y de los pulmones. Es interesante notar que casi todo el deterioro atribuido al envejecimiento puede explicarse por el hecho de que la gente tiende a hacer menos ejercicio físico, a medida que envejece. Todas las células, los tejidos y los órganos comienzan a envejecer cuando se limitan sus respectivas actividades.

Hipócrates, el antiguo médico griego, señaló: "Todas las partes del cuerpo que tienen una función, si se usan en moderación y se ejercitan en labores a las que cada una está acostumbrada, se curan y se desarrollan bien, envejeciendo más lentamente. Pero si dejan de usarse y se mantienen ociosas tienden a ser presa de la enfermedad y defectuosas en su crecimiento, y envejecen más rápidamente".

En los Estados Unidos, aunque a la mayoría de la gente le encantaría encontrar la fuente de la juventud, el 70% de los habitantes no practican actividad física alguna. La inactividad presenta uno de los mayores retos del siglo a la salud pública. La incidencia de apoplejía (abolición de las funciones cerebrales por embolia o por hemorragia cerebral) y la diabetes de tipo II podrían prevenirse o reducirse, y las fracturas óseas ocurrir con menos frecuencia si la gente se moviera más.

Así que, ponga este libro a un lado, levántese y manténgase en movimiento. Mueva los músculos ¡y alabe al Señor por su promesa de vida eterna!

Una vida sin limitaciones

Todo lo puedo en Cristo que me fortalece. Filipenses 4:13.

Fue en un hermoso día de mayo de 1995 cuando, durante una competencia ecuestre, Eastern Express, el caballo de pura sangre de Christopher Reeves, se detuvo de golpe ante una valla, lanzando a su jinete por el aire. Con las manos enganchadas en la brida, Reeves cayó de cabeza, fracturándose la vértebra superior de la espina dorsal. En un instante, quedó tetrapléjico (paralizado desde el cuello para abajo) y sin poder respirar. La pronta intervención médica logró salvarle la vida. Mediante una delicada cirugía le estabilizaron las vértebras destrozadas y, literalmente, volvieron a colocarle la cabeza en su lugar.

Desde entonces, Reeves —mejor conocido por su rol de Superman— aprendió a volar fuera de su cuerpo, de un modo en que poca gente tiene el valor o el coraje de hacerlo. En vez de darse por vencido y convertirse en prisionero de su parálisis, se obligó a mantener un régimen agotador de cuatro o cinco horas diarias de fisioterapia, en la esperanza "contra toda esperanza" de poder recuperar algo de movimiento o alguna sensación. Así, en el 2002 logró respirar por sí mismo por hasta dos horas, mover los dedos en la mano izquierda y mover la muñeca derecha. Pudo enderezar los brazos y las piernas, y en una piscina, dar un paso y apoyarse contra la pared. Reeves recuperó la sensación en por lo menos el 70% de su cuerpo y llegó hasta a sentir la mano de su esposa Dana sobre la suya. Su progreso hizo reconsiderar a los científicos médicos la creencia de que los tejidos de la espina dorsal no pueden regenerarse.

En el sitio electrónico rolemodel.net, se dijo de él lo siguiente: "Todos somos, de alguna manera, prisioneros de la vida: algunos, por su pensamiento limitado; otros, por sus limitaciones físicas. Pero rara vez un hombre ha demostrado una habilidad tan extraordinaria para enfrentar las limitaciones: para llorar por todo lo que le han robado, y luego superarlo, avanzando hacia una vida que no conoce limitaciones. Cada mañana, humano como es, Christopher derrama unas lágrimas; pero luego se las seca; deja de autocompadecerse y sigue adelante, procurando ser un ejemplo para los demás. Crea su propia libertad para estar verdaderamente vivo. Christopher ha hallado el Superman interior y nosotros celebramos su valor de ser libre".

Reeves continuó hasta casi el momento de su muerte con su carrera de actuación y dirección cinematográfica. Mantuvo por años un increíble itinerario como conferenciante, escribió varios libros. Como activista político, apoyó incesantemente la causa de la investigación científica para la cura de las lesiones de la espina dorsal. Como cristianos, ¿qué podemos aprender de este hombre que creyó que nada es imposible?

Ponga a Cristo en la ecuación: independientemente de sus limitaciones, continúe diciéndose: "Todo lo puedo en Cristo que me fortalece".

Evite las bebidas que causan depresión

Porque no nos ha dado Dios espíritu de cobardía, sino de poder,
de amor y de dominio propio. 2 Timoteo 1:7.

Una mujer de alrededor de cincuenta años me contó lo siguiente: "Hacia el final de mi adolescencia, mientras vivía al estilo de vida secular, tuve mi primer período de ansiedad y melancolía. Durante casi cinco días sentí cierta sensación de espanto e inercia. Andaba como muerta en vida. No hallaba placer en casi nada, y me preguntaba por qué o para qué habría nacido. Con el correr de los años, los períodos de melancolía aumentaron. Supuse que, probablemente, algún día llegaría a necesitar hospitalización y medicamentos. Nunca me sentía totalmente en paz.

"A los 33 años, al hacerme cristiana adventista del séptimo día, aprendí que seguir un estilo de vida saludable era importante. Comencé a hacer ejercicio físico y a comer a horas regulares, y dejé de beber las ocho o diez tazas de café, té o gaseosas que solía consumir a diario desde mi adolescencia. Con asombro noté, casi de inmediato, que tenía más equilibrio al pararme. En el primer mes, la ansiedad crónica provocada por lo estresante de mi trabajo se redujo significativamente; pero fue al cabo de 18 meses, cuando me di cuenta de que ya había pasado ¡un año sin depresiones! Han pasado veinte años desde entonces".

Hace unos ciento cincuenta años, Dios le reveló a Elena G. de White que el café y el té estimulan artificialmente el sistema nervioso y luego causan depresión. Ahora sabemos que esto se debe a la cafeína. ¿Qué tiene que decir la literatura médica acerca de los peligros de la cafeína que contienen el café, el té, las bebidas con extractos de cola y el chocolate? En un número de la revista *Internal Medicine News* (Noticias sobre Medicina Interna), se afirma que las bebidas cafeinadas no sólo causan depresión, sino que aumentan el riesgo de padecer de dolores de cabeza, infertilidad, ansiedad crónica, alergias, temblores musculares, osteoporosis y una hueste de problemas adicionales, leves y graves. Cuanto mayor es el consumo de cafeína, tanto mayor es el riesgo de contraer tales enfermedades. En esta investigación descubrimos, además, que las sustancias con cafeína figuran en la lista de los diez grupos de alimentos que causan alergias o sensibilidad a los alimentos, superados únicamente por la leche. Si la gente se percatara de los peligros que esto implica, recurriría a los muchos sustitutos saludables ya existentes.

Dios promete que si seguimos sus principios de salud evitaremos contraer las enfermedades que aquejan a quienes no los practican (Éxo. 15:26). La mayoría de nosotros no sabrá sino hasta la eternidad, la bendición que representa adoptar un estilo de vida sano, como tampoco cuántas enfermedades hemos evitado por haber escuchado "atentamente" la voz del Señor (Éxo. 15:26).

Gracias, oh Dios Creador, por dar a tus hijos conocimiento acerca de cómo obtener paz y una mente sana, y por ayudarme a decir NO a las bebidas que pueden causarme depresión.

El plan de Dios para recobrarse de la aflicción

Enjugará Dios toda lágrima de los ojos de ellos; y ya no habrá muerte, ni habrá más llanto, ni clamor, ni dolor; porque las primeras cosas pasaron. Apocalipsis 21:4.

En los años que llevo desde que enviudé, he observado cómo los demás enfrentan el pesar y la aflicción y cómo compensan su pérdida. En mi caso, estuve tan ocupada con la educación de mis hijas y mi trabajo como supervisora y maestra que, aunque pasé por momentos de intensa aflicción, no pude detenerme mucho sobre las cenizas de aquella llama apagada.

De entre mis amigas, las que mejor pudieron sobreponerse a la pena fueron las que se propusieron un plan de acción para hacer los cambios o ajustes necesarios. Mary cuidó de su esposo a lo largo de una prolongada enfermedad. Cuando él falleció, ella repasó sus activos: salud bastante buena, un hogar cómodo para el resto de su vida, una modesta pensión de jubilación. A medida que los días pasaban, comenzaron los cambios en su hogar. Pintura nueva para iluminar las paredes oscuras, una alfombra nueva en el sector de la sala, reubicación de los muebles, un jardín de rosas… Hoy, a los 92 años, todavía conduce su propio auto, sigue activa en la iglesia, y rodeada de amigos que la admiran por su actitud siempre optimista.

Cuando Margaret quedó sola, su salud se deterioró, y ella perdió interés en la vida. Como no sabía conducir, pasaba mucho tiempo en soledad, acompañada sólo por un perro, un gato y el teléfono. Un día, la llamé para preguntarle si le gustaría que formáramos un grupo de estudio bíblico en su hogar. Entusiasmada, respondió que sí, y ahora, cada martes yo recojo a las damas que ya no pueden manejar, y nos reunimos todas en la casa de Margaret. Con la adición de nuevos miembros que recientemente han enviudado hemos llegado a formar un grupo de apoyo mutuo. Estudiamos la Biblia, tenemos una sesión de oración y compartimos nuestras penas y alegrías. Y al compartir las respuestas a nuestras plegarias, nuestra fe se fortalece y sentimos la bendición de Dios.

La poetisa Emily Dickinson escribió:

El trajín en la casa, la mañana tras la muerte
es, de todas las diligencias, la más solemne
ejecutada sobre la tierra.
Barrer el corazón, guardar el amor
que no queremos usar de nuevo
sino hasta la eternidad.

La muerte, la pérdida y el pesar son parte de la vida en esta tierra, pero tenemos la garantía de un futuro mejor en el que Dios mismo enjugará nuestras lágrimas, y en el cual podremos usar de nuevo el amor de nuestro corazón, por la eternidad.

Gracias, Padre celestial, por tu plan de rehabilitación tras la aflicción. Mientras esperamos que Jesús venga a enjugar nuestras lágrimas, ayúdanos para que podamos enjugarlas los unos a los otros.

Alerta de smog

No os engañéis; Dios no puede ser burlado: pues todo lo que el hombre sembrare, eso también segará. Gálatas 6:7.

¿Cuándo fue la última vez que agradeció al Señor por el aire que respira? Es un maravilloso don gratuito, absolutamente esencial para la vida, sin embargo, inhalamos y exhalamos diecisiete mil veces por día sin ni siquiera pensarlo. Quizá debiéramos hacerlo porque el aire limpio que Dios creó para nosotros en el segundo día de la creación se ha contaminado peligrosamente debido a los inventos humanos. Esa contaminación se llama smog o niebla industrial tóxica.

El smog es un asesino lento pero mortal. Envuelve a las ciudades y los valles industrializados en todo el mundo, va contaminando lentamente a la gente. El smog es aire contaminado por los productos de desecho de las industrias, fábricas, automóviles, camiones, aviones, incendios y todo lo que llena el aire de gases nocivos, partículas de polvo y otros compuestos. El smog es aire sucio y tóxico —¡y eso es lo que respiramos!

Todo el sistema respiratorio se daña cuando el smog ataca. En primer lugar, la delicada mucosa de la nariz se inflama, dejándola mucho más sensible a los gérmenes o los ataques de alergenos. En segundo lugar, la acción de las cilias se hace más lenta o se detiene. Las cilias son filamentos delgados como cabellos que normalmente se mueven muchas veces por segundo empujando las partículas extrañas o irritantes fuera de las vías respiratorias. Al tornarse más lento, o detenerse su movimiento, los pulmones se hacen vulnerables a los tóxicos efectos del smog. El smog irrita la pared de las vías respiratorias, produciendo una mucosidad espesa que interfiere con la respiración, causa tos, y fomenta los ataques de asma y enfisema. Cuando el smog dificulta la respiración, las partículas extrañas tales como el polvo, las bacterias y los virus se pueden acumular en los pulmones. Y entonces aparece la enfermedad más temida —el cáncer— que ataca a los pulmones debilitados.

Pero el smog no es solamente un problema de los pulmones. Las investigaciones han demostrado que cuánto más elevado el nivel de smog tantas más muertes ocurren, especialmente por enfermedades del corazón.

El smog irrita los ojos. Aún nuestros cerebros quedan afectados porque el smog destruye la parte más delicada de nuestro suministro de oxígeno —el oxígeno cargado de partículas eléctricas. Es por eso que de manera sutil, el smog puede comprometer la calidad más preciosa de nuestras vidas.

El smog de la contaminación ambiental que envenena el cuerpo me recuerda que también hay "smog" de la mente y del alma. Básicamente, cosechamos lo que sembramos. Si sembramos smog, cosecharemos una mala salud, una mente menos efectiva y una espiritualidad embotada.

Señor, perdónanos por lo que le hemos hecho al buen aire que tú creaste para que pudiésemos respirar.

Un consolador que usa ropa y zapatos

Gozaos con los que se gozan; llorad con los que lloran. Romanos 12:15.

Me percaté de él entre el grupo de personas que estaban de picnic. Tenía la cabeza inclinada mientras observaba sus manos cubiertas por seis o más mariposas que se aferraban a sus dedos. Con entusiasmo nos unimos al resto del grupo para que él pudiera mostrar a su madre esa maravilla. Unos meses más tarde, esas mismas manos pequeñas mostraban las marcas de las agujas dejadas en su búsqueda de venas apropiadas; su exuberante cabello se volvió ralo y pajizo, y al poco tiempo murió —víctima de leucemia.

Meg, su madre y mi amiga querida, quedó destrozada. ¿Qué se podía decir o hacer que mitigara su dolor? ¿Flores? ¿Una tarjeta con unos pensamientos bien seleccionados? Nada parecía adecuado. Todos tratábamos de que permaneciera ocupada para que no llorara.

Una tarde, Meg inesperadamente vino a mi casa mientras estaba mi madre de visita. Tuve que realizar una rápida diligencia y las dejé a las dos juntas hasta mi regreso. Al volver un poco más tarde de lo que había pensado, encontré a mi amiga en los brazos de mi madre, sus rostros cubiertos de lágrimas. No habían notado mi ausencia. Meg recogió su cartera, sonrió a través de sus lágrimas, y dijo: "Tengo que irme". Salió de la casa con un paso más firme del que tenía al entrar.

Unos años más tarde, Meg me dijo: "¿Te acuerdas cuando quedé a solas con tu madre, aquella tarde después del fallecimiento de Randy? Esa fue la primera vez que pude hablar con alguien acerca de él. Hablamos acerca de cuán precioso y especial era, sobre su enfermedad, su muerte, cuando me tuve que resignar a que se fuera. Ella dejó que yo descargara toda mi angustia y mi dolor. Tu madre mostró tanto cariño al escucharme. ¡Nunca lo olvidaré!"

¿Por qué no pude ser yo tan sensible a sus necesidades? Quizá porque le tenía tanto miedo al sufrimiento que no me pude abrir a su experiencia.

La obra consoladora que mi madre realizó ese día fue similar a la del Espíritu Santo, a quien a menudo se lo llama el Consolador. El Espíritu de Dios no está ocupado en realizar actividades que consuelen, o en dar información reconfortante. Simplemente está presente y la sanidad se produce cuando compartimos lo que tenemos en nuestro corazón, tal como le sucedió a Meg con mi madre. En cierta forma, mi madre fue como el Espíritu de Dios, pero vestida con ropa y zapatos. Yo también quiero ser así.

Gracias, Santo Espíritu, por estar conmigo. Ayúdame a estar presente para otros cuando necesites un "Consolador" que use zapatos.

¡Abuela, tienes que entender!

Aun el muchacho es conocido por sus hechos,
si su conducta fuere limpia y recta. Proverbios 20:11.

La abuela de Bryan hacía las mejores galletitas del mundo. Al igual que la vasija de aceite de la viuda, su lata de galletitas nunca estaba vacía. Los hijos, los nietos y los amigos, todos por igual anticipaban saborear esos ricos manjares rellenos de chocolate. Bryan, con sus cinco añitos, era muy aficionado a visitar a la abuela. Una noche después de la cena y de haber escuchado una historia, la abuela sintió que debía recompensar a Bryan por haberse portado tan bien durante todo el día. Le ofreció una galletita.

"Pero, abuela", dijo el niñito con sinceridad, "¡ya me cepillé los dientes!"

De golpe la abuela se acordó de Proverbios 22:6 en cuanto a criar bien a un niño. "Me imagino que a los cinco años no es demasiado temprano para comenzar", reflexionó. "¡Es esta abuela la que necesita entender!"

La buena noticia* es que se puede enseñar a los niños muy temprano, y cuánto más temprano se comience, tanto mejor. Presentamos algunas ideas de cómo fomentar los buenos hábitos de salud temprano en la vida:

Tres comidas por día, a horas regulares, con muchos productos integrales, frutas y verduras. No promover las meriendas para así conservar un buen apetito por alimentos nutritivos durante las horas de las comidas. Si es necesario dar una merienda, se puede ofrecer un trozo de fruta fresca. Y tomar mucha agua. Dejar las bebidas gaseosas para ocasiones especiales.

Ejercicio diario —preferiblemente al aire libre— por lo menos por una hora.

Descanso adecuado. La mayor parte de los niños viven crónicamente cansados. No es de sorprenderse cuando recordamos que los adolescentes necesitan nueve horas de sueño por noche, y los más pequeños todavía más. Es bueno que los niños se acuesten temprano para que puedan despertar en forma natural, a tiempo para disfrutar de un desayuno saludable.

Controlar la televisión. Las horas que un niño mira televisión se relacionan directamente con el sobrepeso y los niveles elevados de colesterol.

Cultivar una variada gama de intereses: visitas a la biblioteca, lecciones de música, artes y tareas manuales, aficiones y salidas familiares. Los niños que pasan tiempo con sus padres y desarrollan profundas raíces espirituales, experimentan menos estrés y una mejor salud mental.

Dar un buen ejemplo. Las decisiones importantes que usted toma en su vida diaria son el modelo y el determinante más poderoso de la conducta futura de sus hijos.

Señor, ayúdame a comprender que vivir "según tus caminos" ayuda a abrir también los canales espirituales.

Firma a favor de la libertad del sábado

Seis días se trabajará, mas el día séptimo os será santo, día de reposo para el Señor; cualquiera que en él hiciere trabajo alguno, morirá. Éxodo 35:2.

El 4 de julio es un día memorable en la historia de los Estados Unidos porque se conmemora la adopción de la Declaración de Independencia de 1776. Al optar por gobernarse a sí mismos en lugar de estar bajo el dominio de una nación distante, los fundadores de este país firmaron un documento que descartaba toda garantía de una vida rutinaria y predecible con tal de tener libertad.

En cierto modo, Dios hizo lo mismo con su declaración del sábado. Aún cuando pocas personas en este mundo tienen el lujo de la libertad democrática, a todos se les ha dado la libertad de tener una relación individual con Dios al hacer uso de su don del sábado. Sin obligarnos ni forzarnos, Dios nos introduce a una experiencia tan elevada que muchos, al no estar familiarizados con ella, se oponen a sus beneficios y bendiciones. El sábado, definido como el séptimo día de la semana de la creación, fue diseñado por Dios como un día de descanso. El sábado es mejor que una idea —¡es una realidad!

Adherirnos a este día provee la oportunidad de capturar la esencia de la libertad. El sábado es un espacio en el tiempo cuando todo el mundo da lugar a un momento personal, ininterrumpido, y no gobernado por ninguna otra entidad o ser, excepto Dios. En el sábado estamos libres de la preocupación, las cuentas, el trabajo, las fechas límites, y la presión de producir y hacer.

Dios le dio a la humanidad una Declaración de Independencia común a todos: el sábado, conmemorado cada séptimo día. Este oasis de 24 horas en el medio de un mundo desierto, desolado y sin amor, refresca al alma sedienta. En lugar de ser una carga, el sábado en esencia actúa como una limpieza emocional, permitiendo una serena reflexión y contemplación.

El sábado ofrece libertad de un mundo opresivo y destructor. ¡Sábado! ¡Entre usted con reverencia a su ámbito! ¡Saboree su quietud! ¡Goce de su soledad! Sumérjase en el momento más refrescante de todas las 168 horas que corresponden a cada semana.

Vote en favor del sábado y encuentre la verdadera libertad.

Considera los lirios

Por tanto os digo: No os afanéis por vuestra vida. . . Considerad los lirios del campo,
cómo crecen: no trabajan ni hilan; pero os digo, que ni aún Salomón con toda su gloria
se vistió así como uno de ellos. Mateo 6:25,28,29.

Si usted es una persona ansiosa, es probable que se ponga nerviosa cuando se aparta de su rutina. La sensación de nerviosismo y la tensión muscular que sufre resultan en una gran fatiga, así que usted se acuesta temprano. Pero a las pocas horas, se despierta y no se puede volver a dormir. Entonces empieza a preocuparse por no estar durmiendo lo suficiente y porque tiene que levantarse a las seis de la mañana. Se arrastra fuera de la cama y como aún está cansada, anda a tropezones y rompe algo de valor y se pone a lamentarse. Entonces comienza a buscar la lista de las compras que alguien movió de su lugar. Tampoco puede encontrar las llaves. En treinta minutos tiene que estar en su trabajo y su supervisor ya se quejó hace poco. ¿Cuál es la razón por la cual no puede calmarse? Usted está tan ansiosa que corre el riesgo de perder su trabajo, el respeto de sus colegas y hasta sus ahorros. Y usted se acuesta preocupándose por todo eso.

¿Qué puede hacer para no caer en una depresión? ¿Cómo puede afrontar las tareas y las relaciones diarias sin estar constantemente en tensión, ansiedad, con ataques de pánico o experimentar síntomas obsesivos y compulsivos?

Es bueno saber que estas condiciones no se pueden controlar sólo con el poder de la voluntad, con una buena organización, con las Escrituras o con la oración. Además, podría ser una tendencia heredada. En otras palabras, puede ser posible que usted no pueda luchar contra el desánimo por sí solo. Podría ser que necesite ayuda profesional. Si un médico le sugiere que tome un medicamento, asegúrese de preguntar cuál es el diagnóstico, por cuánto tiempo va a necesitar el antidepresivo, y luego haga su propia investigación. Puede que sea algo que vaya a necesitar toda la vida.

Además, sugiero otra receta, segura y gratuita. Lea Mateo 6: 25-34. Reflexione como si usted fuera un lirio. Imagínese en las manos de Dios, con la lluvia suavemente tocando su rostro; recuerde que usted —como Dios dijo— vale mucho más que un lirio. Inhale lentamente, exhale igualmente de lento, cierre los ojos y suavemente diga: "Yo valgo mucho más que un lirio; Dios estará conmigo". Cada día practique meditar en una promesa bíblica similar, y crea que a pesar de su debilidad heredada, Dios lo ama sin reserva.

Gracias, Jesús, por la parábola del lirio. Voy a recordar lo que tú dijiste acerca de lo que valgo la próxima vez que comience a preocuparme.

Todos nacimos para elegir

Y todo lo que hagáis, hacedlo de corazón, como para el Señor y no para los hombres;
sabiendo que del Señor recibiréis la recompensa de la herencia,
porque a Cristo el Señor servís. Colosenses 3:23,24.

De niña, Lilo Ljubisic tuvo muchas dificultades para poder asistir a la escuela pública en Yugoslavia. En las décadas de los sesentas y setentas, los niños ciegos generalmente eran institucionalizados. Lilo recuerda que la escuela, tanto en Yugoslavia como más tarde en Canadá, fue una experiencia dura para ella. Los niños se burlaban de esta niña ciega, de un metro setenta, que usaba unos inmensos lentes de sol. Para poder leer un libro ella tenía que colocar su nariz contra la página y al final del día tenía un gran manchón de tinta negra en su nariz causado por las letras impresas. También estaba el dolor físico. Aún un poco de luz solar le causaba dolor en los ojos y muchas veces las lágrimas corrían por sus mejillas.

La vida comenzó a cambiar para Lilo cuando su maestra de educación física insistió en que probara algún deporte. Hasta ese momento ella siempre había pasado el recreo y los períodos de educación física estudiando sola en la biblioteca. Después de todo, era ciega. Pero su maestra no se dio por vencida y le dio un curso rápido de cómo servir la pelota en voleibol. Lilo se propuso perfeccionar su recientemente adquirida habilidad y comenzó a practicar sola en un oscuro gimnasio. Dos semanas más tarde, la maestra le sugirió que jugara un partido real. La idea parecía ridícula. La maestra modificó las reglas. Lilo tiraría la pelota todo el tiempo, y no haría otra cosa. Se seleccionaron dos capitanes para que eligieran sus equipos. Lilo fue la última en ser elegida.

Cuando Lilo se preparó para servir, estaba temerosa y hubiera querido desaparecer. Dio un profundo respiro, estiró la mano y golpeó la pelota. Un silencio completo acompañó la pelota mientas con un silbido pasó por encima de la red y con un fuerte golpe cayó sobre la pista. Catorce servidas más y el partido concluyó. ¡Cada pelota que sirvió dio en la marca y ninguna pudo ser devuelta!

A continuación vinieron muchas horas duras y pesadas, días y años de prácticas, competencias y viajes que llevaron a Lilo a los cinco continentes. En las Paraolimpíadas de Seúl en 1988, ella ganó una medalla de bronce en lanzamiento de disco y bala. En los juegos de Barcelona en 1992 Lilo ganó medallas de oro en lanzamiento de disco y bala. En los juegos de Atlanta de 1996 rompió dos marcas mundiales para los que son totalmente ciegos (bala, 10,99 metros; disco, 40,40 metros), y ganó dos medallas de bronce.

"Nadie nace ganando — dice Lilo—. Nadie nace perdiendo. Todos nacemos para elegir. La Biblia dice que tenemos el poder de elección. Yo elijo ser positiva. Yo elijo tener metas. Yo elijo hacer lo mejor con lo que tengo".

¿Qué desea elegir usted hoy?

El efecto boomerang

Yo soy la vid, vosotros los pámpanos, el que permanece en mí, y yo en él, éste lleva mucho fruto; porque separados de mí nada podéis hacer. Juan 15:5.

Desde que el Dr. Robert Ader definió el campo de la psiconeuroinmunología, se han acumulado estudios que muestran el impacto positivo de amar a otros. Considere por ejemplo, el estudio realizado por Nancy Collins en la Universidad de California, Los Ángeles, sobre las mujeres embarazadas que tienen desventajas económicas. ¿Mejoraría el resultado físico y mental de su embarazo si recibieran apoyo social y cuidado amoroso? ¡Por supuesto que sí! Las mujeres que recibieron una cuidadosa atención prenatal experimentaron menos complicaciones en el parto, dieron a luz bebés con mayor peso en el momento de nacer, los bebés tenían mejor salud.

No es difícil ver los beneficios del amor y el apoyo. Pero lo más increíble es que dar amor y apoyo tiene un efecto boomerang. En otras palabras, el dador así como el receptor obtienen beneficios saludables por un acto de bondad.

Un estudio sorprendente que corrobora el beneficio de hacer el bien, se efectuó en la Universidad Cornell. Estuvo a cargo de tres investigadores, Moon, McClain y Williams, y se publicó en La *Revista Norteamericana de Sociología*. El estudio, que comenzó en 1956, se centró en 427 mujeres casadas, con hijos, por un período de 30 años. Los investigadores se sorprendieron de encontrar que el 52% de las mujeres que no pertenecían a organizaciones voluntarias al comienzo del estudio experimentaron una enfermedad grave treinta años más tarde. Este dato se compara con el 36% de las que sí pertenecieron a dichas organizaciones. Otros factores, tales como el número de hijos, el tipo de trabajo que realizaban, su educación, clase social; no afectaban su longevidad. En resumen: las mujeres que daban de su tiempo para ayudar a otros tenían un mejor sistema inmunitario, lo que daba como resultado una vida más larga. Como Elena de White dijo una vez: "El placer de hacer el bien anima la mente y repercute en todo el cuerpo".

¿Que debemos hacer para cumplir consecuentemente el mandamiento de Dios de amarnos los unos a los otros? (Véase Juan 15:17). Cuando verdaderamente amamos a Dios y tenemos una fuerte y sana relación con él, automáticamente producirá una fuerte y sana relación con las demás personas. Al igual que una rama, si estamos firmemente conectados con la Vid Verdadera, automáticamente produciremos frutos, tales como aceptar, perdonar, apoyar, orar, animar, ayudar y amar a los demás. Y como resultado, podremos gozar del efecto boomerang.

Pida a Dios que lo impresione para saber qué puede hacer por los demás. Escriba cada idea y luego elija una. Póngala en práctica, y goce del efecto boomerang.

El verdadero culpable

He aquí, aunque él me matare, en él esperaré. No obstante,
defenderé delante de él mis caminos, y él mismo será mi salvación. Job 13:15,16.

Si existió alguien que haya sabido qué es el sufrimiento, ése fue el Job de la Biblia. Al releer su historia, tuve una mejor oportunidad de entender la respuesta al gran Por Qué.

El libro de Job nos cuenta acerca de un incidente cuando Satanás desafió a Dios por causa de Job —un hombre santo y próspero que caminaba con Dios. "¿Tú crees que Job te adora de balde? ——preguntó Satanás a Dios—. Eso no me sorprende. Tú no dejas que nada malo le acontezca. ¡Y mira todo lo que le has dado!". Note cuidadosamente lo que Satanás dijo a continuación: "Pero ahora extiende *tu* mano y toca todo lo que él tiene, y verás si no blasfema contra ti en tu misma presencia" (Job 1:11). Y entonces nota también cuidadosamente la respuesta de Dios: "He aquí todo lo que tiene está en *tu* mano, solamente no pongas tu mano sobre él" (vers. 12). "*Tú* tócalo —dijo Satanás—. *Tú* extiende *tu* mano y golpéalo, y yo te garantizo que él blasfemará contra ti". Pero entonces Dios deja bien en claro quién realmente va a hacer el trabajo sucio. "Muy bien, él está en *tus* manos".

Así que Satanás mata a la familia de Job, a todos menos a su esposa. Destruye sus rebaños, sus ganados y sus cosechas. Pero para su gran consternación, Job no se vuelve contra de Dios. Así que el diablo vuelve a Dios, con la intención de ir un paso más adelante. "Todo lo que el hombre tiene dará por su vida —argumenta Satanás—. "Pero extiende *tu* mano y toca su hueso y su carne, y verás si no blasfema contra ti en tu misma presencia" (Job 2:4). Y nuevamente Dios deja en claro quién es el verdadero villano: "He aquí, él está en *tu* mano; mas guarda su vida" (vers. 6).

Entonces, para que nadie se confunda, el autor del libro dice a continuación, "Entonces salió Satanás de la presencia de Jehová, e hirió a Job con una sarna maligna" (vers. 7).

¿Quién hirió a Job? ¡Fue Satanás, no Dios!

La gran estrategia de Satanás en el conflicto entre el bien y el mal es hacer parecer que Dios está en contra nuestra, porque él sabe que los hijos no se rebelan contra sus padres cuando están convencidos del amor de ellos. Pero sí se rebelan contra los padres cuando sienten que no se les ama.

Algunas veces suceden cosas malas, pero podemos ver evidencias de por qué Dios las permitió; otras veces, permanecemos en la oscuridad. En tales casos debemos confiar en el Dios a quien conocemos, y decir junto con Job: "Aunque él me matare, en él esperaré".

¿Ha sentido en las últimas semanas como que está en el medio del conflicto entre el bien y el mal? Ahora es el momento de amar aún más profundamente a Dios, y de confiar en él por completo.

Una lección olímpica

Y oró Eliseo, y dijo: 'Te ruego, oh Jehová, que abras tus ojos para que vea'.
Entonces Jehová abrió los ojos del criado, y miró; y he aquí que el monte estaba
lleno de gente de a caballo, y de carros de fuego alrededor de Eliseo. 2 Reyes 6:17.

Nunca antes, en los 100 años de los Juegos Olímpicos, había estado el equipo gimnástico femenino de los Estados Unidos tan cerca del oro olímpico. Estaban detrás de Rusia por solamente algunas décimas de un punto. La tensión aumentó. La presión se centraba en Keri Strugs, de 17 años, la última gimnasta que intentaría un salto. Tendría dos oportunidades y se contaría su puntaje más alto. Si éste fuera suficientemente elevado los Estados Unidos ganarían; de lo contrario, Rusia se llevaría el codiciado premio.

El primer intento de Keri terminó en un fracaso abismal. No pudo completar la primera vuelta y cayó de espaldas sobre la colchoneta. Pero contra ella había algo mucho peor que trauma psicológico de fracasar ante millones de espectadores. Al caer se hizo un esguince muy fuerte en el tobillo. Las cámaras pudieron observar de cerca la mueca de dolor en su rostro al levantarse de la colchoneta. Keri tenía una oportunidad más, pero era obvio para todos los espectadores que la victoria no sería para Estados Unidos.¿Cómo podría competir Keri con un esguince en el tobillo? Rusia ganaría automáticamente.

Sin embargo, la competencia no había finalizado. Cojeando hasta ocupar su posición, Keri se preparó para lo que ella sabía que tenía que hacer. Tenía una sola oportunidad más y la aprovecharía.

Incrédulo, observé mientras Keri corría, se elevaba, ejecutaba un salto acrobático perfecto ¡y efectuaba un elegante aterrizaje en un solo pie! Al caer se apretó el tobillo para disminuir el intenso dolor que sentía. El valor, la determinación y la habilidad de Keri aseguraron el triunfo y la medalla de oro para Estados Unidos en 1996.

Me pregunto, qué hubiera pasado si Keri no hubiera pensado que podía hacerlo, ¿habría estado dispuesta a sufrir todo ese dolor? Si ella no hubiera tenido la fuerza motivadora de lograr la medalla de oro, ¿habría intentado realizar la segunda prueba?

He pensado mucho en todo lo que significa llegar al éxito en la vida cuando se presentan uno o más impedimentos, como en el caso de Keri. He llegado a la conclusión de que todo depende de la percepción del individuo.

Si usted cree que todo está en su contra, como el siervo de Elías cuando vio al enemigo rodeando la ciudad, entonces usted se dará por vencido. Pero si va por la vida con una expectativa positiva, entonces tendrá el valor de seguir luchando y avanzando. Keri creyó que podía hacerlo. Y eso marcó la diferencia.

Abre mis ojos para que vea la vida según la perspectiva de tu Santo Espíritu, para quien nada es imposible.

Mirando hacia la luz

Jehová es mi luz y mi salvación; ¿de quien temeré? Jehová es la
fortaleza de mi vida; ¿de quien he de atemorizarme? Salmo 27:1.

Una mañana, un niño que vivía en una granja en Dakota del Norte se
levantó con fuertes dolores. Sus padres, reconociendo que su hijo estaba
gravemente enfermo, quedaron muy preocupados. Lo llevaron inmediatamente
al hospital más cercano, a 120 kilómetros de distancia. Los médicos descubrieron que se había perforado su apéndice y se había producido una grave peritoni-
tis. Los médicos lo operaron para extraer la materia tóxica del abdomen e impedir la muerte del niño. Días angustiosos dieron paso a semanas llenas de ansiedad.

Milagrosamente, el niño sobrevivió. Durante los largos meses de aislamiento
y recuperación en la granja de la familia, el niño tuvo la convicción de que Dios
lo había salvado. "Era como si Dios me hubiera dado una segunda oportunidad
de vivir. Oré para que me guiara a usar mi vida de la manera que fuera más agradable para él", escribió más tarde.

El niño, para pasar el tiempo, comenzó a practicar en el viejo acordeón de su
padre. Y cuánto más tocaba, tanto más gozo experimentaba. Si no hubiera sido
por la grave experiencia de su apéndice perforado, probablemente nunca habría
desarrollado interés en la música. Pero emergió de esa experiencia con una profunda fe en Dios y confianza en sí mismo. Siguiendo su interés en el acordeón,
Lawrence Welk dejó la granja en Dakota del Norte y se convirtió en un talentoso
músico y maestro de ceremonias de uno de los programas de televisión más
populares en los Estados Unidos.

La clave del éxito futuro de Welk residió en el hecho de que cuando joven eligió enfrentar la luz en su vida en lugar de maldecir la oscuridad. Las Escrituras
constantemente nos advierten que no debemos adoptar la actitud de "víctima" en
la vida. Hacer frente a las adversidades y dificultades nos anima a mantener la
confianza en que las nubes se irán, en que la oscuridad dará paso al amanecer, y
en que el poder de Dios no está limitado. Note estos increíbles pasajes bíblicos:

• Isaías 41:10: "No temas, porque yo estoy contigo; no desmayes, porque yo
  soy tu Dios".
• 2 Reyes 6:16: "El le dijo: 'No tengas miedo, porque más son los que están
  con nosotros que los que están con ellos'".
• Salmo 30:5: "Por la noche durará el lloro, y a la mañana vendrá la alegría".
• Juan 16:20: "Vuestra tristeza se convertirá en gozo".
• Salmo 118:6: "Jehová está conmigo; no temeré".

Al enfrentar la luz se abren las ventanas del alma, permitiendo que la gracia
majestuosa de Dios fluya libre y creativamente en nuestras vidas.

¿Por qué no se asocia con Dios y permite que su luz brille cuando las tinieblas
amenazan rodearle?

¿Una oveja o una cabra?

Cuando el Hijo del Hombre venga en su gloria, y todos los santos ángeles con él, entonces se sentará en su trono de gloria. . . y apartará los unos de los otros, como aparta el pastor las ovejas de los cabritos. Y pondrá las ovejas en su derecha, y los cabritos en su izquierda. Mateo 25:31-33.

Usted y yo estamos familiarizados con el criterio que Dios aplicará en el juicio final. Dios no separa a los justos de los pecadores guiándose por los sermones evangelísticos que predicamos, las enfermedades que curamos y ni siquiera en los milagros que recibimos. Dios en realidad mira si las personas mejoraron por habernos conocido. ¿Le dio de comer al hambriento, agua al sediento, ropa al necesitado, consuelo al sufriente, amistad a los que estaban en la cárcel? En el juicio final, los títulos, diplomas y estadísticas bautismales carecen de importancia. Dios se interesa por los pequeños gestos de bondad que tenemos con las personas que nos rodean. ¿Es esto justificación por las obras pequeñas?

Jesús agrega un importante detalle a la parábola que me atrae mucho. Luego de que él felicita a las ovejas por sus actos de bondad, las ovejas le preguntan: "¿De qué estás hablando?" ¡Se sorprenden de que alguien las felicite por sus acciones! ¡Cómo puede ser esto posible?

Creo que la explicación es que las ovejas son bondadosas por naturaleza. Actúan amablemente en forma natural. Rebosan de bondad. Las ovejas no dan un vaso de agua porque se les ha obligado a hacerlo. No visitan a un enfermo porque Dios es el Rey. Ellas ven simplemente a una persona que necesita ayuda. No ven esto como heroísmo moral. Les sorprende que alguien note estos actos, y mucho más, que alguien las recompense.

Por contraste, los cabritos de buena gana harían todas estas obras si solamente alguien les dijese que es un requisito. Cuando los cabritos modernos leen Mateo 25, generan una lista: "Lunes, distribuir alimentos. Martes: reunión de la Sociedad Dorcas. Miércoles: grupo Rayos del Sol. Jueves: ministerio en la cárcel". Todos estos son proyectos meritorios. Las ovejas también los realizan. Esas obras son las mismas, pero las actitudes que las motivan son diferentes.

En el evangelio de Mateo hay un tema común: Dios está interesado en actitudes. Jesús comienza sus enseñanzas alabando a los que son pobres en espíritu, a los tristes, mansos, misericordiosos y puros. El dice que el enojo es tan malo como el asesinato y que la lujuria es tan perniciosa como el adulterio. Jesús cita a Oseas: "Misericordia quiero, y no sacrificio" (Mat. 9:13). El dice a sus discípulos que deben ser como niñitos.

¿Qué es lo que más importa en nuestra vida en esta tierra? Según esta parábola, Jesús dice que debiéramos ser personas amables que iluminen el espacio que les rodea; Dios tiene este atributo. Al contemplar su carácter, nos transformamos a su semejanza.

¿Es usted una oveja o un cabrito? ¿Necesita tener un cambio de actitud antes de encontrarse con el Rey?

Formidable y maravillosamente formados

Te alabaré; porque formidables, maravillosas son tus obras.
Estoy maravillado, y mi alma lo sabe muy bien. Salmo 139:14.

Recuerdo cuán sorprendido quedé cuando tomé una clase de anatomía y fisiología en la facultad. Quedé maravillado con la complejidad del cuerpo humano y su sistema de equilibrio. Dios hizo un diseño para que funcionara bien en su conjunto. Aún cuando comemos diferentes clases de alimentos, nuestros cuerpos tratan de que todo funcione adecuadamente. Si hay demasiado azúcar en la sangre, el páncreas excreta más insulina; pero si hay muy poco, el estómago avisa al cerebro que nos recuerde que debemos comer, o bien extrae lo que necesita de las reservas.

El cuerpo inclusive puede repararse a sí mismo. La piel repara un corte y los huesos se pueden unir otra vez. Si se quitan partes del hígado, éste puede regenerarlas. En caso de hemiplejías o de daño cerebral, los nervios pueden crecen y formar conexiones alternas mediante el ejercicio repetido. Y, si la persona hace ejercicio, el corazón fabrica más vasos sanguíneos para alimentarse. Si se produce un ataque de corazón, estos vasos adicionales llamados "circulación colateral" pueden prevenir parte del daño del corazón. Es como la congestión de tráfico en la autopista. Cuando se embotella una autopista por un accidente, hay otras vías alrededor que podemos usar para llegar a destino.

Casi había olvidado mi estudio del cuerpo humano, hasta que mi hija decidió seguir mis pasos y estudiar enfermería. Ella ahora estudia anatomía y tiene la misma reacción que tuve yo, al ver cuán formidable y maravillosamente estamos formados. Espero ansiosa el momento en que ella vea nacer un niño por primera vez. Sé que habrá lágrimas en sus ojos como las tuve yo, y que vendrá a casa y me contará acerca de ese milagro.

Nadie puede estudiar la ciencia sin admitir que hay un Diseñador Maestro. El mundo y nuestros cuerpos son demasiado complejos para haber evolucionado por casualidad. Sí, desde que el pecado entró al mundo, hay defectos en la naturaleza. Y sabemos que si no tratamos a nuestros cuerpos de la manera en que su diseño exige, si no comemos bien y hacemos ejercicio, corremos el riego de tener mala salud. Sin embargo, es increíble que tantas personas en el mundo vivan un ciclo de vida normal en medio de tanto pecado y enfermedad.

Dios, gracias por haberme diseñado de forma tan maravillosa y ayúdame a cuidar de mi cuerpo.

Soy un egocéntrico en recuperación

Aunque la visión tardará aún por un tiempo, mas se apresura hacia el fin, y no mentirá; aunque tardare, espéralo, porque sin duda vendrá, no tardará. Habacuc 2:3.

Cuando era un adolescente, lo mismo que el hijo pródigo, despreciaba la rigurosidad de mi iglesia y de mi hogar y quería ser libre. "Necesito espacio", reclamaba; así que mis padres a regañadientes me dieron ESPACIO. ¿Qué significó eso? Educación: todos los beneficios de un hogar estricto y colegios privados. Físicamente apto: vegetariano, atlético, alto, bronceado, y según algunos, de buena apariencia. Elocuente: bien informado, inteligente. Encantador y carismático: facilidad de adaptación, facilidad para hacer amistades y cultivar conexiones. Ético: honesto, nunca fumé, ni tomé, ni fui al casino, ni consumí drogas, ni comí de más ni tuve ninguna otra adicción. Sin embargo, me convertí en una persona muy educada, hábil conversadora y carismática, usando los dones de Dios, pero sin reconocer de quién venían esos regalos. Estuve ebrio de egocentrismo durante casi 20 años.

Esclavo del ego. Egocentrismo: "el impulso compulsivo, irresistible, de actuar y de reaccionar excesivamente debido a sentimientos de ineptitud". Es la madre de todas las adicciones, y se puede expresar en forma de un ego descomunal — arrogancia, racismo, sexismo, egoísmo, no escuchar a los demás, superficialidad, y también puede expresarse en pequeñas manifestaciones de egoísmo: profanidad, pobre manejo del tiempo, flirtear o simplemente carecer de una firme convicción.

¿Y qué sucede conmigo? Para enero de 1987 yo estaba viviendo a toda vela y gastando sin ton ni son, mientras trabajaba para la firma más grande de relaciones públicas del mundo, en Chicago. Fue entonces cuando el mundo se me vino abajo, y me arrastré de vuelta a Dios apoyado en un regalo: *La Biblia para la Recuperación de la Vida*, que presenta la conducta adictiva de los personajes bíblicos. Aprendí que sin Dios aquellos que parecen "inflados espiritualmente" en realidad son "puro aire". En 1994, a los 40 años, finalmente me asenté, me casé y mi esposa, Elaine, cual papel de lija, me ayudó a suavizar dolorosamente mis asperezas. Como un nuevo empresario en el 2001, inmediatamente gané y perdí un contrato importante, y alguien me dijo: "El talento no es tu problema", y otra vez mi EGO fuera de control me falló. Desperté a mi situación finalmente forzándome a reconocer mi adicción, y a comenzar el proceso de recuperación de mi "adicción" al ego, con Cristo como mi ejecutivo en jefe.

Ahora, con cada contrato de negocios, la promesa de Habacuc 2:3 salta a mi mente. Mi modelo de recuperación comienza de esta manera: define tu problema, acepta la responsabilidad total, y procede inmediatamente a "convertir tus limones en limonada". Todavía lucho con el egoísmo, la dilación, la arrogancia, la desorganización, y no tener un buen contacto visual. Pero estoy en proceso de recuperación —¡y me siento mejor!

Señor, ayúdame a reconocer que por naturaleza soy alcohólico del ego y a caminar humildemente contigo cada día.

Esparzamos las buenas nuevas

Y guiaré a los ciegos por camino que no sabían, les haré andar por sendas que no habían conocido; delante de ellos cambiaré las tinieblas en luz, y lo escabroso en llanura. Estas cosas les haré, y no los desampararé. Isaías 42:16.

Trabajo para la entidad adventista Servicio Cristiano para los Invidentes (Christian Record Services), coordino el *Campamento para los Invidentes* y visito a los ciegos en sus hogares, para ayudarles a realizar los cambios en su estilo de vida que les resolverán algunos de sus problemas de salud.

Alicia quería ir al campamento, pero tenía artritis reumatoide y no podía caminar mucho. Mi corazón se conmovió al visitarla. Alicia era una agradable mujer estaba cerca de los cuarenta años; había nacido ciega. A pesar de que su familia la trató como discapacitada y retardada, era una persona sumamente inteligente, tenía una hermosa voz, y era muy hábil en la lectura en Braille. Caminaba con mucho dolor, tenía un píe torcido, y padecía de sobrepeso. Día tras día permanecía sentada en su silla escuchando las grabaciones.

Oré para decir lo apropiado. Le sugerí que cambiara su dieta, que tomara duchas calientes y frías para mejorar la circulación y que usara las escaleras para hacer ejercicio.

Ella dejó de beber gaseosas y de comer alimentos azucarados. Comenzó a consumir muchas verduras y frutas, además de cereales y pan integral. A los cuatro meses de seguir el programa completo, el dolor había cesado y podía caminar más lejos de lo que había podido hacer antes.

Después Alicia me dijo que la razón por la cual estuvo tan dispuesta a realizar esos cambios drásticos en su estilo de vida fue porque los médicos le habían dicho que la única solución que veían para aliviar su dolor era ¡amputarle ambos pies! Ella ahora alaba a Dios por el milagro de la sanidad.

Pero Alicia es una persona entre muchas.

Bill tenía una diabetes fuera de control, con el nivel de azúcar en la sangre entre 180 y 300. Era una persona no muy agradable en su trato. Temiendo que sus riñones fallaran, comenzó a asistir a nuestro grupo semanal de apoyo. En solamente seis meses desaparecieron los altibajos en su estado anímico, su frustración, enojo y ataques de ansiedad; y su nivel de azúcar en la sangre bajó a 100 o menos. Bill ahora lleva una vida productiva, lleno de gratitud y abierto al evangelio.

Mi corazón se acongoja cuando pienso en los miles de personas que necesitan ayuda; muchos no videntes están enfadados, frustrados y no son nada agradables. simplemente porque el nivel de azúcar en su sangre está fuera de control. Pero esta situación se puede revertir. Dios aún realiza milagros. ¡Debemos diseminar las buenas nuevas!

Dios de los milagros, obra un milagro en mi vida hoy y dame el valor para diseminar las buenas nuevas.

El perdón en la habitación 283

Él es quien perdona todas tus iniquidades, el que sana todas tus dolencias. Salmo 103:3.

La enfermera entró en la habitación donde yo visitaba a un paciente. "Capellán, la señora de la habitación 283 desea hablar con usted".

Cuando terminé, fui a la habitación 283. Me senté en una silla cerca de la cama, y la señora me dijo: "Capellán, ¿me puede perdonar?"

Un tanto sorprendido le respondí: "La he visitado varias veces y usted nunca me ha ofendido. ¿Qué quiere decir cuando me pregunta si la puedo perdonar?"

Entonces me contó su historia. "Cuando yo era joven comencé a vender mi cuerpo por dinero. Esto se prolongó por un cierto tiempo, hasta que descubrí que tenía una enfermedad venérea. Tendrían que operarme para extirpar partes afectadas en mi abdomen. Capellán, he soportado la carga de mi pecado durante toda mi vida y ya no puedo seguir haciéndolo. Usted es la única persona a quien le he contado esta historia. Le ruego que me perdone. Le expliqué que ella no había pecado contra mí, pero que había violado su cuerpo y había pecado contra Dios. Y luego le dije: "Permítame compartir con usted unas buenas noticias". En 1 Juan 1:9 leí: "Si confesamos nuestros pecados, él es fiel y justo para perdonar nuestros pecados, y limpiarnos de toda maldad".

"¿Cómo puedo confesar?" preguntó ella.

"Simplemente oramos a Dios y le pedimos perdón".

Ella dijo: "¿Podría usted orar pidiendo a Dios que me perdone? Yo no sé orar".

Le expliqué que la oración es simplemente hablar con Dios como lo haríamos con un amigo. Le mencioné que ella me había contado su historia con total naturalidad. Luego le dije que hablara con Dios así como había hablado conmigo y le pidiera que la perdonara. Ella comenzó a orar, pidiendo perdón. En los casi cincuenta años de mi ministerio nunca oí una oración tal. Lloré por la emoción que me embargó.

Dios le otorgó perdón y ella tuvo paz. Antes lloraba en las noches, pero nunca más lo hizo después que hubo paz entre ella y Dios.

Note el orden de los beneficios de Dios expresados en Salmo 103:3. ¡La Biblia pone en primer lugar el perdón por la enfermedad espiritual y a continuación la sanidad de las enfermedades físicas!

Quizá sea tiempo de orar una oración pidiendo perdón como lo hizo la señora de la habitación 283. ¿Por qué esperar?

El plan de ejercicios del Fisioterapeuta Maestro

Por lo cual, levantad las manos caídas y las rodillas paralizadas;
y haced sendas derechas para vuestros pies, para que lo cojo no se
salga del camino, sino que sea sanado. Hebreos 12:12,13.

Hace algunos años tuve problemas en la espalda. No podía estar de pie ni sentarme ni acostarme de lado más que pocos segundos antes de que sintiera un agudo dolor. La única posición cómoda era estar acostado de espalda, adormecido por los analgésicos fuertes. El doctor de la clínica especializada en el tratamiento del dolor me inyectó cortisona en la médula espinal; el quiropráctico manipuló mis vértebras; los ancianos me ungieron; pero no se produjo ningún efecto evidente.

Temí que nunca más podría estar de pie o sentarme.

Finalmente, después de seis semanas de padecimientos, consulté a un neurocirujano. Me dijo: "Apóyese sobre su pierna izquierda y levántese sobre las puntas de los pies". Mi cerebro dijo: "Lo haré", pero mi cuerpo no respondió. "¡Miserable de mí! ¿Quién me librará de este cuerpo de muerte?"

El cirujano dijo: "Si usted consiente, puedo operarlo mañana".

Redije: "Estoy dispuesto. "La cirugía me atemoriza, pero no puede ser peor que lo que estoy soportando ahora".

Cuando desperté, el dolor del nervio ciático había desaparecido. A la mañana siguiente me senté a desayunar, y lentamente caminé por el corredor del hospital, alabando al Señor. Pero no corrí ni salté. Eso llevó su tiempo. Primero tuve que pasar varios meses ejercitando los músculos adormecidos y esperando la recuperación de los nervios. Todavía experimento algunos dolores en el muslo izquierdo, lo cual me recuerda por todo lo que pasé.

En nuestra vida espiritual no es suficiente someternos al escalpelo del Gran Cirujano. También necesitamos la mano guiadora del Fisioterapeuta Maestro. Él nos administra los ejercicios que nos fortalecen. Nos dice que vayamos a Él (Mat. 11:28). Nos dice que salgamos (Mat. 28:18-20). Nos presenta desafíos (1 Cor. 10:13). Nos pide que le sigamos (Mat. 4:19). Los ejercicios son progresivos, nos edifican sin desanimarnos (Fil. 4:13). (Véase también Heb. 12:1-13).

A mi abuela, ya fallecida, le tuvieron que reemplazar sus dos rodillas artríticas. Después de eso pudo caminar un kilómetro y medio por día —más de lo que había podido hacer durante años. Pero no continuó realizando los ejercicios para estirarse ni para doblarse, porque le dolía. Como resultado, se le formó un tejido cicatrizal en las articulaciones y tiempo después no pudo caminar más que unos pocos metros, y volvió a sentir mucho dolor.

Muchos de nosotros estamos espiritualmente en condiciones similares.

Señor, ¿cuáles son los ejercicios espirituales que quieres que haga hoy para convertirme en la persona que tú quieres que yo sea?

El hombre de blanco

El Hijo del Hombre no vino para ser servido, sino para servir. Mateo 20:28.

"Doctor, por favor venga sin demora. El paciente de la habitación 15 no se encuentra bien". Respiro profundamente y cierro los ojos. Lo único que necesito es dormir profundamente, después de dos días y dos noches de guardia. He atendido a más de 200 pacientes en las últimas 48 horas, y mañana tengo guardia otra vez. Mi cabeza está vacía; mi cuerpo, adormecido de fatiga; el teléfono se me resbala de las manos antes de que termine la llamada. Dormir... dormir... dormir... es en lo único que puedo pensar.

Aún así, las demandas son persistentes. "Hola, doctor, por favor venga rápidamente... Hola, doctor... Hola...". Como un robot me pongo la bata blanca. En mi cabeza hay una frase que, igual que un disco rayado repite lo mismo sin parar: "Tú eres el hombre de blanco en este lugar de lienzos manchados..."

Sí, muerte, aquí estamos otra vez, pienso esto mientras atiendo a otro paciente. Tú quieres ganar. He peleado contigo muchas veces. Pero Dios tiene la última palabra, no tú.

Anoche, fue una madre joven; a las 3 de la mañana fue un niñito. Sus ojos me miraron con confianza. Yo quería gritar. Todo lo que podía ver era la palabra SIDA penetrando en mi cerebro. Yo no tengo el manto de Dios. Aún así, enfrento el pecado, las tinieblas, y al diablo.

Parece que me he olvidado de los que han salido por la puerta del hospital envueltos en gozo, con sus cuerpos llenos de salud. Pensé en sus almas pero sólo por un instante. Tenía que correr a atender a otros. Aún deseo saber las respuestas. Pero, ¿cómo he de curar a los incurables?

Aprendo a ser humilde; a trabajar en lugar de dormir, a orar en lugar de llorar. Y me apresuro por el corredor hacia la habitación 15: "Aquí estoy, mi amigo". Sin decir una palabra comprendo la pregunta que hay en tus ojos: *¿Por qué yo? Mis hijos son aún niños... Mi tarea no está terminada.* Sostengo tu mano. Te aplico una inyección para aliviar tu dolor. Pero quisiera llorar. *Oh, Señor, estoy perdiendo a un amigo.* Pero el hombre de blanco no puede llorar; ni por un amigo, ni por la miseria que le rodea. Solamente importa mi habilidad, mi cerebro, mi sueño, mi vida.

¿Señor, cómo puedes *Tú* soportar la miseria de este mundo? ¿Cómo puedes *Tú* sanar? La frase "Debemos orar para consolar a Dios" suena en mis oídos. ¿Es eso cierto, Señor? ¡Mi oración te consuela a ti así como me consuela a mí? Escucha entonces mi oración: *Señor, heme aquí. Ayúdame durante este día. Mi tarea está con aquellos que viven. Señor, sé con todo el personal médico que dedica su vida a salvar a otros. Amén.*

Nota: La señora Jaggi redactó estos pensamientos como un tributo a su esposo, un médico del Hospital de Malamulo, en Malawi, África.

Y Dios hizo la mariposa

Todas las cosas por él fueron hechas, y sin él nada de lo que ha sido hecho, fue hecho. En él estaba la vida, y la vida era la luz de los hombres. Juan 1:3,4.

El domingo18 de julio de 1999, Ron Bottomly llevó a su esposa y sus hijas al aeropuerto de Portland, Oregón, para realizar un viaje a California. Luego de dejarlas, caminó hacia la salida en dirección al estacionamiento. Cuando pasaba frente a la vitrina de una tienda vio una hermosa mariposa de cristal en la ventana de una tienda, con un letrerito que decía: "Hecho en Oregon". Decidió preguntar por el precio ya que su esposa Kathy coleccionaba mariposas. Costaba más que lo que podía pagar, de modo que no la compró. Al salir vio a un caballero que se había desplomado directamente delante de él. Ron, que trabajaba como enfermero en una sala de cuidado intensivo, se arrodilló a su lado e hizo una rápida evaluación de la condición del caído. Decidió administrarle respiración artificial. Siguió haciéndolo hasta que llegaron los paramédicos. Luego les ayudó a administrarle suero intravenoso y a realizar otros procedimientos de emergencia. Le aplicaron varios choques eléctricos al corazón, y a la quinta tentativa pudieron sentir su pulso. Cuarenta y cinco minutos después que se desplomara, el hombre fue trasladado en ambulancia al hospital.

Unas semanas más tarde, Ron recibió un paquete de parte de Irene, la hija del hombre cuya vida él había salvado. Adentro había un hermoso ornamento de cristal que colgaba de un soporte de metal y una carta que explicaba por qué ella creía que Ron, sin saberlo, había sido parte de una intervención divina.

En primer lugar, el hecho de que Ron estuviera allí en el momento preciso, en el lugar preciso y que fuera un enfermero entrenado en cuidado intensivo, era de por sí un milagro. El hecho de que hubiera un montón de gente a la salida era extraño para un domingo de mañana, pero lo más extraño era la mariposa de cristal. Si Ron no hubiera entrado para preguntar por su precio, no habría estado en el lugar donde su padre se había desplomado. Pensando que la mariposa sería un regalo de agradecimiento apropiado para Ron, Irene y su hermana fueron a la tienda, pero no había ninguna mariposa —y el vendedor les dijo que nunca las habían tenido. Entonces preguntaron en todas las tiendas cercanas. Nada. "A menos que ambas hayamos malentendido lo que usted dijo sobre la mariposa —escribió Irene—, mi hijo Brad, de 13 años, ha tenido la mejor explicación. Dios creó una ilusión para retenerlo a usted en el lugar apropiado".

Qué Dios maravilloso es el que servimos; Creador de todo —aun de las mariposas de cristal.

Cicatrices

Enjugará Dios toda lágrima de los ojos de ellos; y ya no habrá muerte, ni habrá más llanto, ni clamor, ni dolor, porque las primeras cosas pasaron. Apocalipsis 21:4.

¿Conserva usted cicatrices de algún accidente ocurrido en el pasado? Yo tengo algunas, y cada una tiene una historia. Hay una tenue cicatriz en el dorso de mi mano derecha que me trae recuerdos, el lugar donde me mordió nuestra perra el día que murió. Ella había salido a la calle desobedeciendo mis órdenes, y un camión la golpeó delante de mis ojos. Mientras yacía moribunda en la mitad de la carretera, me di cuenta que la tenía que sacar de en medio del tráfico, así que la tomé del collar para arrastrarla hasta el costado del camino. El dolor debió haber sido insoportable porque de pronto mordió mi mano para que yo la dejara. Clavó sus dientes en mi carne, dejándome una herida profunda. Un minuto más tarde murió. Una pequeña cicatriz es el recuerdo que tengo de una perra de raza pastor alemán a quien amé profundamente cuando era muchacho.

Es interesante que Dios haya hecho que nuestros cuerpos puedan sanar de sus heridas, y también que puedan cicatrizar. Puede ser que simplemente sea el resultado del pecado el hecho de que no regeneramos nuevo tejido en forma perfecta, pero no resiento esas pequeñas protuberancias y marcas. Me recuerdan mis errores. Despiertan el recuerdo de eventos pasados, y proveen lecciones visuales para mis hijos. Cuando ellos preguntan, "¿Cómo te hiciste eso?", me da la oportunidad de compartir experiencias que pueden ahorrarles problemas futuros.

Hay otras clases de cicatrices —las emocionales, que no se pueden ver— que también llevamos con nosotros. Muchas cicatrices emocionales tampoco se sanan en forma perfecta, sino que dejan un tenue trazo como un recuerdo triste de errores pasados. Pueden haber sido causados por extraños, amigos, o aún miembros de la familia. Y quizá usted piense si alguna vez esas cicatrices se podrán quitar. Dios sana todas las cicatrices, y transforma un corazón de piedra en un corazón de carne (Eze. 11:19). Y en la segunda venida, no solamente tendremos cuerpos nuevos y perfectos, sino que también desaparecerá el dolor y la tristeza de esta vida, porque el versículo de hoy nos asegura: "Enjugará Dios toda lágrima de los ojos de ellos".

Reflexione: ¿Qué lecciones ha aprendido usted de las cicatrices que hay en su vida y que la han hecho una persona mejor?

¡Tire su abrigo!

*Y Jesús le dijo: 'Vete, tu fe te ha salvado'. Y enseguida
recobró la vista. Y seguía a Jesús en el camino.* <u>Marcos 10:52.</u>

Bart era ciego, y se había convertido en un mendigo profesional en las puertas de Jericó. Hacía más ruido que una docena de mendigos normales, y muchos deseaban que hubiera padecido de mudez en lugar de ceguera. Bart sobrevivía por la generosidad de los mercaderes que pasaban, los cuales a su vez eran despojados por los recolectores de impuestos. "No le dé todo a los ladrones de Roma", gritaba Bart. "Den al que realmente necesita. Ayuden al viejo Bart. Vamos, cada monedita ayuda a comprar una comida para un ciego viejo".

Todos los días era lo mismo. Hasta que Jesús vino a la ciudad. Las historias llegaban antes que él. "Jesús —decía la gente— devuelve la vista a los ciegos". Era una historia increíble, pero valía la pena creerla. Así que Bart comenzó a gritar para que Jesús se percatara de él y "tuviera misericordia". ¡Fuerte, más fuerte, aún MÁS FUERTE! Hasta que todo el mundo pidió a gritos que se callara. Todos menos Jesús.

En lugar de unirse a la muchedumbre que deseaba silenciarlo, Jesús le habló al ciego. Bart tiró su abrigo y se puso de pie de un brinco y fue hacia Jesús (Mar. 10:50). ¿Se despojó de su abrigo? Eso es como si un mendigo sin hogar entregara la bolsa con sus pertenencias; como si un artista entregara sus pinceles; como si un programador tirara su computadora portátil; o como un pescador que dejara su red. El abrigo de Bart era todo lo que tenía. Era donde guardaba su dinero y la carne seca que comía. Sin ese abrigo moriría de hambre. Y como era ciego, si lo dejaba, nunca podría recuperarlo. ¿Dejar su abrigo? ¡Nunca!

Pero así lo hizo. Poniendo su abrigo de lado, fue hacia Jesús. El Sanador lo había llamado, y su voz prometía nueva vida —OJOS— para Bart, el ciego. Nada podía aquietar al mendigo, ni detenerlo ni obstaculizar su salto hacia un futuro lleno de visión; ni siquiera su posesión más atesorada. No debía haber nada entre Bart y su Salvador.

Ése es el mismo requisito para todos nosotros, el verdadero costo de aceptar el don de Dios para una sanidad completa, para la promesa de una nueva vida. Debemos volvernos totalmente hacia el Salvador, dejar nuestros "abrigos" y permitir que él reestructure nuestros valores. Él promete cambiar nuestra sordera por audición, nuestra debilidad en energía, nuestra ira en amor, nuestra lata en oro, nuestra ceguera en visión. Él está llamando. Tira tu abrigo. Salta hacia la voz que ofrece nueva esperanza.

¿Hay alguna cosa que le esté deteniendo de correr hacia donde Jesús está?

Reforzando la guardia

¿No sabéis que sois templo de Dios, y que el Espíritu de Dios mora en vosotros? 1 Corintios 3:16.

Los invasores rodean el templo sagrado. Silenciosamente, toman sus posiciones de ofensiva y se preparan para atacar. Ellos no se dan cuenta de que van a perder la batalla que se avecina debido a un equipo altamente entrenado de linfocitos que están de guardia ante la primera señal de invasión. Siempre listos a movilizar sus fuerzas y a combatir a los invasores, los linfocitos patrullan el templo sagrado. Aunque no pueden impedir las invasiones, sí pueden enfrentarlas. Imagine que usted es el templo sagrado. Solamente si sus células de combate están alertas usted podrá ganar cada batalla.

Todo lo que debilite su energía, circulación, salud, vitalidad, perspectiva y percepción proporciona ventaja a los invasores. Los contaminantes, los productos químicos, el azúcar y el estrés asaltan constantemente el equipo de defensa de su organismo. Sus enemigos —las bacterias, los virus, las células cancerígenas, los hongos— asaltan su cuerpo a través de cualquier orificio: la boca, los ojos, la nariz, una herida abierta, o aún los poros de la piel. ¿Cómo enfrentará usted el próximo asalto? ¿Perderá la batalla contra la gripe, el resfrío o la infección bronquial? ¿O bien usted tomará el mando y peleará? Todo depende de cuán sano esté su sistema inmunitario. He aquí algunas cosas que le pueden ayudar a mejorarlo:

Mantenga la guardia de su sistema inmunitario en perfecto estado con un estilo de vida y una mente sanos. Rodéese de risas, optimismo, fe y buenas relaciones.

A la primera señal de resfrío (en los primeros diez a veinte minutos) refuerce su guardia tomando una dosis saludable de algunos reforzadores naturales del sistema inmunitario: equinacea, vitamina C, ajo (mejor si es crudo) y zinc son los más comunes.

El oxígeno y la luz del sol matan los gérmenes. Pase algunos minutos respirando aire tibio y exponiendo su cara o su piel al sol. Si no puede salir al aire libre, por lo menos abra una ventana por unos minutos para refrescar el aire interior viciado, abra las cortinas y deje que penetre la luz del sol.

Beba mucha, mucha agua —pero limite los jugos de frutas dulces porque el azúcar disminuye el poder del sistema inmunitario. En vez de ello, se recomienda pelar una naranja dejando suficiente cutícula blanca, licuarlo en un poco de agua y beberlo. Coma poco. Su sistema defensivo funciona mejor cuando la energía del cuerpo no se concentra en el sistema digestivo. Tome unas cuantas pastillas de carbón entre comidas.

Y no olvide los beneficios de la hidroterapia. Tome una ducha caliente, seguida de un corto y estimulante enjuague con agua fría. Repítalo varias veces y sienta el efecto en su circulación.

Dios le ha dado un increíble poder sobre los tóxicos del organismo y del ambiente que invaden su "templo". ¡Utilícelo!

Solamente orando

Hasta que anuncie… tu justicia, oh Dios, hasta lo excelso.
Tú has hecho grandes cosas; oh Dios, ¿quién como tú? Salmo 71:19.

"Oh, ¿qué haremos?", pensó Pamela. Mientras ella continuaba expresando su preocupación, le conté cómo antes yo permitía que la preocupación y la ansiedad me controlaran, hasta que aprendí que tal cosa dañaba mi cuerpo.

"Sé que tienes razón —respondió Pamela—. Estoy dañando mi cuerpo. ¿Pero cómo puedo cambiar?"

Para mí, el primer paso fue reconocer y admitir que "yo" tenía un problema. Una película donde se mostraba lo que hace el estrés —baja el sistema inmunitario abriendo el camino a toda clase de enfermedades— me ayudó a comprender que la preocupación no debía ser parte del plan de mi vida, ¡y que ciertamente tampoco era el plan de Dios para mí!

En lugar de permanecer sentada preocupándome, aprendí a controlar mis sentimientos. Cuando siento que una preocupación negativa quiere penetrar en mis pensamientos, salgo a caminar. Si estoy en el trabajo, me tomo un descanso y camino hasta que logro eliminar esos sentimientos negativos. Si estoy en casa, camino afuera. Hubo un tiempo en que tenía una máquina caminadora que usaba para hacer ejercicio y quitarme los pensamientos negativos.

"Pero —le dije a Pamela— encontré algo mejor que caminar. La mejor manera de reducir mis sentimientos negativos es orar". Pamela comentó: "Pero Dios está tan lejos, ¿cómo puede él ayudarme aquí abajo?"

Entendí lo que Pamela quería decirme. Le expliqué que Dios está lejos físicamente, pero al mismo tiempo la experiencia me ha enseñado que está al alcance de mi oración.

A la mañana siguiente, oré que al leer los tres o cuatro capítulos de la Palabra de Dios que acostumbro, pudiera encontrar una respuesta para la pregunta de Pamela. Encontré la primera parte de la respuesta en el Salmo 71:3: "Sé para mí una roca de refugio, adonde recurra yo continuamente". Al acercarnos a él se acorta la distancia entre él y nosotros. Se crea un puente sobre el abismo cuando Dios se acerca a nosotros con su hueste celestial. El Salmo 103:19-22 dice: "Jehová estableció en los cielos su trono, y su reino domina sobre todos. Bendecid a Jehová, vosotros sus ángeles, poderosos en fortaleza, que ejecutáis su palabra… Bendice, alma mía, a Jehová".

¿Por qué preocuparnos si Dios nos ha prometido proporcionarnos refugio cuando se lo pedimos, y hasta envía a sus ángeles para suplir nuestras necesidades? Él sólo espera su pedido para satisfacerlo. "¿Quién, oh Dios, como tú?"

Dios hará su parte para acercarse a usted. ¿Está usted haciendo la suya acercándose a él en oración?

El alma que se encoge

Porque el Señor mismo con voz de mando, con voz de arcángel, y con trompeta de Dios, descenderá del cielo; y los muertos en Cristo resucitarán primero. 1 Tesalonicenses 4:16.

A medida que los científicos examinan más y más profundamente las reacciones bioquímicas dentro de nuestro cerebro, dudan cada vez más de la noción de un alma como una entidad separada. Y aquellas personas, cristianas o no, que creen en el alma como la garantía de vida inmortal sienten que su esperanza se ve amenazada.

Francis Crick, quien junto con James Watson descubrió la doble estructura del ADN hace 50 años, dedicó muchos años a investigar la conciencia, en parte con el propósito de desaprobar la noción del alma. Crick, quien cuenta actualmente con 86 años, declara que él y otros investigadores han encontrado un núcleo de células que abarca desde la parte posterior hasta la parte frontal de la corteza. Éstas son las responsables de generar la conciencia y el sentido de uno mismo. Debido a esto, Crick piensa que "un día toda la humanidad aceptará que el concepto de alma y la promesa de vida eterna son un engaño, así como ahora aceptamos que la tierra no es plana". Esta declaración es parcialmente correcta y parcialmente incorrecta.

Lo correcto es que el concepto del alma es un engaño. No tiene base bíblica. Las Escrituras enseñan que somos seres completos, con cuerpo, mente y alma inseparablemente unidos. El relato de la creación establece esta realidad: "Entonces Jehová Dios formó al hombre del polvo de la tierra, y sopló en su nariz aliento de vida; y fue el hombre un ser viviente" (Gén. 2:7). Adán no recibió un alma, él *se convirtió* en un alma cuando Dios sopló en su nariz aliento de vida. Y cuando ese aliento de vida cesa —cuando muere— su existencia cesa.

Lo incorrecto es que la promesa de vida eterna no es un engaño. Si dependiera de un alma inmortal —idea que no proviene de la Biblia sino de la antigua filosofía griega— sería una mentira cruel. Pero no depende de eso. Sino que proviene de Jesucristo, el conquistador del pecado y la tumba, el que murió en la cruz pero vive para siempre y quien nos asegura: "Porque yo vivo, vosotros también viviréis" (Juan 14:19).

La noción de la resurrección está más allá del razonamiento humano. Nada —¡nada!— continúa más allá de la tumba. Pero en la memoria de Dios nada se pierde: nosotros "dormimos" seguros en él. Y cuando el Señor regrese nos levantaremos de los muertos como seres nuevos, con cuerpos nuevos que conservarón nuestras características personales, puestas allí por los dedos amorosos de un Padre amante. La idea de la resurrección desafía nuestro razonamiento. También desafiaría nuestra fe a no ser por un hecho: ¡Jesús lo hizo! ¡El murió y se levantó otra vez! Y también lo haremos nosotros.

Gracias, Señor, por tu promesa de la resurrección y de que viviremos como seres humanos completos para siempre contigo.

Demasiado no es lo mejor

*Tomó, pues, Jehová Dios al hombre, y lo puso en el huerto
de Edén, para que lo labrara y lo guardase.* Génesis 2:15.

Me encanta trabajar en el jardín, pero es un trabajo duro. Creo que ésa es la razón por la cual Dios colocó a Adán y Eva en un jardín y les dijo que lo cuidaran. Él sabía que los seres humanos necesitan hacer ejercicio. La evidencia sigue acumulándose: el ejercicio reduce el riesgo de cáncer. En once estudios que relacionaron al ejercicio con el cáncer de seno, aproximadamente la mitad mostraron evidencias del efecto protector del ejercicio.

En un estudio longitudinal con más de 17.000 ex-alumnos de la Universidad de Harvard, los investigadores encontraron que los que tenían sobrepeso desde jóvenes y en los primeros años de su etapa adulta, tenían un riesgo más elevado de contraer cáncer de colon. Los investigadores concluyeron que el ejercicio incrementa el sistema de inmunológico.

En un estudio, en el que participaron aproximadamente 86.000 enfermeras, se demostró que el ejercicio redujo el riesgo de cáncer de colon casi a la mitad. Cuanto más tiempo pasamos sentados, tanto mayor es el riesgo de tener cáncer de colon o del recto.

Nueve de los diecisiete estudios sobre la relación entre el ejercicio y el cáncer de próstata demostraron que el ejercicio fue beneficioso al disminuir el riesgo de cáncer de próstata.

¿Por qué ayuda el ejercicio a reducir el riesgo de cáncer? Generalmente previene el sobrepeso—y el sobrepeso está asociado con el cáncer. El ejercicio mejora la respuesta del organismo a la insulina. El ejercicio ayuda a mover la comida más rápidamente por los intestinos, lo cual da a los carcinógenos menor tiempo para actuar. El ejercicio reduce la producción de estrógeno que está vinculado con el cáncer de seno.

Pero como sucede con todas las cosas buenas, no es saludable llevarlo al extremo. David Nieman, mientras estuvo en la Universidad de Loma Linda, demostró que caminar a paso rápido durante 45 minutos, cinco veces por semana durante 15 semanas incrementaba la actividad de las células responsables de atacar a los virus y otras malignidades en las células del cuerpo.

Sin embargo, la actividad de las células defensoras disminuyó entre el 25 y 46% al correr por tres horas y este efecto persistió durante 21 horas. En el maratón de Los Ángeles, en 1987, el 13% de los corredores experimentó resfríos y gripes en la semana posterior a la competencia, comparado con sólo el 2% de aquellos que se entrenaron pero no llegaron a participar en la carrera.

¡Qué privilegio poder obtener conocimientos científicos acerca de cómo mantenernos saludables!

Gracias, Dios, por ayudarme a aprender lo que es mejor para mí. Dame ahora la fuerza de voluntad para levantarme y ejercitarme. Necesito mantenerme sano. Amén.

Mi resurrección espiritual

Porque el Señor mismo con voz de mando, con voz de arcángel, y con trompeta de Dios, descenderá del cielo; y los muertos en Cristo resucitarán primero. 1 Tesalonicenses 4:16.

El suicidio de mi madre devastó mi vida. Mi primera reacción fue de estupor, luego de negación, mas tarde de enojo: ¿Cómo pudo ella hacerme esto a mí? ¿A mis hijos? Luego de culpa: ¿Por qué no hice algo más?

Al tratar de reorganizar mi vida, cuestioné el papel de Dios en el sufrimiento de mi madre (ella era maníaco-depresiva), y en su decisión de terminar con su vida. Ciegamente, sólo vi dos opciones: 1. Dios no cumplió su promesa de no dejar que mi madre tuviera una tentación más allá de lo que ella pudiese soportar; 2. mamá simplemente erró. Cualquiera de las dos era una situación de pérdida. O Dios, o mi madre erraron, y esta conclusión casi destruyó mi relación con Dios.

Durante el siguiente año o dos, realmente luché con mi vida espiritual. En retrospectiva, pienso que era una combinación de mi vida espiritual relativamente estéril antes de la muerte de mamá, su suicidio y las preguntas que surgieron en mi mente sobre el rol de Dios en nuestras vidas, así como el hecho de asistir a una iglesia local grande e impersonal donde no tuve un grupo de apoyo que me escuchara, me animara y reforzara en mí la verdad de que Dios nos ama y es Satanás el que destruye.

Me da vergüenza decir que casi renegué de Dios. Seguí asistiendo a la iglesia, pero en realidad lo hacía por los niños. Yo sabía en mi corazón que aún cuando estaba en una lucha interior, aún creía en un Dios con quien quería que mis hijos se relacionaran. Yo no quería que ellos crecieran sin ir a la iglesia por causa mía.

Antes de tomar la decisión final de dejar a Dios, me propuse leer e investigar un poco más. Leí un libro de Philip Yancey, *¿Dónde está Dios cuando duele?* el cual realmente me ayudó a ver lo bueno a mi alrededor. Mi familia también comenzó a asistir a una iglesia con pocos miembros donde participé y encontré amistades que me aceptaron incondicionalmente, también asistía a sesiones de terapia. Todas estas cosas me ayudaron a comenzar a reordenar mi vida.

Durante los últimos cinco años he vuelto a renacer espiritualmente. He sido beneficiado por cuatro grupos pequeños (un grupo secular de recuperación y tres grupos espirituales). Mi vida devocional y de oración ha sido más significativa y he estado más activo en la iglesia. Ha sido maravilloso, ¡algo así como mi propia resurrección espiritual! Me pregunto por qué me llevó tanto tiempo (treinta años) conectarme con Dios.

Dios, eres tan bueno. Tienes hombros fuertes y amplios donde me puedo recostar cuando me siento débil. Tú me escuchas pacientemente cuando te cuestiono a ti y a tus caminos —y sin embargo me amas. ¡Muchas gracias!

El pecado post-traumático

El siguiente día vio Juan a Jesús que venía a él, y dijo: 'He aquí el Cordero de Dios, que quita el pecado del mundo'. Juan 1:29.

El estrés post-traumático es el nombre clínico que se le da a un síndrome especial. Lo experimentan aquellos que mucho tiempo después de una crisis siguen sufriendo alteraciónes permanentes del sistema nervioso.

Jack era un típico veterano de Vietnam de la década de los 80: pelo largo hasta los hombros, vestido con ropa de combate y botas, de mirada penetrante y en extremo vigilante; con una exagerada reacción ante los ruidos fuertes, incapaz de estar sentado tranquilo y aislado socialmente. Jack se había sometido a un tratamiento antialcohólico y permaneció sobrio durante tres años. Luego, en el aniversario de la ofensiva Tet 1968, volvió a beber hasta que quedó inconsciente, esperando poder morir, junto a sus recuerdos. Ahora, dos semanas más tarde, sentía remordimiento por haber caído otra vez, pero continuó sintiendo deseos de suicidarse y por eso me vino a ver.

Jack habló detalladamente sobre la pérdida de su mejor amigo, quien murió en sus brazos; de la destrucción que ellos causaron en una villa donde sabían que se escondían militares de Vietnam del Norte, y de la ocasión cuando automáticamente le disparó a una niñita que corría hacia un grupo de soldados enemigos con una mochila cargada de municiones. A veces lloraba inconsolablemente, compartiendo sus intensos sentimientos de culpa, ansiedad, enojo y dolor. El hecho de que había sido entrenado para odiar y destruir seres humanos, así como su experiencia en horribles escenas de combate, habían penetrado profundamente en su alma y lo habían marcado de por vida.

Jack evitaba todo contacto con la sociedad en general, vivía en una cabaña remota, cerca de las montañas y no había podido trabajar en los últimos siete años, apenas pudiéndose mantener con el escaso cheque que recibía. Insistí en que debía comenzar a asistir de nuevo al grupo de Alcohólicos Anónimos.

Al igual que los veteranos afectados por el combate, nuestro sistema nervioso se altera permanentemente con nuestros encuentros con el pecado. Cuando participamos del pecado no podemos volver atrás para borrar la impresión en las neuronas del cerebro. Jack no tuvo otra alternativa respecto a su experiencia en la guerra. Sin embargo, a diario en nuestras vidas nosotros *podemos* elegir rechazar la tentación. Así como el pecado que cometemos se registra permanentemente en nuestro cerebro, así también pasa con el pecado que resistimos. Podemos seguir adelante, con la fuerza de Dios, más cerca de él cada día, cerrando un poco más la puerta al mal.

¿Ha pedido hoy a Jesús que le quite sus pecados y lo mantenga alejado de la tentación? Jesús es el único camino para poder evitar el síndrome post-traumático del pecado.

Nuestro maravilloso Diseñador

Te alabaré, porque formidables, maravillosas son tus obras;
estoy maravillado, y mi alma lo sabe muy bien. Salmo 139:14.

El ojo es un ejemplo de exquisito diseño. La luz viaja a través de la pupila hacia la retina situada en la parte posterior del ojo y queda registrada químicamente en los conos y en los bastoncitos que transmiten la imagen por medio de nervios a la parte posterior del cerebro. Es en el lóbulo posterior (occipital) del cerebro donde "vemos". La facultad de ver es increíblemente compleja.

Los procesos químicos que sirven de base a la visión son tan importantes como los nervios. Si una imagen se mantiene estacionaria en la retina, los fotorreceptores participantes (los conos y bastoncitos) muy pronto quedarían químicamente fatigados, y la imagen se esfumaría. Los movimientos del ojo, microscópicamente pequeños y rápidos, garantizan que se registre una imagen en un conjunto de células hasta que éstas se fatigan químicamente y luego se moviliza hacia otro conjunto, mientras las primeras células se restauran. Los ojos en realidad nunca están realmente quietos. El movimiento a nivel celular constantemente pasa por la retina, permitiendo que la vista sea procesada químicamente por nuevos fotorreceptores. Los músculos exteriores (extrínsecos) del ojo hacen posible estos movimientos.

Cada ojo cuenta con tres pares de músculos elásticos y tensos. Al igual que otros músculos del cuerpo, cada músculo ocular tiene su contraparte para empujar al ojo en diferentes direcciones. Entre ellos, hay seis músculos que permiten el movimiento del ojo en todas direcciones. Cada músculo ocular se origina en el hueso de la fosa ocular y se adhiere al globo del ojo detrás de la pupila. La constante tensión contribuye a que estos músculos oculares sean los más rápidos y exactos del organismo. Son capaces de coordinar siete movimientos con lo que proveen a los seres humanos un sistema de información avanzado. Además de los movimientos invisibles y microscópicos de célula a célula, estos músculos nos permiten mantener una visión binocular —la habilidad de visualizar profundidad y distancia.

Un músculo ocular importante es el oblicuo superior, el cual sólo puede funcionar por virtud de que posee un tendón que pasa por un crecimiento óseo que actúa como una polea. Esto permite que el músculo sea activo a un ángulo de casi noventa grados. El ojo y su control químico y neuromuscular es probablemente el mejor ejemplo de diseño de un Dios creador. No podría haber evolucionado como resultado de cambios evolutivos al azar.

Aunque de acuerdo con 1 Corintios 13:12 vemos "oscuramente", ¡qué glorias podemos anticipar en la Tierra Nueva cuando nuestro maravilloso Diseñador nos dé una "visión total"!

Mire alrededor todas las cosas maravillosas que Dios ha hecho. Piense en cómo Dios ha diseñado sus ojos para que usted pueda verlas. ¿No siente el deseo de levantarse y gritar, "Gloria a Dios"?

Cambiar los hábitos de la dieta

Os daré corazón nuevo, y pondré espíritu nuevo dentro de vosotros. Ezequiel 36:26.

Mamá era una excelente cocinera y hacía las mejores tortillas de harina blanca. Un mediodía vinimos de trabajar en el campo y nos sentamos ante una deliciosa comida. Cuando fuimos a buscar las tortillas y las destapamos, nos quedamos disgustados. Eran oscuras y duras. ¡Qué horror! Teníamos hambre. ¿A quién se le ocurriría usar un cuero de zapato como estas horribles tortillas como alimento?

Le lanzamos insultos airados a mamá quien amorosamente nos había ofrecido lo mejor que ella sabía hacer. Ella había leído que la harina integral era mejor que la harina blanca, aún cuando la costumbre arraigada es usar las tortillas de harina blanca.

Pobre mamá, ella tuvo que soportar a una familia que tendría que haberle agradecido por su amor. Lamentablemente, no dudo que haya llorado a solas en su cuarto. Qué brutalidad exhibimos. ¡Ni quiero pensar en ello!

Pero mamá era muy sabia, no iba a sucumbir ante nuestra necia insensatez. Ella con alegría volvió a hacer tortillas de harina blanca. Pero un día puso un poquito de harina integral en la masa. Cuando vimos pequeñas manchas marrones en nuestras tortillas favoritas de harina blanca, levantamos inmediatamente un grito de protestas. Pero como teníamos hambre, y las tortillas en realidad no eran diferentes de las usuales, comenzamos a comerlas de mal humor. Durante algún tiempo después de este incidente, comimos las mismas tortillas con algunas manchas marrones, aún cuando a veces nos quejábamos un poco.

Luego vino el día cuando vimos más manchas marrones que antes, aunque no eran diferentes de las anteriores. Otra vez se levantó una oleada de protestas. Pero nuevamente teníamos mucha hambre y las comimos en medio de protestas. Unos días más tarde las tortillas eran aún más oscuras que antes. Esto continuó por un largo tiempo hasta que mamá nos tenía comiendo las mejores tortillas del pueblo y las más nutritivas. Y ahora nos sabían deliciosas. Dios fue sabio al elegir una madre amorosa que estuvo dispuesta a soportar las protestas de una familia que no mostró cortesía ni agradecimiento.

Hoy día, una tortilla de harina blanca me sabe insípida y gomosa. Lleva tiempo cambiar los hábitos en la dieta, pero cuando hay amor, se pueden cambiar aun los hábitos culturales más arraigados. Los hábitos de la dieta son los más difíciles de cambiar, pero podemos elegir hábitos nuevos.

¡Anímese! Un cambio saludable en la dieta es sólo una muestra de los cambios transformadores que Dios desea realizar en nuestras vidas, si se lo permitimos.

¿Está usted dispuesto a efectuar los cambios que Dios quiere introducir en su vida?

No es como usted camina

Oh hombre, él te ha declarado lo que es bueno, y qué pide Jehová de ti: solamente hacer justicia, y amar misericordia, y humillarte ante tu Dios. Miqueas 6:8.

En 1978, Carol Schuller perdió una pierna en un accidente de motocicleta. Tenía el cuerpo quebrantado, pero su espíritu lleno de valor la sostuvo a lo largo de siete meses de hospitalizaciones, alimentación intravenosa, venas colapsadas, y una infección generalizada que puso en peligro su vida. Más tarde, como una persona "incapacitada", siguió luchando para volver a sentirse normal y completa.

A Carol le gustaba jugar softbol, así que durante el verano posterior a su accidente se anotó en el equipo. La pierna artificial que le habían adherido justo abajo de la rodilla era tan rígida que apenas podía doblarla. Ni pensar en correr. Cuando se le preguntó cómo esperaba jugar softbol cuando no podía correr, ella respondió: "¡Cuando uno da jonrones, no hay que correr!" En esa temporada ella dio suficientes jonrones para justificar su puesto en el equipo.

Luego de seis cirugías posteriores a la primera amputación, Carol comenzó a esquiar y ganó una medalla de oro para calificar en el equipo de esquiadores que participarían en el Campeonato Nacional de Esquí en 1983.

Cuando Carol tenía 17 años, la familia Schuller se fue en un crucero a las islas de Hawaii. El clima era hermoso y Carol no tenía vergüenza de que la vieran en pantalones cortos o en traje de baño, aún cuando sabía que la gente la miraba y se preguntaba qué le habría sucedido.

Durante la última noche en el crucero hubo un programa de talentos. Carol subió a la plataforma en un hermoso vestido largo y dijo: "Yo realmente no sé qué es tener talento, pero pensé que ésta sería una buena oportunidad para darles algo que les debo —una explicación. Tuve un accidente de motocicleta. Casi morí. Tuvieron que amputarme una pierna debajo de la rodilla, y más tarde, la amputaron en la rodilla. Pasé siete meses en el hospital con antibióticos intravenosos para luchar contra la infección. Sí, tengo un talento, es éste: durante ese tiempo, mi fe fue muy real para mí. Yo miro ahora a las chicas que caminan sin cojear, y deseo caminar de esa forma. Pero no puedo, y esto es lo que he aprendido: *no es cómo caminas lo que cuenta, sino quien camina contigo y con quien tú caminas*".

Hizo una pausa y luego dijo: "Quisiera entonar una canción sobre mi amigo, mi Señor". Y cantó el himno que comienza: "Él anda conmigo, y él habla conmigo".

No hubo quien no llorara entre los asistentes.

Sin importar lo que le haya acontecido, al igual que Carol, usted puede soportarlo y convertirlo en algo mejor. Como a menudo dice Robert H. Schuller, el padre de Carola: "Los tiempos difíciles nunca perduran, pero las personas fuertes sí perduran".

¿Qué le gustaría ser mañana?

Si oyes atentamente la voz de Jehová tu Dios, e hicieres lo recto delante de sus ojos, y dieres oído a sus mandamientos, y guardares todos sus estatutos, ninguna enfermedad de las que envié a los egipcios te enviaré a ti; porque yo soy Jehová tu sanador. Éxodo 15:26.

Mi experiencia con pacientes de SIDA se puede resumir en tres casos: el primero fue un hombre con úlceras pépticas (estomacales). Era una persona sumamente estresada y varias veces vino a verme porque le dolía el estómago. Antes de convertirse en mi paciente había tenido una hemorragia y recibido una transfusión. Entonces no existía la preocupación por una infección con VIH (Virus de Inmunodeficiencia Humana), así que no se examinó la sangre. Diez años más tarde esta persona desarrolló SIDA y en seis meses murió.

El segundo caso era el de un drogadicto que se inyetó heroína durante muchos años. Cuando vino a mi oficina estaba realmente motivado a comenzar una nueva vida, pero era demasiado tarde. Un análisis de laboratorio confirmó que era positivo al virus del SIDA. Salió de mi oficina y volvió a los dos o tres meses con una tremenda infección en un brazo que se veía azulado: una señal de que había vuelto a las drogas. Fue la última vez que lo vi.

El tercer paciente era un buen cristiano que vino a verme para hacerse un examen físico. Sólo una cosa me preocupaba: algunos nódulos en el costado izquierdo de su cuello. Los examiné y le pedí que se hiciera unos análisis clínicos. ¿El resultado? Positivo al virus del SIDA. Al conversar con el paciente descubrí que era homosexual. Sin embargo, cinco años antes había aceptado a Cristo y dejado ese estilo de vida. A no ser por un milagro, probablemente él esté muerto ahora.

Estos tres casos representan las tres formas principales en que se disemina el SIDA: por la sangre, las drogas, y el sexo. Pero lo importante es que estos tres hombres podrían estar vivos y sanos hoy día si hubieran basado su actitud y su conducta en los mandamientos de Dios. Si nosotros vivimos como Dios dice que debemos vivir, no habría necesidad de sentirse agobiados por el enojo o el amargo resentimiento que a menudo causan las úlceras; ni tampoco la gente se involucraría en drogas o en una conducta sexual auto-gratificante.

Éxodo 15:26 lo resume apropiadamente. Si observamos los mandamientos de Dios, "ninguna enfermedad" de éstas caerán sobre nosotros. Lo que Dios ha prometido hacer por su pueblo no era algo complejo, milagroso o sobrenatural. Simplemente Dios está diciendo: "Yo te formé y sé lo que es bueno para ti. Sigue mi receta para tener salud, porque la forma en que tú elijas vivir tu vida hoy afectará tu vida mañana".

¿Está usted viviendo hoy pensando en lo que le gustaría ser mañana?

Él aún tiene cuidado

Humillaos, pues, bajo la poderosa mano de Dios,
para que él os exalte cuando fuere tiempo; echando toda vuestra
ansiedad sobre él, porque él tiene cuidado de vosotros. 1 Pedro 5:6,7.

Era el mes de julio de 1995. Mi hija de 10 años estaba en una cama de hospital con 19 tubos y conexiones adheridos a un cuerpo sumamente afiebrado. Los médicos le habían inducido un estado de coma debido al golpe severo que había recibido en la cabeza al caerse de un caballo.

Los doctores estaban muy preocupados porque ella tenía un hematoma del tamaño de un limón en el lado izquierdo del cerebro. Estaban preocupados porque la presión interna del cráneo era alta y seguía subiendo. Los médicos y enfermeras procuraban desesperadamente disminuir esa presión interna aumentando la dosis de manitol, pero todo era en vano porque la presión seguía creciendo. Sus rostros denotaban preocupación cuando chequeaban la presión.

Mientras tanto yo oraba: "Señor, te ruego que salves a mi hijita y que no permitas que su mente se deteriore". Entonces recordé las palabras del Salmo 71:1: "En ti, oh Jehová, me he refugiado; no sea yo avergonzado jamás".

De pronto sentí que alguien tocaba mi hombro, era mi amiga Cindy Keenan. Ella vio la desesperación reflejada en mi rostro y notó que el nivel de presión estaba muy alto. Me miró y dijo: "Nicole, cantemos el himno favorito de Nicky".

Cindy y yo estábamos a ambos lados de la cama y comenzamos a cantar suavemente:

"Te entrego toda mi ansiedad; pongo mis cargas a tus pies,/ Y cada vez que no sepa qué hacer, te entregaré toda mi ansiedad".

Levanté la cabeza y no pude creer lo que vieron mis ojos. La presión estaba disminuyendo más y más, hasta que llegó al nivel más bajo de lo que nunca había estado. Cuando las drogas, en este caso, el "manitol", fallaron, el Creador entró en escena.

A Nicky le ha ido excepcionalmente bien en sus estudios. Ella se preocupa por los demás y tiene muchos amigos. El director de su escuela afectuosamente la llama la mariposa social. Yo le he contado vez tras vez que Dios tiene un plan especial para ella y le agradezco a él que su mente esté sana. Unos años atrás recibió una gratificación por compartir su historia en la edición de diciembre de 1998 en *Children's Mission* (Misión Niños).

No sé lo que le reserva el futuro, pero lo que sé es que Dios obra milagros cuando le entregamos nuestras preocupaciones.

Si hoy usted tiene problemas y preocupaciones, quizá es el momento para entregárselos al Señor, porque él tiene cuidado de usted.

Aceptación de la verdad

Procura con diligencia presentarte a Dios aprobado, como obrero que no tiene de qué avergonzarse, que usa bien la palabra de verdad. 2 Timoteo 2:15.

Después de comenzar su ministerio en Capernaum, Jesús retornó a Nazaret para predicar en la sinagoga de su pueblo. Sus vecinos se ofendieron. ¿Cómo podía ser que el hijo de un pobre carpintero, un autodidacta, se atreviera a dirigirles la palabra en la sinagoga? Se sentían tan ofendidos por su presunción que decidieron despeñarlo por un precipicio. Este rechazo indujo a Jesús a pronunciar con tristeza su frase ahora famosa: "Ningún profeta es acepto en su propia tierra" (Luc. 4:24).

Cuando alguien informa sobre investigaciones científicas, debe resistir la tentación a poner énfasis únicamente en el nuevo conocimiento o realización que ha logrado, sin dar crédito a los esfuerzos de aquellos pioneros que pusieron el fundamento que hizo posible el nuevo descubrimiento científico o tecnológico.

La Dra. Winea Simpson estableció un precedente pero recibió poco reconocimiento por ello. En la década de los 50 comenzó a reunir material acerca de los hábitos de fumar en las madres y su relación con los partos prematuros. Por primera vez en la historia, sus resultados establecieron un nexo entre ambos. Aunque sus resultados se publicaron en revistas científicas reconocidas, ella obtuvo muy poco reconocimiento.

"¿Quién es esta mujer? —se preguntaban los investigadores médicos—. Es una egresada de la facultad de medicina de un pequeño colegio religioso (ahora conocido mundialmente como la Universidad de Loma Linda). ¿Cuál es su especialidad? ¿Cómo puede pretender entrar en la atmósfera exclusiva del mundo de la investigación? ¿Quién es ella para enfrentarse al hábito favorito de los Estados Unidos?" Hacia la década de los años 50, fumar había adquirido una popularidad sin precedentes.

Así pasaron los años. La Dra. Simpson se dedicó a otras investigaciones. Veinte años más tarde, los científicos desempolvaron su investigación, repitieron y elaboraron más sus experimentos y confirmaron sus resultados. El Dr. Todd Fraser, renombrado profesor de investigación de la Universidad de Harvard, visitó la Universidad de Loma Linda, y dedicó tiempo para visitar a Winea en su casa antes de que ella falleciera.

¿Podría ser que estemos en peligro de rechazar la verdad de la Biblia debido a que la comunidad cristiana en general está siguiendo la tradición, en lugar de aceptar la nueva luz descubierta por personas que carecen de prestigiosos títulos académicos o las conexiones apropiadas?

¿Hay doctrinas bíblicas que usted ha aceptado porque sus padres o su iglesia le han dicho que son la verdad? ¿No es hora de que comience a hacer su propia investigación para ver lo que la Biblia realmente dice?

Prevención de la anemía emocional

*Antes sed benignos unos con otros, misericordiosos, perdonándoos unos
a otros, como Dios también os perdonó a vosotros en Cristo. Efesios 4:32.*

El amor no puede existir sin expresarse. Ésta es la razón del fracaso de
muchos matrimonios, o de lo que un consejero familiar, el Dr. A. Horowitz,
llama "anemia emocional". La anemia emocional existe cuando una persona no
expresa o acepta sentimientos de aprecio, afecto o intimidad. Si esta condición no
se detecta a tiempo ni se la corrige, la relación interpersonal puede extinguirse.

La siguiente receta protegerá su matrimonio contra la anemia emocional. He
aquí lo que el esposo y la esposa deben diariamente darse el uno al otro:
UNO: Comentario diario de aprecio por algo que el otro diga o haga. DOS:
Felicitaciones cada día. ¡Si es más, mejor! TRES: Abrazos diarios, prolongados y
repletos de significado; no simplemente un pequeño abrazo al salir a trabajar.
CUATRO: Besos. Aquí la variedad es lo que le dará vida. Puede ser un beso al
encontrarse, un beso al pasar, una sucesión rápida de besitos en los labios, un
beso largo y significativo, o un beso apasionado de esos que quitan la respiración.
CINCO: Compartir algo bello: una puesta de sol magnífica, una flor que abre sus
pétalos, un árbol lleno de brotes, la sonrisa de un pequeñín, una pareja de ancianos que caminan de la mano con paso inseguro, una ola que rompe sobre la
costa. SEIS: Recordar un momento especial de su matrimonio o de la ceremonia
nupcial, la alegría de sostener a un bebé recién nacido, la celebración de un cumpleaños, una vacación especial o una reunión familiar, una comida exquisita en
un lugar favorito, o momentos de intimidad cretiva. SIETE: participar juntos en
un momento devocional. Que éste sea un ritual diario anticipado por ambos.
Lean algo especial, canten alabanzas y oren mientras caminan de la mano en su
propio "jardín del Edén". Comenten lo que cierto pasaje bíblico significa para
cada uno y cómo puede afectar su matrimonio y el plan de su vida. No hay nada
que una más significativamente que una esposa y un esposo que orar juntos en
voz alta, mencionándose cada uno por nombre en la oración, a veces sostenién-
dose muy estrechamente.

Usted ha leído siete formas poderosas de nutrir un matrimonio. Pueden
requerir unos pocos minutos en las actividades de cada día —puede ser en
momentos u ocasiones diferentes. Pero nunca dejarán de ser importantes. Si
estas siete medidas preventivas forman parte de su matrimonio, éste nunca enfer-
mará de "anemia emocional".

Y he aquí una promesa: Lo que puede comenzar como una receta diaria se tor-
nará probablemente en una delicia ansiosamente anticipada.

*¿Existen en su matrimonio algunos síntomas de anemia emocional? ¿Hay algo en
esta lista que no ha estado practicando? Si es así, comience hoy a aplicar esta receta.*

¡Con tranquilidad!

Vuestra gentileza sea conocida de todos los hombres. El Señor está cerca. Filipenses 4:5.

¿Qué sucedió realmente con Jim Fixx, el legendario corredor de la década de los 80? Fixx completó veinte maratones; como promedio corría 96 kilómetros por semana y acumuló un total de 56.533 kilómetros corridos. Finalmente cayó postrado por un ataque al corazón a los 52 años de edad. La autopsia reveló que tenía las arterias coronarias prácticamente bloqueadas, y además, cicatrices de dos previos ataques al corazón. ¿Por qué?

La razón se puede resumir en una palabra: moderación o la falta de ella. Pensando que su intensa rutina de ejercicio lo mantendría en perfectas condiciones, él no prestó atención a su dieta.

Dios nos dio cuerpos que pueden tolerar casi cualquier cosa, pero en pequeñas dosis. Sin embargo, aun las buenas cosas pueden ser malas cuando nos sobrepasamos. La buena salud requiere que evitemos los extremos. Las personas longevas observan el principio de la moderación en sus vidas. Generalmente se sirven comidas más pequeñas y más simples. Muchos hacen ejercicio todo el tiempo, pero caminan en lugar de correr. Viven a un ritmo un tanto más lento, sin embargo sienten que logran hacer lo que necesitan. Son personas flexibles que aceptan los gozos y los chascos de la vida como la expresión de la voluntad de Dios.

El Dr. Robert Samp, de la Universidad de Wisconsin, confirmó que todas las personas longevas tienen una actitud y una personalidad conservadora y moderada. Aceptan correr riesgos en forma prudente, pero no aceptan los que son innecesarios o peligrosos.

El Dr. Dean Ornish ha declarado que la mayoría de las enfermedades degenerativas son enfermedades de exceso, causadas por comer una sobreabundancia de comida o de grasas; gratificarse con alcohol, cafeína o cigarrillos; hacer ejercicio en demasía; o desarrollar una respuesta extremadamente estresante ante los eventos de la vida.

Aún se puede ir al extremo en la reforma pro salud. Es posible estar en lo absolutamente correcto y adherirse rígidamente a una dieta y ejercicio, y aún sentirse descontento. ¡Se ha encontrado que quienes detestan el ejercicio pierden la mayor parte de su beneficio!

La moderación preserva la salud, ayuda a mantener el nivel de energía, proporciona la posibilidad de control sobre los sentidos, posterga la ocurrencia de enfermedades y aún elimina algunas, provee un mecanismo de "seguridad" cuando erróneamente adoptamos alguna práctica dañina para nuestra salud, e introduce el equilibrio en la vida.

La moderación requiere de autodisciplina, como decir que no a un segundo plato o acostarse tarde. Pero piense en el resultado: ¡una vida más larga y con más energía!

Señor, ayúdame a vivir una vida balanceada.

Un corazón alegre

El corazón alegre constituye buen remedio;
mas el espíritu triste seca los huesos. Proverbios 17:22.

Tres o cuatro veces por semana camino alrededor de mi vecindario rural. Paso por granjas donde hay caballos, otras con cabras, otras con llamas. El ejercicio es asunto importante para mí, así que para completar mi rutina de ejercicio generalmente tengo que apresurarme para cubrir los seis o más kilómetros que me he propuesto. Después de caminar y correr, suelo sentirme tensa mientras me apresuro para cumplir mi siguiente actividad o cita.

Un día decidí ir más despacio y gozar de mi caminata. Al pasar por la granja donde hay cabras, había tres que estaban paradas como estatuas sobre una antigua mesa rota en el jardín. Me dio risa verlas. Los caballos en la siguiente granja estaban con mucha energía y se perseguían unos a otros con deleite. Sonreí. Me causó gracia la expresión que las llamas tenían cuando me miraron con ojos tristones. Para entonces me sentía tranquila y relajada.

Me hicieron reír las ardillas que corrían a mi alrededor entre los árboles mientras caminaba por el sendero boscoso que da a nuestra casa. Reflexioné cuán diferente me sentía después de esta caminata: tranquila y relajada, lista para compartir mi alegría con otros. ¿Realmente había obtenido algo más de mi ejercicio al experimentar gozo, que al empujarme a mí misma a llegar a la meta de seis o más kilómetros?

La parte del cerebro que nos permite ejercitar, la corteza motora, está a unos pocos milímetros de la parte del cerebro que tiene que ver con el pensamiento y los sentimientos. ¿Será que hay un efecto cruzado? Yo sé que el ejercicio ayuda a combatir la depresión, pero si estamos felices y alegres, ¿será que también sacamos más ventajas del ejercicio? En un estudio realizado en la Universidad de Loma Linda, se puso a 50 estudiantes en un una dieta con un nivel elevado colesterol y luego se eligió un programa de ejercicio que a ellos les gustaba: voleibol, tenis, nadar o correr. Al cabo de tres días, el nivel de colesterol de cada alumno había bajado. Pero cuando se les pidió que hicieran ejercicio en la máquina de trotar, no se evidenció una reducción en el colesterol. Sin el factor de gozo presente no había un beneficio en relación con el nivel de colesterol. ¡Qué interesante!

Creo que esto es lo que Dios quería decir en Proverbios 17:22—que cuando reímos y tenemos alegría, nos sentimos mejor, sacamos más beneficio del ejercicio y nuestro gozo es contagioso. Termina siendo una buena medicina para nosotros, y para las personas con quienes nos relacionamos.

Comencemos hoy una costumbre gozosa: reducir el ritmo de nuestro paso y comenzar a sonreír. Se sorprenderá de ver cuán feliz y bien se sentirá.

Liberarnos del sarro del pecado

Palabra fiel y digna de ser recibida por todos: que Cristo Jesús vino al mundo para salvar a los pecadores, de los cuales yo soy el primero. 1 Timoteo 1:15.

Muchas veces al examinar los dientes a las personas y decirles que tienen caries y problemas en las encías, se muestran muy sorprendidas. "No entiendo —me dicen—, me cepillo con frecuencia los dientes.

Esto me demuestra la influencia de la publicidad. El mensaje sutil es que si usted usa tal o cual enjuague bucal, o pasta dentífrica o cepillo de dientes, ¡no necesita del dentista! Pero esto no es cierto. Y aquí está la razón:

La placa de sarro bacteriano que se forma en los dientes, debido a una dieta inapropiada, es la causa principal de las caries y de la piorrea (enfermedad de las encías). Una de las mejores maneras de estar seguro de tener dientes y encías limpios y sanos, es asegurarse de eliminar el sarro bacteriano.

¿Cómo se sabe si se ha quitado el sarro bacterial de los dientes y encías? ¿Alguna vez ha lavado su auto pensando en que ha hecho un trabajo excelente, hasta que se secó y pudo ver la suciedad que había quedado? ¿Alguna vez le ha pasado lo mismo al lavar las ventanas y ver al secarse que permanecen algunas manchas?

Lo mismo sucede cuando nos lavamos los dientes. Aunque podamos pensar que estamos haciendo un buen trabajo, es muy posible que estemos dejando atrás algunos focos bacterianos.

Una forma en que podemos ver si hemos dejado algo de sarro es teñirlo. Entonces podrá cepillarlo o pasarle hilo dental para quitarlo y dejar los dientes bien limpios. Pero como muy pocos se toman el tiempo de usar un tinte después de cada cepillado, es una buena idea visitar al dentista o la higienista dental cada seis meses, o aún más a menudo si es necesario, para que ellos puedan remover el sarro bacteriano.

El Espíritu Santo es el tinte que muestra la condición de nuestro corazón. Necesitamos la ayuda diaria de Jesús para liberarnos del "sarro del pecado" en nuestras vidas, así como necesitamos cepillar y pasar hilo dental por los dientes en forma diaria. Satanás falsamente publica que no necesitamos a Jesús. Se nos hace creer que podemos solucionar nuestros propios problemas. Satanás a menudo ofrece sustitutos falsos para nuestro gozo y alegría. Mientras tanto, estamos dejando que el sarro del pecado carcoma nuestros corazones, pero solamente Jesús puede quitarlo y limpiarnos espiritualmente.

Señor, examina la condición de mi corazón hoy y remueve el "sarro del pecado" que deteriora mi vida.

Cosechamos lo que sembramos

*No os engañéis; Dios no puede ser burlado; pues todo lo que
el hombre sembrare, eso también segará.* Gálatas 6:7.

He aprendido que la atención fiel a las cosas pequeñas es lo que eventualmente lleva a la salud, la felicidad y el éxito. He aquí una historia que recuerdo cada vez que me siento tentada a pasar por alto las cosas pequeñas:

Una pareja de jubilados pidió a un joven constructor que les construyera una casa. Lo instruyeron cuidadosamente con respecto al modelo que deseaban, e insistieron en el hecho de que aunque sabían que podían ahorrar dinero usando materiales de calidad inferior, ellos querían que solamente se usaran materiales de la mejor calidad.

El constructor, sin embargo, no siguió sus instrucciones. Decidió usar materiales de baja calidad y cobrar un precio alto, pensando que la pareja de ancianos nunca se daría cuenta de la diferencia. De esta manera el podría tener una ganancia monetaria mayor.

Durante el período en que estaba construyendo la casa, el constructor se casó y el nuevo matrimonio a menudo visitaba a la pareja de ancianos.

Poco antes de la fecha que los dueños se iban a mudar a su nueva casa, pidieron al constructor y a su esposa que los visitaran. El anciano caballero explicó que a raíz de que ellos se habían convertido casi en sus hijos. y debido a que aún estaban tratando de afirmarse económicamente, deseaban entregarles la nueva casa como regalo de bodas.

Cuando el caballero, tan generoso, entregaba las llaves al constructor, a éste se le oprimió el corazón y casi lloró. Durante toda la construcción había usado los materiales más baratos. Y ahora esa casa de inferior calidad era suya. Si tan sólo hubiera seguido las instrucciones del anciano. Si tan sólo hubiera sido honrado. Si tan sólo... ¡Pero era demasiado tarde! Mientras vivió en esa casa no le faltó oportunidad de recordar que las pequeñas decisiones que tomó decidieron en última instancia su destino.

Ésta es la fórmula que debemos recordar: las decisiones dan forma a la conducta, la conducta forma los hábitos, los hábitos moldean el cuerpo y el carácter, y todo eso determina el destino final de la persona. Tomemos por ejemplo el cuerpo. Es posible que lo exterior no muestre inmediatamente lo que estamos poniendo en el interior, pero son las pequeñas cosas las que en última instancia hacen la diferencia —como tomar suficiente agua, respirar profundamente, tener suficientes horas de descanso, evitar sustancias dañinas como el alcohol, las bebidas cafeinadas y el tabaco, y comer verduras de hojas verdes en lugar de pastas y bizcochos. ¡Lo que sembramos, en última instancia, recogeremos!

Piénselo: ¿Está usted sembrando hoy lo que en última instancia desea cosechar?

Respire profundamente

Acerquémonos, pues confiadamente al trono de gracia, para alcanzar misericordia y hallar gracia para el oportuno socorro. Hebreos 4:16.

La calidad de su vida depende, en parte, de cuán bien pueda inhalar y exhalar. Si usted es una persona típica, utiliza menos de la mitad de su capacidad pulmonar cuando respira. La respiración superficial e impropia reduce la vitalidad y hace que el metabolismo se retarde, causando fatiga y cansancio. Esto afecta la memoria, la creatividad y la concentración, así como el razonamiento y el poder de la voluntad. En casos extremos, puede llevar a la anemia y la depresión. La respiración también afecta sus emociones, y las emociones fuertes afectan la respiración. Cuando experimentamos temor, nerviosismo extremo o enojo, respiramos en forma rápida y superficial. Cuando estamos contentos, la respiración es más tranquila. Básicamente, las emociones fuertes y la respiración superficial van de la mano. Por otro lado, respirar profunda y lentamente tiene un efecto calmante.

Levante la cabeza, enderece la espalda, saque pecho y extienda los hombros hacia atrás. Haga este ejercicio diez veces por día: respire lentamente, con la boca cerrada, expanda las costillas inferiores mientras inspira; inspire una vez más. Luego con la boca abierta, deje salir el aire hasta que haya salido el último aliento. ¡Forme el hábito de respirar profundamente!

La oración es la respiración del alma. Las oraciones rápidas y superficiales no son saludables—comprometen la calidad de nuestra vida espiritual. Sin embargo, la mayoría de nosotros usa sólo la mitad de nuestra capacidad "pulmonar" cuando oramos. Balbuceamos algunas frases ya repetidas: "Ayuda a los pobres y necesitados. Sé con los misioneros, y gracias por la comida", y pensamos que hemos completado nuestras obligaciones religiosas. Pero la oración no es una obligación ni un sacrificio que hacemos a Dios. Es una necesidad absoluta para la vida espiritual, un privilegio que nuestro Dios creador nos dio para que podamos tener acceso instantáneo al Intelecto del Universo. ¿No es cierto que esto es maravilloso?

La oración es sumamente poderosa. Mediante ella nos recargamos de energía, nos llenamos de motivación y valor. Mediante ella tenemos acceso a lo que necesitemos. Porque Dios dijo: "Pedid y recibiréis". A través de esta conexión con el Dios de la creación y la vida, podemos tener una atmósfera inmune a nuestro alrededor que nos protege de los gérmenes y la enfermedad del "dios" de la muerte y la destrucción. ¿Por qué entonces es tan superficial nuestra respiración?

En lugar de ello, inhalemos profundamente de la Palabra de Dios, a fin de que podamos tener el fundamento para exhalar oraciones más profundas, y luego inhalemos profundamente de la sabiduría del Espíritu Santo.

¿Está la calidad de su vida comprometida por una respiración superficial? ¿Por qué no empezar a respirar profundamente ahora mismo, tanto del aire como de la oración?

Pesticidas tóxicos

Yo soy la vid, vosotros los pámpanos; el que permanece en mí, y yo en él,
éste lleva mucho fruto; porque separado de mí nada podéis hacer. Juan 15:5.

Los pesticidas son compuestos venenosos diseñados para matar insectos,
malezas y hongos que dañan los cultivos. La pregunta es: ¿Causan más
daño los miles de pesticidas que se usan hoy día que las pestes agrícolas? Si bien
se nos dice que el uso de ciertos pesticidas está "aprobado", ha sido difícil docu-
mentar los peligros potenciales de su uso desmedido a largo plazo. John Wargo,
director del Centro para la Salud Ambiental de la Niñez, de la Universidad de
Yale dice: "Nadie sabe realmente lo que puede producir en una persona el consumo durante toda la vida de pequeñas cantidades de pesticidas que se encuentran en la comida".

Muchos pesticidas aprobados por la Agencia de Protección Ambiental de
Estados Unidos estaban registrados mucho antes de que las investigaciones extensas indicaran el nexo entre estos productos químicos con el cáncer y otras enfermedades. Ahora, esta agencia considera que el 60% de todos los herbicidas, el
90% de todos los fungicidas y el 30% de todos los insecticidas son potencialmente carcinógenos. Muchos son tan tóxicos que se prohíbe el contacto con los seres
humanos.

Una importante opción para decrecer el residuo de los pesticidas es comprar
productos orgánicos. Los granjeros orgánicos pueden usar solamente pesticidas
naturales, tales como jabones, compuestos insecticidas derivados de plantas, bacterias que atacan las pestes de los cultivos y como último recurso, unas pocas clases de metales y minerales.

La batalla contra los insectos, malezas y hongos dañinos es como el problema
del pecado. El pecado destruye, carcomiendo nuestra vida entera. La manera
humana de tratar con el pecado, nuestros intentos de cambio y reforma, son
como los pesticidas. En apariencia, nuestra "fruta" parece saludable. Nuestras
vidas parecen diferentes. Pero nuestra cura sólo agrega más daño. Nuestros "buenos frutos" aún son motivados por los viejos principios del interés personal y por
nuestro deseo de ganar el cielo o de aparentar ante otros.

El remedio de Dios penetra bien profundo, hasta la raíz. Su Espíritu vivifica-
dor nutre el suelo de nuestra alma, alimentando las raíces, y causando que las
ramas florezcan con los frutos del Espíritu.

Jesús es la solución de Dios. Él es la solución orgánica. Él es la contestación a
la peste del pecado.

Pregúntese: En mi lucha contra el pecado, ¿he buscado la solución "orgánica" o
sólo trato de matar al pecado por mí mismo?

Primero le di mi corazón

Mas Dios muestra su amor para con nosotros, en que
siendo aún pecadores, Cristo murió por nosotros. Romanos 5:8.

Bob Pryor se había estado sintiendo más cansado que de costumbre, así que fue al Hospital de Florida. Por desgracia las noticias que recibió no eran buenas. Luego de sufrir de diabetes por más de 37 años, sus riñones estaban deteriorándose. No había tiempo que perder. Necesitaría un transplante de riñón para vivir.

Los médicos explicaron a Bob y a su esposa Sandy que el mejor donante sería uno de los hermanos de Bob. Sandy rehusó. Ella quería ser la donante. Ella quería ser examinada antes que nadie. Los médicos le explicaron que las posibilidades de obtener una buena compatibilidad como donante eran mayores para un pariente cercano. Pero Sandy insistió en que se la examinara. Los médicos estuvieron de acuerdo. Los resultados fueron increíbles. La sangre de Sandy y de Bob resultó ser muy similar. La posibilidad de un transplante exitoso era elevada. Así que se aprobó la cirugía para felicidad de Sandy. Aun cuando se trataba de mucho sacrificio, Sandy estaba lista.

La cirugía demoraría más de tres horas. La recuperación llevaría más de dos meses. Otras personas tendrían que cuidar de sus tres hijos. Pero ninguna de estas cosas le preocupaba a Sandy. Ella estaba dispuesta a aceptar cualquier riesgo con tal de salvar a la persona a quien amaba. Cuando se le preguntó por qué hacía esto, ella replicó: "Le di mi corazón hace 19 años, ¿qué es un riñón?".

Cuando abro las Escrituras encuentro una historia similar; un Dios que está dispuesto a aceptar cualquier riesgo para salvar a los que ama. Y usted es alguien a quien él ama. Dios estuvo dispuesto a hacer el sacrificio supremo, con tal de no estar sin usted. Voluntariamente fue a la cruz para derrotar la enfermedad de la muerte. No hay nada que Dios no haría para ganar su amor. No hay nada que Dios no esté dispuesto a dar para asegurarse su devoción.

Sandy le dio a Bob su corazón hace mucho tiempo. Darle un riñón era simplemente una evidencia más de su amor. Dios le dio a usted su corazón hace también mucho tiempo atrás. Dar su vida por usted fue simplemente una evidencia adicional de su amor. Pero así como Bob tuvo que aceptar el sacrificio de Sandy en su favor, así también usted debe aceptar el sacrificio de Dios. Quizá la decisión sea más fácil cuando descubra que todo lo que Dios ha hecho ha sido para ganar su devoción. Antes de pedir que usted confíe en Él, le dio su amor. Antes de pedir que usted tenga fe, le dio su vida. Antes de pedirle obediencia, le dio su corazón.

El amor de Dios es vasto. Su entrega es profunda. Su lealtad es eterna. ¿Cómo puede estar absolutamente seguro de esto? Alábelo por darle el don de la vida.

Morir en la misma forma en que vivimos

Porque ninguno de nosotros vive para sí, y ninguno muere para sí. . .
Así pues, sea que vivamos, o que muramos, del Señor somos. Romanos 14:7,8.

"¡Odio ese color!" Estela enrolló el camisón y lo tiró al piso. Delibera-damente, dio vuelta con la silla de ruedas y pasó por encima del camisón color rosa. Yo observaba desde el otro lado del cuarto cómo las lágrimas bañaban la cara de su hija que la visitaba y le había llevado el camisón. "¡No haces nada bien! Nunca lo hiciste" dijo Estela, su madre, y salió del cuarto en su silla de ruedas.

Yo había ido al hogar de ancianos a visitar a Rosemary, una anciana de mi familia que estaba muriendo de cáncer y ocupaba el mismo cuarto que Estela. Miré a la hija pensando en decirle algo que la reconfortara. Le dije: "Tal vez se ha puesto difícil y quejosa en su vejez". La hija sacudió la cabeza. "Ella siempre ha sido difícil. Pero ahora ha empeorado".

Unos minutos más tarde, Estela volvió a la habitación. Se detuvo y observó su tocador. "¡Moviste mis cartas! Tienen que estar del lado izquierdo. Ya no se puede dejar nada en este lugar tan espantoso".

Traté de concentrarme en hablar con Rosemary, pero la voz de Estela subía de punto con sus quejas sobre la comida, la temperatura y el equipo incompetente del hogar de ancianos.

Unos minutos más tarde, la hija de Estela y yo caminamos juntas hacia el ascensor. "Sabe, he pensado algo —dijo—. Las personas mueren de la forma en que han vivido, ¿no es cierto? Siempre pensé que se tranquilizaría, que cambia-ría, pero no lo ha hecho. Mire a Rosemary. Nunca la he visto enojarse, ni siquie-ra cuando está dolorida. Siempre es considerada. Cuando se demoran en traerle los medicamentos, puedo ver el dolor en su rostro, pero ella nunca se queja". Al subir al ascensor, me dijo: "Le apuesto a que Rosemary fue siempre así de ama-ble". "Es cierto" —asentí, recordando cuán amable y dulce siempre había sido.

Estela falleció unas semanas más tarde después de haberse quejado la mayor parte de la tarde que su médico la ignoraba. Cuando falleció Rosemary, dos de las enfermeras lloraron. Les pregunté si sentían tanto la muerte de cada paciente. "Oh, no", me dijo una de ellas. "Rosemary era especial. Siempre buscábamos una razón para ir a verla. Ella siempre era considerada y nos daba ánimo".

Desde entonces me he dado cuenta de que las personas no se tornan duras y egoístas sólo porque son ancianas. Este comportamiento refleja la forma en que han vivido.

Amante Dios, permite que viva cada día de tal manera que mi vida sea un cons-tante testimonio de tu gracia, de manera que cuando yo muera las personas puedan decir que morí de la forma como viví.

Efecto sanador de la maginación

*Jehová es mi pastor; nada me faltará. En lugares de delicados pastos
me hará descansar; junto a aguas de reposo me pastoreará.* Salmo 23:1,2.

La imaginación (representar algo en nuestra mente) puede cambiar dramáticamente nuestro estado emocional. Puede gestar una nueva determinación que nos haga renunciar a nuestras conductas autodestructivas y a nuestra conversación negativa, y promover el crecimiento psicológico. Podemos imaginar escenas en particular tales como caminar por un bosque, a lo largo de la ribera de un río o por una playa, cualquier experiencia tranquila y llena de paz. Ésta es una forma de inducir sentimientos de paz y tranquilidad cuando estamos ansiosos o aprensivos. Las personas que usan su imaginación en estas circunstancias pueden volver a capturar las emociones tranquilas que experimentaron en algún momento de su vida. Al ejercitar la imaginación, se despiertan asociaciones olvidadas en su cerebro entre esos momentos vividos y los sentimientos de tranquilidad y paz que les acompañaron.

Los salmos y las parábolas de Jesús proveen una copiosa colección de experiencias de la vida que se pueden usar con la imaginación. Jesús utilizó abundantemente de la imaginación en su ministerio terrenal. Una íntima relación con Jesús genera una hueste de poderosas experiencias que se convierten en el tapiz de nuestra mente. Al evocar estas experiencias mediante la imaginación hacemos desaparecer cualquier nube amenazante. Como Elena de White dijo en cierta ocasión: "No tenemos nada que temer del futuro a menos que nos olvidemos de la forma en que el Señor nos ha guiado en el pasado".

La imaginación puede ayudar a los adictos a sobreponerse a sus adicciones. Aquellos que son vulnerables a algunas prácticas por ser débiles en la presencia de ciertas personas, pueden a menudo encontrar ayuda visualizándose a sí mismos en presencia de estas mismas personas y ensayando cómo manejarían la situación *antes* de que ocurra el encuentro.

Volver a vivir los días de su noviazgo a través de la imaginación le puede ayudar a recrear la experiencia positiva del pasado. Las imágenes despiertan las mismas emociones románticas que experimentó en ese entonces, y se fortalece la unión actual. La formación de imágenes mentales de los sueños más caros y de la esperanza que todavía no se ha cumplido, agrega otra dimensión a los beneficios de la imaginación. Este ejercicio despierta la esperanza, la seguridad y la voluntad para hacer que el matrimonio funcione.

Practicar recordar y "revivir" las experiencias positivas del pasado contribuye definidamente a ahuyentar el desánimo y la depresión.

Imagine la escena pastoral del Salmo 23, y compruebe si no produce en usted un efecto calmante.

Las seis facetas de la intimidad

Y estaban ambos desnudos, Adán y su mujer, y no se avergonzaban. Génesis 2:25.

La desnudez de Adán y Eva que no los avergonzaba trasciende la desnudez física y la absoluta honestidad y apertura. ¡INTIMIDAD! Es lo que toda pareja casada desea, pero pocos experimentan. De hecho, el novio y la novia que caminan por el pasillo de la iglesia luego de haber pronunciado sus votos, se encaminan hacia el aislamiento y la alienación, a menos que intencionalmente se amen y enérgicamente se sostengan y fortalezcan cada día.

Los matrimonios están amenazados. Es común estar distanciados, lo cual resulta en la tragedia de relaciones extramaritales y divorcio. Otras parejas soportan el tedio de una relación que es una institución y no una alianza. Las parejas están exhaustas por compromisos conflictivos de familia, trabajo, iglesia, comunidad, padres, amigos, vecinos y otras cosas. Antes de que se den cuenta son como pasajeros que se saludan y se desean lo mejor.

La verdadera intimidad es multifacética —como un diamante de seis caras. Si una de las facetas se deja sin pulir, afectará el valor total. Para sentir la intimidad y la honestidad que Dios quiere que se manifiesten en el matrimonio, la pareja conyugal debe compartir todas las dimensiones de la intimidad.

1. Intimidad emocional: la pareja conyugal se apoya y cuida mutuamente cuando comparte los sentimientos privados y presta atención a los vaivenes emocionales de cada uno.

2. Intimidad intelectual: es profundamente satisfactorio compartir ideas, opiniones e información sin sentir temor, vergüenza ni aburrimiento.

3. Intimidad recreativa: para un hombre es muy importante encontrar en su esposa una compañera para las actividades recreativas. Pero a la esposa también le agrada que su marido esté dispuestos a compartir actividades, eventos deportivos y momentos de diversión junto con ellas.

4. Intimidad sexual: la pareja debe demostrar un interés genuino mutuo en satisfacer las necesidades del otro y poder dialogar abiertamente acerca de sus deseos e inseguridades.

5. Intimidad social: es bueno compartir y gozar de amigos en común. Un firme sistema de apoyo social es saludable para un matrimonio.

6. Intimidad espiritual: poder compartir creencias similares sobre Dios y hablar abiertamente acerca de la orientación espiritual de cada uno, transforma a los cónyuges en compañeros del alma.

Sólo en el contexto de estas seis facetas muy íntimas pueden los esposos y esposas experimentar verdaderamente el gozo y el indescriptible éxtasis que Dios desea que ellos vivencien.

¿Cómo está su cociente de intimidad marital? ¿Qué podría hacer usted hoy para aumentar ese cociente?

Cambiado para siempre

Mas yendo por el camino, aconteció que al llegar cerca de Damasco, repentinamente le rodeó un resplandor de luz del cielo, y cayendo en tierra, oyó una voz que le decía: Saulo, Saulo, ¿por qué me persigues? Hechos 9:3,4.

Aunque crecí con valores morales adecuados, para la época cuando estuve asignado a la base militar de Fort Riley, Kansas, vivía únicamente para los placeres y la excitación del mundo. Me consideraba un tipo duro que boxeaba y luchaba para el ejército. Bebía, tocaba la batería en conjuntos musicales y frecuentaba los clubes nocturnos. Yo sabía que esto no era lo mejor pero, pensaba que era la manera de gozar de la vida.

Cada noche, sin embargo, me encantaba caminar solo y meditar, gozando del aire nocturno, antes de volver a mi cuarto a dormir. Una noche mientras caminaba alrededor de la base pasé por la iglesia de la base como lo había hecho muchas veces antes, y continué caminando algunas cuadras más. De pronto sentí una voz que decía: "¿Gary, por qué estás viviendo de esta manera?"

Me di vuelta listo a golpear a quien me estaba haciendo esa broma. Pero no había nadie. Me quedé sorprendido. Seguí caminando un trecho y otra vez oí la voz: "¿Gary, por qué estás viviendo de esta manera? Tus padres no te criaron así".

En ese momento miré hacia atrás, pero lo único lo que vi fue la iglesia con sus puertas abiertas. Adentro se veía una luz muy intensa y también había una hermosa luz que brillaba en su exterior. No sé lo qué me pasó, pero me sentí empujado irresistiblemente hacia esa iglesia. Entré y caminé hacia el frente, me arrodillé y le entregué mi corazón al Señor.

No sé cuánto tiempo permanecí allí, pero cuando salí de la iglesia y regresé a mi cuarto era un hombre muy diferente. Esa noche fui a dormir sabiendo que nunca más viviría la clase de vida que había vivido. Mis compañeros en el ejército me llamaban "El borracho Parker" pero cuando dejé de tomar y vivir alocadamente, cuando tomé el curso por correspondencia de la Voz de la Profecía y me uní a la iglesia, y pronto me conocieron como "El predicador Parker".

Cuando la gente me dice, "No puedo dejar de beber... o de fumar... o de.... " les digo, "Yo sé, he estado en esa situación. Pero Dios puede. Entrégale tu vida y su poder para resistir la tentación será tuyo".

Dios le habló a Saúl en el camino a Damasco y a mí en una base del ejército. No hay lugar donde usted vaya que Dios no le pueda alcanzar con ese amor que cambiará su vida.

¿Está luchando con algún hábito dañino o pecado que sabe que debe dejar? ¿Por qué no le entrega su vida completamente al Señor y le pide que él le conceda su poder para resistir la tentación?

Conozcan a mi familia

De la boca de los niños y de los que maman, fundaste la fortaleza. Salmo 8:2.

Es fácil sentir lástima por uno mismo cuando se está atada a una silla de ruedas como cuadripléjica. Era casi normal para mí sentirme deprimida y sin valor. Afortunadamente, ahora es una rara excepción. En los días en que siento la necesidad de levantar el ánimo, el cartero generalmente me deja una carta de uno de "mis hijos" que me ayuda a poner las cosas en perspectiva. Cómo o por qué empecé a ayudar a niños es un misterio para mí. Pero no puedo ahora imaginar no hacerlo.

Felipe fue el primer niño a quien yo "adopté en mi familia". Vive en las Filipinas con sus padres y siete hermanos. Su papá trabaja en una plantación de azúcar, mientras que su mamá, aparte de ser un ama de casa a tiempo completo, también vende pescado. Felipe ayuda mucho a su familia cuando no va a la escuela: transporta agua y atiende a la vaca que posee su familia.

Conocí a Felipe hace siete años cuando él tenía siete años. Su mamá y uno de sus hermanos me escribieron sus primeras dos cartas. Luego de eso, él comenzó a escribir, primero en filipino y después en inglés. Ahora puedo leer sus cartas sin la ayuda de un traductor. Me entusiasma ver su progreso, y es tan fiel en escribir.

A pesar de su pobreza, Felipe nunca se ha quejado. Él y su familia se sienten muy agradecidos por lo poco que yo hago. Tienen una abundancia de amor hacia Dios, los unos por los otros y hacia mí, además de una fe que mueve montañas. Lo que más me conmovió fue cuando Felipe me escribió: "Estoy tan contento de que usted me quiera a pesar de que soy pobre". ¿Cómo no podría hacerlo?

"Esto es algo magnífico —pensé—. ¿Qué podría ser mejor? ¡Más niños, por supuesto!

Patryga, niña polaca de 13 años, y Mohammed, niñito de Sierra Leona, se unieron a "mi familia" hace cuatro años. Debido a la guerra en su país, Mohammed desapareció. No se sabe si está vivo. Nunca podré olvidarme de él.

Rose, una pequeña india Sioux parecía una princesita, una muñeca, cuando vi su foto por primera vez. Ella se mudó antes que poder conocerla.

Mi "ahijado" es Mass, de cinco años, quien en los últimos dos años ha capturado mi corazón.

Yo vivo sola y no puedo hacer lo que otros pueden, pero puedo gozar de mis niños.

Gracias, Dios, por permitirme el honor y el privilegio de servir a mi pequeña familia.

Dios, tú amas a los niños. Pon ese mismo amor en mi corazón para alcanzar a uno de tus pequeños. Amén.

Guiñar sólo el ojo izquierdo

Y de hacer bien y de la ayuda mutua no os olvidéis;
porque de tales sacrificios se agrada Dios. Hebreos 13:16.

Dominique Bauby, a los 43 años, era editor en jefe de la revista francesa *Elle* cuando sufrió un derrame cerebral masivo. Él mismo describe cómo, 20 días más tarde, "nadando en la niebla del estado de coma" entró en una espantosa condición llamada síndrome de encerramiento, en la que la víctima queda paralizada desde la cabeza hasta los pies, pero con la mente intacta, prisionera dentro de su propio cuerpo.

En el caso de Bauby, su única forma de comunicación era guiñar el ojo izquierdo. Despertó del coma mientras un doctor le cerraba el párpado derecho cosiéndolo con aguja e hilo "como si estuviera remendando una media". Su oído derecho estaba sordo, mientras el izquierdo amplificaba y distorsionaba cualquier sonido producido a más de tres metros de distancia. Ésta era, según sus propias palabras, la condición en que se encontraba: "Mi cabeza pesa una tonelada, y algo semejante a una invisible campana de buzo mantiene prisionero a mi cuerpo". En muchas ocasiones, sin embargo, su mente "vuela como una mariposa", expresión que fue la base para el título del libro que escribió: *La Campana de Buzo y la Mariposa*, mediante el recurso de guiñar letra por letra. Así es, su ayudante recitaba el alfabeto hasta que Bauby guiñaba el ojo en la letra apropiada, construyendo las palabras de esta manera increíble y dolorosa. una letra a la vez.

Bauby cuenta de su deleite en simples placeres y sencillos deseos. "Yo sería el hombre más feliz si solamente pudiese tragar el exceso de saliva que sin cesar inunda mi boca". Siempre consciente de estar a la moda, rechazó un "espantoso conjunto deportivo" que le proveyó el hospital y pidió ropa más afín con sus gustos refinados: "Si me babeo, por lo menos puedo babearme sobre una prenda de casimir".

Rememoró cuando, en el día anterior al momento en que su vida se apagó, "mecánicamente realicé todos esos simples actos que hoy día parecen milagrosos: afeitarme, vestirme, tomar un chocolate caliente". Se lamenta: "¿Cómo puedo describir lo que significa caminar por última vez al lado de una mujer esbelta, cálida, de pelo oscuro, sin darle importancia, quizá hasta con un poco de mal humor?" Su hijo de 10 años está sentado a su lado, "y yo, su padre, he perdido el simple derecho de alborotar su cabello ....."

"Puedo llorar bastante discretamente —confiesa Bauby—. La gente cree que mi ojo lagrimea".

Dominique Bauby falleció dos días después de publicado su libro. Pero ahora al leer sus palabras, me pregunto: "¿Qué estoy haciendo con esta enorme vida mía?"

Dios le ha dado tanto, ¿qué puede hacer usted hoy para convertirse en la persona que él quiere que sea?

Mis perros eran mis amigos

Mas yo haré venir sanidad para ti, y sanaré tus heridas, dice Jehová; porque desechada te llamaron, diciendo: Ésta es Sion, de la que nadie se acuerda. Jeremías 30:17.

Seis meses después de presentar un seminario sobre salud en su ciudad, Arnold me contó su historia:

"¡Es cierto! Mis perros eran mis amigos más cercanos, porque ellos no me insultaban. Tengo 42 años, y unos meses atrás pesaba 132 kilos. Evitaba a la gente, porque me tenían lástima o me sermoneaban. Quizá me tenían lástima porque no podía caminar ni media cuadra sin sentir fuertes dolores en las piernas. Las rodillas y los pies me dolían tanto que mi médico quería que solicitara una pensión por discapacidad. Pero todavía no estaba preparado para darme por vencido. En realidad fui criado como un buen cristiano, pero como tantos otros de mi generación, presté muy poca atención a mi salud. Comía lo que me venía a la gana. Tuve que pasar por mucho sufrimiento para finalmente despertarme.

"Cuando escuché que dictaban una conferencia sobre salud titulada, 'Coma Más y Pese Menos' pensé: *Es justo lo que necesito*. La semana anterior había logrado pasar toda una semana sin comer rosquillas rellenas —luego me sentí tan desmoralizado que me comí una docena de una sola vez. Sí, definitivamente necesitaba ayuda.

"Luego de la primera conferencia del Dr. Diehl seguí asistiendo, y lo hice durante todas las cuatro semanas del programa Proyecto de Mejoramiento de la Salud Coronaria (CHIP en inglés). Me compré un libro y algunos casetes y cuidadosamente seguí las instrucciones en mi casa. Me sentía bien al comenzar a cuidar de mi cuerpo de la manera como Dios quiere.

"Ya han pasado seis meses y estoy seguro que notará una gran diferencia. He perdido 45 kilos. Estoy tratando lentamente de perder otros 14 kilos hasta llegar a mi peso normal. Tengo que decirle, usted tiene razón en cuanto a comer muchos alimentos vegetales con elevado contenido de fibra. Con estos cambios en mi dieta no siento hambre.

"Soy como una persona nueva. Respiro normalmente, puedo ver mis pies, camino nueve kilómetros y medio por día sin sentir dolor, mis dolores de cabeza han desaparecido, trabajo tiempo completo, y volví a la iglesia.

"Pero, Dr. Diehl, usted se ha equivocado en algo. Dijo que esta forma de comer me iba a ahorrar dinero. Pues le tengo malas noticias: el programa me costó caro, porque ¡tuve que comprarme toda la ropa nueva! Pero no me quejo. De todas las formas en que lo mire, obtuve una ganga".

Señor, gracias por hacerme recordar que los principios básicos que diste en el Edén son aún increíblemente efectivos en el mundo de hoy.

Dios reemplaza los sueños rotos

Porque yo sé los pensamientos que tengo acerca de vosotros, dice Jehová,
pensamientos de paz, y no de mal, para daros el fin que esperáis. Jeremías 29:11.

Nueve meses después que Donnie y yo nos casamos, él comenzó a quejarse de fatiga. Pensé que no estaba comiendo bien. Otros mencionaron que se le veía pálido. Yo pensaba que era falta de sol. Luego vino el día cuando habíamos planeado reacomodar algunos muebles y Donnie se quejó de que estaba muy cansado. Quedé un tanto molesta. Donnie movió dos cosas y quedó exhausto. Decidí que teníamos que ver qué pasaba.

Luego de horas de exámenes, finalmente nos dijeron: "No podemos creer que usted esté caminando. Su hemoglobina está en 5.8 cuando lo normal es 14. Tenemos que hospitalizarlo".

Unos días más tarde escuchamos la tan temida palabra: leucemia. Los siguientes ocho meses fueron una tortura. Tres semanas de hospitalización para un tratamiento de quimioterapia intensiva, un descanso en casa y más tarde más quimioterapia. Dejó de comer, no podía hacer ejercicio, se lo veía hinchado y decía cosas incoherentes, así que tuvo que volver al hospital, donde le suprimieron esa medicación. Luego vinieron dos meses buenos. Nuestras esperanzas renacieron; hicimos planes. Hasta que un día en octubre, Donnie me sostuvo fuertemente y me dijo con voz ronca: "Los doctores dicen que ha vuelto". Yo creo que él sabía que se estaba muriendo.

Yo había puesto mi fe en dos cosas: Dios y nutrición. Y no fue hasta que mis familiares y médicos me rogaron que desconectara el respirador que dejé de tener esa fe. Estaba enojada. ¿Cómo podía Dios hacerme esto? La fe como una semilla de mostaza debía mover montañas, pero yo tuve una fe del tamaño de una montaña ¡y aún así Donnie se murió! Y todos esos jugos y hierbas, ¡de nada sirvieron! A los 24 años de edad mi futuro se había evaporado. ¡ERA VIUDA!¡Odiaba esa palabra!

Siempre dije cosas buenas acerca de Dios. Pero ya no más. Le dije exactamente lo que pensaba. "Estoy tan enojada contigo que no puedo ni hablar. Quizá algún día". Escribía en mi diario y lloraba, y me acordaba de las palabras de mi pastor: "Lo que el Señor quita lo reemplaza tres veces".

Mi viaje diario al trabajo se convirtió en un período de oración. "Dios, tú me prometiste un futuro. ¿Cómo pudiste permitir esto?" Luego, ocasionalmente, comencé a agradecerle a Dios por algo, hasta el día en que me sorprendí alabándolo todo el camino. ¡Dios estaba obrando un milagro de sanidad en mí!

Él ha restaurado en mí la pasión por una buena nutrición, y me ha dado un maravilloso nuevo esposo, quien absolutamente me adora.

¿Ha sufrido usted una pérdida? Pruebe agradecerle por pequeñas bendiciones y verá si él no opera un milagro de sanidad para usted también.

Hospital para pecadores

Si se humillare mi pueblo, sobre el cual mi nombre es invocado, y oraren, y buscaren
mi rostro, y se convirtieren de sus malos caminos; entonces yo oiré desde los cielos,
y perdonaré sus pecados, y sanaré su tierra. 2 Crónicas 7:14.

Tengo temor de los hospitales, los odio. Los conozco demasiado. De niña, era severamente asmática. Como vivía en California, un lugar lleno de smog, tuve que visitar la sala de emergencias del Hospital St. Francis tan a menudo que conocía a las enfermeras por nombre.

Así fue que cuando recientemente tuve que ir a un centro médico local para una cirugía como paciente externo, fui con muchos suspiros y temor. A pesar de que traté de esconder mi ansiedad, me di cuenta de que no había tenido éxito cuando la anestesióloga me preguntó: "¿Tiene alguna pregunta o preocupación?"

"Bueno, sí", le dije con una sonrisa, mientras una estudiante de enfermería luchaba con una aguja intramuscular del tamaño de una aguja de tejer. "No fumo ni tomo ni como carne, y peso sólo 49 kilos, y realmente no me gustan los medicamentos, así que probablemente cuanto menos medicamentos me den, tanto mejor". Ella replicó seriamente: "Ya veo", y antes de que pudiera objetar vació el contenido de una gran jeringa en mi brazo. "¿Qué fue eso?", pregunté alarmada. "Solo un poco de medicamento para la ansiedad", me dijo calmadamente.

A menudo he escuchado que la iglesia no es un club selecto para los santos sino un hospital para los pecadores. Siempre he apreciado esa analogía. Cuán cierto que cada uno de nosotros entra en esa confraternidad estando moral y emocionalmente dañado, aún enfermo, de alguna manera. No tenemos el derecho de despreciar a otro paciente porque sus deficiencias sean diferentes, o inquietantemente parecidas a las nuestras.

Por otro lado, se me ocurrió también mientras yacía en el cuarto de recuperación que si la iglesia es como un hospital, no todos pueden ser pacientes —por lo menos no todo el tiempo. Estoy agradecida por las personas en ese hospital que estaban en buenas condiciones y aptas para funcionar. Cuán reconfortante fue ver a mi enfermera sentada fielmente a mi lado, vestida adecuadamente y con pleno uso de su razón, con la esponja lista para aliviar mis labios secos y sedientos.

Estoy contenta de que la iglesia se está convirtiendo en un lugar de refugio para las almas heridas. Es bueno saber que el hielo del legalismo está dando lugar a la calidez de la honestidad espiritual y emocional. Espero que no nos detengamos de repente en nuestro camino hacia la recuperación.

Señor, ayúdame a ser una sanadora de las almas lastimadas en mi familia, iglesia y comunidad.

¡Primero en las nubes, después por el suelo!

*Os daré corazón nuevo, y pondré espíritu nuevo dentro de vosotros; y quitaré de vuestra
carne el corazón de piedra, y os daré un corazón de carne. Y pondré dentro de vosotros
mi Espíritu, y haré que andéis en mis estatutos, y guardéis mis preceptos, y los pongáis
por obra.* Ezequiel 36:26,27.

Me sentía como en las nubes mientras laboraba en el mundo de los nego-cios. Había cumplido 25 años en la administración de la Cámara de
Comercio y experimentaba éxito tras éxito. Además de la intoxicación que me
producía el estar codeándome con líderes del mundo de los negocios, la industria, las diversas profesiones, así como con estrellas del cine y la televisión; además de los líderes políticos a nivel local, estatal y nacional. ¡Pero no era feliz!

Tenía una esposa hermosa y cariñosa, y cuatro hijos maravillosos. Tenía un
trabajo estupendo, y la ayuda de muchos colaboradores en la oficina. Algunos
podrían decir que "había llegado". Pero la felicidad me eludía. A pesar de sentir
el placer de tener éxito en muchos proyectos, estaba inquieto y deprimido. El
estrés, como subproducto de mi éxito, era insoportable y destructivo. No era un
padre, un esposo o un cristiano amante. Estaba demasiado ocupado para dedicar
tiempo a mi familia o a Dios.

Aunque entonces había personas que oraban por mí, yo no lo sabía ni tampoco me importaba. Parecía que estaba enredado en el torbellino del éxito que
empujaba mi espíritu hacia abajo y yo no tenía la fortaleza para resistir.

En 1973 mi esposa y yo asistimos a un seminario sobre la oración que revo-
lucionó mi vida. Había leído la Biblia antes. La llevaba a la iglesia. Conocía todas
las historias familiares. Tenía una idea bastante adecuada sobre doctrina. Y oraba
diariamente. Eran oraciones cortas, del tipo de "por favor" y "gracias". Pero
nunca pensé en el nexo entre la Biblia y la oración. Nunca antes había leído el
Libro Santo de Dios deteniéndome en las promesas, y aceptando la Palabra de
Dios.

Decidí hacer un experimento. Comencé a buscar promesas que llenaron las
necesidades de mi vida. Me encontré con Ezequiel 36: 26, 27. Desde lo profundo de mi espíritu insatisfecho clamé al Señor: "Señor, dame un corazón nuevo y
pon un espíritu nuevo dentro de mí". Y él lo hizo. Algunas cosas comenzaron a
suceder en mi vida y empecé a sentir esperanza por primera vez en años.

Mis oraciones ya no eran como plumas que volaban con el viento. Se volvieron directas y específicas. Comenzaron a suceder milagros y nunca he sido el
mismo desde entonces. He descubierto que la Palabra de Dios contiene un
paquete de instrucciones para una vida llena de gozo y paz. Todo lo que hay que
hacer es aceptarla, creer y reclamar.

*¿Está viviendo una vida monótona y pareciera ser que no puede salir del
pozo?¿Por qué no acepta la Palabra de Dios, reclama la promesa de un espíritu
nuevo, y ve la diferencia que se producirá?*

Bendiciones increíbles

He visto sus caminos; pero le sanaré, y le pastorearé,
y le daré consuelo a él y a sus enlutados. Isaías 57:18.

"¿Qué debe hacer una persona para poder dormir un poco en este lugar?" pregunté a las enfermeras a las tres de la madrugada. Me sentía frustrado y desanimado. Hacía dos días que me habían quitado la morfina y me habían sacado de la sala de cuidado intensivo, pero desde entonces no había podido dormir ni un rato. El dolor era insoportable. No podía encontrar ninguna posición que me permitiera descansar en la cama o en el sillón. Las nueve costillas que se habían partido por la mitad, cuando un auto embistió mi vehículo hacía diez días, me causaban una agonía indescriptible. Las dos pastillas para dormir que la enfermera me daba equivalían a cuatro horas de bendito descanso.

Luego de estar hospitalizado catorce días me dieron de alta para irme a casa. Los doctores concluyeron que nunca podría volver a realizar trabajos que implicaran un gran esfuerzo físico. La recuperación fue un proceso lento. El dolor era tan intenso que no podía soportar que algo tocara el lado izquierdo de mi pecho. Pasé días y noches en mi cómoda mecedora, pero era tan doloroso moverme que cada vez que intentaba reclinarme tenía la horrible sensación de que alguien estaba aplastando mi pecho. Durante tres meses me senté, comí y dormí en aquel sillón.

Bañarme solo era algo que me asustaba. Cuando trataba de lavar el lado derecho con mi mano izquierda, el hueso del hombro izquierdo se quedaba colgado de la costilla rota. ¡Ouch! ¡Pensé que iba a morir! Si no realizaba diariamente el doloroso ejercicio de arrastrar los dedos por la pared para estirar mi hombro izquierdo, me quedaría inmovilizado y no lo podría mover. Hubo muchos días llenos de desánimo cuando me sentí impotente y sin esperanza, pensando si alguna vez sanaría y hasta qué punto.

Cuando mi esposa y yo celebramos el décimo aniversario de mi accidente de auto, lo hicimos como una celebración de alabanza a Dios por lo que él hizo por nosotros. A pesar de que pasó un año y medio antes de que pudiera volver a trabajar, Dios me fortaleció aún más allá de mis posibilidades anteriores. He vuelto a realizar trabajos físicos extremadamente pesados y sé que Dios es un Dios maravilloso.

Considere esta cita: "Todos deseamos respuestas inmediatas y directas a nuestras oraciones, y estamos dispuestos a desalentarnos cuando la contestación tarda, o cuando llega en forma que no esperábamos. Pero Dios es demasiado sabio y bueno para contestar siempre nuestras oraciones en el plazo exacto y en la forma precisa que deseamos. El quiere hacer en nuestro favor algo más y mejor que el cumplimiento de todos nuestros deseos" (*El ministerio de curación*, p. 176).

Si usted por alguna causa, está sintiendo dolor, cuente sus bendiciones y crea que Dios está en el proceso de sanarlo.

Perseverar y otras formas de reducir el estrés

La paz os dejo, mi paz os doy; yo no os la doy como el mundo la da.
No se turbe vuestro corazón, ni tenga miedo. Juan 14:27.

El estrés es la forma en que el cuerpo reacciona, física y emocionalmente, frente al cambio. Cuando se producen demasiados cambios negativos, suena una alarma que hará que el cuerpo se prepare para luchar o escapar. Aumenta la presión sanguínea, el pulso, y el flujo de la sangre a los músculos, mientras que disminuye el flujo de sangre a la piel y a los riñones. Respiramos más rápido, las manos comienzan a transpirar, la boca se seca. ¿Le suena esto como algo familiar?

A través de los años mi trabajo y el de mi esposo, nos ha llevado a muchos países. Al vivir en alguno de los más pobres y políticamente más inestables del mundo, y al viajar por todo medio de transporte, nos hemos encontrado con diversas experiencias, algunas de las cuales nos causaron un estrés muy grande.

He crecido internamente al aprender a poner mi total y completa confianza en Dios. Lo natural para mí eran el temor y la ansiedad, reacciones innatas en tiempos de estrés e incertidumbre. Sin embargo, Dios en su amor, me ha dado repetidas oportunidades de probar la validez de sus palabras cuando él dice: "No temas" y "Mi paz os doy". ¡Créame, he reclamado esta promesa cientos de veces!

Por ejemplo, una vez mientras viajaba utilizando el transporte público a lo largo de la carretera Korakoram, en el norte de Pakistán, hacia el pequeño reino de Hunza, el temor se apoderó de mí cuando el conductor corría por las rutas montañosas, dando vuelta en las curvas sobre dos ruedas, ¡y del lado incorrecto de la carretera! A un lado la altísima cadena de montañas de Korakoram (una extensión de los Himalayas) se elevaba a alturas majestuosas, mientras que del otro lado había precipicios de 600 metros que terminaban en el río Indo. El temor me tenía clavada al asiento. Reclamando las promesas de Dios: "La paz os dejo... No se turbe vuestro corazón, ni tenga miedo", finalmente relajé mi cuerpo tenso y tuve paz en mi mente, aun al punto de saber que fuere cual fuere el resultado, Dios estaba en control y yo podía confiar en él. También he encontrado que ayuda imaginar a Cristo "al timón" como el conductor del ómnibus, avión, o lo que sea. Aun cuando, debo admitir, fue difícil imaginar a Jesús manejando tan cerca del borde del precipicio como algunos de los conductores lo hacían. Algunas veces un canto logra calmar mi temor. La vida no produce tanto temor cuando nos vemos a nosotros mismos "Salvos en los brazos de Jesús", o "Bajo sus Alas".

No siempre tenemos control de las circunstancias en que nos hallamos, pero cuán reconfortante es saber que hay Alguien que sí lo tiene.

Confiar todo en las manos amorosas de Dios reduce el estrés negativo y trae paz. ¡Pruébelo!

Tres palabras mágicas

Y el hombre respondió: 'La mujer que me diste por compañera me dio del árbol
y yo comí'. Entonces Jehová Dios dijo a la mujer: '¿Qué es lo que has hecho?'
Y dijo la mujer: 'La serpiente me engañó, y comí'. Génesis 3:12,13.

Luego de ensuciarnos bastante en el jardín del fondo de mi casa, mis dos hermanos y yo tuvimos que ir a bañarnos antes de cenar. Para apurar el proceso, mamá nos dijo que nos metiéramos todos juntos en el baño. Siendo travieso, me apuré para terminar primero, y luego salí de la bañadera y me recosté contra la puerta de vidrio, para que nadie pudiera salir. Para mi deleite, por mucho que empujaran la puerta no podían moverme.

Entonces Brad decidió comenzar a golpear la puerta de vidrio. Me reí histéricamente ante esta estrategia que de nada le valía, hasta que una de sus arremetidas quebró el vidrio, y mamá entró corriendo al baño. Afortunadamente, nadie se lastimó, pero ahí estábamos con una mezcla de shock, temor y culpa escritos en nuestros rostros.

Mamá miró el daño y demandó: "¿Quién hizo esto?" Todos negamos tener responsabilidad. Yo no rompí la puerta de vidrio—fue Brad quien lo hizo. Brad gritó su inocencia, insistiendo en que la puerta se rompió sólo porque yo la tenía cerrada. El pequeño Tomás dijo que él sólo había mirado lo que sucedía.

Estoy convencido que hay tres palabras mágicas que alegran el corazón de todo padre. Y no me refiero a "Te quiero mucho". Esta frase ocupa el segundo lugar detrás de una confesión que muy pocas veces se escucha: "Es mi culpa". ¡Qué melodía crean en el hogar estas palabras!

Me recuerda esa triste escena en el Jardín del Edén cuando Dios preguntó a sus hijos qué había sucedido. Adán culpó a Eva, y Eva culpó a la serpiente. Y la serpiente culpó a Dios. Culpar a otros puede ser considerado un pecado secundario—algo que sigue inmediatamente al pecado "original". Se comete un error—se comete un pecado—y entonces, sin pensarlo, se acumula pecado sobre pecado, culpando falsamente a otro en lugar de admitir nuestro error. Lo triste es que el pecado secundario puede ser peor que el primero porque causa separación, dolor, desconfianza e inseguridad.

Cuando las personas culpan a otras en lugar de asumir la responsabilidad de sus acciones, se crea un ambiente muy inseguro. Nunca se sabe cuándo usted será el culpable y tendrá que sufrir las consecuencias de los errores de otra persona. Si usáramos las tres palabras mágicas: "Es mi culpa", más a menudo, en lugar de culpar a otros y defender nuestras acciones indefendibles, crearíamos un mundo mágico de amor y perdón en el hogar.

Señor, cuando sienta la tentación de culpar a otros por mi error, dame el valor de decir: "Es mi culpa".

Piezas irregulares

Pero Jesús dijo: 'Dejad a los niños venir a mí, y no se lo impidáis;
porque de los tales es el reino de los cielos'. Mateo 19:14.

Cuando era niño, causaba abundantes problemas a mis maestros. No necesariamente quería interrumpir sus lecciones. Sin embargo, aunque intentaba ser bueno, siempre algo salía mal.

Ahora soy maestro. Recuerdo ese primer día, rodeado por 28 niños del tercer grado. Aunque me había propuesto motivar e inspirar a los pequeños diablitos, terminé orando para que aquellos 28 niños permanecieran tranquilos; que me escucharan con atención y que levantaran la mano antes de hablar. Mi vida así sería más fácil y yo me consideraría un excelente profesor. Pero justamente cuando comenzaba a pensar que podría manejar a los alumnos sin gran dificultad, llegó una alumna llamada Jenny. Era desafiante, grosera y mala con los otros alumnos; además, se oponía tenazmente a todo lo que yo le pedía que hiciera. Quedé tan frustrado y agotado por mis esfuerzos para corregir su desobediencia y mal comportamiento, que pasé por alto la singularidad de los demás alumnos. Simplemente, para manejar la situación, me puse más duro, acepté que hubiera menos creatividad, y la vida en el Aula 10 comenzó a parecerse una estación de policía. Un día, la familia de Jenny se mudó. Sentí tristeza por ella, porque sabía que su comportamiento conflictivo era un esfuerzo de su parte para demostrar que estaba dolorida y frustrada con lo que la vida le había deparado.

La ausencia de Jenny me dio la calma necesaria para observar más de cerca a mis otros alumnos. Descubrí a otras "piezas" que tampoco encajaban en su lugar, otros desafíos para mí, si es que realmente quería ser el maestro que yo mismo hubiera querido tener cuando niño: alguien que me aceptara como era, y que ajustara su método de enseñanza para satisfacer mejor mis necesidades en vez de criticarme.

¿Por qué me preocupo tan apasionadamente por estos niños a quienes muchos consideran un estorbo? Porque yo era así. Sé lo que se siente cuando tu nombre nunca está en la lista de los mejores—aún cuando uno se esfuerce por mejorar. Sé lo que duele cuando un director dice que eres un tonto. Sé cómo mis padres buscaron maneras de motivarme. Pero fui uno de los afortunados, porque a pesar de todo, sentí que me querían.

Jesús quiere que los niños vengan a él así como son. Él quiere satisfacer sus necesidades. ¡No deformemos a los niños forzándolos a amoldarse, como piezas que no encajan en los agujeros farisaicos que nosotros hemos diseñado!

Señor, perdóname si he lastimado a uno de tus pequeños hijos o si me he interpuesto en el camino que conduce hacia ti.

El beso del Príncipe del Universo

Todos los días del afligido son difíciles; mas el de corazón contento tiene un banquete continuo. Proverbios 15:15.

Fue uno de los momentos más tristes de mi vida. Mi hija de 17 años había entrado en estado de coma como resultado de un accidente, y nuestra familia no podía comunicarse con ella. Parecía que Rebeca estuviera en un país muy lejano sin poder enviar un mensaje. ¿Despertaría? Y si despertara, ¿estaría bien? A pesar de todo, podíamos encontrar gozo en nuestra tragedia.

Alguien podría preguntar qué motivo de gozo existía en nuestras circunstancias. Un motivo era que ella estaba viva y teníamos el amor y apoyo de familiares y amigos. Además, contábamos con el apoyo de Dios y él la amaba más que lo que nosotros la amábamos. Jesús prometió que vendrá pronto y hará todas las cosas nuevas. Si Rebeca no mejoraba en esta vida, sabíamos que él la restauraría en la segunda venida.

Podríamos haber estado enojados o amargados, pero estos sentimientos habrían dañado nuestro organismo. Cuando sonreímos o reímos se producen ciertas sustancias químicas denominadas endorfinas, las cuales bañan el cerebro y producen un estado de bienestar. Si estamos enojados o deprimidos, agotamos esas sustancias químicas benefactoras. Es cierto que "el corazón alegre constituye buen remedio; mas el espíritu triste seca los huesos" (Prov. 17:22).

¿Recuerda la historia registrada en Hechos 16 cuando Pablo y Silas cantaban en la prisión? Los habían azotado y echado en la cárcel, con sus pies encadenados. A pesar de todo eso, tuvieron ánimo de cantar alabanzas al Señor.

Por lo tanto, mi familia decidió mantenerse gozosa en aquel momento de prueba. Es cierto que derramé lágrimas, pero también traté de buscar algún elemento humorístico. Como a mi hija le habían cortado todo su cabello debido a la cirugía cerebral, la llamábamos G. I. Jane, término que se aplica a un soldado raso femenino en los Estados Unidos. Yo la llamaba mi bella durmiente. Le decía que ella necesitaba un apuesto príncipe que la besara y despertara.

El Príncipe del Universo sí la besó. Rebeca se recuperó totalmente muchos meses después y ahora entonamos cantos de victoria. Existen muchos problemas en todas partes, pero es posible sentir gozo a pesar de cualquier circunstancia negativa. Aún cuando usted tenga problemas y no pueda entonar cánticos de victoria aquí en la tierra, recuerde que tendremos siglos de eternidad para cantar todos esos cantos de alabanza y victoria al Príncipe, Jesucristo.

Si la vida hoy parece muy lóbrega, recuerde que usted también ha recibido el beso del Príncipe del Universo.

Momentos pastorales

Mas todas las cosas, cuando son puestas en evidencia por la luz, son hechas manifiestas; porque la luz es lo que manifiesta todo. Por lo cual dice: 'Despiértate, tú que duermes, y levántate de los muertos, y te alumbrará Cristo'. Efesios 5:13,14.

El Espíritu Santo se regocija en exponer a los hijos de Dios a su luz. Y si somos obedientes a lo que Dios quiere que hagamos —a cada uno de sus "deseos"— creceremos espiritualmente en estas experiencias divinas, aún cuando humanamente sigamos desprovistos de luz.

A pesar de que nací con un espíritu de aventura, y continúo cultivándolo, hay veces cuando mi Padre celestial me desafía y me siento desconcertada cuando trato de "salir adelante" en su nombre. Me pregunto: "¿Por qué estoy haciendo esto?"

Justamente algo así ocurrió en un período de cinco minutos mientras me encontraba en la línea de la caja del supermercado. Entonces escuché la conversación entre otros dos clientes. Dama: "Hace dos meses que no fumo. ¡Pero ahora compraré una buena provisión de cigarrillos!

Caballero: "Si has pasado dos meses sin un cigarrillo, ¿por qué vas a ceder a la tentación ahora?"

Decidí intervenir en la conversación. Le dije: "Usted no necesita más cigarrillos; lo que necesita es un abrazo. Dios la ama tanto que aquí estoy yo para dárselo".

Sin un segundo de vacilación, ella se aproximó con los brazos abiertos para recibir el abrazo prometido y luego volvió a su lugar con gran entusiasmo y una amplia sonrisa. Ella no me dijo nada, pero devolvió los cigarrillos a su lugar, y luego comentó con la cajera: "En realidad no necesito cigarrillos; me llevaré algunas golosinas en su lugar".

Cuando salí del supermercado en dirección al estacionamiento, pregunté a Dios: "¿Qué fue todo eso?"

He aprendido que Dios tiene muchos momentos pastorales planeados para mí, cuando puede usarme como un canal para que su luz brille a través de mi.

Aunque él nunca me explicó el sentido de aquel momento ministerial en la fila de la caja del supermercado, salí de allí con la paz de saber que por ese único momento, aquella dama, cuya historia de la vida estaba marcada en su rostro envejecido tempranamente y su forma de actuar, había vuelto a la vida, sonriendo ante el rostro de Dios mientras él la abrazaba con mis brazos.

¿Qué trata el Espíritu Santo que usted haga hoy? ¿Por qué no lo hace? Deje que la luz de Cristo brille en usted.

¡Pequeño, pero no insignificante!

Te alabaré; porque formidables, maravillosas son tus obras;
estoy maravillado y mi alma lo sabe muy bien. Salmo 139:14.

Recientemente el telescopio Hubble tomó una foto de un punto muy pequeño en el cielo. Los asombrados astrónomos contaron… ¡3.500 galaxias en la foto!

¡Tres mil quinientas galaxias! Al ampliar la foto se puede ver que no son estrellas sino portentosos espirales de estrellas semejante a nuestra Vía Láctea. Cada galaxia contiene aproximadamente cien mil millones de estrellas.

Muchas de las estrellas, quizá la mayor parte de ellas, tienen planetas que giran a su alrededor. Como la Biblia indica que Dios ha creado otros mundos, es posible que haya un número incontable de planetas habitados en esas galaxias.

Pero ése era sólo un punto diminuto del espacio. ¿Y qué más se podrá decir acerca del resto del cielo? Los astrónomos antes pensaban que el universo no era uniforme. Ahora parece ser que en cualquier dirección que se hubiera tomado esta fotografía, podría verse un número similar de galaxias con sus incontables miles de millones de estrellas y planetas. De hecho, es concebible que haya más galaxias en el universo que granos de arena sobre la tierra.

Ahora, ubíquese usted en este universo gigante e increíble. ¿No es cierto que en comparación se siente pequeño e insignificante? Pero ésa no es la forma como Dios lo ve. Después de todo, si Dios conoce el número de cabellos que hay en su cabeza (Mat. 10:30), debe ser muy importantes para él. Y si él guarda cada una de nuestras lágrimas (Sal. 56:8), es que obviamente él se preocupa por nosotros.

Considere por un momento la condición de los seres humanos cuando fueron creados al comienzo. Adán y Eva eran perfectos, sus cuerpos diseñados para durar toda la eternidad. Aún después de pecar vivieron casi mil años. Y tenían una gran capacidad mental que les permitía guardar información indefinidamente. No necesitaban libros ni computadoras. ¡Increíble!

Obviamente, el pecado ha deteriorado nuestros cuerpos y cerebros, pero a pesar de esa degradación, nos asombra pensar en la manera en que funcionan, lo mismo cuando tratamos de considerar la inmensidad del universo.

¿Qué puedo hacer hoy para tratar a mi cuerpo, increíblemente complejo, como el Maestro Creador lo diseñó .para ser tratado?

Cuatro horas para vivir

He aquí que yo les traeré sanidad y medicina; y los curaré,
y les revelaré abundancia de paz y de verdad. Jeremías 33:6.

Sentí que una ola de terror y dolor se esparció por mi cuerpo mientras el médico me decía: "Usted necesita llamar a sus familiares. Su madre ha sufrido una severa hemorragia cerebral y tiene unas cuatro horas para vivir". ¿Cuatro horas para vivir? Miré mi reloj y pensé: "Va a estar muerta para las cuatro de la tarde".

Justo unas pocas horas antes mi esposa me había llamado a la oficina para decirme que mi madre había sufrido un derrame y que la estaban llevando al hospital. Mi madre vivía a 200 kilómetros de nosotros y el hospital distaba unos 130 kilómetros. Yo debía ir al hospital para estar con ella.

Y ahora, parado en el pasillo, toda una vida pasó por mi mente. Llorando casi incontroladamente, caminé hasta el teléfono público y llamé a mi esposa. Con dificultad le pedí que llamara al anciano de la iglesia donde mi esposa y yo habíamos estado recibiendo estudios bíblicos durante unos meses, y que le pidiera que orara por mamá. Yo sabía que el pastor estaba de viaje, pero le tenía mucha confianza al anciano.

Mientras mi tía Elena y yo permanecíamos sentados espeando que pasaran esas cuatro horas, silenciosamente oré al Dios a quien no conocía muy bien. Cuando transcurrieron las cuatro horas, dos médicos entraron a la habitación de mi madre. Cuando salieron, el corazón me latía con fuerza mientras me aproximaba para hablar con ellos. Uno de los médicos me dijo muy animado: "Su madre está respirando normalmente y nos ha hablado. Ahora pensamos que puede tener una oportunidad de vivir".

Cuarenta y dos días más tarde, a la edad de 50 años, ella salió del hospital. En los meses siguientes mi esposa y yo experimentamos la conversión cristiana y nos bautizamos. Comencé a estudiar para el ministerio. Al año siguiente mi madre fue bautizada y a través de los años, mi sobrino, mi sobrina y sus familias se han bautizado en la Iglesia Adventista del Séptimo Día. Cuando mi madre cumplió 71 años, caminó hasta la cima del monte Stone en el estado de Georgia.

Dios dice: "He aquí que yo les traeré sanidad y medicina; y los curaré, y les revelaré abundancia de paz y de verdad". ¡Él aún hace esto! Lo alabo por continuar obrando en mi vida y en las vidas de mis familiares. Hará lo mismo por todos los que claman en su nombre.

Señor, clamo en tu nombre y pido salud, sanidad, paz y verdad. Amén.

Palabras hirientes

Con ella bendecimos al Dios y Padre, y con ella maldecimos a los hombres, que están hechos a la semejanza de Dios. De la misma boca proceden bendición y maldición. Hermanos míos, esto no debe ser así. Santiago 3:9,10.

Una regla que he tratado de enseñar a mis hijos es que hay ciertas cosas que nunca se deben mencionar. No importa cuán irritados, enojados o molestos estemos, existe una línea que no se debe cruzar. No debemos decir cosas que puedan herir a las otras personas. No podemos rebajar, ridiculizar o hacer declaraciones cortantes. Las palabras son como plumas en el viento. Una vez que se las profiere podemos arrepentirnos, pedir perdón y ser perdonados, pero nunca se borrarán de la mente del que las escuchó.

Pero nuestros hijos son los más vulnerables. Las palabras que causan una reacción emocional muy intensa, especialmente si van unidas a una experiencia dolorosa, se convierten en recuerdos que no se borrarán en el futuro.

Samuelito tenía unos cuatro años. Una visita estaba ayudando en la cocina y el niño, quien era curioso y quería saber todo lo que sucedía a su alrededor, estaba parado sobre un banquito tratando de ayudar. De pronto Samuelito cometió un error, del cual ni se acuerda; nuestra visita se volvió hacia él y le dijo: "Si tuvieras algo de inteligencia, serías peligroso". Nadie le había hablado al niño de esta manera antes, por lo que salió de la cocina llorando. La visita se sorprendió, porque era su forma de relacionarse con los niños y no pensó que heriría los sentimientos de Samuelito.

Recientemente, veintidós años después del incidente referido, mientras Samuel y yo trabajábamos en la cocina, algo se cayó al piso. Samuel inmediatamente respondió: "Como dijo X, si yo tuviera algo de inteligencia, sería peligroso". Nadie había aludido al incidente aquel en todos esos años pero el doloroso recuerdo de esas palabras hirientes aunque dichas sin mala intención, estaba aún allí.

¡Cuánto más duelen las palabras cuando la puñalada es intencional! "Yo nunca quise otro hijo, de todas maneras"; "Eres el niño más tonto sobre la faz de la tierra"; "Con esa cara, nunca atraerás a ningún muchacho". Da miedo pensar que al decir algo desconsiderado podemos herir a alguien para toda la vida.

La vida de por sí es cruel. Nuestras familias deben ser lugares de refugio con cerraduras en las puertas para salvaguardar a nuestros hijos de los peligros que pueden dañar sus cuerpos; y con cerraduras en nuestra boca para salvaguardarlos de las palabras que pueden herir sus almas sensibles.

Señor, ayúdame a guardar mi lengua para que nunca diga algo que no quisiera que me lo digan a mí.

No se permite la lástima

Basta ya, oh Jehová, quítame la vida, pues no soy mejor que mis padres. 1 Reyes 19:4.

1 Reyes 19 es uno de mis capítulos favoritos porque me muestra a alguien tan humano como yo. He aquí el gran Elías hundiéndose en la angustia luego de su magnífico triunfo. Había orado y el fuego celestial consumió el sacrificio inundado de agua. Luego le pidió a Dios que lloviera, y después de tres años sin una gota, hubo una lluvia torrencial. Pero Elías estaba tan sujeto a las emociones humanas como lo estamos nosotros. A veces hemos dicho: "Ya no más".

Pero Dios no contesta la oración de Elías cuando pide morir; en lugar de eso, le envía un ángel que lo alimenta, no una sino dos veces. Cuando Elías recupera sus fuerzas, viaja a Horeb, ¿y qué es lo que hace? ¡Se esconde en una cueva!

Dios tampoco dejará que se salga con la suya esta vez. "¿Qué estás haciendo allí, Elías, tan lejos de tus deberes? Tú de entre todas las personas tendrías que haber permanecido en tu puesto. La compasión que te mostré en el pasado tendría que haberte fortalecido y haber servido *especialmente para un tiempo como éste*".

Necesitamos saber que Dios entiende cuando lloramos de cansancio, dolor y desesperación. Así como sacó a Elías de la cueva, nos sacará de la oscuridad, de cualquier caverna en la que nos hayamos metido, para estar nuevamente en su luz (Sal. 18:28).

Elías pensó que su labor fue inútil; que no había servido de nada. Aquellos que tienen los propósitos más altos y santos son los que sienten intensamente el abatimiento y el rechazo. El corazón de Elías desmayó pensando que había fracasado. Así sucede con todos los que sentimos que le hemos fallado a Dios, a la familia y la iglesia debido a errores o a nuestra condición humana.

Este capítulo nos dice que Dios no va a dejar que nos ahoguemos en lástima. Todos estamos sujetos a depresión pero hay un ángel que nos ayuda a salir de nuestra cueva, si lo creemos.

Dios nos manda que seamos "fuertes y valientes", Josué 1:6. Un santo anónimo dijo: "En el ministerio del Señor, el núcleo de la iglesia no se encuentra en las multitudes que aplauden en el Monte de las Olivas, sino en los pocos fieles en el jardín del Getsemaní". ¡Qué pensamiento!

Cuando usted sienta que ya basta, sea como el discípulo fiel en el Getsemaní, arrodillándose con Jesús, quien puso su rostro hacia Jerusalén sabiendo lo que iba a tener que pasar (Lucas 9:51).

Sea lo que fuere que usted esté enfrentando hoy, alce su rostro a Jesús, y él le dará la fuerza necesaria para sobrellevar la carga.

La economía del programa de alimentos de Dios

¿Por qué gastáis dinero en lo que no es pan, y vuestro trabajo en lo que no sacia?
Oídme atentamente, y comed del bien, y se deleitará vuestra alma con grosura. Isaías 55:2.

El Departamento de Agricultura de los Estados Unidos hizo un estudio para determinar cuáles alimentos proveen el mayor número de nutrientes por dólar. Resultado: las papas y los cereales son los que proveen comparativamente mayor nutrición. En segundo lugar figuran las legumbres. Y en tercer lugar, las verduras. ¿Ha notado usted que todos estos alimentos fueron parte de la diete original de Dios? ¡Qué interesante!

La peor compra por dólar fue el azúcar. Después de ésta estaban la carne y pescado. Eso no quiere decir que no haya buenos elementos nutritivos en la carne o el pescado, pero pensando en términos monetarios, son bastante caros.

En agosto de 1993 se hizo un análisis del costo de los alimentos en India según su valor nutritivo. En la India la carne roja es más barata que el pollo. Por otro lado el pescado es muy caro. La misma cantidad de rupias gastada en lentejas proveyó 3,5 veces más calorías y proteína, 19 veces más calcio, 6,5 veces más hierro, 7 veces más potasio, 12,5 veces más vitamina B1, 3,.6 veces más riboflavina y 1,2 veces más niacina que la carne.

Por otro lado, la carne proveyó más grasas saturadas, peligrosas para la salud y llenas de colesterol, mientras que las lentejas tienen pocas grasas y cero colesterol. La carne tampoco tiene carbohidratos ni fibra, que son parte esencial de una dieta sana.

Un estudio similar fue hecho en Latvia en 1993. El pollo no es caro allí. Sin embargo, los granos y vegetales aún tenían una gran ventaja sobre la carne de pollo en términos de nutrición con respecto al dinero gastado.

En resumen, en diferentes partes del mundo, el costo relativo de los nutrientes es elevado para la carne y bajo para la mayoría de los vegetales. Si es importante para usted obtener el mejor rendimiento de su dinero, la dieta original de Dios es definidamente la mejor. No sólo es superior desde un punto de vista económico, sino ideal para prevenir las enfermedades. ¿Por qué, entonces, tanta gente gasta tanto dinero en comida que es menos nutritiva, cuando pueden comer mejor y más barato?

Dios pide que usted sea un fiel mayordomo de lo que él le ha dado. La próxima vez que vaya al supermercado, quizá podría considerar obtener una mejor nutrición por su dinero, seleccionando una amplia variedad de alimentos vegetales.

Acerca de la duda

Y Jesús le dijo: 'Si puedes creer, al que cree todo le es posible'. E inmediatamente el padre del muchacho clamó y dijo: 'Creo, ayuda mi incredulidad'. Marcos 9:23,24.

Hay pocas cosas en la vida tan dolorosas como la duda profunda. Un hombre fue en busca de Jesús. Estaba desesperado. Su hijo estaba poseído por demonios que procuraban matarlo. En algún lugar había escuchado que Jesús podía sanar al niño, pero no lo creía realmente. Y sin embargo, más que nada en el mundo, quería que su hijo estuviese bien otra vez. Así que salió en busca de Cristo.

¿Puede usted imaginar ese viaje? Sus amigos caminan con él y le llenan la cabeza con amonestaciones: "No digas nada de tu incredulidad. Ésta es tu única oportunidad. Es por tu hijo. No reveles demasiado acerca de tus convicciones y recuerda que puedes lograr mucho con pretender un poco".

De pronto se encuentra cara a cara con Jesús, quien confirma sus peores temor cuando le dice: "Si puedes creer, al que cree todo le es posible". Oh. no. ¿Qué debe hacer ahora? ¿Puede reprimir su condenada duda y salvar al niño? ¿Puede por esta vez solamente afirmar lo que su mente niega? Pero no lo puede hacer. Con increíble honestidad, clama: "Señor, creo; ayuda mi incredulidad".

La respuesta de Jesús ante esa angustia intelectual es profundamente emotiva. Se detiene toda discusión sobre la fe. Jesús queda satisfecho. El niño es sanado prontamente. ¿Qué demuestra esto? Demuestra que ser de doble faz no nos aleja de Dios. Muestra que Dios no demanda que entreguemos nuestra honestidad intelectual por el precio de su amor.

Sin embargo, perderíamos la mitad de la historia si no viéramos que hubo dos personas que fueron sanadas ese día: el muchacho y su padre. Como dije antes, la duda es a menudo una condición extremadamente dolorosa. Si mezclamos la inseguridad, la culpa y la confusión tenemos la esencia emocional de la duda. Jesús no lo dejó allí.

¿Qué nos enseña esto sobre la duda? *Vive de acuerdo con lo que creas y no por lo que cuestionas.* La incredulidad no es un refugio; nadie puede vivir felizmente allí. Lo que usted acepta, no importa cuán pequeño sea, es cien veces más importante que lo que usted rechaza. El cinismo crónico es una enfermedad devastadora. Rehúse decir: "Señor, no creo". Para beneficio de su propia alma, grite la verdad completa: "Señor, creo, ayuda mi incredulidad".

Gracias, Señor, por no exigir fe perfecta antes de obrar milagros en nuestras vidas.

Luchar contra la fibromialgía

Amado, yo deseo que tú seas prosperado en todas las cosas,
y que tengas salud, así como prospera tu alma. 3 Juan 2.

En 1993 yo estaba en la cúspide de mi profesión. Recibí el premio al mejor vendedor del año, obtuve un aumento de sueldo, un auto y una promoción. Me benefició mi corta falda de piel negra así como el clic-clic de mis zapatos de cuero, de tacón alto. Sonreía mucho, me veía bien, y aparentaba estarlo. Pero por dentro mi vida era un agujero negro y vacío, y cada noche me dormía en medio de lágrimas. Me sentía abandonada, sin que nadie me quisiera; no le importaba a nadie. Y parecía que Dios se había ido de vacaciones a un millón de kilómetros de donde yo vivía.

Trabajaba muy duro y trataba de divertirme, pero mi corazón estaba en otro lado; me sentía cansada. Poco a poco mi vida fue deteriorándose hasta que, cuando pesaba 47 kilos, ya no pude ni salir de la cama. En ese momento mi madre comenzó a venir a casa y mis hijos tuvieron que aprender a valerse por sí mismos. Pensé que nunca más sonreiría.

Tenía depresión y fibromialgia. Se define la fibromialgia como una condición reumática no articular que afecta los músculos, los ligamentos y otros tejidos fibrosos del organismo. Así que cuando dije que me sentía como que un camión me hubiera aplastado, no era broma.

Los profesionales de la salud dicen que cerca del cinco por ciento del público en general sufre de fibromialgia, una condición causada por el estrés. El estrés excesivo hace que la gente esté irritable, se queje de cansancio, no pueda conciliar el sueño, o tener una noche de descanso. Esas personas sufren de dolores y molestias. No tienen energía ni gozo en la vida. Se sienten ansiosas, deprimidas; o como yo, incapaces de sobrellevar el estrés.

Comencé a sanar cuando asistí al Instituto Weimar. El programa que cambió mi vida se llama *Nuevo Comienzo* (NEWSTART en inglés), y comprende lo siguiente: Nutrición, comer lo adecuado; ejercicio, moverse, se sientan o no las ganas de hacerlo; agua, tomar mucha; luz solar, hay que incorporarla en la vida; temperancia, evitar las cosas que disminuyen el estrés en forma artificial, tales como el café, el alcohol, las drogas o el azúcar; aire, respirar aire fresco y limpio; descanso, respetar el sábado; confianza, encontrar una relación personal con Dios y fomentar el desarrollo espiritual.

Si la vida ha perdido su significado, permítame recomendarle un ¡NUEVO COMIENZO!

¿Estoy viviendo un programa de Nuevo Comienzo para la salud y la prosperidad del alma?

La bebida de Dios

Guíame, Señor, por tu camino; dirígeme por la senda de rectitud, por causa de los que me acechan. Salmo 27:11

Los ataques epilépticos no eran al principio muy frecuentes, así que no les di importancia pensando que su causa era el estrés; pero estaba equivocado, completamente equivocado. Los ataques comenzaron a ocurrir con más frecuencia y mayor violencia. Los ataques se tornaron tan severos que me dejaban postrado en cama a veces durante días enteros. Me preocupaba no poder manejar, y ni siquiera quería sostener a mi nietecita por temor a dejarla caer. Inclusive me tragué mi orgullo masculino y pedí que oraran por mí durante el culto matutino del programa televisivo Los Tres Ángeles. Pero nada parecía calmar a la bestia que había dentro de mí y que me estaba destruyendo.

Comprendí que era tiempo de ir al hospital, de que me hicieran una tomografía computarizada, un electroencefalograma y un análisis de sangre para descubrir la causa de los ataques. Pero todos estos análisis salieron negativos. Así que pensé: "Vuelvo al trabajo y me olvido de esto". En lugar de ello, volví a quedar postrado, sacudiéndome violentamente y teniendo varios ataques diarios. Estaba en la cuenta regresiva y llegando hasta el límite.

Mi esposa Mollie tiene este dicho: "Dios puede no estar allí cuando yo quiero que esté, pero él nunca llega tarde". Su llegada "nunca tarde" vino en la forma de un noticiario que recibió la Sra. Ford en la estación emisora de Los Tres Ángeles. El artículo era sobre "aspartame", un ingrediente edulcorante de las bebidas gaseosas dietéticas.

La Sra. Ford le dio el artículo a Mollie. Ella volvió a casa esa tarde con varios litros de agua, me sentó sobre la cama y me dijo: "Bebe esto". Tomé únicamente agua durante los días siguientes, cada hora, en forma regular. En veinticuatro horas vimos los resultados. Los ataques cesaron inmediatamente y comenzó a disiparse el temblequeo. Quedé helado pensando que por poco había muerto por causa de las bebidas gaseosas dietéticas. Pero es lo que me sucedió, así que sé lo que puede sucederles a otros.

Por lo pronto, para mí, el aspartame es un asesino; sin embargo en 1999 se utilizaba como ingrediente en más de 7.000 productos. (Probablemente haya más hoy día). No fue sorpresa encontrar un sitio en la red (www.dorway.com) que declara que es una sustancia dañina. Han pasado varios meses sin un ataque y ahora soy un consumado bebedor de agua. Es decir, la bebida que Dios hizo.

El gusto por una bebida hecha por el hombre para saciar mi sed casi me mata, lo mismo sucederá si se desarrolla el gusto por la filosofía y el ritual religioso de hechura humana. El único camino seguro es beber el Agua de Vida de su Palabra.

Señor, enséñame tus caminos.

Llorar juntos

Gozaos con los que se gozan; llorad con los que lloran. Romanos 12:15.

No esperaba que mi hija llegara a casa de vuelta del colegio cristiano hasta las tres de la tarde. Pero a las once de la mañana llegó con una firme determinación: "No volveré nunca más a ese colegio. ¡No me gustan los chicos que van allí!"

Mi esposo recientemente había aceptado una invitación pastoral a esta ciudad universitaria, y mi hija era nueva en ese colegio. Enfrenté a mi hija de 15 años con lo que yo pensé que era una persuasión racional, y le recordé que la ley requería que ella asistiera a la escuela.

"Entonces puedes llamar a la escuela secundaria local y anotarme allí", me dijo

Esto ya necesitaba cierta diplomacia. "¿Te fue mal en la escuela hoy?"

"Sí —suspiró—. Papá habló en el culto esta mañana, y después algunos chicos se burlaron de mí usando algunas de las frases que él mencionó".

Quizá era una forma amistosa de hacerle una jugarreta. Quizá lo hicieron con malicia. Pero sea lo que fuere, la habían lastimado. Ella lloró. Y yo lloré con ella. No es difícil que el corazón de una madre sienta el dolor de su hija.

Una vez que terminó de llorar, mi hija se miró la cara en el espejo para asegurarse de que los ojos no estuvieran hinchados o enrojecidos, comió el almuerzo, y anunció que estaba lista para volver a ese colegio "espantoso".

Tres años más tarde, mi hija llamó desde el internado donde había decidido pasar su último año de la secundaria. "Estuve sin dormir casi toda la noche", me informó mi hija de 18 años.

"¿Estudiando?", le pregunté. Se acercaba el momento de la graduación.

"No —explicó—. Me quedé con Susana. Ben rompió su noviazgo ayer. Eso la afectó mucho. Ahora no tiene con quién marchar el día de la graduación".

Algún día Susana sonreirá al pensar en esta situación, pensé. ¿Había tratado mi hija de levantarle el ánimo? Ella es capaz de dar respuestas muy ingeniosas. ¿O quizá le ofreció un consejo?

"Susana necesitaba mucho consuelo. Muchas lágrimas", —continuó diciendo mi hija.

"¿Entonces qué hiciste?" —le pregunté.

"Lloré con ella, mamá, como tú hiciste cuando yo quería irme del colegio".

Aunque mi hija es joven, ha aprendido que hay veces cuando uno debe abstenerse de dar respuestas ingeniosas o de consejos bien intencionados. Es mejor reconocer el consuelo inexpresable de las lágrimas que se derraman en común. Ella no cuestionó la verdad de la receta bíblica: "Llora con los que lloran".

Piense en ello: dar consejos o tratar de levantar el ánimo tienen su lugar apropiado; pero realmente nos conectamos con alguien cuando lloramos con el que llora.

Es bueno apoyarse

Desde el cabo de la tierra clamaré a ti, cuando mi corazón desmayare.
Llévame a la roca que es más alta que yo. Salmo 61:2.

¿No es increíble lo rápido que puede cambiar la vida? Cosas que consideramos inamovibles de pronto desaparecen o quedan afectadas. Eso es lo que me sucedió recientemente. Estaba jugando softbol con nuestro grupo de la iglesia. Estábamos perdiendo. Yo tenía que pensar alguna manera de detener el partido y debía hacerlo rápidamente. Fue así que me rompí la pierna y me desgarré un ligamento y algunos cartílagos al deslizarme en una base. (La próxima vez trataré de encontrar una solución menos trágica).

Sí, señor. El partido se dio por terminado. Podríamos haber perdido miserablemente, pero lo único que la gente recordará es cuando vino la ambulancia a llevarme.

Y yo tuve que preguntarme, ¿Por qué? ¿Por qué? ¿Por qué sucedió esto? Ciertamente no tengo tiempo para andar rengueando con muletas. Con la pierna enyesada no puedo manejar. Mientras me someto a procedimientos médicos y voy a las citas con los doctores, he tenido que contar con la ayuda de otras personas para hacer las compras, cocinar y cuidar de mis hijos.

Es duro tener que apoyarse en otros cuando se es tan independiente y autosuficiente como soy yo. Y quizá ésta es la razón por la cual pasó lo que pasó. He aprendido que es bueno apoyarse más en los demás. Es bueno necesitar ayuda. Y es bueno cuando otros nos fallan, o nos olvidan cuando la enfermedad se alarga interminablemente. Ahora sé lo que se siente al tener que depender de otros por un tiempo largo. Las personas están ocupadas con sus propias cosas. No es fácil incorporarme a mí en su rutina. Mis amigos se han portado de lo mejor, pero yo sé que después de tres semanas de estar inválida, sus vidas tienen que seguir. La mía está detenida.

También he aprendido lo que mis hijos sienten cuando piden algo y no lo obtienen enseguida. Es duro ser dependiente y paciente a la vez. Y cuando se es dependiente tendemos a exigir demasiado. He aprendido lo que es pedir una bolsa de hielo o un vaso de agua y tener que esperar hasta que lo traigan.

En este momento Dios no solamente me tiene que llevar a la roca que es más alta que yo. Tendrá que darme, además, un empujón para que yo llegue arriba. Pero, está bien, porque estoy aprendiendo a apoyarme.

Señor, guíame en el camino por el que tú quieres que yo vaya, y si es necesario dame un empujón.

Le devolvieron algo a la abuela

Mas Dios muestra su amor para con nosotros, en que siendo aún pecadores,
Cristo murió por nosotros. Romanos 5:8.

Mi abuela siempre estaba haciendo algo para ayudar a los demás. Ella logró realizar muchas cosas buenas a pesar de haber quedado prácticamente ciega a una edad temprana, y pasó toda su vida en tinieblas.

En su pueblo en las praderas de Canadá, cerca de cien años atrás, se la conocía como la "enfermera" del pueblo que atendía las enfermedades de cualquiera que tuviera necesidad. Una vez pasó varios días con un niño muy enfermo que pensaban que moriría. Ella le aplicó tratamientos de hidroterapia calientes y fríos, y otros remedios de su tiempo, e insistió hasta que el niño comenzó a recuperarse. La familia, agradecida, estaba convencida que el niño se había salvado gracias a la abuela.

Treinta o cuarenta años más tarde la abuela y el abuelo se jubilaron, dejaron la granja en la pradera y se mudaron a White Rock, Columbia Británica, cerca de Vancouver. Un oftalmólogo oyó del caso de la abuela y se ofreció a examinarle la vista. Luego la operó sin cargo alguno, y restauró la mayor parte de su vista. Ella pudo ver a muchos de sus once hijos adultos por primera vez, ya que habían nacido cuando ella estaba ciega. ¿Y el oftalmólogo? Era aquel niño cuya vida ella había salvado hacía muchos años.

Pero antes de que aplaudamos a la abuela por la compasión que sentía por los demás, debo contarles el resto de la historia. La razón por la cual la abuela tenía tanto tiempo para servir a la comunidad era porque no permitió que su hija mayor fuera a la escuela por mucho tiempo, y la utilizó como empleada doméstica sin paga, para atender los quehaceres de la casa y criar a los diez hermanos menores.

Sin embargo, ¿no es cierto que la mayor parte de nosotros, tiene dos facetas en su carácter? Yo amo a Jesús, pero tengo que decir con el apóstol Pablo de que a veces hago las cosas que no quiero hacer (Rom. 7:15).

La abuela, en su debilidad humana, a veces trataba mal a sus seres queridos, pero al mismo tiempo, su vida reveló una compasión y deseo de servir a Dios a través de la atención a los necesitados.

Cuando reconozco la realidad de mi propio lado negativo, es reconfortante saber que nuestro compasivo Padre celestial se preocupó lo suficiente, aun por mi abuela que tenía mal genio, para llevarle alivio en su vejez a través del niño a quien ella había ayudado hacía tanto tiempo.

La verdadera medida del carácter no es cómo uno trata a los extraños, sino cómo uno trata a los miembros de su propia familia. ¿Hay algunos cambios que usted debiera hacer en su vida?

Mi mano derecha versus la de Dios

A Jehová he puesto siempre delante de mí; porque
está a mi diestra, no seré conmovido. Salmo 16:8.

¡El rey David nunca supo cuando compuso este hermoso salmo que escribió sólo para mí! Pero algún día se lo diré.

"Ahora Cheryle, ¿por qué dices que el versículo 8 del salmo 16 tiene tanto significado para ti?", podrá preguntarme el rey con un brillo de curiosidad en sus ojos.

Detendré mi paso, me daré vuelta hacia él con toda mi nueva belleza celestial y le explicaré: "Bueno, rey, avancemos rápidamente 3.000 años desde tus días hasta los míos. Encontramos que Satanás está más ocupado que nunca acarreando dolor e impedimentos a la raza humana. Cuando yo nací no se sabía mucho sobre la prognosis de los bebés que habían sufrido falta de oxígeno. El doctor informó a mis padres que yo había sufrido un daño al nacer llamado parálisis cerebral, que afectaba la parte motora de mi cerebro. Estando yo en un estado muy debilitado, el médico dijo que probablemente no llegara a cumplir el año. Pero el doctor subestimó la determinación de una madre que oraba para mantener viva a su hija.

"Al crecer fue evidente que mi lado derecho estaba muy afectado. Pero a pesar del daño a la parte motora de mi cerebro, podía hacer algunas cosas por mí misma. Sin embargo, la mayor parte de mis actividades físicas estaban limitadas y se tenían que ajustar a la vida en una silla de ruedas.

"Ahora, por extraño que parezca, aquí es donde está la bendición. Debido a mis muchas limitaciones físicas, aprendí que debo buscar ayuda. Desde la niñez hasta mi edad adulta he encontrado que mi ayuda más segura y reconfortante viene del Señor Dios. El es Alguien a mi mano derecha. Debido a que elegí que él fuera el primero en mi vida y mi corazón, él ha estado allí literalmente en mi punto más débil —mi mano derecha disfuncional. Algunas veces él ha estado allí a través de las manos ayudadoras de un compañero de clase. Algunas veces en las manos ayudadoras de uno de mis alumnos. Y siempre en los brazos de familiares y amigos que me sostienen.

"Me he regocijado en ver que no importara lo que yo necesitara lograr —estudios, viajar, enseñar, o las actividades diarias— el Señor ha estado allí a mi mano derecha para hacer el trabajo con su mano derecha. De hecho, rey David, tu salmo termina con la mejor declaración de todas: En tu presencia hay completo gozo. A tu mano derecha hay placeres para siempre" (parafraseado).

"De paso, rey, ¿puedo saludarle con la mano derecha? Necesito practicar".

El Señor está también a su mano derecha. ¿Nota usted su presencia? ¿Está usted experimentando el gozo que trae su presencia? ¡Así lo espero!

¿Un acto de la Naturaleza?

Hay camino que parece derecho al hombre, pero su fin es camino de muerte. Proverbios 16:25.

"Lamento tener que decirle que usted tiene cáncer". Estas palabras se clavan como una daga en el corazón del paciente que está sentado frente a mí. "¿Cáncer? ¡Esto no me puede estar pasando a mí!"

Como oncólogo, he tenido que dar esta triste noticia a varios miles de pacientes. Aun cuando la mayoría incurrió en prácticas en sus vidas que causan cáncer, el anuncio siempre les llega como una terrible sorpresa. Especialmente los no fumadores se sienten así.

Hay ahora evidencia convincente de que casi un 80% de los cánceres se pueden prevenir o por lo menos postergar. Alrededor de un tercio de los cánceres está asociado con fumar y beber. Puede ser que esto cause sorpresa, pero los investigadores médicos piensan que otro 50% puede relacionarse con la dieta y/o la falta de ejercicio. Más de veinte categorías de compuestos químicos que inhiben el cáncer se han identificado en prácticamente una gran variedad de frutas, granos, nueces y verduras. Aun los fumadores que consumen muchas frutas y verduras retardan la aparición de cáncer pulmonar.

¿Qué debemos hacer para disminuir el riesgo de cáncer?

En primer lugar se debe evitar el tabaco y el alcohol.

En segundo lugar hay que evitar la carne, la leche, los huevos, el queso y las grasas animales de todo tipo, ya que promueven un mayor riesgo de ciertos cánceres. Y hay que aumentar el consumo de frutas y verduras, especialmente crudas.

En tercer lugar hay que hacer ejercicio. Un programa activo de ejercicio reduce el riesgo de ciertas enfermedades.

He estado dictando clases de salud para la comunidad por muchos años. Es sorprendente y hasta gratificante ver el entusiasmo de mucha personas, quienes al escuchar estos conceptos por primera vez, aceptan los principios de una vida saludable.

Hace más de cien años, antes de que la ciencia descubriera lo mismo, Dios inspiró a Elena de White a escribir: "Los cereales, las frutas carnosas, las oleaginosas y las legumbres constituyen el alimento escogido para nosotros por el Creador. Preparados del modo más sencillo y natural posible, son los comestibles más sanos y nutritivos. Comunican una fuerza, una resistencia y un vigor intelectual que no pueden obtenerse de un régimen alimentario más complejo y estimulante" (*Consejos sobre el régimen alimenticio*, p. 433).

¿No es tranquilizador saber que el cáncer, en lugar de ser un "acto de la naturaleza", se puede prevenir siguiendo las instrucciones que Dios ha dado a su pueblo?

Señor, ayúdame a practicar los principios de la salud que has dado a tu pueblo.

¿Fe o Temor?

Jehová es mi luz y mi salvación; ¿de quién temeré? Jehová es la fortaleza de mi vida; ¿de quién he de atemorizarme? Salmo 27:1

Los hombres sacan mejores calificaciones que las mujeres en los exámenes estandarizados de matemáticas. Sin embargo, dos psicólogos, Diane Quinn y Steven Spencer, descubrieron que podían influir el resultado simplemente cambiando las expectativas. A la mitad del grupo experimental se le dijo que participarían en un examen diseñado para medir su habilidad matemática. ¿El resultado? Las mujeres obtuvieron un puntaje de 10 mientras que los hombres típicamente obtuvieon 25. ¿No es cierto que esto parecería indicar que los hombres son más inteligentes que las mujeres para las matemáticas?

Pero espere hasta saber el resto. A la otra mitad del grupo experimental se le dijo que se les daría un examen "equitativo para ambos géneros", donde tanto los hombres como las mujeres sacarían buenos puntajes. ¡Tanto los hombres como las mujeres obtuvieron puntajes de 20! ¡En otras palabras, a las mujeres les fue mejor, y a los hombres les fue peor!

¿Qué es lo que hizo la diferencia? ¡Sus expectativas! Espiritualmente sucede lo mismo; la fe determina el resultado. Si usted tiene esperanzas y sueños, probablemente se tornarán en realidad. Pero si usted vive atemorizado, probablemente le sucederá lo que dijo Job: "Porque el temor que me espantaba me ha venido, y me ha acontecido lo que yo temía" (Job. 3.25).

Goliat, filisteo equivalente a Rambo y al Exterminador del cine, desafió a Israel a que enviara al mejor de sus valientes para tener un duelo con él. "Y todos los varones de Israel que veían aquel hombre huían de su presencia, y tenían gran temor" (1 Sam. 17:24). Estaban paralizados por el temor. Antes de poner un pie en el campo de batalla, ya estaban derrotados.

Pero David, aun cuando era menor y menos experimentado, confió en Dios, y mató al gigante con una piedra bien colocada en la honda que usaba como pastor de ovejas.

¿Cuál es su Goliat? ¿Qué es lo que usted teme? ¿Es la inseguridad de su trabajo? ¿Problemas en su matrimonio? ¿Está usted preocupado de perder algo que atesora? ¿Teme una enfermedad terrible?

Cualesquiera sea la naturaleza de su Goliat, el mensaje de Dios es: entregue su Goliat a Dios, y pídale que le conceda la capacidad para considerar su problema a través de los ojos de la fe, viendo posibilidades y resultados positivos.

El temor destruye y paraliza. La fe da poder y liberación. Usted puede conquistar hoy mismo sus temores, simplemente haciendo lo que tanto tiempo atrás Jesús dijo a Jairo, el padre de la niñita que había muerto: "No temas. Cree".

¿Está usted enfrentando a un Goliat? ¿Por qué no lo destruye teniendo fe en que Dios es más grande? Recuerde, el resultado de su vida será determinado por su fe o por su temor.

Dios es mi fuerte apoyo

Mas buscad primeramente el reino de Dios y su justicia,
y todas estas cosas os serán añadidas. Mateo 6:33.

Tengo una severa discapacidad de aprendizaje: dislexia-disgrafía, un problema con la lectura y la escritura. Mi cerebro me juega malas pasadas. Veo las palabras al revés. Aún las frases se mezclan. Puede que escriba la última parte de una frase primero, o que comience una palabra con la letra equivocada y luego tengo que volver atrás y rellenar lo que falta.

Aprender a leer fue una pesadilla. ¿Y qué decir de escribir? ¡Olvídese! Fui un fracasado en la escuela. Mi forma de subsistir fue simplemente restarle importancia al problema. Mi prioridad era el recreo, pero muchas veces me negaban el recreo o participar en los viajes de la escuela porque no había terminado mis tareas. Me encantaban los deportes pero mis notas no me permitieron integrar ningún equipo. Me sentía frustrado porque sabía que no podía hacer mucho por mejorar.

Cuando llegaba el momento de un examen no quería que nadie supiera que yo era lento. Yo empezaba tratando de hacer el examen correctamente, pero cuando los otros estaban finalizando, yo me ponía a adivinar o a dejar páginas en blanco. Pasé la secundaria a duras penas.

Desde el tercer grado de la escuela he buscado muchas soluciones: diferentes escuelas, tutores, teorías de la instrucción, diferentes colores en los materiales de lectura. Pero la única cosa que me ayudaba era la práctica laboriosa.

Terminé la universidad yendo a grupos de estudio donde los alumnos discutían las tareas de lectura, o conseguía que alguien me las leyera. Yo nunca tomaba apuntes. Simplemente escuchaba. Cuando iba a los exámenes, yo sabía la información, pero ya cuando fui a la universidad no me importaba si era el último en terminar. Finalmente terminé con buenas calificaciones: un promedio de 2.98 de un máximo de 4.00.

El año que pasé como estudiante misionero en Majuro cambió mi vida. Mis alumnos de quinto grado apreciaban mis esfuerzos. Un administrador escolar me dijo que yo tenía el don de la enseñaza. Pensé si realmente podía ser un maestro con mi discapacidad de aprendizaje. "Bueno, Dios —oré—, si esto es lo que quieres que yo haga, haré lo que esté de mi parte y estudiaré con mucho empeño".

Pero había un solo problema: tenía que aprobar un examen en California, en "habilidades básicas para la educación", antes de poder hacer la práctica docente. ¡Durante los siguientes tres años rendí el examen nueve veces antes de aprobar todas sus partes!

Todo esto me ha enseñado la paciencia, algo que muchos maestros no tienen. También he aprendido que no tengo que preocuparme por mí mismo. Debo esperar en el Señor y él cumplirá.

¿Le ha dado la vida. un desafío del cual tiene que salir vencedor?¿Por qué no pone a Dios en primer lugar y ve cómo él obra en su vida?

¿Quién soy yo?

Y yo, si fuere levantado de la tierra, a todos atraeré a mí mismo. Juan 12:32.

El lugar era el estadio de los Yankees. Los corredores están en primera y tercera. El pitcher observa al corredor en tercera base. Entonces, al darle una mirada al corredor en la primera base, sus ojos se enfocan en algo que está pasando en las gradas. Ve a un hombre que está teniendo un ataque al corazón. Inmediatamente se enfrenta a un dilema. ¿Debe continuar con el juego o ayudar al hombre necesitado de ayuda? ¿Qué puede hacer un pitcher de béisbol para salvar a alguien que está sufriendo un ataque al corazón?

Generalmente, no puede hacer nada. Pero el pitcher que en esa mañana estaba en el estadio de los Yankees era Doc Medich. Había una razón por la cual sus compañeros lo llamaban "Doc". Era un estudiante del último año de medicina. Viendo la crisis que estaba ocurriendo en las gradas, Doc se enfrentó a la pregunta: "¿Quién soy yo? ¿Soy un jugador de béisbol que trata de dominar a sus adversarios, o soy un estudiante de medicina entrenado para ayudar a la gente en caso de emergencia?

Cada día nos enfrentamos a la misma pregunta: "¿Quién soy yo?" Su respuesta determinará su comportamiento . El juego en el cual usted participa no se desenvuelve en un estadio; es el juego de la vida. ¿Es el objetivo de su vida pasarlo bien? ¿O es obtener posesiones terrenales? Tal vez sea ir en pos de la prosperidad, la acumulación de riquezas. ¿Es su juego obtener posición social y prestigio? ¿Desea tener influencia y poder para controlar a otros? ¿O busca el placer, los viajes y el entretenimiento?

Cada vez que usted contesta la pregunta: "¿Quién soy yo?", necesita considerar lo que Cristo hubiera respondido. Encontramos la respuesta en Mateo 20:28, donde dice que "el hijo del Hombre no vino para ser servido, sino para servir, y para dar su vida en rescate por muchos". Jesús vino a esta tierra para ministrar. Su blanco era servir a otros. Él pasó toda su vida ayudando, sanando y atendiendo a los demás.

Ese día en el estadio de los Yankees, Doc Medich lanzó una pelota más al bateador y luego contestó la pregunta: "¿Quién soy yo?", saltando a las gradas y ayudando a salvar la vida de ese hombre. El juego de béisbol cambió esa tarde en el estadio de los Yankees porque el pitcher tomó el rol del servicio.

¿Necesita cambiar el juego de su vida? ¿Necesita usted detener su juego actual y comenzar otro de modo que pueda poner a Cristo en alto y ministrar a su pueblo?

Hágase esta pregunta: "¿Quién soy yo?". ¿Armoniza su respuesta con la forma en que usted lleva a cabo el juego de la vida?

Cómo aplacar el temor de los niños

Dios es nuestro amparo y fortaleza, nuestro pronto auxilio en las tribulaciones.
Por tanto, no temeremos, aunque la tierra sea removida, y se traspasen los montes
al corazón del mar. Salmo 46:1,2.

El 11 de septiembre del 2001 fue el día cuando los terroristas atacaron a los Estados Unidos. Una semana más tarde, esto es lo que los niños decían: "Me preocupan mi mamá y mi papá, y que exploten los edificios altos en los que trabajan". "Vi como se estrellaban los aviones. Tengo miedo que alguien suba al avión con una bomba". "Siento tanta pena por la gente. No puedo dejar de pensar en esto". "Soñé que estaba en el edificio contra el cual se estrellaron los aviones y que se estaba cayendo y que yo no podía salir".

Los niños temen aquello que no pueden entender. Temen las cosas peligrosas sobre las cuales no tienen control. Tienen miedo de que les sucedan cosas trágicas que produzcan dolor y muerte, como un avión que se estrella, terremotos, rayos y explosiones.

Usted no puede prevenir que ocurra una tragedia en su familia. Usted no puede prepararse para cualquier cosa mala que les pudiera pasar a sus hijos. Pero sí puede proveer un ambiente familiar estable y seguro donde sea posible recuperarse emocionalmente, y donde se pueda escuchar, comunicar y controlar los temores.

Anime a sus niños a hablar. Los temores no resueltos se traducen en pesadillas, soñar despierto, regresiones en la conducta y cambios en el ánimo. Hable de lo que es bueno aun en una situación trágica, en lugar de enfocarse en el dolor, la pérdida y la muerte. Dígales la verdad. "Pueden suceder cosas malas, pero podemos elegir sonreír, ayudar a otros y buscar lo que haya de bueno en todo esto". Luego abrace a sus hijos y asegúreles que los ama y los protegerá.

Apague el televisor. Cuando los niños ven una y otra vez una tragedia, es como si estuviera pasando de nuevo. En su lugar, ponga música tranquila o léales algún relato. El solo hecho de escuchar su voz les infundirá seguridad. Dé a los niños algo para que hagan en favor de otros.

Asegúreles que Dios aún sostiene el mundo entero en sus manos. Léales en voz alta las historias bíblicas de cómo Dios provee liberación, por ejemplo cuando Dios abrió los ojos del siervo de Eliseo para que viera los caballos y carros de fuego que los estaban protegiendo (2 Reyes 6:17). Cuénteles que su ángel guardián nunca se aparta de su lado, aún cuando le ocurran cosas malas, haga que mencionen el texto de Salmo 34:7: "El ángel de Jehová acampa alrededor de los que le temen y los defiende". Oren para tener valor. Oren para que se vayan las pesadillas. Oren para que Dios ponga un muro de protección alrededor de su familia y les dé la fe que necesitan para vivir en tiempos difíciles.

Gracias, Padre, por prometer ayudarnos en tiempos de angustia.

Los trabajos voluntarios benefician la salud

Y respondiendo el Rey, les dirá: 'De cierto os digo que en cuanto lo hicisteis a uno de estos mis hermanos más pequeño, a mí lo hicisteis'. Mateo 25:40.

El capellán adventista, Ron Neish, nos cuenta que pasó siete días en el lugar donde cayeron las torres gemelas del Centro de Comercio Mundial en Nueva York en aquel nefasto 11 de septiembre. El vio a bomberos y policías trabajando denodadamente. Neish describe a un bombero de 90 años, que caminaba con paso inseguro por una de las calles vacías. Se había puesto su uniforme de bombero de los años 30: un sombrero antiguo de ala y un saco largo que le llegaba a los tobillos. Neish cuenta que el anciano caballero "se convirtió en una parte real y grata del programa de rescate".

¿Qué motiva a algunos a realizar un esfuerzo mayor para servir y salvar? Pueden ser ancianos o jóvenes, ricos o pobres. Se destacan del resto de la gente como una madre Teresa o un Schindler. No siempre son religiosos, pero están dispuestos a arriesgarse por los demás. Exhiben un espíritu de aventura y un amor por el prójimo que los mantiene dedicados al servicio en lugar de buscar sólo el placer.

Encontramos la recompensa más grande cuando ayudamos a otras personas. Hay estudios científicos que indican que al hacerlo beneficiamos nuestra salud. En tiempos inciertos como éstos, preocuparse por los demás nos beneficia a todos, no solamente a las víctimas; sino además a los que las ayudan.

El servicio voluntario a la comunidad puede prolongar su vida. Los investigadores de la Universidad de Michigan indican que los jubilados que dedican tan sólo 40 horas anuales a realizar trabajos voluntarios tienden a vivir por más tiempo que los que no lo hacen. Los trabajadores voluntarios son más felices y experimentan mayor energía y control en sus vidas. En Canadá casi una de cada cuatro personas mayores de 65 años sirve como voluntaria. Estos canadienses de edad avanzada gozan de una mejor calidad de vida, de mayor actividad física, y de una red social más fuerte. Quizá el trabajo voluntario debiera ser parte del mensaje pro salud.

En esta era de abierta malignidad, Dios quiere que hagamos más que retorcernos las manos. El quiere que ofrezcamos un estilo de vida diferente, preocupándonos por los demás, rehusando desviarnos hacia las cosas no esenciales. Es tiempo de evitar la crítica y de tratar de animar; de olvidarnos de nuestra propia falta de autoestima y de edificar la de los demás; de prepararnos no solamente a nosotros mismos para la segunda venida de Cristo, sino también a la gente con quien nos relacionamos.

Pregúntese a sí mismo: "¿Dónde podría Dios utilizar mi don del servicio?" Y ofrézcase como voluntario hoy mismo.

¿Perdonados o Prevenidos?

Y yo te ruego que perdones a tu sierva esta ofensa... Y acontecerá que
cuando Jehová haga con mi señor conforme a todo el bien que ha hablado
de ti, y te establezca por príncipe sobre Israel, entonces, señor mío,
no tendrás motivo de pena ni remordimientos por haber derramado
sangre sin causa, o por haberte vengado por ti mismo. 1 Samuel 25:28,30,31.

David y sus hombres estaban en el desierto y necesitaban provisiones, así que David envió a diez hombres a pedir a Nabal, un rico estanciero dueño de un rancho de ovejas, que le ayudara. Después de todo, los hombres de David habían tratado amablemente a los pastores de Nabal y nunca habían tomado nada de ellos, así que David estaba seguro de que Nabal le devolvería el favor. Pero en vez de ello, Nabal insultó a los hombres y los mandó de vuelta con las manos vacías.

Cuando David se enteró de lo que había acontecido, se enfureció. Armó a 200 hombres y estaba por ir a enseñarle a Nabal una lección "mortal", cuando Abigail, la esposa de Nabal, intervino y lo hizo entrar en razón. "¿Por qué quieres vengarte? Terminarás con recuerdos dolorosos en tu conciencia. Deja que Dios, quien ha sido tan bueno contigo, se encargue de este problema".

Abigail era una mujer sabia. No solamente salvó la vida de su esposo, sino que dio un consejo acertado de lo que la venganza le causa al vengador. Pero surge la pregunta: ¿qué es mejor, perdonar un pecado o prevenir un pecado? En el caso de David, haber prevenido un pecado no solamente salvó a una familia sino que liberó la conciencia de David y también su futura reputación. Ciertamente esto era de más valor que vengarse.

Hay veces en nuestra vida que la gracia predominante es la que previene; cuando alguien nos recuerda que no está en nuestra naturaleza decir o hacer lo que sentimos en el momento en que se nos ofende. La sabiduría está en reconocer lo que esa persona ha hecho por nosotros al detenernos antes de dar rienda suelta a la ira. Así lo hizo David; se dio cuenta de lo que la esposa tan perceptiva de Nabal hizo por él y exclamó: "Bendito sea Jehová Dios de Israel, que te envió para que hoy me encontrases. Y bendito sea tu razonamiento" (1 Sam. 25:32, 33).

Las consecuencias de la venganza pueden ser inmensurables e incomprensibles para otros y para nosotros. Cuando nos enfrentamos a los sentimientos que surgen ante las cosas injustas que nos suceden, el único curso seguro está en seguir la Palabra de Dios: "Bienaventurados los misericordiosos" (Mat. 5:9), y "No seas vencido de lo malo, sino vence con el bien el mal" (Rom. 12:21).

Que la Palabra de Dios sea para usted su "Abigail", haciéndole entrar en razón cuando sienta deseos de vengarse.

Gracias Jesús, por el dolor

Sino gozaos por cuanto sois participantes de los padecimientos de Cristo, para que también en la revelación de su gloria os gocéis con gran alegría. 1 Pedro 4:13.

Era un sábado de mañana. Yo caminaba de aquí para allá en la parte más baja dentro de la piscina del Centro de Terapia de Desert Springs, a donde había ido para encontrar alivio del dolor que experimentaba por causa de una artritis debilitante. Debido a la compresión de los nervios, y al dolor severo que sentía en la columna vertebral, la única manera que podía caminar bien era en el agua.

Anhelaba tener momentos de paz a solas con Dios, sin embargo, una de las pacientes, Linda, interrumpió la quietud de esa mañana en el desierto, al quejarse duramente contra el personal, ya que no podía dormir por el ruido de las puertas que se cerraban de golpe durante la noche.

Mi primera respuesta fue de irritación impaciente. ¿Cómo podía ella ser tan insensible? Es imposible que las puertas no hagan ruido al cerrarse cuando el viento del desierto sopla con fuerza, especialmente con pacientes como yo que andamos con muletas. Mientras aún resonaban sus palabras de enojo, me di cuenta que mi puerta fue una de las que se cerró bruscamente. Al salir de mi cuarto, no estaba preparado para una fuerte ráfaga de viento, y antes de poder evitarlo, la puerta se cerró de golpe. Pero de todas maneras, sentí que debía ir y pedirle disculpas.

Así que salí de la piscina y renqueando con mis muletas llegué hasta la puerta de Linda. "Linda —le dije—, una de las puertas que se cerró de golpe anoche fue la mía. Lo lamento". Al mirar amigablemente a sus ojos pude ver que comenzó a llorar y supe que esta mujer sentía falta de amor. "Linda, Dios te ama" —le dije.

Ella se fue del centro ese mismo día, pero antes de salir, aceptó con alegría una guía de estudios bíblicos basada en el amor de Dios según el libro de Juan. Pude alcanzar a Linda porque yo también experimenté el dolor.

Esta experiencia me recordó algo que sucedió hace muchos años, cuando la enfermedad amenazó detener las actividades al aire libre que tanto amaba. Uno de mis estudiantes una vez me preguntó si yo alguna vez le había agradecido a Dios por tener esta enfermedad. ¡Pensé que estaba mal de la cabeza!

Sonreí. He caminado un largo camino desde ese día hace tantos años, porque las experiencias como ésta con Linda —las cuales no habría tenido a no ser por mi enfermedad— me llevan a agradecer sinceramente a Dios.

¿Puede honestamente decir: "Gracias Dios, por mi enfermedad"?

Nueva programación del disco duro

Y al que sabe hacer lo bueno, y no lo hace, le es pecado. Santiago 4:17.

Se puede limpiar y vendar una herida, y con el tiempo sanará. Se puede extirpar un cáncer, y si no se ha propagado, el pronóstico será bastante bueno. Una enfermedad crónica generalmente avanza en forma lenta y se puede aprender a sobrellevarla. Pero la hemipleja golpea repentinamente y dependiendo de la ubicación de la parte afectada y de su severidad, puede instantáneamente cambiar toda la persona: las funciones corporales, el nivel de energía, el habla, la habilidad de moverse, de analizar, de planear, y de ejecutar acciones. ¡Todo! En un sólo instante terrible se puede caer de la cúspide de la funcionalidad y la productividad para quedar tullido, incapacitado, y en algunos casos, paralizado.

Tener un derrame cerebral puede compararse con el deterioro del disco duro de la computadora. Se mezclan los datos o se hacen inaccesibles. Parte de la información puede perderse permanentemente. Se pierden ciertas funciones, Sin embargo, a diferencia de una computadora, ¡no se puede instalar un nuevo disco duro! Las neuronas cerebrales que se han destruido no se pueden resucitar. Pero el cerebro tiene el poder increíble de reprogramarse a sí mismo —con la ayuda de una buena alimentación, ejercicio y una actitud positiva.

Si se repite vez tras vez una función que se ha perdido, se forman nuevas vías en el cerebro. Cada vez que se enfoca el esfuerzo en realizar una función que una vez fue automática—aún cuando parte del sistema nervioso del cerebro que realizaba esa función haya dañado, o se haya perdido una cantidad sustancial de enlaces, el cerebro crea nuevas conexiones que restauran la función.

Si el cerebro se ha destruido parcialmente, la parte buena se encarga de realizar funciones correspondientes a la porción dañada, mediante el recurso de crear nuevas vías neuronales. De cualquier manera, el secreto es un esfuerzo personal perseverante y bien dirigido. Si se lo realiza suficientes veces, eventualmente se formará una conexión.

El problema con la mayoría de los pacientes que ha tenido un derrame es que se esfuerzan mucho en los primeros meses que siguen al derrame, pero después se desaniman y dejan de ejercitarse. Si sus ojos pudieran ver a lo que está sucediendo en su cerebro y si se pudieran dar cuenta de cuán cerca están de completar una conexión, seguramente continuarían con el duro trabajo de la rehabilitación.

El pecado, lo mismo que un derrame, también destruye conexiones. Pero a diferencia del derrame, no tenemos que hacer esfuerzo alguno para volver a programarnos, solamente tenemos que estar dispuestos a dejar que el Espíritu Santo haga su obra.

Señor, nos has dicho en Santiago 4:2 que si lo pedimos, el Espíritu Santo nos cambiará. Así que te lo pido, Señor. Te ruego que comiences ahora mismo a reprogramar mi disco duro.

¿Está sedienta su alma?

Como el ciervo brama por las corrientes de las aguas, así clama por ti, oh Dios, el alma mía. Mi alma tiene sed de Dios, *del Dios vivo.* Salmo 42:1,2.

¡Debemos beber agua para poder sobrevivir! Nuestro cuerpo está compuesto de agua en un setenta por ciento. Para mantenerlo funcionando en forma adecuada, los adultos necesitan beber por lo menos ocho vasos de agua por día. Podemos sobrevivir durante semanas sin comida, viviendo de las reservas del cuerpo, pero el agua es algo integral para la vida, porque cada función depende de ella. La mayoría de nosotros moriría al cabo de tres o cuatro días de privación. Si restringimos el agua que bebemos, ponemos al cuerpo en un serio riesgo de funcionar mal.

Para aprovechar al máximo la ingestión de agua, debiéramos beber dos vasos antes del desayuno, dos o tres entre el desayuno y el almuerzo, y dos o tres entre el almuerzo y la cena. Para que no interfiera con la digestión, espere una o dos horas después de comer y unos 15 minutos antes de volver a comer. No importa si tiene sed o no, usted necesita agua antes de sentir sed.

¿Tiene sed ahora? Lo único que tiene que hacer es abrir la llave y dejar que llene su vaso. Pero imagíne que está cerca del Valle de la Muerte, en California, en medio del verano. Su auto se ha descompuesto en un camino de grava y no tiene idea de cuándo podrá recibir ayuda. Usted bebió el último sorbo de agua hace unas tres horas, y se siente como un asado cocinándose a fuego lento. ¿Tiene sed? ¡Claro que sí! O bien imagíne que usted acaba de recorrer dieciséis kilómetros extenuantes y que tiene la boca seca y carece de energía. Busca la cantimplora para beber y refrescarse pero la encuentra vacía. Tendrá que caminar más de seis kilómetros cuesta arriba para encontrar un lugar donde vendan agua. De la manera como se siente sed en estas situaciones, es como el Señor desea que sienta sed por él.

David comparó nuestra sed de agua con nuestra necesidad de Dios. Perseguido por el rey Saúl en el desierto, mientras huía para salvar su vida, David clamó: "Dios, Dios mío eres tú, de madrugada te buscaré; mi alma tiene sed de ti, mi carne te anhela, en tierra seca y árida donde no hay aguas" (Salmo 63:1).

Nuestro mundo se ha apartado de Dios por el pecado; un verdadero desierto en medio del universo. ¿Se da cuenta de que necesitamos el agua espiritual? La próxima vez que beba un trago de agua refrescante y pura, considere también la sed de su alma. ¿Cómo puede aplacarla? La respuesta está en Apocalipsis 22:17: "Y el que tiene sed, venga; y el que quiera, tome del agua de la vida gratuitamente". Beba el agua espiritual durante el día y no espere hasta que tenga sed.

¿Cuán sediento está hoy? ¿Ya bebió del agua de vida? Venga a Jesús, la fuente de agua de vida, *y deje que él lo llene hasta que sobreabunde.*

La bendición de la luz solar

Dijo luego Dios: 'Haya lumbreras en la expansión de los cielos para separar el día de la noche; y sirvan de señales para las estaciones, para días y años, y sean por lumbreras en la expansión de los cielos para alumbrar sobre la tierra'. Y fue así. Génesis 1:14,15.

El sol brilló durante 24 horas el 24 de diciembre de 1928, cuando Richard Byrd y una tripulación de 41 hombres llegaron a la Antártica, donde pasaron los siguientes 14 meses. Pero cuando comenzó a decrecer la duración de los días, la moral de sus hombres se deterioró significativamente. Ya para abril perdieron totalmente la luz solar. Durante cinco largos meses vivieron en edificios conectados por túneles bajo tierra. Muchos se tornaron taciturnos y deprimidos. El sol finalmente volvió a brillar el 20 de agosto de 1929. Norman Vaughan escribió: "¿Cómo puedo explicar el gozo de los primeros días que tuvimos luz del sol? Nos sentimos como prisioneros que habían recibido la conmutación de sus sentencias. Nuestros rostros comenzaron a brillar. Caminamos más rápidamente y nos movimos con una energía que hacía tiempo no teníamos". Los hombres del almirante Byrd sufrieron de lo que ahora se conoce como TAE, "trastorno afectivo estacional". Estos hombres no tuvieron las endorfinas que la luz solar permite que el cerebro produzca y que dan sensación de bienestar.

El sol es una de las mayores bendiciones de la vida, sin embargo, no le damos importancia. No nos damos cuenta de que el sol mata los gérmenes, previene las infecciones y ayuda a sanar ciertas enfermedades al aumentar la capacidad de los glóbulos rojos de transportar oxígeno, lo cual fortalece el sistema inmunitario. El acné, la psoriasis, la rosácea, y las ulceraciones de la piel, tales como las afecciones causadas por las venas varicosas, los cortes, y las picaduras de mosquitos, responden muy bien a dosis graduales de luz solar. La piel que recibe luz del sol es tres veces más eficaz en destruir a los gérmenes que la piel no expuesta. Sin embargo, el exceso de luz solar daña a la piel, causando un riesgo mayor de cáncer. Y la exposición repetida al sol deshidrata y arruga la piel. La moderación es importante.

Sin que nos demos cuenta, cuando estamos al sol se produce una increíble reacción química que nos provee vitamina D. Necesitamos 400 unidades diarias, y podemos obtenerlas exponiendo el rostro a la luz del sol durante cinco minutos diarios.

La luz del sol estimula la glándula tiroides para que aumente la producción de hormonas, lo cual su vez mejora el metabolismo y ayuda a quemar calorías.

Gracias, Dios creador, por darnos la luz del sol. ¿Ha tenido usted sus cinco minutos de luz solar hoy día? Si no lo ha hecho, es bueno salir a caminar y dejar que el sol le revitalice.

Restauración dental

En esa misma hora sanó a muchos de enfermedades y plagas,
y de espíritus malos, y a muchos ciegos les dio la vista. Lucas 7:21.

El dolor de muelas aparece en muchas formas y tamaños y en una escala del uno al diez, y puede ir desde una molestia hasta un dolor terriblemente punzante. Desde el momento en que los pacientes que sufren de dolor de muelas llegan a mi oficina, su deseo más urgente es aliviarse del dolor. A menudo no les importa lo que yo haga para "arreglarlo". Solo quieren que se detenga el dolor.

Es fácil proveer un alivio temporal, pero es un proceso complicado restaurar el diente para que funcione bien. Si un paciente elige dejar mi oficina después de obtener alivio pero sin que se le haga una "restauración", está destinado a volver vez tras vez con el mismo problema. Sin embargo, si elige "restaurar" completamente el diente, entonces cosechará a largo plazo los beneficios de una mejor salud.

Mientras estuvo en la tierra, Jesús nos mostró lo último en medicina restaurativa. El restauró la vista a los ciegos, les dio piernas nuevas a los cojos; narices, dedos de la mano y de los pies a los leprosos; sangre saludable a los que padecían de hemorragia; movimiento a los paralizados; cerebros racionales a los dementes; y vida a los muertos. ¡Yo creo que él aún restauró dientes cariados y doloridos por dientes en buen estado! De alguna manera me gusta comparar la misión restaurativa de Jesús con mi práctica dental diaria.

Pero antes de restaurar, Jesús (como buen dentista), primero se ocupó del dolor—el dolor de una conciencia culpable— al decir: "Tus pecados te son perdonados".

Jesús me habla hoy de la misma manera, prometiéndome perdón —alivio del dolor— de manera que pueda ver más claramente lo que necesito hacer para experimentar la restauración en mi vida, la restauración que sólo puede suceder cuando estoy dispuesto a admitir que tengo un problema y que necesito ayuda.

Algunas veces cuando los pacientes no sienten más dolor, rehúsan admitir que el problema que causó el dolor todavía existe. Puede ser que tengan una cavidad grande causada por malos hábitos alimentarios, fumar, una pobre higiene oral, o simplemente por negligencia. Si no cambian sus hábitos destructivos, el dolor va a volver.

Lo mismo sucede con nuestras vidas espirituales. Si rehusamos que Jesús, el gran Sanador, nos restaure, nuestro dolor irá en aumento hasta que se torne insoportable. Al allegarnos a Jesús —pasando tiempo en comunión con él cada día— podemos ser perdonados y restaurados a su imagen.

Señor, agudiza mis sentidos de manera que sienta suficiente dolor para arrepentirme de mi estilo de vida no saludable y reciba el perdón de Cristo y su restauración.

El estrés de los lunes

*Mi Dios, pues, suplirá todo lo que os falta conforme
a sus riquezas en gloria en Cristo Jesús.* Filipenses 4:19.

Los cardiólogos del Centro Médico para Veteranos de Baltimore encontraron que el 21% de los incidentes de latidos irregulares del corazón sucedían el lunes de mañana. ¿Por qué? Podría ser por un dato muy poco conocido. De los 25 indicadores de alto riesgo para un evento catastrófico de la salud, la actitud acerca del trabajo está en primer lugar. Quizás usted pensó que el primer lugar lo tenía el nivel de colesterol, el índice de masa corporal, o ser fumador. En lugar de ello el factor preponderante es el que tiene que ver con la actitud mental.

¿Qué sucede si usted tiene una actitud negativa hacia su trabajo? Toda su vida se trastorna y sin duda hay mucho estrés. Su digestión se ve afectada, y probablemente también su sueño, sus hábitos alimenticios, su interacción en el hogar, su regularidad, y su relación con el Señor.

Lo cual nos trae a otro dato poco conocido. Los pastores son los que tienen los riesgos de salud más altos en la nación debido a enfermedades coronarias, hemiplejias y diabetes. Una vez más están relacionados con el estrés.

Al luchar con el estrés, recuerdo las palabras del apóstol Pablo: "He aprendido a contentarme, cualquiera que sea mi situación" (Fil. 4:11). "Dad gracias en todo, porque esta es la voluntad de Dios para con vosotros en Cristo Jesús" (1 Tes. 5:18). "Por nada estéis afanosos... y la paz de Dios... guardará vuestros corazones y vuestros pensamientos" (Fil. 4:7). Luego considere las palabras de Mateo: "Mas buscad primeramente el reino de Dios y su justicia, y todas estas cosas os serán añadidas". Y el salmista que declara: "Deléitate asimismo en Jehová, y él te concederá las peticiones de tu corazón. Encomienda a Jehová tu camino, y confía en él, y él hará" (Sal. 37: 4, 5).

Recuerde, su válvula principal de escape para el estrés es la oración. No se guarde las cosas adentro. Dios está allí y escuchará.

Si continúa experimentando estrés en su trabajo, el Señor puede que esté tratando de decirle que necesita un cambio. Hay dos posibles cambios: Uno, cambiar su actitud. Piense en cinco cosas positivas acerca de su trabajo y alabe al Señor; luego considere lo más negativo, y nuevamente agradezca al Señor. El apóstol Santiago lo expresó en forma inmejorable: "Tened por sumo gozo cuando os halléis en diversas pruebas, sabiendo que la prueba de vuestra fe produce paciencia" (Sant. 1: 2).

El segundo cambio posible es cambiar de trabajo. "¿Imposible?" Recuerde, "todas las cosas son posibles para Dios" (Mar. 10:27).

La próxima vez que usted experimente un lunes lleno de estrés, deje que la Palabra de Dios le quite el estrés.

¿Qué es ser un buen samaritano?

Pero un samaritano, que iba de camino, vino cerca de él , y viéndole, fue movido a mise-
ricordia; y acercándose, vendó sus heridas, echándoles aceite y vino; y poniéndole en su
cabalgadura, lo llevó al mesón, y cuidó de él. Lucas 10:33,34.

La historia es bien conocida. El viajero solitario que desciende de Jerusalén a Jericó, los asaltantes que lo toman por sorpresa y le quitan todo lo que tenía a pesar de su valiente intento por defenderse. Por lo menos, yo creo que trató de oponer resistencia, porque lo dejaron herido, medio muerto, y desnudo.

El sacerdote, uno de los intercesores oficiales entre Dios y el hombre, especialmente comisionado para atender necesidades como ésta, rápidamente se desvió hacia el lado opuesto del camino. El levita, uno de los que tenían una función especial en los ritos sagrados, evaluó la escena y también se retiró de su hermano inconsciente.

La tercera persona que vino era alguien que había sufrido el rechazo y el menosprecio de los demás por ser extranjero —alguien del tercer mundo—, pero eso no fue motivo para que dejara de hacer lo que debía. Se desmontó de su asno, rápidamente revisó el pulso y la respiración, revisó las heridas que sangraban y de sus provisiones sacó alcohol (vino) para controlar la infección y un ungüento calmante para aliviar el dolor.

No lo puedo asegurar, pero supongo que también vendó al hombre semiinconsciente con la ropa adicional que llevaba, antes de colocarlo sobre el animal y cuidar de que no cayera, mientras caminaba en dirección a Jericó.

Al llegar al motel más apropiado, consiguió alojamiento para ambos, y tiernamente cuidó de su protegido hasta la mañana. ¿Cómo sé yo que lo hizo en forma tierna? El relato específicamente menciona la compasión. Compasión, hermosa palabra. Y entonces, llegó el clímax final. Al pagar la cuenta, dejó dinero equivalente a dos días de salario, con la promesa de que si "él necesita quedarse por más tiempo, yo pagaré la cuenta la próxima vez que pase por aquí".

Pongámoslo en el contexto moderno: ¿Se detendría usted si viera que alguien está herido al lado del camino? ¿Vendaría las heridas como mejor pudiera, colocaría su propio abrigo sobre esa persona y le ayudaría a entrar a su auto, sabiendo que la sangre podría manchar el tapizado? ¿Lo llevaría usted hasta el motel más cercano, quedaría con él toda la noche para cuidarlo, y luego dejaría el equivalente a dos días de sueldo, quizá un par de cientos de dólares, con el dueño del motel para asegurarse de que esta persona tuviera un lugar donde reposar hasta recuperarse? ¿O usted simplemente haría una llamada a la policía desde su celular y continuaría manejando?

¿Qué podría hacer usted para ser el Buen Samaritano para alguien hoy?

Los niños engordan con más rapidez

Y al cabo de los diez días pareció el rostro de ellos mejor y más robusto que el de los otros muchachos que comían de la porción de la comida del rey. Daniel 1:15.

Un día, en lugar de que se sirviera la comida caliente usual, la cafetería de la escuela repartió emparedados de mantequilla de maní y jalea. Después del almuerzo, un niño del primer grado, muy alegre, al salir le dijo a la encargada de la cafetería: "¡Finalmente nos dieron una comida casera!" Es triste reconocerlo, pero las comidas caseras, con todos los miembros sentados alrededor de la mesa, son ahora la excepción en los hogares, donde han sido reemplazadas por las comidas pre-cocinadas. Más de la mitad de los jóvenes estudiantes utilizan los establecimientos de comida rápida y las máquinas que expenden meriendas en lugar de ir a almorzar a la cafetería del colegio. Y esto tiene un precio. Los niños norteamericanos están engordando más y más rápido que nunca antes. De cuatro a seis millones de niños, entre los seis y los once años, tienen serios problemas de peso, y el número de niños obesos se ha duplicado en los últimos 15 años.

La obesidad predispone a que un niño tenga enfermedades del corazón, cálculos biliares, diabetes, hipertensión, cáncer y una obesidad declarada más adelante en su vida. Los niños obesos tienen más problemas ortopédicos y enfermedades del aparato respiratorio. Y esto es sólo una cara de la moneda. A menudo sufren problemas sociales y psicológicos de envergadura. El rápido incremento en las depresiones graves, los desórdenes alimentarios, el uso de drogas y el suicidio entre los adolescentes son alarmantes.

Los genes juegan un papel en el peso de la persona, pero no son la única causa. El ambiente tiene un papel crítico, como lo demuestra el hecho de que el porcentaje de gente obesa ha aumentado constantemente en los últimos 50 años. ¡La composición de nuestros genes no puede cambiar tan rápido!

Las causas principales de obesidad en los niños y adolescentes son las mismas que para los adultos: un estilo de vida sedentario, mirar televisión, el Internet, el hábito de consumir comida chatarra, las bebidas gaseosas, y la popularidad y disponibilidad de comidas excesivamente procesadas y concentradas. Muchos centros médicos importantes están desarrollando programas de control de peso para los niños, involucrando a toda la familia. Los hábitos alimenticios y de estilo de vida son un asunto familiar, y un joven necesita especialmente el apoyo de su familia. Aun cuando el resto de la familia no tenga sobrepeso, todos se podrán beneficiar de un estilo de vida más saludable.

Aquí está la analogía espiritual: Así como las comidas rápidas y el estilo de vida sedentario causan que los niños sean más susceptibles a la obesidad y otras enfermedades; así la vida devocional rápida y el ser un cristiano sedentario en lugar de alguien activo, puede hacer que una persona sea más susceptible a la tentación.

Señor, ayúdame a resistir la tentación y a hacer lo que yo sé que debo hacer.

Bishnu Rai

Enjugará Dios toda lágrima de los ojos de ellos; y ya no habrá más muerte, ni habrá más llanto, ni clamor, ni dolor; porque las primeras cosas pasaron. Y el que estaba sentado en el trono dijo: 'He aquí, yo hago nuevas todas las cosas'. Apocalipsis 21:4,5.

Enclavada en la ladera sur de unas montañas del Himalaya, Nepal es conocido por algo más que el té, el senderismo y la industria de las alfombras. Por alguna razón desconocida, este pequeño país tiene un número desmesurado de casos de labio leporino y paladar hendido. Se estima que uno de cada 500 nacimientos tiene este defecto. En una población de 21 millones, significa que más de 40.000 personas padecen este defecto.

Cerca del monte Everest está la remota aldea de Kerabari donde nació Bishnu. Desde la capital, Katmandú, hay que viajar 16 horas por ómnibus y luego caminar cuatro días para llegar hasta su hogar. A los 16 años, Bishnu es la mayor de una familia de tres hermanas y un hermano. Toda su vida se ha sentido avergonzada por su cara deforme, con el labio superior partido en dos, lo cual revela dientes deformados y una abertura que llega hasta sus anchas fosas nasales. La posibilidad de sobrevivir fue precaria debido al enorme agujero en el paladar, el cual también hace que no se pueda entender lo que habla.

Cuando tenía cinco años de edad, Bishnu caminaba treinta minutos por día, ida y vuelta, para asistir a una escuela primaria estatal donde había también otro alumno de labio leporino y paladar hendido. Algunos de sus compañeros de clase resentían la presencia de ellos y les hacían la vida imposible. Les era muy duro sentirse objeto de ridículo y burla por sus deformaciones faciales y su habla defectuosa.

Luego de asistir a la escuela por cinco años, Bishnu tuvo que dejar los estudios para comenzar a trabajar. Ella necesitaba ayudar a ganar dinero para ayudar a su familia. Al principio, trabajó para sus vecinos, plantando y cosechando vegetales o cuidando de sus animales.

Bishnu se empleó de aprendiz en una fábrica de ropa en Katmandú donde está aprendiendo a coser. Una vez que complete su aprendizaje ella podrá ganar más dinero, la mayor parte del cual será enviado a su familia.

En Katmandú, Bishnu escuchó sobre el programa de ADRA para los que padecen de labio leporino y paladar hendido. Se puso en contacto con la organización, que realiza cirugías restaurativas totalmente gratis para las personas sin recursos. Poco después Bishnu se operó, y obtuvo un nuevo rostro con el cual había soñado. En la cultura de su aldea de Nepal, la edad casadera es entre los 12 y los 15 años. Con su nueva cara, Bishnu tiene la esperanza de tener una vida familiar normal con un esposo e hijos.

Jesús dijo que él haría todas las cosas nuevas. Para Bishnu, esta promesa ya se ha cumplido.

¿Qué podría hacer hoy para ayudar a alguien a experimentar la promesa divina de restauración y esperanza?

Sintiéndose bien

Y ahora permanecen la fe, la esperanza y el amor, estos tres;
pero el mayor de ellos es el amor. 1 Corintios 13:13.

Es bueno sentirse bien. Queremos sentirnos bien físicamente. Queremos sentirnos bien con nuestra familia y amigos. Y queremos que ELLOS se sientan bien con respecto a nosotros. Hay buenos principios de salud que nos ayudan a sentirnos bien físicamente. Servir fielmente a Dios y nuestros semejantes, lograr nuestro mejor potencial, y hacer lo correcto en el momento correcto nos ayudará a sentirnos bien con respecto a nosotros mismos. Está prácticamente en nuestras manos poder sentirnos bien físicamente y con nosotros mismos. El desafío es que otros se sientan bien con nosotros. Pero para esto, también hay que poner en práctica un principio.

Hace muchos años, una organización a la cual era ajeno me empleó para llenar un puesto vacante. Dentro de esa organización había una persona que había esperado ser promovida a ese puesto. La frustrada candidata renunció a su trabajo. Esa persona era muy íntima de mi nueva secretaria, la cual también estaba chasqueada de que yo fuera ahora su nuevo jefe. Esta secretaria podía contribuir a mi éxito o hacerme la vida imposible. Ella prefirió lo segundo. Yo podía continuar trabajando con ella o pedir que la reemplazaran. Opté por lo primero.

¿Podría hacer que ella se sintiera bien conmigo al ayudarla a ver mis antecedentes y mi gran inteligencia? Lo dudo. Busqué la manera de que se sintiera bien consigo misma. Examiné su conducta antes de mi llegada. Le hice saber que conocía su contribución a la organización, que confiaba en ella, y que creía que tenía un futuro brillante. Le di razones específicas de por qué pensaba que ella era especial y reconocí los logros de su compañera que se había retirado.

La respuesta fue increíble. Ella se convirtió en una empleada leal y en una buena amiga. Este incidente me mostró que si queremos que los demás se sientan bien respecto a nosotros, primero tenemos que hacer que se sientan bien consigo mismos. No debemos gastar energía en hacerles sentirse bien con nosotros. El amor es la clave para que se sientan bien consigo mismos.

"Se requiere que el ser humano ame a Dios por encima de todas las cosas, con toda su mente y su fuerza, y a su prójimo como a sí mismo. Esto no lo puede realizar a menos que se niegue a sí mismo. Negarse a sí mismo significa sujetar el espíritu cuando la pasión trata de enseñorearse; resistir la tentación a censurar y encontrar faltas en otros... [y] a trabajar paciente y alegremente para el bien de los demás" (Elena G. de White, *In Heavenly Places*, p. 223).

Querido Señor, ayúdame a amar a los demás así como tú me amas. Permite que viva por tu principios de amor hoy y que pueda ver la diferencia que hace en la vida de otras personas.

El camino menos transitado

Y sabemos que a los que aman a Dios, todas las cosas les ayudan a bien, esto es, a los que conforme a su propósito son llamados. Romanos 8:28.

En el juego de la vida, ¿por qué algunas personas se dan por vencidas cuando sufren un revés, y en cambio otras, bajo tremendas desventajas y pruebas, terminan como vencedoras? Cuando las circunstancias golpean, es como que el camino se bifurca. Hay dos posibilidades: el camino que dice "Todas las cosas obran para mal", y el otro que dice "Todas las cosas obran para bien". Después de este punto todo quedará determinado por el camino que usted elija. Todo quedará afectado por su actitud.

El camino más transitado es el primero. Vivimos en un mundo de pecado, así que obviamente suceden cosas malas. Pensamos: "Las cosas no pueden ponerse tan malas; pero ¿y si se ponen peores?". O en las palabras de esa vieja canción de béisbol: "Uno, dos, tres; ¡ponchado!... y estás fuera". Así es. Usted está destinado al fracaso.

Los que escogen el camino menos transitado eligen la otra respuesta. Ellos declaran: "Todas las cosas obran para bien", aún cuando la apariencia diga lo contrario. Al hacer esta elección, esas personas inmediatamente se liberan de la preocupación y las quejas que debilitan. Pueden descansar en el Señor, y encontrar la paz que él promete, aún en medio de la terrible batalla entre el bien y el mal, la salud y la enfermedad, o la vida y la muerte.

Elegir considerar la vida en forma positiva es como hacer caer el primer dominó de una columna. Cuando ése cae, el resto sigue. Sin hacer planes deliberados, los que piensan en forma positiva comienzan a asumir la responsabilidad para que algo "bueno" salga de lo malo. Aunque el golpe sea contra ellos, persisten en el juego haciendo lo mejor.

Cuando un aficionado fuera de sí apuñaló en la espalda a la tenista profesional Mónica Seles, muchos pensaron que ella no volvería a jugar. Pero ella regresó al deporte, a pesar de enfrentar problemas físicos y el temor a otro ataque. Luego de un terrible accidente en el cual más de cuarenta perdigones de escopeta penetraron en su cuerpo; Greg LeMond, el ciclista que representaba a los Estados Unidos en el Vuelta Ciclista de Francia, contra toda expectativa volvió a participar y ganó. Y Greg Louganis, después de golpearse la cabeza en la tabla de tres metros al lanzarse de un trampolín en las Olimpíadas, volvió más tarde ese día y ganó una medalla de oro.

Todos ellos escogieron el camino menos transitado y sacaron algo "bueno" de lo "malo". La próxima vez que usted sufra un revés en su contra, ¿cuál camino elegirá?

Señor, ayúdame a elegir el camino menos transitado y a sacar algo bueno de lo malo.

Obligados a descansar

El les dijo: 'Venid vosotros aparte a un lugar desierto, y descansad un poco'.
Porque eran muchos los que iban y venían, de manera que ni aun tenían tiempo
para comer. Marcos 6:31.

Sentado al borde de la camilla que se usa para los exámenes médicos, miré con incredulidad la receta que el médico puso en mis manos. "No debe trabajar por dos meses". ¡No podía ser posible! ¿Qué se suponía que debía hacer conmigo mismo? Cerré los ojos y escuché mientras el médico decía que si yo no cambiaba mi estilo de vida tendría poco tiempo para vivir. "Usted trabaja demasiado. Es un adicto del trabajo".

Wayne Oats define a un adicto del trabajo como "una persona cuya necesidad de trabajar se torna tan excesiva que crea un trastorno evidente en la salud, la felicidad o en sus relaciones personales". ¡Esta definición estaba hecha a mi medida! ¡Yo era adicto al trabajo!

Ahora no tenía otra opción. Así que con tiempo en mis manos comencé a reflexionar en cosas tales como el comentario de George McDonald: "No siempre se requiere que un hombre trabaje. Hay algo que se llama una ociosidad sagrada, cuyo cultivo ahora hemos lamentablemente descuidado".

Comencé a elegir cosas que darían a mi vida un equilibrio saludable. Y en el proceso descubrí cómo esto armoniza con el sábado. Cuando nos reunimos con otros creyentes, eso es socialmente saludable. Entonces estimulamos nuestras mentes con el estudio de la Biblia. Es bueno para nuestra salud emocional compartir nuestros sentimientos en grupos pequeños. Crecemos espiritualmente cuando adoramos a Dios. Y finalmente después de tener una comida nutritiva y saludable podemos salir a caminar en la naturaleza o descansar, según lo que nuestros cuerpos necesiten.

Creo que cuando Cristo creó el sábado debe haber sabido cuán difícil es para algunos de nosotros aflojar el paso y descansar en su santo día, así que hizo dos cosas. Nos dio el día de preparación para que comencemos a desacelerarnos, y lo hizo obligatorio. (Es uno de los diez mandamientos).

Uno de estos días volveré a trabajar. Pero ahora veo la sabiduría del consejo de Cristo a sus discípulos: que si ellos querían ayudar a otros, primero necesitaban ellos mismos descanso y soledad.

Tuve suerte porque a pesar de haber perdido de vista los planes de Dios para mi vida, Dios nunca me perdió de vista a mí. Con David puedo decir: "Bueno me es haber sido humillado, para que aprenda tus estatutos" (Sal. 119:71).

Dedique algunos momentos para escribir todos las obligaciones en su vida.
¿Incluyó cuidar su persona mediante el descanso?

El verdadero valor

Pues aun vuestros cabellos están todos contados. Así que, no temáis;
más valéis vosotros que muchos pajarillos. Mateo 10:30,31.

¿Cómo determinamos el valor? Nada tiene valor a menos que nos cueste algo. ¿Recuerda la "Perla de Gran Precio" (Mat. 13:46)?

Valoramos la educación por los costos de colegiatura o por los ingresos que podremos tener. Cuando se compra algo: una casa, un auto, electrodomésticos, ropas, o aun comida, el valor está determinado por lo que la gente paga para obtenerlo.

Hablemos de autos. Tengo un Jeep 1985 con 212.400 kilómetros. Ahora bien, "este Jeep" no vale mucho en el mercado de los autos usados. Sin embargo, para mí vale mucho más. ¿Cuál es la razón? Le he reemplazado el sistema de combustible, la suspensión y la transmisión. Tengo cicatrices en la cabeza, y cortes y machucones en las manos, los cuales me recuerdan el esfuerzo personal realizado para hacer que "este Jeep" siguiera funcionando. "Este Jeep" me ha causado numerosas frustraciones. ("¿Por qué no arranca?", "¿Por qué comienza a escapar aceite?"). Pero también he realizado viajes increíbles con "este Jeep", que compensan las frustraciones. Un Jeep más nuevo podría causar menos problemas, ¡pero también me traería menos recuerdos!

Hace algunos años administré anestesia en varias ocasiones a un joven, para ciertos procedimientos quirúrgicos que eran parte de su tratamiento contra el cáncer. Él murió poco después. Hoy tuve que anestesiar a su madre. Ella despertó con lágrimas en los ojos. Escuché que pronunciaba suavemente el nombre de su hijo y decía: "Te he querido tanto; si tan sólo hubiera podido salvarte".

Cuán grande era el amor de esa madre. Cuán grande era el valor que esa madre colocaba en su hijo. Ella hubiera hecho cualquier cosa para salvarle la vida, aunque eso hubiera significado perder la suya.

Dios coloca mucho valor en nosotros, por eso no necesitamos temer las amenazas o las pruebas personales. Estas circunstancias no nos puedan quitar el amor de Dios. Sin embargo, esto no significa que Dios eliminará los problemas.

Nuestro verdadero valor reside en la forma como Dios nos valora, no en el que nos dan nuestros semejantes. Los demás nos valoran basados en cómo nos vemos, lo que hacemos, o por lo que logramos. Dios nos valora porque le pertenecemos. Podemos frustrar a Dios, pero mientras le pertenezcamos, él cuidará de nosotros.

Dios lo valora a usted tanto que conoce el número de los cabellos que hay en su cabeza. ¿Qué siente al saber esto? ¿Por qué no se lo dice a Dios?

La sanidad y el perdón

Al ver él la fe de ellos, le dijo: 'Hombre, tus pecados te son perdonados'... Pues para que sepáis que el Hijo del Hombre tiene potestad en la tierra para perdonar pecados (dijo al paralítico): 'A ti te digo, levántate y toma tu lecho, y vete a tu casa'. Lucas 5:20,24.

Ana frunció el ceño enojada cuando se le preguntó qué había acontecido. Ella había asistido a nuestro seminario sobre salud emocional. En esa ocasión compartimos la historia del paralítico registrada en Lucas 5:17-26 y dijimos que la restauración de la salud requiere que la fe del suplicante se aferre al poder sanador de Jesús para sobreponerse a cualquier impedimento. El impedimento en esta historia era la muchedumbre, de modo que sus amigos lo bajaron a través del techo.

¿Cuál fue el primer acto restaurador de Jesús? Él dijo: "Tus pecados te son perdonados".

En el subsiguiente diálogo entre Jesús y los escribas y fariseos críticos, Jesús sugiere que es más fácil que una persona sea sanada cuando sus pecados son perdonados. Basándonos en este caso, sugerimos al grupo lo que sigue: "Destruyan cualquier impedimento que exista entre ustedes y el poder sanador de Jesús".

Más tarde, Ana nos pidió consejo acerca del juicio que había entablado contra tres personas que la habían violado. Ella aún luchaba con sus sentimientos de rabia, vergüenza y humillación.

Pregunté: "Ana, ¿usted cree que pueda perdonar a los violadores?"

Ana se puso tensa y su expresión corporal mostró una resistencia desafiante.

"Perdonar es casi imposible, desde el punto de vista humano. Pero Dios es fiel y él le concederá la gracia si usted decide perdonar". Le pregunté si estaría dispuesta a participar en una oración de perdón. Ella estaba dispuesta, y cuando concluyó, Ana dio un gran suspiro de alivio.

En la sesión ante la corte, Ana pidió poder hablar antes de que comenzase el interrogatorio. Se puso de pie con evidentes muestras de nerviosismo y presentó su muy practicado discurso. "Señor Juez, Dios ha sido misericordioso conmigo y me ha dado paz. Me gustaría perdonar a los que me han dañado, y deseo retirar mi demanda". El perdón no significa necesariamente que los ofensores dejarán de sentir las consecuencias legales de sus fechorías. Pero en su caso, Ana pensó que era mejor retirar los cargos.

La sala guardó silencio, y luego prorrumpió en aplausos. El juez sacudió su cabeza: "Nunca en mi carrera he visto lo que ha pasado en esta sala".

Cuando elegimos perdonar, comenzamos a sanar porque quitamos el impedimento. Cuando actuamos como Jesús, las personas quieren conocer al Jesús que nosotros conocemos.

¿Hay algún impedimento entre usted y el poder sanador de Jesús? ¿Por qué no lo elimina y experimenta el milagro de sanidad que Dios tiene para usted?

¿Salud por causa de una enfermedad?

El eterno Dios es tu refugio, y acá abajo los brazos eternos. Deuteronomio 33:27.

He descubierto que una enfermedad que conlleva riesgo de muerte puede tornarse en una experiencia sanadora si nos induce a buscar mayor apoyo en Jesús. Mi personalidad era superactiva, tenía que estar siempre haciendo algo. Pero eso cambió en mayo de 1993 cuando me diagnosticaron cáncer de seno. Me sometí a una cirugía, y luego a meses de quimioterapia y radiación, lo cual me dejó enferma y exhausta.

Me preguntaba: "¿Por qué me sucedió esto?" Siempre procuré vivir un estilo de vida saludable. Mi médico me explicó que mi enfermedad era probablemente hereditaria, ya que mi madre falleció de lo mismo. Pero eso no alivió mi dolor ni el temor de lo que me aguardaba. En estas circunstancias el himno *Salvo en los Tiernos Brazos* se convirtió en mi canto favorito. Lo cantaba vez tras vez.

Ahora, al recordar esos momentos difíciles, pienso: "¿Y por qué no yo?" Mi afección cancerosa constituyó una parte importante en el proceso de restauración de mi salud; esa restauración que se encuentra en la completa dependencia de Jesús. El cáncer me enseñó que yo no tenía suficiente fuerza en mí misma para sobrevivir cada día. ¡Sin Jesús no podía hacer nada! (Juan 15:5).

Dios me mantuvo viva con sus fuerzas para que le sirviera de todo corazón; y eso es todo lo que importa ahora. El propósito de mi vida es ayudar a otros a encontrar a Jesús —mi sanador. Cada día es un regalo que él me da para que yo lo use para transmitir a otros el gozo de su poder sanador.

Agradezco a Dios diariamente que el cáncer no haya vuelto —aunque, como ser humano, todavía tengo esa preocupación. Pero tengo la firme impresión de que debo confiar totalmente en Dios para estar sana, porque la confianza genera salud. (Prov. 3:8). Además de mantener un estilo de vida saludable, debo elegir cada día llenar mi mente con pensamientos positivos. "El valor, la esperanza, la fe, la simpatía y el amor fomentan la salud y alargan la vida. Un espíritu satisfecho y alegre es como salud para el cuerpo y fuerza para el alma. 'El corazón alegre es buena medicina'" (Proverbios 17:22) (*El ministerio de curación*, p. 185). Por otro lado, "las penas, la ansiedad, el descontento, remordimiento, sentimiento de culpabilidad y desconfianza, menoscaban las fuerzas vitales, y llevan al decaimiento y a la muerte" (*Ibídem*).

Agradezco a Dios por darme una segunda oportunidad en la vida, y por mostrarme el poder sanador de la confianza.

Gracias, Señor, por mantenerme segura en tus brazos mientras me enseñas las lecciones que necesito aprender sobre el poder sanador de la completa confianza.

Un poquito de cielo en esta tierra

El que dice que está en la luz, y aborrece a su hermano, está todavía en tinieblas. El que ama a su hermano, permanece en la luz, y en él no hay tropiezo. 1 Juan 2:9,10.

Hay demasiado odio en nuestro mundo: odio racial, celos, asesinatos y guerras. Las guerras ocurren por muchas razones—algunas porque unos grupos étnicos se odian entre sí, otras porque un país más poderoso quiere sobreponerse a otro más débil. Cada vez que escucho sobre todo este odio, pienso: "¿No hay suficientes problemas en el mundo hoy día, con accidentes y enfermedades? ¿Por qué los seres humanos tienen que agregar algo más a estas miserias, acumulando odio encima de todos los sufrimientos ya existentes?"

Es posible que no podamos detener todos los accidentes ni las enfermedades, pero sí podemos detener el cáncer emocional de la hostilidad. A veces no nos gustan algunas personas porque son diferentes, o porque nos molestan. Sin embargo, Dios dice que debemos tratar a todos con respeto. "Nada hagáis por contienda o por vanagloria; antes bien con humildad, estimando cada uno a los demás como superiores a él mismo" (Fil. 2:3).

¿Se puede imaginar cuánto más placentera sería la vida si todos consideraran a los demás como mejores que ellos? Seríamos encantadores y corteses con la gente. No habría guerras. Y todos ayudaríamos a aliviar el sufrimiento ajeno, como lo hicieron los alumnos del Colegio Unión cuando un joven padre de familia se ahogó al ser arrastrado por la corriente de un río. La viuda, madre de tres pequeños varones, no tenía como terminar los arreglos en la casa que su esposo había comenzado, hasta que un grupo de alumnos acudió en su ayuda, donando tiempo y recursos.

Nos encanta leer historias en los periódicos sobre los actos bondadosos que se realizan en favor de otros. Lo más probable es que usted nunca saldría en las noticias por haber sido amable con ese compañero de trabajo molesto o haber ayudado a la vecina a hacer una torta o a labrar un pedazo de madera. En lugar de ello, usted tendría ese mismo sentimiento de bienestar que se experimenta cuando se ayuda a un necesitado. Además, habría hecho lo que Dios quiere que haga, tratar a otros con respeto, aun a los que son difíciles.

Somos todos rehenes en un mundo de pecado, por lo tanto debemos trabajar juntos para hacer de él un lugar mejor. Solamente en el cielo viviremos en perfecta paz y amor. Pero mientras, pongamos un poquito de cielo en la tierra al demostrar amor y respeto a todos aquellos con quienes entramos en contacto.

¿A quién puedo demostrar hoy más amor?

El cocodrilo perdido

¿Qué os parece? Si un hombre tiene cien ovejas, y se descarría una de ellas, ¿no deja las noventa y nueve y va por los montes a buscar la que se había descarriado?... Así, no es la voluntad de vuestro Padre que está en los cielos, que se pierda uno de estos pequeños. Mateo 18:12,14.

El martes 30 de septiembre de 1997, el agente de policía estatal, Mike Taylor, capturó al cocodrilo "más grande de todos", en el muelle del Lago Monroe, en Florida. Ese cocodrilo, de más de 4 metros de largo y 360 kilos de peso, era un animal que infundía temor ya que había estado merodeando en los alrededores del muelle durante años. No, no había lastimado a nadie ni había lastimado a los esquiadores acuáticos. Simplemente había estado dando vueltas por allí. Prefería estar sumergido en el agua asomando únicamente los ojos; o bien como nadar silenciosamente debajo del muelle.

Su presencia hacía que las actividades acuáticas fueran una aventura. Imagínese esquiar en el agua en el Lago Monroe... ¡Uno podía amarrar bien el bote al llegar al muelle, pero volver a tierra sano y salvo era otra cosa!

En cambio los corderitos son unos tranquilos montoncitos de lana que nos enternecen. Son tan bonitos, encantadores e inofensivos que aunque huelen mal, los podemos acariciar y tomar en los brazos. Y el regalo de su lana nos provee de ropa, medias y frazadas. Es fácil amar a los corderitos; es fácil odiar a los cocodrilos.

Quizá por eso Jesús contó la historia de la oveja perdida y de un pastor que la buscaba, en lugar de hablar de cocodrilos y de pescadores. Nos sentimos bien imaginando al pastor que busca, encuentra, lleva en los brazos, ama y salva a la oveja perdida. ¡Pero imaginen a Cristo contando que alguien haya buscado a un cocodrilo perdido! No sería tan atractivo.

Jesús utilizó la historia de la oveja perdida para demostrar cuánto ama Dios a los seres humanos extraviados y nos desafía a seguir su ejemplo de "buscar y salvar" a los que están "perdidos". Este mandato funciona bien cuando hablamos con gente que se parece a las "ovejas", como la amable señora que usted conoció en la tienda, o el sonriente caballero que recoge contribuciones para el Ejército de Salvación durante la Navidad. Pero ¿qué sucede cuando la acción de "buscar y salvar" se refiere a personas que son como "cocodrilos"? ¿Seguimos entonces dispuestos a servir en el Equipo de Salvación de Cristo? Personas como el tipo enojado que le hizo un ademán obsceno cuando usted pasó por delante de su auto. O aun "cocodrilos" como los estafadores, los abusadores de menores, los drogadictos, los terroristas, los chicos que andan con aros en las orejas, las adolescentes embarazadas y todos los demás a quienes nos cuesta amar. ¡Pero todos ellos necesitan ser salvados!

¿Es usted a veces como un cocodrilo en lugar de ser como oveja? ¿No es maravilloso saber que Dios está dedicado a buscarlo y salvarlo?

Esperanza

La esperanza que se demora es tormento del corazón;
pero árbol de vida es el deseo cumplido. Proverbios 13:12.

La hora diaria que demoro en llegar a mi lugar de trabajo me ha proporcionado muchas oportunidades para pensar en cosas simples, cosas esotéricas, cosas insolubles, y algunas veces, no pensar en nada. Las placas de los automóviles ofrecen desafíos; el humor que aparece en los diseños, o los pensamientos registrados en calcomanías de los parachoques. Una manera muy creativa de aliviar el aburrimiento del viaje diario es procurar descifrar las diferentes combinaciones de letras y números en las placas más sofisticadas.

Esta mañana me llamó la atención el siguiente pensamiento que vi en un auto: "¡Me siento mejor... desde que perdí la ESPERANZA!" No sé si "Esperanza" se refería a una dama o a un sentimiento. Me pregunté si esa persona se habría desilusionado tantas veces con sus expectativas que se ha quedado sin metas, aspiraciones o planes futuros. ¿Fracasó su matrimonio, o quizá no lo promovieron como él esperaba, o tal vez murió su único hijo ¿Será que su casa y su propiedad se inundaron por efecto de fuertes lluvias, o fueron consumidas por el fuego, o destruidas por un terremoto? ¿Fueron sus expectativas más elevadas de lo que es realmente posible, o acaso sus deseos rebasaron sus necesidades o habilidades?

Cuando estaba por entrar al servicio militar, mi padre me dio un sabio consejo. Algo que él aprendió cuando cumplía con su obligación militar durante la Segunda Guerra Mundial. Me dijo: "Obtuve todo lo que quería, porque sólo quise lo que yo sabía que podía conseguir".

Ese consejo me ha ayudado a diferenciar las expectativas irracionales de las metas y aspiraciones que es posible alcanzar. La esperanza es el deseo que nos provee con metas y nos mantiene activos. A diferencia del deseo, la ESPERANZA es activa; soñamos, planeamos, trabajamos para alcanzar nuestras metas, reclutamos a otros para que participen del gozo y de la satisfacción que se obtienen cuando la ESPERANZA se convierte en realidad.

La ESPERANZA nos mantiene a flote cuando los demás se están hundiendo. La ESPERANZA nos mantiene aferrados a la vida cuando otros se dan por vencidos. La ESPERANZA nos da el valor para volver a intentar cuando otros ya desistieron.

Cuando leí la calcomanía que anunciaba que su dueño había abandonado la ESPERANZA, primero sonreí, pero luego me sentí triste. ¿Vale la pena vivir sin ESPERANZA?

Por el contrario, digamos con David: "Sea tu misericordia, oh Jehová, sobre nosotros, según esperamos en ti" (Sal. 33:22).

Gracias, Señor, por la ESPERANZA que me has prometido de algo mejor.

La gran batalla contra los gérmenes

Porque tú me formaste en mis entrañas; tú me hiciste en el vientre de mi madre. Te alabaré, porque formidables, maravillosas son tus obras. Salmo 139:13,14.

Cuanto más aprendo de mi cuerpo y de la forma cómo Dios lo diseñó para que combatiera contra los microorganismos, los virus y las bacterias, tanto más alabo al Señor, porque hemos sido formados maravillosamente.

Nos cortamos un dedo. Inmediatamente nos atacan los gérmenes que entran por la herida y se multiplican con rapidez. En realidad se multiplican exponencialmente (dos se convierten en cuatro, cuatro se convierten en dieciséis, etc.). Los gérmenes expelen sus toxinas, y si el cuerpo les permite seguir con su ciclo reproductivo, pronto se tornan en una poderosa fuerza invasora que causará una formidable infección que puede llegar a ser fatal.

Los glóbulos blancos del sistema están listos para una invasión así. Cuando usted se hace un corte en el dedo, se activa una alarma química silenciosa. La sangre en el área inmediata a la herida comienza a coagularse. Los glóbulos rojos se acumulan en las paredes de los vasos capilares y hacen más lento el flujo de sangre. Nuevos glóbulos rojos siguen llegando y hacen que el lugar se hinche y se torne sensible. Es lo que se denomina "respuesta inflamatoria".

Poco después del corte, los glóbulos blancos se arrastran a través de las paredes capilares. Dejan las arterias y se dirigen hacia el lugar de la invasión donde ruge la batalla. Las primeras tropas rodean a los gérmenes invasores y luchan.

La mayor parte de las células inmunitarias son soldados no específicos, como los soldados rasos que arremeten contra cualquier cosa que sea una amenaza. También existe una fuerza especial llamada linfocitos; estos oficiales de combate especiales son glóbulos blancos que atacan lugares específicos. Hay cuatro categorías principales de linfocitos que vienen de la médula ósea: las células T, las células B, las células NK, y las células macrófagas. Las células T identifican al invasor, obtienen una muestra de los invasores, y envían un mensaje ya sea a las células NK para que maten al invasor o a las células B para que produzcan anticuerpos que inmovilicen o destruyan al enemigo.

¿Comprende el lector por qué es importante mantener el sistema inmunitario saludable mediante el recurso de comer alimentos nutritivos, beber suficiente agua, obtener descanso necesario, respirar aire fresco, absorber luz del sol y hacer ejercicio? ¿Por qué insistiría alguien en continuar practicando hábitos perjudicialaes como fumar? ¿Y por qué permitir que nuestro cuerpo sufra de estrés cuando al confiar en Dios podemos encontrar paz?

¿Está su ejército de glóbulos sanguíneos capacitado para la batalla, o hay algunos cambios que necesita hacer en su vida para asegurarse un sistema inmunitario más saludable?

Hacia obras maravillosas

Entonces los fariseos le dijeron: 'Mira, ¿por qué hacen en el día de reposo lo que no es lícito?' ... También les dijo: 'El día de reposo fue hecho por causa del hombre, y no el hombre por causa del día de reposo'. Marcos 2:24,27.

En la vida de Jesucristo encontramos el mejor modelo de amabilidad, consideración, desinterés y generosidad. Flavio Josefo, el historiador judío, escribió: "Ahora, por este tiempo, apareció Jesús, un hombre sabio, si es que es legal llamarlo un hombre, porque realizaba obras maravillosas, maestro de hombres que reciben la verdad con placer. Él atrajo hacia sí a muchos judíos como también a muchos gentiles. Él era [el] Cristo".

Medite en el significado de esta declaración: "Él realizaba obras maravillosas". Este hecho fue el centro del debate de los milagros realizados en sábado. En el principio Dios creó al mundo mediante una serie de milagros realizados en el transcurso de seis días. El sábado marcó la celebración del éxito de esa tarea. Mientras Cristo vivió en este mundo, mantuvo ese amor y apego benevolente hacia sus criaturas, deshaciendo las evidencias degradantes y destructivas del pecado —especialmente durante el sábado. Su bondad y ternura han quedado claramente documentadas en oposición a la insensibilidad de los fariseos.

¿Qué registra la historia acerca de los fariseos que eran devotos de los sistemas y las estructuras, por encima y en contra de las obligaciones morales impuestas por la simpatía y el amor genuino y desinteresado? No existe ningún registro que certifique que este grupo hiciera obras maravillosas. No hay ningún relato de que este grupo haya impactado alguna vez la vida de los dolientes y marginados.

En Marcos 2:23-3:6 encontramos una excelente descripción de Cristo, el Creador, y su visión elevada del sábado. Allí él mira con simpatía a los apóstoles hambrientos que recogen espigas de cereal para comer, y compasivamente contempla al hombre de la mano seca mientras lo sana. En el lado opuesto están los que observan: los fariseos. Ellos adoran en sus mentes, pero no sienten hambre, ni ven la mano seca.

Viven tan apartados de estas realidades por las torres de marfil de su propia exclusividad, que no pueden captar, ni siquiera con un mínimo de interés, la necesidad humana imperante en cualquiera de estas dos situaciones. Por lo tanto, lo que sale de sus bocas es condenación. Ellos piensan que están adorando a Dios, pero están arrodillándose en el sábado al pie de los ídolos que ellos mismos han fabricado.

¿Qué verá usted el próximo sábado? ¿Qué hará usted?

Discapacitado espiritualmente

Pero si os mordéis y os coméis unos a otros, mirad
que también no os consumáis unos a otros. Gálatas 5:15.

Mi amigo Jason usa una silla de ruedas motorizada, pero es un pensador profundo y conoce bien su Biblia. Sus piernas no funcionan, pero su espíritu camina con Dios. La última vez que lo vi, me pidió que orara para que sus problemas no lo volvieran impaciente y mordaz con los que lo atienden. Ésa momentánea falta de gratitud y algún bajón depresivo ocasional son las debilidades espirituales que él soporta como consecuencia de su incapacidad física.

¿Qué deficiencias interfieren en su andar con Dios? Quizá usted alguna vez se muestra impaciente y dice cosas que no debiera. Quizá es tan tímido que rehúsa contar las buenas nuevas a aquellos que se lo piden. Quizá tiene una cojera que se llama lujuria, y se desvía muy fácilmente hacia temas prohibidos. Quizá usted ama el dinero y no lo quiere compartir con los necesitados. Quizá usted tiene la tendencia a discutir durante un estudio bíblico simplemente porque le agrada hacerlo. Quizá le disgustan los coritos de alabanza porque prefiere los himnos grandiosos de antes, o viceversa. Quizá su deficiencia sea el literalismo bíblico o la incapacidad de aceptar ninguna otra versión bíblica que no sea la Reina-Valera. Quizá usted es adicto a la televisión, los deportes, el trabajo, la limpieza de la casa o el trabajo en el jardín.

Todas éstas son disfunciones, y si se las deja sin tratar, todas llevan al pecado. Pero considere esto: se pueden vencer algunas discapacidades, tales como tartamudear o cecear. Se puede aprender a convivir con algunas discapacidades, tales como un músculo paralizado. Si usted aprende a vencer algunas discapacidades espirituales, se podrá convertir en ejemplo para otros. Los que vencen son buenos maestros. Ellos saben lo que funciona.

Los Alcohólicos Anónimos no aprueban el alcoholismo, sin embargo su propósito primario es ministrar a los alcohólicos y sus familias. Los alcohólicos vienen a las reuniones, admiten lo que son, piden que un "poder de lo Alto" les ayude, y reciben el apoyo de otros alcohólicos quienes también están decididos a liberarse de la esclavitud de la bebida. ¿Por qué la iglesia no puede ser algo así como Pecadores Anónimos? ¿Por qué no puede ser un lugar donde las personas puedan ponerse de pie, reconocer su incapacidad espiritual, tener alguien que coloque sus manos sobre ellos y ore para que el Gran Médico les dé la fuerza del Espíritu Santo para vencer?

Todos tenemos incapacidades, pero cuanto más nos acerquemos como miembros de iglesia, fracasaremos menos. Cuánto más caminemos juntos, siguiendo al Buen Pastor, tanto más fuertes seremos.

Piense en esto: Todos somos pecadores en recuperación. ¿Qué puede hacer usted hoy para acercarse a la familia de la iglesia?

El poder de la educación temprana

Instruye al niño en su camino, y aun cuando
fuere viejo no se apartará de él. Proverbios 22:6.

Mientras visitábamos la casa de los abuelos, tratamos de tomar el desayuno rápidamente, porque teníamos planes especiales para ese día. La abuela amablemente nos hizo avena con leche, azúcar y pasas. Comencé a comer de prisa para poder salir pronto. Nuestras dos hijas (de 4 y 2 años) también comenzaron a comer; pero de pronto noté que la mayor había dejado el plato. Con urgencia en mi voz le dije: "Ruthie, ¿por qué no estás comiendo tu avena? Nos gustaría salir pronto".

Con la franqueza característica de los niños, ella dijo en voz alta para que todos escucharan: "No me gusta". Momentos inesperados e incómodos como éste son difíciles. Mi instinto inicial fue hacerla callar, pero en lugar de hacerlo le pregunté: "¿Por qué no te gusta la avena?"

Sin ninguna vacilación explicó con voz fuerte: "¡Tiene azúcar!" De pronto comprendí. Yo había comido avena con azúcar muchas veces en el pasado, así que no era algo extraño para mí. Pero nuestros niños nunca habían comido avena con azúcar. Ellos estaban acostumbrados a ponerle bananas, pasas y otras frutas, y no les gustaba el sabor del azúcar en la avena.

Qué lección fue para mí. Nuestras hijas se habían acostumbrado y gozaban de un hábito alimentario que otros podrían considerar restrictivo. No hay ninguna ley moral en contra o en favor del azúcar en la avena. Pero las leyes de la salud sugieren que es mejor consumir menos azúcar. ¿Sentían nuestras hijitas una carencia? ¡Por supuesto que no!

La persona promedio en los Estados Unidos consume alrededor de 35 cucharaditas de azúcar por día, o alrededor de 18% de sus calorías totales. Este elevado consumo de azúcar debiera ser causa de preocupación, porque el azúcar está asociado con las caries dentales, la obesidad, una menor resistencia a las infecciones y la diabetes.

Necesitamos educar a nuestros hijos por precepto y ejemplo para que tengan la mejor calidad de vida posible. Es beneficioso entrenar a los niños en los hábitos alimenticios para toda una vida. Debemos enseñarles que amar a Cristo es para la eternidad. Tenemos que estar llenos del amor de Dios y de firmeza para guiar a nuestros hijos desde la infancia, para que amen a Dios y sus enseñanzas de todo corazón. Que Dios nos ayude a instilar en ellos principios de salud y moralidad de tal manera que "tengas salud así como prospera tu alma" 3 Juan 2.

¿Está usted viviendo la clase de vida que desearía que otros tuvieran?

Cuando se mueren las personas buenas

Y me ha dicho: 'Bástate mi gracia'. 2 Corintios 12:9.

Timoteo y yo estábamos en Mayagüez, Puerto Rico, como estudiantes misioneros. A las 11:30 de la noche del 18 de febrero de 1968, sonó el teléfono. No le dimos importancia. ¡Nadie nos iba a llamar a esa hora! El Dr. Luthas contestó, y luego me llamó: "Dick, es para ti". Tomé el teléfono y reconocí la voz de Walt Blehm, un buen amigo de nuestra familia y presidente de la Asociación de Arizona. "Tengo malas noticias. Tu mamá ha fallecido en un accidente automovilístico y tu papá está en condición grave en un hospital en California. Es mejor que te vengas a casa de inmediato". ¡Quedé en estado de shock!

Esa noche no dormí. Pensé en mis padres. Cuánto más pensaba, más enojado me ponía. ¿Por qué estaba Dios quitándome las dos personas a quienes más amaba? ¿Cómo podía ser que mamá estuviera muerta? ¿Por qué no tuve la oportunidad de despedirme? A la mañana siguiente, yo era un manojo de nervios y confusión. Los Luthas me prestaron dinero para un pasaje de avión hasta San Juan, y le di al agente de viajes un cheque sin fondos para el vuelo hasta San Francisco. El me dijo que lo guardaría por tres días hasta que yo encontrara el dinero para cubrirlo.

Miré por la ventanilla sin ver a los Estados Unidos. Cuando volábamos sobre el estado de Colorado busqué en mi bolso y saqué un ejemplar del libo *Los Profetas Vivientes*, la paráfrasis de la Biblia, por Kenneth Taylor. Leí sin ton ni son, mirando las palabras pero sin entenderlas, sintiendo rabia, remordimiento y tristeza. Luego una frase me habló al corazón: "Los justos pasan al descanso; los santos mueren antes de su tiempo. Y a nadie parece importarle ni se pregunta por qué. Nadie parece entender que Dios los está protegiendo de la maldad venidera. Porque los santos que mueren descansan en paz" (Isa. 57:1, 2). Subrayé los versículos.

"¿Te encuentras bien?" La azafata de TWA se arrodilló a mi lado. Musité algo en forma incoherente y ella se sentó en el asiento a mi lado. Con lágrimas le conté toda la historia. "¿Qué estás leyendo?", me preguntó mientras tomaba en sus manos mi Biblia. Entonces leyó los versículos que yo había subrayado, y señaló una frase: "Dios los está protegiendo de la maldad venidera".

"Yo no conocí a tu madre", me dijo, "pero conozco a Dios, y sé que se puede confiar en él. Tu mamá está descansando en paz donde Dios la está protegiendo de las pruebas venideras. Esto es razón para celebrar". Apretó mi mano y siguió con su tarea como azafata, con sus alas de ángel bien guardadas dentro de su uniforme.

Papá salió bien de las cirugías, y aún está predicando, enseñando, y animando a otros. Mamá aún descansa en paz, protegida por la gracia de Dios.

Gracias, Señor, por protegernos en tu gracia, en la vida así como en la muerte.

1931

La comida que nadie necesita

Y todo aquel que participa de la leche es inexperto en la palabra de justicia, porque es niño; pero el alimento sólido es para los que han alcanzado madurez, para los que por el uso tienen los sentidos ejercitados en el discernimiento del bien y del mal. Hebreos 5:13,14.

La buena salud no es el resultado de seguir la tradición o el gusto, sino que está basada en la cooperación con las leyes de la salud que Dios estableció cuando nos creó. ¡Y la leche no estaba en el menú original! La leche se hizo popular después del diluvio, cuando Dios dio al hombre carne como alimento, debido a la falta de frutas, verduras, nueces y granos. Esta dieta secundaria, sin embargo, era muy inferior y dio como resultado una drástica reducción en el número de años de vida.

El gobierno de los Estados Unidos ahora ha rechazado la declaración de 1974 de la Asociación Norteamericana de la Industria Láctea, de que "todos necesitan leche". Hay algunos peligros en consumir productos lácteos, especialmente los niños. La Asociación no dice que la leche de vaca está asociada con el aumento de alergias, anemia por deficiencia de hierro, menor inteligencia, sensibilidad a la leche (fatiga crónica, dolores de cabeza por tensión, dolor en los músculos y huesos, hiperactividad, enuresis nocturna, empeoramiento de alergias y congestión, infección en los oídos, asma y otras dificultades respiratorias), aterosclerosis temprana, diabetes juvenil, acné, artritis reumatoide, deterioro dental, y enfermedades infecciosas.

En cambio, la leche materna provee al bebé los anticuerpos y los glóbulos blancos de la madre, eficaces contra las infecciones. Contiene lactoferina que tiende a bloquear el crecimiento del bacilo E. Coli en el intestino. La leche materna es generalmente estéril, es decir, no contiene gérmenes patógenos. ¡Hay más de una una razón por la cual Dios creó la leche de vaca para los terneros y la leche de la madre para los bebés!

El Dr. Neil Nedley dice en su libro, *Prueba Positiva*: "La culminación de mi extensa investigación sobre el tema de la leche es que no hay absolutamente ninguna razón por la cual los seres humanos adultos deban sentir que necesitan leche de otra especie para vivir con salud. Todos los nutrientes que necesitamos para la salud se pueden obtener sin recurrir a los productos lácteos".

No podemos encontrar evidencia bíblica contra la leche —hasta se usó para la comida de "ángeles" (véase Gén. 18:8). Pero desde los tiempos bíblicos se ha ido degenerando la salud de los animales. Ha habido numerosas advertencias científicas contra la leche. Sólo saber que los organismos causantes de la enfermedad de la vaca loca no se destruyen durante el proceso de pasteurización, me basta para convencerme. ¿Necesita tomar leche? Probablemente no, si cree que la dieta original de Dios es la mejor.

¿Con qué está usted alimentando su alma? ¿Está tomando leche cuando debiera tener comida sólida? Medite en el mensaje de Hebreos 5:13, 14.

¿Años dorados? Tal vez, ¡momentos dorados!

¡Oh Dios, me enseñaste desde mi juventud, y hasta ahora he manifestado tus maravillas. Aun en la vejez y las canas, oh Dios, no me desampares. Salmo 71:17,18.

Hace algunos años aceptaba sin discusión el término "años dorados" para describir el tiempo que sigue a la jubilación. No me percataba que sólo era un eufemismo (expresión más suave para referirse a la vejez). Lo mismo que la mayoría de la gente, no deseaba considerar lo que era la vida para los ancianos, ni de llegar yo misma a esa condición. Hace algunos meses pregunté a una amiga que anda por los 80: "¿Cómo estás?" Contestó con una sonrisa: "Estoy sintiendo mi edad". Cuando visité a una dama en el hospital, le insinué que me interesaba saber su edad. "Bueno, la edad es sólo un número, y el mío no aparece en el directorio", fue su respuesta. Más tarde ella me dijo que tenía 94 años.

En realidad nuestro idioma carece de las palabras adecuadas para describir la ancianidad. El escritor Mark Gerson sugiere que "completar el crecimiento" es una mejor manera de describir el avance de la edad que "envejecer". Lo que importa es el espíritu humano, no el cuerpo. Los momentos dorados son posibles durante la jubilación para los que consiguen permanecen "jóvenes". Para los que han perdido la salud, la lucha para que esos momentos sean dorados se hace cuesta arriba. Es en ese momento cuando uno se siente "bien viejo". ¿Cómo es posible tener momentos dorados cuando no podemos oír ni ser oídos? ¿Cómo es posible tenerlos cuando debemos llamar a alguien para que nos ayude a hacer cualquier cosa?

Encontré parte de la respuesta cuando leí con atención 2 Corintios 4:16: "Por tanto, no desmayamos; antes aunque nuestro hombre exterior se va desgastando, el interior no obstante se renueva de día en día". Esto es lo que Mark Gerson debe haber querido decir cuando sugirió el término "completar el crecimiento".

Ese día escribí en mi diario: "Dios, dame la gracia para no hablar del desgaste de mi cuerpo. Que pueda concentrarme en el crecimiento de mi espíritu y no en el deterioro de mi cuerpo. Que pueda enfocarme en nuevas experiencias de gracia para compartir con otros. Que pueda aceptar los cambios físicos externos y vivir de tal manera que mantenga el deterioro en un grado mínimo, mientras recuerdo que algunas cosas sólo son molestas o inconvenientes. Que encuentre formas y personas para compartir este entendimiento. Que pueda reclamar tu compasión cuando me relacione con otros. Que en lugar de restar importancia a sus dolores y molestias pueda recordarles a Aquel que les dará la gracia para vivir por encima de sus cuerpos envejecidos. Y que pueda resolver hacer más para que otros tengan momentos dorados, especialmente los ancianos que están a menudo enfermos y aislados de todos, y los "bien viejos" así como los que los cuidan".

La vida no será siempre dorada en este mundo, pero no deseo usar lentes negros que me oculten el oro que hay a mi alrededor.

Trate de buscar los "momentos dorados". Reconózcalos, disfrútelos y resuelva compartirlos.

Prevenir y curar

Porque el Hijo del Hombre ha venido para salvar lo que se había perdido. Mateo 18:11.

Existen lugares en su dentadura difíciles de alcanzar con el cepillo dental, por lo tanto será eliminar adecuadamente el sarro lleno de bacterias que allí se acumula diariamente. Por eso es necesario visitar periódicamente al dentista.

Entre los dientes, y alrededor de las encías, hay lugares que solemos pasar por alto. El sarro se mete especialmente en el borde de la encía que rodea los dientes. Como resultado la encía se irrita y se inflama por las acción de las bacterias. Cuando las encías se inflaman, se separan del diente y forman una "bolsita", que se llena de más sarro, y aun las cerdas del cepillo ni el hilo dental logran removerlo. Así es como comienza la piorrea (enfermedad de las encías).

La piorrea continúa dañando las encías y los dientes porque no se puede remover el sarro del borde de la encía. Después de un tiempo, se afecta el hueso que rodea al diente. Cuando esto ocurre, la piorrea está avanzada. El diente comienza a moverse y cuando se ha aflojado mucho, a veces se cae por sí solo.

La piorrea puede causar serios problemas. Les digo a mis pacientes que han perdido los dientes porque ha desaparecido el hueso donde estaban implantados. Generalmente no se piensa en el significado de la pérdida de hueso, si quieren una dentadura parcial o total. Pero la pregunta es: ¿qué hueso tendrán para sostener la dentadura?

Hay tratamientos para la piorrea, pero no hay una cura. Solamente el mantenimiento preventivo realizado por una higienista o un dentista puede ayudar a prevenirla. Si la enfermedad avanza mucho hay cirugías que pueden salvar sus dientes. Pero los dentistas no pueden siempre obrar milagros y salvar lo que se ha perdido por negligencia o por una dieta pobre.

Afortunadamente, éste no es el caso cuando estamos sufriendo de una enfermedad espiritual. Satanás trata de ser una fuerza destructiva en nuestra vida y esconde su verdadera intención, así como el sarro se esconde en el borde de la encía. Él daña bien adentro, lastimándonos emocional y espiritualmente en lugares recónditos. Pero Jesús, nuestro Salvador, puede restaurar lo que hemos perdido por causa de nuestra necia conducta pecaminosa. Si lo buscamos, él puede prevenir y curar nuestro problema con el pecado.

¡Gracias, Jesús, por salvarnos!

Jesús puede salvarlo, no importa cuán desesperado se sienta con el problema de su pecado. Lo único que tiene que hacer es pedir. ¿Por qué no hacerlo ahora?

La enfermedad de Alzheimer y el cerebro

Tú guardarás en completa paz a aquel cuyo pensamiento en ti persevera, porque en ti ha confiado. Isaías 26:3.

Cuando pensamos en la enfermedad de Alzheimer, lo primero que nos viene a la mente son los rostros de Ronald Reagan o de Charlton Heston. Pero yo pienso en mi amiga, Margarita, que tiene mi edad, y lloro por lo que se ha perdido. Patti Davis, la hija de Ronald y Nancy Reagan escribe que hay otra forma en que los rostros cuentan la historia de esta enfermedad. "En la primera etapa los ojos adquieren una mirada de sospecha, un velo de temor. Es como si la persona estuviera al borde de un banco de niebla, sabiendo que con el tiempo quedará inmersa en ella y no tendrá oportunidad de salir. Yo veía que los ojos de mi padre simultáneamente suplicaban y se mantenían firmes. Sucedía esto cuando se detenía en la mitad de una frase, por no poder recordar cómo terminarla. O cuando decía: "Tengo esta enfermedad... me olvido de las cosas...".

La enfermedad de Alzheimer se caracteriza por la diseminación gradual de placas y marañas de fibras que interrumpen la delicada organización de las neuronas en el cerebro. A medida que las células cerebrales dejan de comunicarse unas con otras, se atrofian y producen una disminución de la memoria y el razonamiento. El cerebro se encoge de tamaño y peso, y los apretados surcos cerebrales originales se llenan de espacios y grietas.

Aparte de esto, sabemos muy poco sobre esta terrible enfermedad que afecta a millones de personas en el mundo. Pero estamos comenzando a entender algo más gracias a 678 monjas de la orden de Hermanas de la Escuela de Notre Dame, que han dedicado sus vidas, y luego de su muerte, sus cerebros, a la ciencia médica. El Estudio de las Monjas realizado por el Dr. David Snowdon (quien participó anteriormente en el famoso Estudio sobre la Salud de los Adventistas) ha demostrado que una historia de derrames cerebrales o de golpes en la cabeza puede aumentar la posibilidad de tener Alzheimer . En cambio, los estudios sistemáticos, la educación universitaria y una vida intelectual activa, pueden proteger contra este mal. Después de analizar las autobiografías de 200 monjas, escritas cuando ellas tomaron las órdenes sagradas, el Dr. Snowden encontró que las hermanas que usaban frases más complejas en estructura y concepto, y las que habían expresado las emociones más positivas cuando escribieron en su juventud, vivieron por más tiempo. A medida que las funciones mentales declinaron, expresaron cada vez menos emociones positivas.

Debido a que el Espíritu Santo nos habla a través de nuestros cerebros, cuán importante es protegerlos de daño, mantenerlos activamente útiles, y pensar en forma positiva.

No existe una manera mejor de pensar positivamente que manteniendo nuestra mente fija en Cristo. ¿Puede hacerlo usted?

¡Abandone la basura!

En cuanto a la pasada manera de vivir, despojaos del viejo hombre, que está viciado conforme a los deseos engañosos, y renovaos en el espíritu de vuestra mente; y vestíos del nuevo hombre creado según Dios en la justicia y santidad de la verdad. Efesios 4:22-24.

El recuerdo es tan vívido como el desayuno de esta mañana, y nos hace sonreír. Éramos una pareja de recién casados. Viajábamos en un auto viejo que tiraba un pequeño remolque en el que llevábamos todos los regalos y nuestas menguadas posesiones. Nos dirigíamos con mucha expectativa hacia nuestro primer apartamento. Teníamos el mundo a nuestros pies y estábamos ansiosos de comenzar juntos nuestra eternidad.

Treinta y cuatro años y veintidós mudanzas más tarde, tan sólo las cosas acumuladas en nuestro garaje podrían llenar aquel remolque que usamos la primera vez. Durante nuestros años de estudio y trabajo pastoral hemos acumulado muchos tesoros. Los recuerdos de nuestros hijos, los libros, los muebles heredados, la vajilla, y un número considerable de prendas de vestir han llenado nuestra casa de tres dormitorios, demasiado repleta de cosas.

En varias ocasiones hemos procurado deshacernos de las cosas innecesarias, ¡pero es un esfuerzo inútil! Nuestras hijas casadas han heredado algunas de las cosas que ellas atesoran; hemos compartido con otras, donado a los servicios comunitarios y llenado los recipientes de basura más de una vez. ¡Pero todavía tenemos demasiadas cosas! ¿Cómo podemos deshacernos del resto? El consejo de Dios para esta situación es: "No acumulen para sí tesoros en la tierra, donde la polilla y el óxido destruyen, y donde los ladrones se meten a robar" (Mat. 6:19, NVI).

Es evidente que muchos de nosotros guardamos otra clase de basura: la basura de la amargura, el enojo, la ira, la gritería, y la maledicencia, todas esas cosas que Pablo nos dice que debemos quitar de entre nosotros (Efe. 4:31). Estos sentimientos y actitudes se tornan en ídolos a los cuales nos aferramos y los adoramos como si fueran de oro y plata. A veces acumulamos personas a quienes exigimos que nos provean de seguridad y certidumbre, que satisfagan nuestros deseos más íntimos. Ya sea que nos aferremos a cosas, actitudes o personas, con esa actitud nos alejamos de Dios y procuramos suplir con ellas nuestras necesidades, pero nos chasquean lamentablemente. ¿Le asusta la idea de deshacerse de sus "tesoros"? ¿Será que las tácticas negativas que usted emplea para conseguir lo que desea son las cosas que lo caracterizan, y teme perder esa identidad si se las entrega a Dios?

En realidad, si usted está dispuesto a deshacerse de la basura, Dios la reemplazará por el tesoro de su amor, que brillará a través de usted en su nueva identidad.

¿Hay alguna cosa a la cual se aferra y que le impide ser la persona que Dios quiere que sea?

No rechace la esperanza de Dios

No os ha sobrevenido ninguna tentación que no sea humana; pero fiel es Dios, que no os dejará ser tentados más de lo que podéis resistir, sino que dará también juntamente con la tentación la salida, para que podáis soportar. 1 Corintios 10:13.

¿Por qué parece tan fácil chasquearse y tan difícil aceptar la esperanza de Dios? Yo creo que el enemigo nos hace como los indios les hacían a los búfalos.

Los indios norteamericanos obtenían la carne para el invierno arreando velozmente a un rebaño de búfalos por una pradera hasta despeñarlos por un acantilado. A esos lugares se les llamaba "Salto de los Búfalos", y en las rocas del fondo todavía se ven los huesos de los animales muertos.

Los habitantes de una aldea se alineaban en la pradera formando un embudo gigantesco que terminaba en el acantilado. Unos cuantos de los indios más valientes se metían a caballo dentro de la manada para alborotar a los búfalos e iniciar una estampida. Los animales corrían velozmente hacia el final del embudo, mientras los indios agitaban sus mantas y gritaban. Los búfalos, confundidos, continuaban corriendo ciegamente. Finalmente se despeñaban y morían al caer sobre las rocas del fondo.

El estilo de vida actual hace que mucha gente corra alocadamente, como un rebaño de búfalos sin saber exactamente hacia dónde van. Usan el teléfono excesivamente, envían demasiadas comunicaciones electrónicas; están desconectados de sus seres amados, van a cualquier parte, hacen cosas que parecen importantes en ese momento, pero no lo son. Estamos abrumados, como búfalos en estampida, atemorizados por el enemigo y alejados de lo que es importante.

Pero, ¡DETENGÁMONOS! Porque hay una alternativa. Dios ofrece seguridad completa y protección contra el enemigo. Se puede *estar enfocado* en lugar de *estar distraído*, *calmado* en lugar de *enloquecido*, con *ESPERANZA* de vida en lugar de *muerte*. Escuche a Dios. Él tiene la promesa llena de esperanza que puede mantenerlo a salvo del enemigo. *Escuche...*

Dará también juntamente con la tentación la salida. 1 Cor. 10:13.

Torre fuerte es el nombre de Jehová, a él correrá el justo, y será levantado. Prov. 18:10.

Venid a mi todos los que estáis trabajados y cargados, y yo os haré descansar. Mat. 11:28.

¿Por qué te abates, oh alma mía, y te turbas dentro de mí? Espera en Dios; porque aún he de alabarle, salvación mía y Dios mío. De día mandará Jehová su misericordia y de noche su cántico estará conmigo. Salmo 42: 5-10.

Esta alternativa es muy superior al acantilado del desánimo y la depresión. De hecho, aceptar la opción de esperanza de Dios es como estar parado en un lugar amplio, lleno de la gloria y gracia de Dios, gritando su alabanza. ¡Aleluya!

¿Que debiera hacer hoy para evitar ser arrastrado al acantilado del desánimo?

Pensar con el lado derecho

No os conforméis a este siglo, sino transformaos por medio
de la renovación de vuestro entendimiento. Romanos 12:2.

Se han realizado interesantes investigaciones sobre la actividad lateral del cerebro. Los científicos han descubierto que los dos hemisferios cerebrales funcionan de modos diferentes, en contraste con el cerebro de otras criaturas del reino animal.

El lado izquierdo es generalmente analítico, verbal, objetivo, lógico, científico, temporal y puntual. El lado derecho es más visual, espacial, no verbal, intuitivo, consciente del color, emocional, no temporal y no puntual. La manera en que pensamos afecta muchas cosas, incluyendo nuestras acciones e ideas sobre política y religión. Algunos tienen más inclinación hacia el lado derecho, y otros hacia el lado izquierdo.

Hay un viejo dicho chino que dice: "Aquel que tiene imaginación sin entendimiento tiene alas pero no pies". ¿Puede ver aquí la función del lado derecho y la del izquierdo? "Aquel que tiene imaginación (D) sin entendimiento (I) tiene alas (D) pero no pies (I)".

Es maravilloso actuar con el lado derecho, ser creativo, artístico, musical e imaginativo. Es pensar como piensa un artista. Es ser independiente, pero no es todo. Un pájaro puede volar, deslizándose y remontando con sus alas pero cuando tiene hambre, tendría una enorme dificultad en aterrizar y conseguir su comida si no tuviera patas. Necesitamos equilibrio. Ambos lados del cerebro son buenos y útiles.

A continuación elaboraré adicionalmente este concepto. Propongo que la *evidencia* es para el lado izquierdo lo que la *convicción* es para el lado derecho. Los *hechos* son para el lado izquierdo, lo que la *fe* es para el derecho. Las *doctrinas,* los *textos que dan evidencia,* y las *persuasiones biológicas* son para el lado izquierdo, lo que la *experiencia* y el *conocimiento empírico* son para el lado derecho.

¿Por cuál de éstos murieron los mártires? Por los hechos, los textos que dan evidencia, y las doctrinas, y TAMBIÉN por su experiencia relacional con Jesucristo. Ellos nunca habrían muerto solamente por los hechos y las doctrinas. Necesitamos un balance. Necesitamos del buen entrenamiento disciplinado: textos, historia, doctrinas. Pero también necesitamos una relación viva y entusiasta con Aquel de quien estudiamos en las Escrituras.

He aquí un pensamiento interesante: "El que se coloque sin reservas bajo la dirección del Espíritu de Dios encontrará que su mente se expande y se desarrolla. Obtiene una educación en el servicio de Dios que no es unilateral ni deficiente. No desarrolla un carácter unilateral sino uno que es simétrico y completo" (*Mensajes selectos*, t. 2, p. 396).

Piense: ¿se inclina más hacia el lado izquierdo o hacia el derecho? ¿Qué podría hacer para convertirse en un pensador más balanceado?

Estudio atento del libro de la naturaleza

Procura con diligencia presentarte a Dios aprobado, como obrero que no tiene de qué avergonzarse, que usa bien la palabra de verdad. 2 Timoteo 2:15.

A los diez años, Julia ya había tenido que ir al médico más de 20 veces y había tomado numerosas series de antibióticos a causa de su dolor de oídos. Los honorarios médicos eran impresionantes. Desde el inicio del tiempo frío, Julia había tenido que ir al médico entre una y tres veces por mes. En enero, el pediatra dijo que Julia tenía que tomar antibióticos una vez más. Le colocó tubos en los tímpanos para evacuar la espesa secreción que se formaba en ellos.

La madre de Julia pensaba que necesitaba una segunda opinión y me llamó. Sugerí que mantuviera los pies y las piernas de Julia bien abrigadas, que evitara los dulces, que tomara bastante agua para que las secreciones no fueran tan espesas, y que no consumiera productos lácteos. La leche produce en muchos niños secreciones demasiado espesas que no podrán salir del oído medio a través de las trompas de Eustaquio y descargarse en la garganta, en vez de acumularse en los tímpanos.

No tuve más noticias de Julia hasta el mes de mayo, cuando la madre llamó para decirme que Julia había pasado desde enero hasta ese mes sin dolor de oídos. Y exclamó: "¡Cosas tan simples y con tan buenos resultados!"

Tres meses más tarde Julia tuvo una grave infección causada por una hiedra venenosa. Cuando el médico pediatra la vio, dijo: "No he visto a Julia desde enero. Esa última serie de antibióticos debe haber limpiado todos los gérmenes que causaban el dolor de oídos".

"No, doctor —contestó la madre—. No me parecía bien que mi hija tomara antibióticos tan a menudo, así que busqué una segunda opinión y el médico recomendó que dejara la leche. Desde entonces Julia no ha tenido un solo dolor de oídos". El médico aceptó la explicación y contestó: "Sí, eso puede ser. La intolerancia láctea es probablemente la causa más común de las infecciones del oído medio en los niños".

Si un niño tiene más de dos resfríos por invierno, puede ser que presente una intolerancia a la leche. Reemplace la leche con vegetales verdes, cereales integrales, legumbres (frijoles y arvejas), o con leche de soya fortificada. Los niños se adaptan rápidamente al cambio, y les encanta verse libres de resfríos y dolores de oídos.

Como padres cristianos entramos en una relación con Dios que nos da la oportunidad de estudiar dos importantes libros: la Biblia y el libro de Dios en la naturaleza. Ambos deben leerse con oración y mucho cuidado, para discernir la verdad y encontrar sanidad. Muy pronto el mundo sanará de todo pecado y enfermedad, ¡y los niños nunca más tendrán dolor de oídos! ¡Oh, que día tan glorioso!

Gracias, sabio Dios, por proveernos dos importantes libros que nos ayudan a encontrar la verdad sanadora: la Biblia para la sanidad espiritual, y el libro de la naturaleza para la sanidad física.

Vigorizados por comer la Palabra

Al encontrarme con tus palabras, yo las devoraba; ellas eran mi gozo y la alegría de mi corazón, porque yo llevo tu nombre, Señor, Dios Todopoderoso. Jeremías 15:16.

"Fueron halladas tus palabras, y yo las comí; y tu palabra me fue por gozo y por alegría de mi corazón: porque tu nombre se invocó sobre mí, oh Jehová, Dios de los ejércitos" (Jeremías 15: 16).

No hay nada más común y universal que comer. Y sin embargo a todos nos agrada. Si tan sólo nos gustase comer también de la Palabra de Dios.

Comer es un arte en el oriente, donde es importante el equilibrio adecuado de los diferentes tipos de alimentos: salados, dulces, picantes, agrios. Mmm. ¿Cómo sería la Palabra convertida en menú? Bocaditos picantes de Proverbios; Fragante Sopa Génesis; Ensalada de Reyes y Crónicas, rica en fibras; Isaías Dulce y Salado; Guisado de los Cuatro Evangelios; Pastel Apocalíptico; Flan al estilo Gálatas; Bebida Gaseosa Filipense. ¿Ha comido usted hoy alimentos saludablemente balanceados?

Lo que se necesita para gozar de comer de la Palabra es similar a lo que se necesita para gozar de la comida.

"Fueron halladas tus palabras". Si bien a todos les gusta comer, no a todos les agrada cocinar. Las comidas rápidas son muy seductoras. Lástima que llenan sin nutrir. Por otro lado, la preparación de comida verdadera, requiere de un esfuerzo personal. "Hallar" implica buscar, y buscar lleva tiempo. La preparación de alimentos exige tiempo, un lugar especial con las herramientas apropiadas y una fuerte llama. ¡Hay que "arremangarse" en la cocina, antes de que uno le tome el gusto a cocinar!

"Yo las comí". Comer significa colocar el alimento en la boca, masticar y tragar. Los alimentos ricos en fibra requieren de paciente masticación. La preparación no cumple su propósito hasta que la comida toca la lengua, los dientes y el estómago.

"Tu palabra me fue por gozo y por alegría de mi corazón...". En la vida real no podemos saborear un buen plato hasta que la nariz, los labios y la lengua hayan realizado su trabajo. Sólo entonces suspiramos profundamente y sonreímos al saborear el alimento. El gozo verdadero es una experiencia que afecta a todo el cuerpo.

"Por cuanto (coloque aquí su nombre) en mí ha puesto su amor, yo también lo libraré; pondré a (coloque aquí su nombre) en alto, por cuanto ha conocido mi nombre. (Coloque aquí su nombre) me invocará, y yo le responderé; con (coloque aquí su nombre) estaré yo en la angustia; lo libraré y le glorificaré. Saciaré a (coloque aquí su nombre) de larga vida y le mostraré mi salvación".

¿Se sintió usted vigorizado al leer su nombre en las Escrituras? De esto se trata cuando hablamos de comer la Palabra de Dios.

Cumplir promesas

Busqué a Jehová, y él me oyó, y me libró de todos mis temores. Salmo 34:4.

"Abram... Abram" "¿Quién eres?" "Es el Señor". "¿Qué quieres?" "Vete de tu tierra y de tu parentela, y de la casa de tu padre, a la tierra que te mostraré" (Gén. 12: 1).

Abram se aferró de las grandiosas promesas de Dios y avanzó hacia un destino desconocido, el cual se convirtió en la historia espiritual más intrépida y grandiosa de que se tenga memoria. Abram nunca imaginó que pasaría los siguientes 115 años peregrinando alrededor de la Tierra Prometida; sustentado solamente por promesas.

De acuerdo con las revistas *Newsweek* y *Time*, vivimos en un mundo de mentirosos: desde el No. 10 de la Calle Downing hasta la Casa Blanca, desde Ottawa hasta el Kremlin. Vivimos en una sociedad en la cual no podemos confiar en nadie debido a promesas rotas.

Veamos el último acto del drama. **"Abram". "Sí, Dios". "Toma ahora tu hijo, tu único, Isaac... y ofrécelo allí en holocausto"** (Gén. 22:2). Mientras Abram recorría penosamente el camino hacia el monte Moria en obediencia a Dios, recordó el temor que sintió cuando llegó a la Tierra Prometida. Padecer hambre. Levantar las tiendas. Mudarse a Egipto. Mentirle a Faraón para salvar la vida... Sus temores le causaron problemas. Entonces recordó otra noche en la que se enfrentó a Quedorlaomer y a la Patrulla Fronteriza Palestina. Volvió a su casa quejándose tanto que Dios se le tuvo que aparecer en visión (Gén. 15). Y ahora Satanás lo presiona diciendo: "Abram, tú no eres un hombre de fe. ¿Te acuerdas de tu enredo con Hagar? Tu confianza estaba en la justificación por la virilidad. La salvación mediante el esperma. ¿Y este viaje a Moria? Vas a ofrecer un sacrificio humano después de todos estos años que has predicado a los paganos. No, Abram. Vuélvete a casa". Abram tenía miedo.

¿Ha tenido alguna vez tanto temor que quedó paralizado? A mí me sucedió en junio de 1978. Tenía 31 años. La palabra más temida: cáncer. Melanoma. Cuarta etapa. ¿Me voy a morir? Señor, ¡háblanos!" Y más recientemente un mal funcionamiento arteriovenoso. Durante nueve meses tuve una terrible punzada dentro de la cabeza. Los médicos no podían encontrar el problema, hasta que me diagnosticaron una "fístula dural"—justo a tiempo para salvarme la vida. Luchamos con el Señor. Reclamé la promesa de Salmo 34:4, y encontramos que Dios es fiel.

Usted conoce el final de la historia: Abraham levanta el cuchillo y comienza a bajarlo en dirección a su hijo, cuando una fuerza invisible detiene su brazo. Entonces se siente una voz que dice: **"Abraham, detente. Es suficiente".** Y Dios mismo proveyó un cordero. Así como él tenía un plan para Abraham, también lo tiene para mí.

Dios tiene un plan también para usted. No tema. Crea en él cuando dice: "Confía en mí".

Lo que revela la escritura manuscrita

Y Jesús crecía en sabiduría y en estatura, y en
gracia para con Dios y los hombres. Lucas 2:52.

El Hogar del Advenimiento, en Calhoun, Tennessee, es una escuela con internado para niños de 12 a 16 años con problemas de aprendizaje, a menudo conocidos como "Trastorno Deficitario de la Atención e Hiperactividad" (TDAH). Estos niños, en general, son más inteligentes que el promedio, pero, por diferentes razones, adolecen de un atraso de uno a cuatro años en las habilidades básicas: matemáticas, ortografía, escritura y lectura.

Esteban tenía 12 años cuando llegó al Hogar del Advenimiento. Estaba atrasado en sus habilidades sociales y académicas. Era glotón, su higiene era pobre, se metía en peleas y le iba mal en la escuela. Luego de tres meses en el programa, sus padres notaron por las cartas que Esteban enviaba que su escritura había mejorado. La madre del niño me dijo cuánto apreciaba que estuviéramos enseñando a su hijo a escribir con mejor letra. Expliqué a la señora que la calidad de la letra de su hijo era un reflejo de su estado emocional y no del entrenamiento.

Si un niño está ansioso, estresado, temeroso o deprimido, eso se nota en la letra (así como en ciertos comportamientos como la tendencia a los accidentes, falta de orden, llegar tarde, y hábitos alimenticios deficientes). Como observación general, cuánto más ansiosa la persona, tanto peor puede ser su letra.

Los niños que son abusados o disciplinados excesivamente por padres demasiado estrictos o inflexibles ("Esteban, no puedes hacer eso... y no puedes hacer aquello"), tienden a desanimarse, a la vez que se reprime su iniciativa.

En los niños y adolescentes, la música fuerte excesiva y continua, quedarse despiertos hasta tarde en forma habitual, las largas horas jugando en la computadora, y la ociosidad excesiva son síntomas de problemas emocionales.

En el Hogar del Advenimiento, una forma de ayudar a los alumnos a desarrollar la salud mental es proveerles de un medio ambiente con un mínimo de distracción. El hogar debe ser un lugar de paz, feliz, interactivo y seguro. Debiera estar libre de ruidos excesivos de la radio o la televisión, y del exceso en el comer, los juegos interactivos o el acceso en el Internet. La letra de Esteban comenzó a mejorar porque él encontró un lugar donde podía hablar, expresar sus sentimientos, hacer preguntas y obtener respuestas. Tenía tareas y trabajos significativos para realizar. Interactuaba con adultos que mostraban comportamientos adultos apropiados.

La Biblia nos dice que María continuó enseñando y entrenando a Jesús y que él atesoró esas preciosas experiencias. Jesús creció en el desarrollo armonioso de todas sus facultades. Éste debiera ser el modelo para la relación de todo padre e hijo.

¿Cuán emocionalmente saludable es el ambiente de su casa para el crecimiento de los niños? ¿Podría usted visualizar a Jesús creciendo allí? Si no es así, ahora es el momento para hacer algunos cambios... y quién sabe, ¡la letra de su hijo podría mejorar!

La verdadera fuente de sanidad

En el año treinta y nueve de su reinado, Asa enfermó gravemente de los pies, y en su enfermedad no buscó a Jehová, sino a los médicos. Y durmió Asa con sus padres.

2 Crónicas 16:12,13.

Uno de los días en que me sentí más humilde como médico fue cuando leí lo que la enfermera anotó en la cartilla de uno de mis pacientes: "El Dr. Wise vio al paciente. Parecía confundido". ¡Nunca tuve el valor de preguntar a la enfermera si el sujeto de la segunda frase era el paciente o si era yo! Por cierto la medicina se ha tornado cada vez más compleja y refinada. La percepción pública a menudo es que con la maravillosa tecnología que existe en la actualidad nadie debiera morir prematuramente. El peligro que enfrentan los médicos y otros profesionales de la salud es caer en la tentación de creer que son las pastillas y las máquinas las que salvan vidas, y no el Señor. Los estudiantes médicos y residentes a menudo dicen en sus rondas: "Le administramos antibióticos al paciente y está respondiendo bien". A veces no se dan cuenta que las personas a menudo se recuperaban de pulmonía miles de años antes del descubrimiento de los antibióticos. El poder sanador natural del cuerpo y la intervención de Dios raramente se toman en cuenta.

Los médicos han llegado a creer que su título médico es un sustituto para la fe y la oración en lugar de una ayuda. Asimismo, los pacientes pueden poner más fe, confianza y dinero en la rápida solución que prometen las máquinas sofisticadas y las píldoras mágicas en lugar de confiar en el estilo de vida saludable y el poder divino.

El rey Asa era el bisnieto del hombre más sabio que haya vivido, el rey Salomón, pero él pagó la consecuencia de colocar su confianza lejos de Dios. Admitimos que en su tiempo la práctica de la medicina era, en las mejores condiciones, rudimentaria; y en las peores, fatal. No hace mucho tiempo que los médicos trataban a los pacientes con las "últimas" técnicas tales como sangrías, purgas, estricnina y sanguijuelas. Aún cuando la ciencia médica ha avanzado marcadamente en años recientes, todos eventualmente dormirán con sus padres. Aún Lázaro murió por segunda vez. La ciencia no ha cambiado el hecho definitivo de que todos somos mortales.

Dios es nuestra única fuente de paz en esta vida y la seguridad de la inmortalidad en la próxima. Debido al pecado, le suceden cosas malas a la gente buena. A pesar de las "adversidades de la vida" que nos puedan sobrevenir, nunca debemos dejar de confiar en el amor y el cuidado de Dios.

Dios Padre, te alabamos, honramos y glorificamos como la verdadera fuente de sanidad y consuelo.

Cómo Dios me ayudó a luchar contra la depresión

Busqué a Jehová, y él me oyó, y me libró de todos mis temores. Gustad,
y ved que es bueno Jehová. Dichoso el hombre que confía en él. Salmo 34: 4,8.

Mirando retrospectivamente, pienso que yo estuve levemente deprimida desde los dieciséis años. Siempre fui muy callada y no sabía cómo platicar con amigos. No sabía qué decir a la gente. Me sentía como prisionera dentro de mi propio cuerpo.

Este problema se complicó con el estrés excesivo que tenía al trabajar como ajustadora de reclamos de compensación laboral, trabajo que realicé durante casi veinte años. Mi depresión comenzó a escalar unos siete años antes de que perdiera el trabajo. Describía mi trabajo como "un infierno". El último año que estuve allí me sentí extremadamente deprimida. Casi no podía funcionar. No podía tomar decisiones; demoraba varios minutos decidir si debía ir a la izquierda o a la derecha para salir del estacionamiento cuando debía hacer una visita de negocios. Me sentía sola; mi corazón estaba vacío, aun cuando jugaba con mi nieto. No quería estar en compañía de la familia o de amigos; lloraba mucho; no tenía ninguna motivación. Me sentía enferma.

Cuando perdí el trabajo, en realidad me sentí aliviada de dejar ese trabajo estresante. Vi la mano de Dios en ello porque un médico me había dicho: "No tenga temor de perder su trabajo". Decidí escuchar ese consejo y confiar en Dios. Y al hacerlo, vi los milagros que sucedieron en mi vida. Mis compañeros de trabajo me dijeron que yo me veía "radiante" cuando recogí las cosas de mi escritorio.

Me ayudó a recuperarme el salir más con amigos y ayudar a otros. Hay veces que aún experimento momentos cuando me olvido de confiar en el Señor para que me ayude, y caigo en depresión cuando enfrento una desilusión. Siento que no tengo esperanza y que estoy sola. Pero luego de unos días, lucho contra eso, me siento, leo la Biblia y oro al Señor para que tome mi carga y me dé una respuesta. Cuando dejo de cargar con el problema, Dios siempre parece llevarme al pasaje bíblico adecuado que me da consuelo o sugiere una solución.

Ahora, lo alabo por todo, incluyendo la depresión que tuve. Soy una persona feliz y extrovertida. Dios me ha cambiado. Soy un ejemplo viviente del cumplimiento de Isaías 40:31: "Los que esperan a Jehová tendrán nuevas fuerzas; levantarán alas como las águilas; correrán, y no se cansarán; caminarán, y no se fatigarán".

"Jehová va delante de ti; él estará contigo, no te dejará ni te desamparará; no temas ni te intimides" (Deut. 31:8).

Dios puede cambiar las cosas —¡también a usted y a mí!

Una segunda oportunidad

Camino a la vida es guardar la instrucción;
pero quien desecha la reprensión, yerra. Proverbios 10:17.

Connie se veía mal a los 55 años. Padecía de enfermedad de las arterias coronarias, gota, hipertensión, diabetes, depresión, y obesidad. Sus médicos le habían dicho que no podían hacer más nada por ella. Ya se había sometido a un triple bypass coronario, y cuatro años más tarde, a una angioplastia. Tomaba 27 pastillas diarias para su enfermedad de las coronarias, gota, hipertensión, y depresión, además de 60 unidades de insulina para su diabetes. No podía caminar ni cien metros sin tener que tomar pastillas de nitroglicerina. Su corazón estaba tan frágil que el cardiólogo le había prohibido viajar por avión, lo que significó que tuvo que cancelar sus planes de pasar el invierno en la soleada Florida. Se sentía tan deprimida y una carga para su familia, que le pidió a su esposo que la internara en un hogar para convalescientes.

En lugar de hacerlo, su esposo la matriculó en el Proyecto de Mejoramiento de las Enfermedades Coronarias, un seminario de 40 horas sobre cambios en el estilo de vida. Asiéndose de cualquier rayo de esperanza, Connie comenzó a vivir de acuerdo a un estilo de vida basado en una alimentación vegetariana. Dejó la carne, los productos lácteos, los huevos y las bebidas gaseosas. Sustituyó los azúcares refinados y las comidas procesadas por frutas frescas y verduras, y aumentó el consumo de cereales y legumbres.

¿El resultado? Seis meses más tarde tomaba solamente tres pastillas por día, la insulina fue reducida a la mitad. Caminaba unos cinco kilómetros diarios y nadaba con frecuencia. Su peso se había normalizado. En lugar de estar deprimida, viajó en un crucero de salud a Alaska. La mayor parte de sus dolores había desaparecido. En lugar de gastar 400 dólares mensuales en medicamentos, su cuenta era ahora de 80 dólares por mes.

Cuando se le preguntó cómo reaccionó su médico, Connie dijo: "Mi médico al principio se mostró escéptico. Luego sus ojos se agrandaron de incredulidad, y comenzó a preguntarme por los aspectos nutricionales y de estilo de vida del programa. Algunos de mis especialistas han manifestado tanto entusiasmo que hasta me han referido pacientes para que yo los motive y les provea información".

Diez años más tarde, Connie aún está fuerte y saludable. La Navidad pasada ella y su esposo me enviaron una postal desde Perth, Australia. "Estamos agradecidos a Dios por mostrarnos un nuevo estilo de vida y darnos una segunda oportunidad".

¿No es increíble el poder restaurador que Dios ha colocado en el cuerpo humano, si tan solo lo tratamos como él lo diseñó?

¿Está de acuerdo en que "el camino de la vida es una vida disciplinada"? Si es así, ¿hay algún sector en su vida en que podría introducir un poco más de disciplina?

El hermano mayor

Nadie tiene mayor amor que éste, que uno ponga su vida por sus amigos. Juan 15:13.

Me agacho con dificultad para mirar bien la cara sucia. "¡Hola, niño,! ¿Cómo te llamas?" —le pregunto. No obtengo respuesta. Sus grandes ojos verdes me dicen lo suficiente.

Mi voluminoso cuerpo de un metro ochenta y cinco había invadido su precario refugio debajo de una mesa. Le dije suavemente: "Mi nombre es Adán.

Una voz irritada me interrumpió: "Se llama Jordán, y es mi primo". Me di vuelta y vi a una delgada niñita de siete años, quien me dijo algunas cosas acerca del niñito que estaba debajo la mesa, a quien ella estaba cuidando.

"Jordán. Qué lindo nombre", le dije, volviéndome hacia él. Siguió mirándome con ojos llenos de temor. Estaba petrificado mientras me acomodaba junto a él. Nada de lo que le decía parecía penetrar la silenciosa defensa y el temor de Jordán. En vano me esforcé por encontrar algo que decirle que lograra una respuesta.

Aunque al principio no dio ninguna respuesta audible, poco a poco me fui ganando su confianza, hasta el día en que finalmente pude hacer que saliera de su refugio. Le estaba leyendo cuando él comenzó a acercarse más a mí. Le extendí la mano y sentí que sus deditos regordetes la tomaron con fuerza. Dudé un instante antes de acercarlo a mí, pasé mi brazo por sus hombros y él tímidamente se arrellanó contra mí. A lo largo de las semanas siguientes comenzó a confiar en mí cada vez más, pero nunca en forma completa.

Ver a Jordán riendo fue un gran alivio, pero a menudo me sentía embargado por la rabia y la frustración. No era con Dios con quien estaba airado, sino con los individuos que permitieron que un niño careciera de lo que más deseaba: amor, comprensión y un toque cariñoso. Comparados con este caso, me parecieron triviales mis problemas personales con las matemáticas y con la necesidad de tener un auto. La vida de Jordán había sido emocionalmente devastadora. Sufrió de negligencia, abuso, y falta de amor.

Al interactuar con Jordán comprendí que nada de lo que alcanzara en la vida tendría valor o significado si no estaba preparado para ayudar a mejorar males como éste. Cincuenta años más adelante miraré hacia atrás y me sentiré agradecido por mis logros, solamente si he usado mi educación y obtenido conocimientos para ayudar a eliminar el sufrimiento humano.

¿Qué podría usted hacer hoy para ayudar a eliminar el sufrimiento de uno de los hijos de Dios, niño o adulto?

Cuando estés enfermo, ayuda a otros

¿No es que partas tu pan con el hambriento, y a los pobres errantes albergues en casa; que cuando veas al desnudo, lo cubras, y no te escondas de tu hermano? Isaías 58:7.

Uno de los mayores obstáculos para el restablecimiento de los enfermos es la concentración de su atención en sí mismos. Muchos inválidos suponen que todos deben otorgarles simpatía y ayuda, cuando lo que necesitan es que su atención se distraiga de sí mismos, para interesarse en los demás.

Mientras rogamos por estos afligidos, debemos animarlos a que hagan algo en auxilio de otros más necesitados que ellos. Las tinieblas se desvanecerán de sus corazones al procurar ayudar a otros.

El capítulo cincuenta y ocho de Isaías es una receta para las enfermedades del cuerpo y el alma. Si deseamos tener salud y el verdadero gozo de la vida, debemos practicar las reglas dadas en este pasaje.

Las buenas acciones son una doble bendición, pues benefician al que las hace y al que recibe sus beneficios. La conciencia de haber hecho el bien es una de las mejores medicinas para las mentes y los cuerpos enfermos. Cuando el espíritu goza de libertad y dicha por el sentimiento del deber cumplido y por haber proporcionado felicidad a otros, la influencia alegre y reconstituyente que de ello resulta infunde vida nueva al ser entero.

Procure el desvalido manifestar simpatía, en vez de requerirla siempre. Echad sobre el compasivo Salvador la carga de vuestra propia flaqueza, tristeza y dolor. Abrid vuestro corazón a su amor, y haced que rebose sobre los demás. Recordad que todos tienen que arrostrar duras pruebas y resistir rudas tentaciones, y que algo podéis hacer para aliviar estas cargas. Expresad vuestra gratitud por las bendiciones de que gozáis: demostrad el aprecio que os merecen las atenciones de que sois objeto. Conservad vuestro corazón lleno de las preciosas promesas de Dios, a fin de que podáis extraer de ese tesoro palabras de consuelo y aliento para el prójimo. Esto os envolverá en una atmósfera provechosa y enaltecedora. Proponeos ser motivo de bendición para los que os rodean, y veréis cómo encontraréis modo de ayudar a vuestra familia y también a otros.

Si los que padecen de enfermedad se olvidasen de sí mismos en beneficio de otros; si cumplieran el mandamiento del Señor de atender a los más necesitados que ellos, se percatarían de cuánta verdad hay en la promesa del profeta: "Entonces nacerá tu luz como el alba, y tu salud se dejará ver presto".

Seleccionado de *El ministerio de curación*, págs. 198-200.

Adicto al aire fresco

Oídme, Judá y moradores de Jerusalén. Creed en Jehová vuestro Dios, y estaréis seguros; creed en sus profetas, y seréis prosperados. 2 Crónicas 20:20.

En los años 1800 se creía que el aire fresco era dañino para la salud. Las ventanas se cerraban por completo en la noche y se mantenía adentro a los pacientes. Fue en ese momento cuando Elena de White, inspirada por Dios, comenzó a desmitificar muchas de las prácticas "saludables" de su tiempo. Ella escribió: "El aire es la bendición gratuita del cielo, calculada para electrificar todo el sistema. Sin él, el sistema se llena de enfermedad y se vuelve torpe, lánguido y débil" (*Testimonios para la Iglesia*, t. 1, p. 606).

"Los pulmones eliminan constantemente impurezas, y necesitan una provisión constante de aire puro... Vivir en aposentos cerrados y mal ventilados, donde el aire está viciado debilita el organismo entero" (*El ministerio de curación*, p. 207).

Por este motivo soy adicta al aire fresco. Creo que es vital exponerse al aire repleto de oxígeno aún en la noche, invierno y verano. Es increíble cuán rápidamente se "electrifica" el aire cuando abrimos la ventana aunque sea un poquito.

Sin aire fresco nuestros cuerpos estarían llenos de enfermedades y se tornarían adormecidos, lánguidos y débiles. ¿Por qué? El "aire impuro" con sus iones de carga positiva que restringe la absorción del oxígeno esencial para la vida. Sin oxígeno ni una célula de nuestro cuerpo puede vivir. Sin oxígeno no podemos tener sangre saludable, pensamiento claro ni buena circulación.

Un exceso de iones positivos causa la sobreproducción de serotonina, una hormona del estrés. Y demasiada serotonina en la sangre causa ansiedad, insomnio, migrañas y cambios de ánimo súbitos. Recientemente se ha descubierto que la falta de oxígeno en la sangre causa que se adhieran las plaquetas entre sí, lo cual contribuye a los ataques al corazón. No sorprende que el "aire puro" sea el primero de la lista de ocho leyes de la buena salud que Elena de White presentara en su libro (*Ibíd.*, p. 89).

No ha de sorprender que el primer hogar del ser humano fue al aire libre donde el oxígeno proveedor de la vida, el regalo que el Creador nos diera, era libre y abundante. Como la tierra siempre tiene carga negativa, es bueno vivir lejos del centro de las ciudades, y tener centros de salud cerca de caídas de agua, la costa, los bosques y las montañas. Aun una pequeña concentración de iones negativos puede matar las bacterias que hay en el aire y que causan los resfríos, la gripe y otros problemas respiratorios. La exposición diaria al aire puro y fresco suplirá el oxígeno tan vital para una salud radiante. Es una de las bendiciones más grandes del cielo.

¿Ha respirado profundamente del buen aire fresco de Dios en el día de hoy? Si no lo ha hecho, abra la ventana y deje entrar esos saludables iones negativos.

Muerte en la autopista 285

Dios es nuestro amparo y fortaleza, nuestro pronto auxilio en las tribulaciones. Salmo 46:1.

Terry y yo nos despedimos de la familia en Michigan y nos dirigimos hacia el oeste en nuestro Chevy Nova del 70, con el propósito de ir a estudiar a la universidad en Gunnison, Colorado. Hacía una semana que nos habíamos casado y estábamos entusiasmados porque podríamos enfrentar juntos al mundo, en unión con nuestro gatito.

A unos 90 kilómetros al noreste de Denver sentimos ruido debajo del auto. Terry detuvo el vehículo y volvió a acomodar el tubo de escape que se había aflojado. Ya para entonces había anochecido y le sugerí a Terry que nos detuviéramos en un motel para pasar la noche. A la mañana siguiente, después de acomodar el tubo de escape, pasamos por Denver, y luego nos metimos en la autopista 285 para comenzar el ascenso a la montaña. Para ese entonces había comenzado a llover, así que cerramos las ventanas y abrimos la "ventilación" para tener un poco de aire "fresco". No sabíamos que ese simple acto casi nos quitaría la vida.

Al rato, Terry se quejó de un fuerte dolor de cabeza y de malestar en el estómago. Me pidió que yo manejara aunque también estaba comenzando a tener dolor de cabeza, cosa que rara vez me sucedía. Más adelante, Terry se sintió terriblemente mal, vomitó, se desmayó y luego recuperó el conocimiento. Miré a Terry. Se estaba poniendo azul y había dejado de respirar. ¡Mi esposo, fuerte y sano, estaba muerto! Tomé la decisión de ir hasta el pueblo más cercano. Para entonces, el gato actuaba en forma extraña. "Señor, no sé lo que está sucediendo. Salva a mi esposo. ¡Ayúdame a encontrar a alguien que nos pueda ayudar!" Sesenta minutos más tarde llegué a la estación de gasolina de Buena Vista, y casi atropellé a los empleados. Salté del auto y le grité al empleado: "No estoy ebria. Mi esposo está muerto en el asiento de adelante. ¡No sé qué nos está pasando!" Un doctor y su esposa, que era enfermera, estaban pagando su gasolina, y de inmediato reconocieron que nos habíamos intoxicado con anhídrido carbónico. Llevaron a Terry adentro y le suministraron oxígeno. Pasaron más de 30 minutos hasta que Terry dio muestras de vida. Luego nos hicieron respirar oxígeno a mí y al gato.

El milagro de la historia, aparte del hecho de que volvimos a nacer, fue que yo había pasado por cinco estaciones de gasolina en mi viaje hacia el pueblo y me detuve en la única que tenía oxígeno disponible, y donde justo un médico y una enfermera estaban pagando su cuenta en el momento exacto de mi llegada.

El diablo es como ese gas tóxico, sin olor y sin sabor, que se adhiere a los glóbulos rojos y no permite que lleven oxígeno al cuerpo, causando que la gente se duerma y muera sin darse cuenta de lo que le está sucediendo.

Nunca olvide, a pesar de lo que el diablo ponga en su camino, que Dios está en control.

Manos lastimadas

En un momento cayó Babilonia, y se despedazó; gemid sobre ella;
tomad bálsamo para su dolor, quizá sane... Jehová sacó a luz nuestras justicias;
venid, y contemos en Sion la obra de Jehová nuestro Dios. Jeremías 51:8,10.

Cuando tenía 7 años, mi hermano y yo observábamos a mi papá quemar ramas y hojas en el patio de atrás.

Eventualmente uno de nosotros encontró un tubo largo que pusimos sobre el fuego para ver si salía humo por el extremo. Al cabo de un rato por fin vimos que comenzaba a humear.

Sin entender las leyes de la física —que si un extremo del tubo está caliente, también lo estará el otro— decidí levantar el extremo que estaba sobre el pasto. Lo así firmemente con ambas manos. Instantáneamente supe que había cometido un error bien grande. El tubo estaba tan caliente que literalmente frió la carne de las palmas de mis manos y la parte interna de los dedos. Experimenté el dolor más intenso que alguna vez sintiera, ¡y grité tan fuerte que se debe haber sentido en toda la cuadra!

Mamá y papá acudieon corriendo e hicieron todo lo que pudieron para aliviar mi sufrimiento. El dolor me duró durante horas. Lo único que me importaba era obtener alivio. Más que nada quería que el dolor se fuera.

Recuerdo mis abundantes lágrimas cuando papá me puso un bálsamo en las manos. Vez tras vez papá me aseguró que todo iba a salir bien. Y de hecho, ahora todo eso es un recuerdo lejano.

El dolor es una realidad omnipresente en este planeta. Es semejante a nuestra sombra, que nos sigue dondequiera que vayamos, algunas veces haciéndose más fuerte u oscura que otras. Cuando me lastimé las manos, lo que más me importaba era que mi papá estuviera allí para reconfortarme y aliviar mis manos heridas con bálsamo.

Al madurar descubrimos nuevas clases de dolor que calan más profundo que la piel; que penetran en la profundidad de nuestras almas y nos oprimen el corazón. El divorcio, la muerte, el racismo, el abuso, la pérdida de empleo y la enfermedad, todos golpean el centro mismo del optimismo en el ser humano, y nos desafían a encontrar gozo aun en medio de la aflicción.

Cuando estamos experimentando dolor es reconfortante saber que nuestro Padre celestial nos rodea con sus manos heridas. Con amor nos asegura —sin importar cuál sea el dolor— que un día será un recuerdo lejano. No nos dice que dejemos de llorar. Pero nos da un hombro sobre el cual llorar y cubre nuestras heridas con su bálsamo sanador.

¿Hay algo en su vida que le está causando dolor? ¿Por qué no deja que su Padre celestial le alivie con su bálsamo sanador?

¡Alabado sea el Señor!

Te alabaré, oh Jehová, con todo mi corazón; contaré todas tus maravillas.
Me alegraré y me regocijaré en ti; cantaré a tu nombre, oh Altísimo. Salmo 9:1.

"¡Apúrate!" Faltaban sólo dos horas para la hora de salida de nuestro avión, y todavía teníamos que recoger una antena parabólica que debíamos llevar de vuelta a Tennessee. Aunque tenía la dirección, cuando llegamos no pudimos encontrar el lugar. Anduvimos en círculo varias veces. Se estaba haciendo tarde. Finalmente encontramos el lugar, pero descubrimos que la parabólica no estaba empaquetada adecuadamente. Con desesperación, medio fabricamos una caja y la sellamos con cinta adhesiva. Justo cuando estábamos por entrar en la autopista, notamos que había una gran congestión en el tráfico. Decidimos continuar por otra ruta, y justo nos tocaron todos los semáforos con luz roja. No llegaríamos a tiempo.

Cuando finalmente corrimos, hacia la terminal faltaban solo 15 minutos para la hora del vuelo, y había una larga fila de pasajeros que estaban esperando ser atendidos. Me acerqué al frente de la fila y pregunté: "¿Llegaremos a tiempo para el vuelo de las 10:20 a Nashville?"

La empleada, un tanto apurada, suspiró: "Ha sido cancelado".

"¡Alabado sea el Señor!", exclamé.

Ella sonrió levemente, y le dijo a la malhumorada persona a quien procuraba colocar en otro vuelo: "Ve, lo que es malo para alguien es bueno para otro".

Más tarde, cuando llegó nuestro turno para reubicarnos, la empleada dijo: "Realmente aprecié su comentario, porque la persona a quien atendía estaba muy enojada, hasta que usted dijo: 'Alabado sea el Señor'. Después de eso no volvió a quejase. Ahora, veamos qué podemos hacer por usted".

Primero ella dijo: "La jaula de su gato es demasiado grande para acomodarla debajo del asiento, y como es verano no podemos dejar que los animales viajen en el compartimiento de las valijas".

Me quejé. "Oh, no, ¿qué haremos con Félix? Necesitamos llevarlo a Nashville donde lo recogerá su dueño".

"Bueno, déjeme ver", dijo ella. Unos minutos más tarde volvió con una jaula para gatos más chica. "Puede usar ésta. Y como usted me ha sido de tanta ayuda, no le cobraré 50 dólares por el viaje del gato... Y tengo un par de asientos en primera clase que están disponibles si usted los quiere. Allí tendrá más lugar para su gato".

No podía creer lo que me estaba diciendo.

Más tarde, al abordar el avión, mi espíritu andaba por las alturas. "¿No es interesante —le comenté a mi esposo—, cómo un simple 'Alabado sea el Señor', nos resultó en tantas bendiciones?"

¿Por qué no alaba al Señor hoy, a pesar de lo que suceda, y trate de ver si se produce alguna diferencia?

La necesidad de estar enfermo

Así que, hermanos, os ruego por las misericordias de Dios, que presentéis vuestros cuerpos en sacrificio vivo, santo, agradable a Dios, que es vuestro culto racional. Romanos 12:1.

"Otro asqueroso resfrío. Tenía que ser, estamos en la primera semana de enero", musité mientras abría el gabinete de los medicamentos, lleno de remedios para el resfrío. Este patrón habría continuado por el resto de mi vida, si un amigo en 1983 no me hubiese preguntado: "Cecilio, ¿qué pasa que siempre necesitas estar enfermo?"

"Qué pregunta tonta —contesté—. Lo que pasó es que agarré un virus y...".

"¿Estás seguro que ésa es la razón? Si en tu cabeza no hay suficiente sentido común para que detengas tus enfermedades, tu cuerpo eventualmente lo hará".

No me agradaba la idea de que era mi culpa si me enfermaba. Entonces pensé en las semanas llenas de actividad de diciembre. Como pastor de una iglesia dinámica, estaba envuelto en actividades casi cada noche. Me encantaba comprar y envolver regalos, las fiestas de la clase de adultos (con toda esa comida tan abundante), los cantos de Navidad, las visitas a los enfermos y los tres servicios de Nochebuena. A pesar de que me proponía descansar después de la Navidad, había siempre algo que requería mi atención. "Prefiero extinguirme antes que oxidarme", dije una vez en mi defensa.

Como incontables otras personas, vivía un estilo de vida demasiado apresurado. Ocasionalmente me recordaba a mí mismo que tenía que ir más lento, pero siempre había algo más para hacer. Como tengo mucha energía física, me engañaba a mí mismo diciendo que no necesitaba descansar. Sin embargo, enfermarme era una forma honorable de detener el ciclo de actividad. ¿Quién esperaría que yo rindiera el 100% si estaba en cama con una fiebre de casi 40 grados?

Finalmente aprendí a evitar los resfríos y las enfermedades. No solamente comencé a guardar el sábado semanal, algo que nunca había hecho en mi vida, sino que durante cada día, aprendí formas de relajación, y a detenerme a contemplar el mundo que corre, en lugar de correr con él.

Actualmente, cada vez que siento que amenaza un problema físico, me pregunto: "¿Qué está sucediendo que hace necesario que me enferme?" A menudo, es mi toque de alarma para ir más lento. Pero en ciertas ocasiones es más complicado: como cumplir con un pedido, o perdonar a alguien que me ha herido. Algunas veces ignoro la respuesta, pero aún así salgo de la autopista de los conflictos y me estaciono. Sacar un tiempo para reflexionar es por lo general suficiente para detener los resfríos o las enfermedades menores que amenazan. Quiero vivir un estilo de vida donde no necesite estar enfermo.

Dios de amor, ayúdame a vivir una vida que te honre, la clase de vida donde no necesite estar enfermo, porque te escucho a ti y sé cuándo ir más despacio. Amén.

¿Solamente otra taza?

Deléitate asimismo en Jehová, y él te concederá las peticiones de tu corazón. Salmo 37:4.

Tenía solamente 12 años cuando me hice adicta a una de las drogas legales más comunes del mundo, la cafeína. Todos los días, después de la escuela, trabajaba en la fábrica de mi papá. Luego de guardar mis libros y saludar a los empleados, buscaba un frasco lleno de monedas de 25 centavos que mi papá guardaba para mí, ponía una en la máquina de refrescos y sacaba un refresco de cola.

Yo sabía que la Coca y la Pepsi eran malas por la cafeína que contenían, pero nadie me había dicho que Dr. Pepper también contiene cafeína. Nunca se me había ocurrido leer la etiqueta. De todos maneras, para cuando supe la verdad de lo que había en ellos se me hizo cuesta arriba dejarlos. La gaseosa con sabor a uva no me daba esa energía que necesitaba en la tarde, como la cafeína. Ahora sé que lo que estaba experimentando era energía "prestada" que tendría que devolver viviendo con menos energía más adelante, ¡justo cuando necesitaba hacer mis tareas de la escuela!

Al ingerir cafeína, nuestro organismo recibe un shock que le hace duplicar el nivel de adrenalina, lo cual a su vez causa que el hígado vierta glucosa en la corriente sanguínea, produciendo ese golpe de energía prestada.

Cuando estábamos construyendo nuestra casa, me sorprendió el número de latas de gaseosa con cafeína que los obreros tomaban cada día. Me pregunté si ellos la consumirían si supieran que desequilibra el sistema nervioso autónomo, el cual controla la función de cada órgano importante del cuerpo. El choque de energía agrava la hipoglucemia, aumenta la presión sanguínea, estimula el sistema nervioso central, causa latidos irregulares del corazón, aumenta la pérdida de calcio y magnesio en la orina, estrecha los vasos sanguíneos y aumenta la secreción ácida del estómago agravando las úlceras gástricas.

También puede producir temblor, irritabilidad, nerviosismo, ansiedad y depresión, y agravar los síntomas de los dolores premenstruales.

Lo que más me duele es ver a los niños que beben las gaseosas con cafeína. Los niños de hasta cinco años son proporcionalmente los consumidores más grandes de cafeína por peso corporal.

Dios quiere darnos una energía natural que viene de una relación íntima con él. Él no quiere que nos automediquemos con una droga adictiva que hace daño al cuerpo que él creó para nosotros.

¿Está usted auto-medicándose con bebidas que contienen cafeína para obtener energía prestada? Cuánto mejor es buscar la energía natural de Dios.

La paga (pérdida) de los juegos de azar

Y que procuréis... ocuparos en vuestros negocios, y trabajar con vuestras manos de la manera que os hemos mandado, a fin de que os conduzcáis honradamente para con los de afuera, y no tengáis necesidad de nada. 1 Tesalonicenses 4:11,12.

Solamente hay una cuota de procesamiento de $17.95 dólares y podría usted ganar el sorteo. Esto no es jugar al azar, ¿no es cierto? ¿Qué tiene de malo un boleto de lotería? Un juego al azar es un entretenimiento que no daña. No causa problemas. Las estadísticas dicen lo contrario. Sólo en los Estados Unidos, donde dos tercios de las personas participan en juegos de azar y más de 15 millones son jugadores empedernidos y patológicos, el impacto es gigantesco. ¿Qué tiene de malo un juego de azar?

Si bien un cigarrillo, una lata de cerveza o una píldora de narcótico no lo va a matar, estas sustancias son adictivas y pueden producir una conexión mental entre la sustancia y la reducción del dolor, sentimientos de placer o la excitación de una recarga de adrenalina. ¡Es una sensación placentera! Y ¡BINGO! (perdón por el juego de palabras), antes de que una persona se dé cuenta, necesita otra y luego otra dosis. No todas las personas sucumben a esta conexión química. Pero hasta que usted quede atrapado, no sabrá realmente si tiene el gene que lo pone a riesgo o no. Así que, por su salud, no corra el riesgo. Simplemente diga que NO la primera vez.

Sucede lo mismo con los juegos de azar. Jugar de vez en cuando, a veces estimula una adicción que es similar a la de las drogas. Los jugadores empedernidos dicen que sienten una carga de adrenalina producida por la anticipación y el entusiasmo de "tirar los dados".Y queda ahí la puerta abierta para otros males colaterales: bancarrota, robos, drogas, violencia doméstica, divorcio, suicidio y actividades criminales. En las palabras de George Washington: "Los juegos de azar son el hijo de la avaricia, el hermano de la iniquidad y el padre de las maldades".

El juego de azar es el reverso de la tesis de Robin Hood: Es un "robo legítimo" que le quita a los pobres y hace ricos a unos pocos. Este es un principio egoísta completamente contrario al amor y apoyo mutuos que Jesús predicó. Los primeros cristianos compartían sus posesiones materiales entre ellos (véase Hechos 2:3) en lugar de correr al casino local o al vendedor de boletos de lotería. "No codiciarás" significa que no desearás tener lo que pertenece a otros, que es exactamente lo que los jugadores quieren. Efesios 5:5 nos recuerda que ningún codicioso tendrá herencia en el reino de los cielos. Y el poner la confianza propia en un juego de azar contradice la confianza del cristiano en Dios como dador de todo don bueno y perfecto, colocando en su lugar al "Gran Premio" como la cura para todo.

Cuando sumamos todo, el consejo de Charles Simeon, un clérigo norteamericano del siglo diecinueve, todavía tiene sentido: "Lo mejor que podemos hacer con los dados es lanzarlos bien lejos de nosotros".

Señor, ayúdame a ser un buen mayordomo del tiempo y del dinero que tú me has dado. Amén.

Para tiempos como éste

Porque si callas absolutamente en este tiempo, respiro y liberación vendrá de alguna otra parte para los judíos; mas tú y la casa de tu padre pereceréis. ¿Y quién sabe si para esta hora has llegado al reino? Ester 4:14.

Mi historia bíblica favorita es la de la reina Ester. De niña, mi padre me la leyó tantas veces que él ya la tenía memorizada. Yo creía que si vivía una vida en armonía con el plan de Dios, él tendría un rol para mí como el de la reina Ester y yo salvaría muchas vidas. Pero los años fueron pasando...

Terminé la universidad y me gradué en la escuela de medicina. Siempre quise hacer cirugía, pero no pude encontrar ninguna residencia en esa especialidad. "Señor —clamé—, ¿qué estás haciendo? Estoy desilusionada. Quiero hacer algo difícil y salir adelante con excelencia y demostrar que las mujeres pueden ser importantes en medicina". Justo antes de comenzar mi práctica en medicina familiar, se me pidió que enseñara una clase para dejar de fumar. Ahí fue cuando descubrí cuán difícil es hacerlo.

Cuando volví a la universidad de Loma Linda, pensé en solicitar otra vez mi ingreso a cirugía general. Pero una voz suavemente me dijo: "Linda, debido a tu preparación, tú ves el panorama total. Vuelve y estudia una maestría en salud pública. Encontrarás tu nicho en prevención".

Mientras trabajaba como directora médica de la Unidad de Tratamiento de la Adicción en Loma Linda, sentí que debía hablar de la causa número uno para la muerte y sufrimientos prevenibles. ¡El tabaco! El tabaco estaba matando 434.000 personas por año. Debido a que que la nicotina es un antidepresivo, busqué un antidepresivo no adictivo que pudiera actuar sobre el cerebro humano. Ahí fue cuando descubrí el bupropión (Zyban). Descubrí que era más efectivo que los parches o que los placebos para ayudar a dejar de fumar. En el término de ocho meses (1998) se habían recetado más de dos millones de dosis del medicamento Zyban. Los estimados conservadores sugieren que 300.000 personas se verán libres de una muerte prematura debido a que han podido dejar de fumar gracias a Zyban.

Creo que este descubrimiento fue de Dios. Él sabía lo que estaba haciendo al colocarme en medicina familiar cuando no estaba "de moda", porque una especialidad general era lo que necesitaba para afrontar los desafíos que enfrento en la prevención de enfermedades relacionadas con el tabaco.

Usted es único y precioso ante Dios. Use todos los recursos que él coloca en sus manos, y siéntase agradecido por estar donde se encuentra. Si usted le pide a Dios que lo guíe, nunca se desilusionará del resultado. Dios no comete errores.

¿Ha pensado que, quizá también, "para esta hora ha llegado usted al reino"?

Encontrarnos con el Creador a las puertas

Jehová, hasta los cielos llega tu misericordia, y tu fidelidad alcanza hasta las nubes. Tu justicia es como los montes de Dios, tus juicios, abismo grande. Oh Jehová, al hombre y al animal conservas. ¡Cuán preciosa, oh Dios, es tu misericordia! Salmo 36:5-7.

Ken Ringle, en la edición de marzo de 1999 de la revista *National Geographic*, describió su descenso a uno de los acuíferos del norte de Florida. La fuerza de la corriente amenazaba con enviarlo de vuelta por el tubo por el cual había descendido. "Los túneles donde apunté mi luz estaban vacíos; sin embargo, el poder de la corriente que había allí daba un sentido pulsante y extraño de vida geológica. Era como estar metiéndose en la aorta del mundo".

Estoy en el otro lado del continente, cerca de las montañas Rocallosas, pero siento también esa fuerza de vida. Es un pulso físico que hay en los vientos ululantes y las tormentas en la montaña. Es una fuerza que demanda respeto, si se valora la vida. No se puede jugar con los caprichos de la montaña.

Pero también puedo sentir esta pulsación aun en los días más calmos, cuando las montañas parecen más amigables y serenas. Su mole masiva se yergue en verticales acantilados y rocosas torres. Valles de pastos terminan en abruptos precipicios como si el resto del valle alpino hubiera sido cortado por un cuchillo, dejando que los arroyos y riachuelos de los picos de las montañas caigan al espacio por cientos de metros.

La evidencia física de la creación y el tremendo tumulto de la reorganización durante el diluvio están ante mis ojos. La grandeza de Dios, el poder ilimitado que tiene para hacer lo que desea, es más grande que la vida. Las leyes simples que Dios le dio a la creación para que las siguiera obran en todas las esferas vastas y finitas esferas.

No ceso de notar que toda la naturaleza respeta continuamente esas leyes, pero que yo no lo hago. La naturaleza no fue creada con el poder de decisión; pero yo, como ser humano, sí lo fui. A pesar de la inteligencia, el poder, la buena voluntad y la energía grandiosa de Dios, yo tengo el poder de elegir darle la espalda y hacer lo que yo desee.

Me impacta que este poder para elegir sea más grande que las montañas. Es la fuerza más increíble que él ha puesto en acción. Amenazó la estabilidad de su universo, y causó que él hiciera un último sacrificio. Me impacta que el Monarca del universo diseñara intencionalmente y protegiera estrictamente la soberanía de mi voluntad a un precio tan elevado. Hay en esto una grandeza de carácter que las montañas solamente pueden sugerir.

Señor, estoy maravillado por las fuerzas que tú has puesto en la naturaleza. Ayúdame a usar la fuerza poderosa del albedrío para siempre elegirte a ti como mi Salvador y Señor. Amén.

Si tan solo Blanca hubiera sabido

Si oyeres atentamente la voz de Jehová tu Dios, e hicieres lo recto delante de sus ojos, y dieres oído a sus mandamientos, y guardares todos sus estatutos, ninguna enfermedad de las que envié a los egipcios te enviaré a ti; porque yo soy Jehová tu sanador. Éxodo 15:26.

Los Estados Unidos tienen el nivel más elevado de enfermedades degenerativas. Los investigadores que procuran encontrar las causas de este mal están descubriendo que cuánto más grasas y carbohidratos refinados se consumen, mayor será la incidencia de enfermedades degenerativas.

Oculta por los árboles, cerca de un camino, en Verdigre, Nebraska, se encuentra la casa de troncos de tres habitaciones donde nací. Esta antigua casa tiene un lugar especial en mi corazón, y también es una reliquia histórica en el condado de Knox, que se remonta posiblemente a mediados de la década de 1880. Hace varios años, Blanca, la esposa de mi primo, pintó para mí esta antigua casa en un plato. Sin embargo, este tesoro se ha convertido en un recuerdo triste de los resultados devastadores de la enfermedad degenerativa denominada diabetes. En años recientes, Blanca ha sufrido un deterioro severo causado por esta enfermedad.

En primer lugar, le amputaron la parte inferior de una pierna. (56.000 amputaciones anuales en diabéticos). Al poco tiempo, comenzó a perder la vista y tuvo que dejar de pintar cuadros. (24.000 personas pierden la vista al año por causa de la diabetes). Hace unos tres años, Blanca tuvo que someterse a la amputación de la porción inferior de la otra pierna. Ahora reside en un hogar de ancianos.

¿Cuál es la causa de esta terrible enfermedad? El problema se centra en la insulina, una hormona pancreática, una clase de mensajera química, que permite que la glucosa en la sangre penetre en las células. Para abrir la "puerta" de la célula y dejar entrar la glucosa, la insulina tiene que hacer contacto con los receptores de las células.

¿Por qué las células no abren sus "puertas" y dejan que entre la glucosa? Porque el exceso de grasa disminuye el número de receptores de insulina, y/o los desactiva, lo cual hace que el páncreas produzca más insulina. Después de años de esa sobreproducción, el páncreas a menudo sufre de "agotamiento" y falla. Entonces el cuerpo no tiene insulina para notificar a las células que deben dejar entrar la glucosa.

¿Hay esperanza para los diabéticos? En años recientes, miles de personas han experimentado dramáticos resultados al recuperarse de enfermedades degenerativas, simplemente efectuando algunos sencillos cambios en su estilo de vida. Los centros de estilo de vida, tales como el Instituto de Salud Weimar, y su programa NEWSTART, ofrecen la esperanza de mantener y recuperar la salud al promover las ocho leyes básicas de la salud: Nutrición, Ejercicio, Agua, Luz del sol, Temperancia, Aire, Descanso y Confianza en el poder divino.

¡Si tan sólo Blanca hubiera sabido!

¿Cómo puedo compartir estos principios de estilo de vida?

El estilo de vida hawaiano

Hijo mío, no te olvides de mi ley, y tu corazón guarde mis mandamientos;
porque largura de días y años de vida y paz te aumentarán. Proverbios13:1,2.

Mientras viví en la isla de Kauai, Hawaii, fui director médico del Centro de Atención Kauai, un pequeño hogar de ancianos en Waimea. El residente de más edad era una pequeña y dulce señora japonesa de cien años, que todavía estaba activa. Otros residentes también estaban cerca de cumplir los cien años y gozaban de muy buena salud para su edad.

Se ha documentado que Hawai (específicamente Kauai) tiene la expectativa de vida más larga de los Estados Unidos. ¿Cuál es la razón? Debe ser por el clima moderado, el aire fresco y salado, el sol, las frutas y verduras frescas que hay todo el año, el estilo de vida tranquilo de Hawai, y el espíritu aloha.

Existe una paradoja aquí, porque si bien Hawai es estadísticamente el estado más saludable de los Estados Unidos, los nativos tienen la peor salud de la nación. Un cuidadoso análisis demuestra que las personas que tiene más larga vida no son nativos de Hawai sino inmigrantes recientes —asiáticos o caucásicos— que tienen los niveles más bajos de muchas enfermedades crónicas. (Fuente: *La Dieta de Hawai,* por el Dr. Terry Shintani).

Los nativos de Hawai eran los habitantes más saludables del mundo hasta que se descubrieron sus islas. Su dieta consistía de taro, poi, boniatos, hojas de taro (cocinadas), manzanas silvestres, pescado y algas marinas. Cuando se descubrió ese paraíso tropical se introdujeron los alimentos procesados y las enfermedades. Actualmente, los nativos de Hawaii se ven plagados de enfermedades del corazón, hipertensión, artritis, asma, alergias, cáncer, diabetes, hemiplejías, gastritis y muchas otras afecciones crónicas que están alcanzando proporciones epidémicas.

Hace más de cien años, cuando Elena G. de White escribió *El ministerio de curación,* mencionó ocho leyes naturales que preservan la salud: "el aire puro, el sol, la abstinencia, el descanso, el ejercicio, un régimen alimentario conveniente, el agua y la confianza en el poder divino" (p. 89). Ella hizo esta declaración: "Los que perseveren en la obediencia a sus leyes encontrarán recompensa en la salud del cuerpo y del espíritu" (*Ídem*).

Al considerar la lista de las ocho leyes naturales, me sorprendí de cuán similares son a los factores que creemos que han contribuido a que las personas vivan más y con mejor salud en Kauai. Me pregunto que pasaría si el resto de la nación comenzara a vivir con ese estilo de vida.

Señor, ayúdame a aprender algo de la gente que vive saludable y por largo tiempo, para poder elegir mejor.

Un libro repleto de bendiciones

Y poderoso es Dios para hacer que abunde en vosotros toda gracia, a fin de que, teniendo siempre en todas las cosas todo lo suficiente, abundéis para toda buena obra.

2 Corintios 9:8.

Durante los últimos tres años, me he convertido en una experta para reconocer bendiciones. De hecho, las pongo todas por escrito. Hace tres años, a mi hija Lana, de 13 años, le diagnosticaron una enfermedad de los nervios poco común denominada síndrome de Rasmussen. Lana padeció de ataques epilépticos constantes, y eventualmente tuvo que someterse a una cirugía de cerebro muy riesgosa.

Sintiéndome desesperada por entender los devastadores eventos que afectaban nuestras vidas, adopté la resolución de mantener una actitud positiva y comencé a registrar las bendiciones que recibía. Cosas como éstas: las enfermeras que nos tocaron resultaron ser poderosas en la oración; la bendición de contar con espacios de estacionamiento apropiados que facilitaron a Lana el acceso en su silla de ruedas. Yo estaba a la caza de cualquier cosa que me indicara que Dios escuchaba nuestras oraciones en favor de la sanidad y la recuperación de Lana.

Por extraño que parezca, me he convertido en una entusiasta de las bendiciones, hasta el punto de de orar a Dios para que me conceda la oportunidad de ser una bendición para otros. Unas pocas horas después de orar por primera vez para ser una bendición para otra persona, mientras esperaba que Lana completara su sesión de rehabilitación, me encontré con una madre joven. Había viajado una distancia bastante apreciable para traer a su bebé de 12 días a la clínica. Tenía solamente la ropa que estaba usando y un billete de cinco dólares. Me preguntó si le podía cambiar el billete de cinco por billetes de un dólar, para poder comprar detergente en una máquina automática a fin de lavar la ropa que estaba usando. Le ofrecí mi cuarto y algo para usar mientras yo misma lavaba y secaba su ropa. Me sentía muy entusiasmada de ser una bendición para ella. Y quedé maravillada de ver cuán rápidamente Dios había contestado mi oración.

Ahora tengo más bendiciones para anotar... las bendiciones que Dios me envía, y las formas en que Dios permite que yo sea una bendición para otros. El hecho de anotar en mi diario toda una serie de bendiciones ha tenido un tremendo efecto en cómo veo las cosas que me suceden a mí y a mi familia. He notado que Dios tiene que ver con los detalles más mínimos de nuestras circunstancias.

Sé que cuando me siento desanimada puedo leer mi diario de bendiciones. Me entusiasmo al ver todas las cosas que el Señor ha hecho, y entonces me es imposible seguir sintiéndome descorazonada. Escribir mis bendiciones me llena de esperanza. He descubierto que cuanto más prestamos atención, tanto más bendiciones encontramos.

¿Por qué no comenzar un Libro de Bendiciones para ver qué diferencia hará en su vida?

Los abrazos de Dios

Mirad cuál amor nos ha dado el Padre, para
que seamos llamados hijos de Dios. 1 Juan 3:1.

¡Se acabó el almuerzo! Miguel, mi hijito, lo anunció enfáticamente al desparramar y escupir los fideos con queso por toda su silla y en el piso. ¡Definitivamente, ya era la hora de la siesta! Me senté con él en la mecedora. Se acurrucó contra mi cuello y puso su cabecita sobre mi hombro. Empecé a contarle la historia de Dios, nuestro Padre celestial, quien creó un mundo maravilloso para nosotros. Le hablé de cada día de la creación, de cómo Dios hizo la luz tibiecita del sol que a él le gusta, y el pasto suave y verde, y las hermosas flores de todo color imaginable. Entonces Dios decidió que los océanos también necesitaban flores del jardín, y entonces creó los preciosos arrecifes de coral.

Miguel levantó su cabecita somnolienta en una demostración de entusiasmo cuando le conté que Dios creó los perros. Entonces le dije cómo Dios hizo a Adán y Eva y que todo era perfecto.

Y después, en el séptimo día, Dios descansó. Expliqué a Miguel que Dios no descansó porque lo necesitaba. Después de todo, Dios es todopoderoso y no necesita descansar o dormir... y de pronto me detuve en el relato. ¿Cómo podía explicarle a mi pequeñito de 14 meses el significado del sábado?

Quizá Dios me ayudó a finalizar la historia. "Como ves, Miguelito", le dije, "Dios no necesitaba descansar, pero sabía que las personas sí lo necesitan. Así como los niñitos con sueño necesitan tomar una siesta, las personas grandes necesitan descansar de correr toda la semana. Así que Dios apartó un tiempo especial y tranquilo de descanso para todos. Y así como los niñitos necesitan que sus mamás y papás pasen tiempo con ellos, que caminen juntos, que les cuenten historias y los mimen, así Dios sabía que todas las personas necesitan un tiempo especial de abrazos y cariño—hasta los adultos. El sábado es ese tiempo especial para que Dios esté con nosotros y abrace a las personas a quienes ama".

A esta altura Miguel estaba profundamente dormido, así que no sé cuánto sacó de la historia, pero yo saqué algo. Cuando era joven me dijeron que no debía bajar a Dios a mi nivel. Que yo necesitaba mantenerlo a una cierta distancia, para poder temerle, respetarlo y reverenciarlo. Pero en la historia de la creación, de pronto vi un Padre celestial que ama a sus hijos. Desde ahora creo que siempre voy a asociar el sábado con un tiempo de abrazos y cariño.

Gracias, Padre celestial, por tu sábado.

¿Buenas noches, que duermas bien...?

En paz me acostaré, y asimismo dormiré; porque
solo tú, Jehová, me haces vivir confiado. Salmo. 4:8.

Según la Fundación Nacional del Sueño, los norteamericanos no están durmiendo suficiente. Uno de cada cinco luchan cada noche con el insomnio. Las investigaciones demuestran que los problemas del sueño han llegado a proporciones epidémicas, y que puede ser el problema de salud número uno.

La falta de sueño afecta en diversas formas. Por ejemplo, los que duermen menos de seis horas por noche no viven tanto como los que duermen siete o más horas. Pero, lamentablemente, la mayor parte de los jóvenes no se preocupa del tema de la longevidad. Su actitud es: "¿A quién le importa?"

La falta de sueño es costosa. La Comisión Nacional de Desórdenes del Sueño estima que la falta de sueño cuesta $150 mil millones por año, a causa de un mayor nivel de estrés y una reducción en la productividad laboral.

¡Y tiene riesgos! Un artículo de la *Revista Científica de la Asociación Médica Norteamericana* señala que a la mañana siguiente, después de pasar 24 horas sin dormir, la habilidad motora de una persona se compara con la de alguien que está legalmente intoxicado. Corremos riesgos innecesarios cuando dormimos poco.

Según el Dr. Russell Rosenberg, director del Instituto Médico del Sueño en el Hospital Northside, de Atlanta, "El problema más común respecto a la falta de sueño, o de no obtener suficiente descanso en la noche, es el estrés". La ansiedad, el estrés, y la preocupación nunca descansan. Los problemas del sueño que ocurren luego de la muerte de un ser querido o una experiencia traumática son normales. Pero la ansiedad y el estrés que dura largo tiempo, o una persistente disposición a la preocupación, resultan en dificultades crónicas y extensas del sueño. Esto se puede fácilmente convertir en un ciclo vicioso: el estrés causa falta de sueño, y no poder dormir causa estrés.

Hay miles de personas que desean desprenderse de sus problemas y preocupaciones cuando llega la noche. Una solución para el problema del sueño es el cambio, especialmente en los patrones de pensamiento, en el estilo de vida y la dependencia de Dios en lugar de uno mismo.

Ayuda dejar las actividades una hora antes de irse a la cama. En cambio, caminar por la calle, relajarse con un baño caliente y distraer la mente con un buen libro tiene efectos positivos. El Dr. Rosenberg va un paso más adelante al recomendar que se dediquen unos 20 minutos para escribir lo que preocupa y lo que se puede hacer para remediar esos motivos de preocupación. Así se podrá apreciar lo que puede cambiar y lo que debe dejar en manos de otros. Luego ore para entregar a Dios aquellas preocupaciones que usted no puede resolver, ¡pero Dios sí puede!

Escribir en un diario es beneficioso para el sueño y para su alma. Escriba sus preocupaciones y entréguelas a Dios.

El mensaje de los billetes de dos dólares

Mas bienaventurado es dar que recibir. Hechos 20:35.

Las tardes eran frías en el invierno de 1997. La clase de Evangelismo de la Salud está lista para pasar por el bautismo de fuego. Diez aprensivos alumnos están listos para realzar su primera presentación del programa para dejar de fumar. ¿Será un éxito? ¿Cuántos vendrán? ¿Cuántos *seguirán* viniendo? ¿Cuántos realmente dejarán el hábito?

En la primera noche asistieron sólo siete personas. ¿Fracaso? ¿Prejuicio? ¡Lo que fuere, es hora de comenzar! Los alumnos aprenden el arte de la persuasión: las conferencias, las películas cortas, las discusiones en grupo. Los adictos, una pequeña dosis de temor, una dosis grande de esperanza. Nuevas resoluciones. Excelente retroalimentación. Mucho entusiasmo de ambos lados. "¡Esto sí que es eficaz!"

Finalmente llega la noche clave: "Esta es su noche. Vamos a juntar los cigarrillos, los fósforos, los encendedores, los ceniceros. Tírenlos en esta bolsa. No tienen que preocuparse más por ellos, los vamos a quemar. Desde ahora en adelante ustedes están libres". Algunas de las personas tienen lágrimas en los ojos —esas *cosas* son como un hijo para ellos. Y ahora han desaparecido. ¿Para siempre? "Y no se olviden, que por cada 24 horas que resistan la nicotina, tendrán un billete dos dólares nuevecito".

Noche tras noche se reparten los billetes de dos dólares. Margrita, mujer joven de unos treinta y tantos años, es la que va a la cabeza. Ella lleva a su recién nacida en una cunita portátil. Una noche, ya hacia el final, ella está arreglando sus billetes de dos dólares, como si estuviera armando un rompecabezas. "Hola, Margarita, ¿qué estás haciendo con ese montón de dinero? ¿Te vas a comprar un auto o qué?"

Se nota que está orgullosa de su tesoro. Coloca los brazos alrededor de su dinero. "No, un auto, no" — dice—. Haré un cuadro con ellos y los colgaré en la pared de mi cocina. Y cuando mi hijita tenga la edad suficiente, le diré: 'Cariño, éste es el precio que mami pagó para que tú pudieras crecer y estar en mis brazos, sin olor a la nicotina'. Sí, señor, eso es exactamente lo que haré".

Esa noche Margarita me hizo sentir que yo *estoy haciendo* algo valioso en este planeta. Todavía puedo sentir la emoción. Aún vale la pena dictar cursos para dejar de fumar. Aún vale la pena ayudar a otros a verse *libres*. Sí, aún vale la pena creer en las palabras de Jesús: "Más bienaventurado es dar que recibir".

¿Qué podría hacer usted para experimentar la emoción de hacer algo que realmente valga la pena en este planeta?

Preguntas, preguntas y más preguntas

Entonces Jehová Dios hizo caer sueño profundo sobre Adán, y mientras éste dormía, tomó una de sus costillas, y cerró la carne en su lugar. Génesis 2:21.

Hay otras referencias en la Biblia que aluden a un "sueño profundo", pero ninguna menciona la anestesia ni la cirugía. Después que Adán dio nombres a todos los animales, a los pájaros y a las bestias del campo, no encontró a ninguno que pudiera ser una ayuda idónea para él. Ése era el momento de realizar una cirugía. El informe de la operación fue breve.

Diagnóstico preoperatorio:	Sin esposa
Diagnóstico posoperatorio:	Esposa
Sangre administrada:	Ninguna
Anestesia:	General
Condición del paciente:	Saludable
Espécimen removido:	Costilla
Medicamento para el dolor:	Ninguna
Herida:	Sanada

No necesitamos preguntar el "por qué" de la cirugía. Dios vio la necesidad y Adán la explica: "Esto es ahora hueso de mis huesos y carne de mi carne; ésta será llamada Varona, porque del varón fue tomada". La Biblia sigue diciendo: "Por tanto, dejará el hombre a su padre y a su madre, y se unirá a su mujer, y serán una sola carne" (Gén. 2: 23, 24).

Lo que me intriga es el "cómo". En primer lugar, la anestesia general. ¿Cómo anestesió Dios a Adán? ¿Qué técnica usó Dios? ¿Tuvo Adán que respirar un gas especial, o Dios le dio algo para tragar, o algo a través de una vena, o fue acupuntura?

La anestesia moderna comenzó en 1846 con el uso de éter inhalado. Desde entonces se han desarrollado y usado muchos otros agentes. A pesar de que han transcurrido más de 150 años del uso de técnicas modernas de anestesia, no entendemos completamente cómo es que actúa. ¡Pero sabemos que lo hace! Hay varias teorías, pero ninguna explica todas las situaciones. ¿Cómo lo hizo Dios?

¿Hizo Dios una incisión? ¿Lo hizo con un objeto punzante como un cuchillo, o usó su dedo, o un instrumento cauterizador o de láser para hacer la incisión de modo que no hubiera pérdida de sangre? ¿Cómo cerró la herida? ¿Usó suturas, pegamento quirúrgico o grapas? ¿Quedó una cicatriz? Nuestros conceptos y técnicas son inadecuados para explicar lo que sucedió. Simplemente no lo sabemos.

Dios no pide que lo entendamos, sino sólo que confiemos en él.

¿Le confiará usted su vida? Diga a Dios que está listo para su procedimiento quirúrgico que removerá el cáncer del pecado de su vida.

Lecciones de un niño de 12 años

Y aconteció que tres días después le hallaron en el templo, sentado en medio de los doctores de la ley, oyéndolos y preguntándoles. Y todos los que le oían, se maravillaban de su inteligencia y de sus respuestas. Lucas 2:45-47.

¿Qué sucede cuando alguien lo hiere con palabras airadas, amargas y punzantes? ¿Le devuelve el golpe como merece su lengua desenfrenada, o tiene usted la capacidad de dar una respuesta considerada y evitar una confrontación emocional?

Imagínese la escena. María y José acababan de pasar la semana de Pascua en Jerusalén. Jesús tenía 12 años, un hombre según la tradición judía, y acababan de celebrar ese rito. Ahora volvían a su hogar en Nazaret. Luego de caminar durante un día junto a amigos y familiares, José ve que María va con las mujeres y le pregunta: "¿Cómo está Jesús?"

"¿Qué quieres decir? — replica ella—. Él está contigo, ¿no es así?"

"No, creía que estaba contigo —responde José.

"¿Por qué iba a estar conmigo —insiste María—. Él es un hombre ahora y debiera estar contigo.

¿Puede notar el estado de pánico de esos padres? ¡Ciertamente es una crisis familiar! No sólo han perdido a su hijo, sino que además han perdido al Hijo de Dios. ¡Esto es asunto serio!

Inmediatamente vuelven a Jerusalén. Cuando llegan, comienzan a buscarlo frenéticamente. Luego de tres días, María entra al templo y ve a Jesús del otro lado del patio. La emoción la sobrecoge y clama: "Hijo, ¿por qué nos has hecho así? He aquí, tu padre y yo te hemos buscado con angustia" (Luc. 2:48).

Ahora deténgase un momento y considere cómo un jovencito normal de 12 años habría respondido a una madre airada que lo acusa de hacer algo que él no hizo, especialmente delante de personas importantes. Posiblemente el jovencito reaccionaría diciendo algo así: "¿Qué quieres decir que yo te he hecho? Ustedes son los que me dejaron". O sino: "Mamá, tranquilízate. Me estás haciendo pasar vergüenza". Pero si él hubiera reaccionado así a las emociones de su madre que estaban fuera de control, habría habido una colisión de emociones, causando más dolor y acusaciones. Por el contrario, Jesús tranquilamente dijo algo así: "Mamá, desde que era un bebé tú me dijiste quién yo era. Tú tendrías que haber sabido que estaría en los negocios de mi Padre".

El no tuvo que acusar a su madre, sólo porque ella lo había acusado a él. Él no tuvo que avergonzarla, sólo porque ella lo avergonzó a él. Jesús, a los 12 años, nos da un ejemplo de cómo responder cuando alguien nos hiere con una emoción descontrolada.

Gracias, Jesús, por proveer de enseñanza no sólo a los maestros en el templo, sino también a nosotros.

La guerra fría

Después hubo una gran batalla en el cielo: Miguel y sus ángeles luchaban contra el dragón; y luchaban el dragón y sus ángeles, pero no prevalecieron, ni se halló ya lugar para ellos en el cielo. Apocalipsis 12:7,8.

Cuando llegan los primeros vientos fríos del otoño, es tiempo de evitar los resfríos, la gripe y las infecciones. Hay que empezar por hacer ejercicio. Caminar a paso rápido y al aire libre cada mañana, por unos dos o tres kilómetros. El ejercicio eleva los glóbulos blancos para que estén en condición de atacar y destruir los gérmenes invasores. Expóngase al sol cuando pueda hacerlo, porque así aumentará su resistencia, al aumentar la acción de los glóbulos blancos. Cuando esté afuera o si duerme en un cuarto frío, mantenga abrigadas sus extremidades y la piel que esté expuesta.

Siempre asegúrese de que el aire fresco circule por la casa. Abra la ventana de su dormitorio aunque sea un poquito por la noche. El aire frío invernal y la frescura de la brisa nocturna tienen gran valor para la salud porque alejan numerosas enfermedades. Pero no se exponga a las corrientes de aire. No debilite su sistema de inmunidad durante los meses de invierno comiendo golosinas, helados y porciones adicionales de postres dulces. El uso excesivo de azúcar debilitará la capacidad de los glóbulos blancos para destruir a los microorganismos invasores. Aun el exceso de jugos de frutas puede ser peligroso por su contenido de azúcar. En su lugar, consuma bastantes alimentos protectores, como verduras, frutas y granos integrales, que contienen abundantes vitaminas y minerales necesarios, y agregue fibra para una buena eliminación.

Los riñones juegan un papel activo en la eliminación de toxinas corporales. Para ayudarles a realizar su labor con más eficiencia, tome bastante agua pura entre la comidas —por lo menos 8 a 10 vasos diarios— aunque no sienta sed. El agua es el gran limpiador interno y externo. Lávese las manos frecuentemente con jabón antibacterial para eliminar los gérmenes, y disfrute de un baño caliente seguido de un baño frío o de una fricción fría. Esto obra maravillas en el sistema circulatorio que transporta glóbulos blancos a todo el cuerpo.

Armado de ejercicio, luz del sol, una buena dieta, agua y aire fresco, usted puede ganarle la guerra al frío. ¿Pero qué puede hacer para ganar la guerra fría de su alma? Satanás está produciendo una extraña tormenta.

Señor, ayúdame a ejercitar mi poder de voluntad, a permanecer en la luz del Hijo, a comer del Pan de Vida, a beber de tu Palabra, y a evitar la corriente fría del mal.

Las cosas pequeñas son importantes

Su señor le dijo: Bien, buen siervo y fiel; sobre poco has sido fiel, sobre mucho te pondré, entra en el gozo de su señor... Porque al que tiene, le será dado, y tendrá más.

Mateo 25:23,29.

Los líderes de las religiones orientales a menudo les recuerdan a sus discípulos que aun un poquito de veneno puede causar la muerte, y que una diminuta semilla puede convertirse en un árbol gigantesco. Buda, por ejemplo, enseñó que "aún las pequeñas gotas de agua al final pueden llegar a llenar una vasija enorme".

Y Jesús dijo: "Si tuviereis fe como un grano de mostaza, diréis a este monte: Pásate de aquí allá, y se pasará; y nada os será imposible" (Mat. 17:20).

La aplicación práctica de la enseñanza de Jesús es que las "montañas" de la vida —nuestras cargas pesadas, las esperanzas truncadas, los sueños aplastados— se pueden transportar y transformar cuando ejercemos fe, aunque sea en pequeñas dosis.

Un ejemplo inspirador de esto es el caso de James R. Jeffreys. Cuando nació, en 1932, con osteogénesis imperfecta (trastorno de huesos frágiles), los médicos no dieron esperanza a la familia, y predijeron que el bebé no viviría más de un año. Si por algún milagro sobrevivía durante los primeros 12 meses de vida, dijeron, estaría tan discapacitado que nunca podría vivir una vida productiva.

Sin embargo, James Jeffreys vivió. A fin de continuar su educación hacía rodar su silla de ruedas por más de tres kilómetros cada día para asistir a la escuela secundaria. A los 21 años abrió su propio negocio, y se convirtió en un exitoso ebanista. Jeffreys también ganó premios como corredor. Utilizando un auto equipado con controles especiales que podía sostener en la mano, ganó 14 premios.

Se casó con una enfermera. Tuvieron dos hijos y luego adoptaron otros siete cuando supieron que había un 50% de posibilidad de que sus propios hijos heredaran la enfermedad de los huesos frágiles. Uno de los hijos adoptados es ciego; a otro la poliomielitis lo había discapacitado; otro tiene un problema en la columna; otro nació sin piernas; y otro sufre de diabetes. Cuatro de los niños son de raza mixta; y dos son coreanos. En 1977, la Sociedad Norteamericana de Huesos Frágiles premió a Jeffreys con el título de Adulto Sobresaliente del Año. El gobernador de Nueva Jersey, donde Jeffreys nació y aún vive, declaró un día especial como Día de James R. Jeffreys, declarando que "la vida y la carrera de James R. Jeffreys sirven como inspiración y fuente de fortaleza para todas las personas afligidas con discapacidades físicas". Jeffreys es un magnífico ejemplo de alguien que ha obtenido grandes logros dando pasos pequeños desde el comienzo.

A pesar de lo grande que sea su "montaña" de dificultad, la fe puede ir conquistándola paso a paso, hasta que un día usted se dé cuenta de que ella ha quedado atrás, porque construyó un túnel y atravesó la montaña por él.

¿Puedes venir y hablar conmigo?

El ungüento y el perfume alegran el corazón, y el
cordial consejo del amigo, al hombre. Proverbios 27:9.

Sonó el teléfono. ¡Malas noticias! Con voz entrecortada por el dolor, Mariana balbuceó: "Acabo de saber que José anda en drogas. Lo había sospechado, pero durante meses rechacé la idea". La comunicación se interrumpió abruptamente cuando yo trataba de pensar qué decirle. José era el hijo de Mariana, tenía veinte años, era buen mozo, inteligente y agradable.

A duras penas terminé mi desayuno. ¿Qué se supone que debo decir? Mariana es sólo una amiga, no es mi familiar. Ni siquiera es mi *mejor* amiga. ¿Qué quiere de mí? ¿Debo ir hasta su casa? ¿Volver a llamar? ¿Escribirle una nota? Pero es cierto que también ella se merece esto. Ella echó a perder a José. El muy rara vez tuvo que enfrentar las consecuencias de su mala conducta. Ahora ella las está cosechando.

De pronto recordé algo. Hojeé el devocionario de Elena de White y allí en la página 163 de *Hijos e hijas de Dios*, encontré las siguientes palabras: "Para todos, las cosas van mal de vez en cuando; la tristeza y el desánimo oprimen a toda alma. Entonces una presencia personal, un amigo que consuele e imparta fortaleza, desvía los dardos del enemigo que estaban destinados a destruir. No existe ni la mitad de los amigos cristianos que debiera haber".

Pensé: "¿Cómo se expresarían estas palabras en el mundo moderno, aunque se escribieron hace cien años? Me pregunto si Mariana tiene amigos".

El pasaje continúa diciendo: "En horas de tentación, en una crisis, ¡de qué valor es un verdadero amigo! En esos momentos Satanás envía sus instrumentos para que los pies vacilantes tropiecen" (*Carta 7, 1883*).

Hablando entre dientes conmigo misma me dije: "Así que es Satanás el que está metido en esto también. El está en este mismo momento trabajando con Mariana".

"Pero los verdaderos amigos dispuestos a aconsejar, impartirán una atractiva esperanza, la fe tranquilizadora que eleva el alma. ¡Oh, tal ayuda es de más valor que las perlas preciosas!" (*Ibíd.*).

"Estas palabras están dirigidas a mí", pensé. "No se trata de lo que Mariana hizo o dejó de hacer. Yo iré. Yo puedo esparcir perlas en su camino. Pensándolo bien, seré de más valor que una perla para ella".

El personal que se dedica a la salud mental a menudo usa tres términos comunes para describir a la persona que tiene falta de energía, quizá a la que sufre de depresión: "La persona se siente impotente, sin valor y desesperada". Así que pregunto: Cuando estoy en una crisis, deprimida, consternada y lastimada, ¿vendrás tú a mi casa? ¿Hablarás tú conmigo? ¿Serás tú para mí más que una perla preciosa?

"Sí". Siento que murmuras... junto a mi puerta.

¿Hay alguien que necesita que usted sea su amigo hoy?

¡Deprimido!

Así que no temáis, más valéis vosotros que muchos pajarillos. Mateo 10:31.

Me estaba sintiendo como los personajes de las tristes canciones de música country. Todavía tenía a mi esposa, mi perro, mi camioneta, mis hijos, mi trabajo y todas las cosas que generalmente se mencionan en la música country melancólica, ¡pero estaba deprimido! Mi vida no se había despedazado. No era eso, simplemente era que había tratado de lograr una promoción que no debí haber esperado, y fracasé.

Hice todo lo que estuvo a mi alcance. Tomé los exámenes, tuve las entrevistas, y presenté mi currículum. Después que todo eso pasó, quedé descalificado. Ahora experimentaba un profundo vacío por dentro, quería tirar todo por la borda e irme.

Había leído en el periódico sobre una condición llamada SAE (Síndrome Afectivo Estacional). Básicamente, durante los meses de invierno las personas con SAE se deprimen, presumiblemente porque no obtienen suficiente luz solar. "A lo mejor eso me está pasando a mí", pensé. "Quizá este sentimiento desaparezca si salgo al sol". No hay ventanas en la fábrica donde trabajo pero el meteorólogo anunció que iba a ser un día de enero bastante tibio y muy soleado.

A las tres de la tarde salí afuera para caminar, pero me desilusioné al sentir que era un día frío y nublado. "Bueno", suspiré, "el ejercicio es bueno. Igual caminaré, porque el ejercicio también ayuda a sentirse bien".

Al caminar a paso rápido alrededor del edificio vi que el sol brillaba a través de las nubes, como una linterna gigantesca que iluminaba diferentes partes del campo. De pronto la luz pasó encima de mí y pareció detenerse en un matorral. Mientras se cerraba ese hueco en las nubes, noté a los gorrioncitos que revoloteaban por todos lados, ocupándose en lo que se ocupan los gorriones. Era como si el rayo de luz del dedo de Dios tratara de que yo notara a esos pajarillos.

Me detuve un momento envidiando su vida libre de preocupaciones. Dios me señaló esos gorriones para ayudarme a darme cuenta de que a él le importaba cómo me sentía. En menos de diez minutos desde que saliera del edificio con un corazón abrumado, regresé a mi puesto de trabajo sintiéndome vigorizado. Me di cuenta que no era la luz del sol lo que me hacía falta, sino la luz del Hijo. Cuando usted sienta que su vida está bajo el control de Dios no hay razón para deprimirse por las cosas que están fuera de su control.

Gracias, Señor, por iluminar mi vida con el pensamiento de que soy mucho más valioso para ti que los gorriones —y sin embargo tú cuidas de todos. ¡Increíble!

El discapacitado dental

Os daré corazón nuevo, y pondré espíritu nuevo dentro de vosotros; y quitaré de vuestra carne el corazón de piedra, y os daré un corazón de carne. Ezequiel 36:26.

¿Alguna vez ha oído de un "discapacitado dental"? Yo los veo todo el tiempo. Las personas tratan de comer y les faltan tantos dientes que su habilidad de masticar está muy deteriorada.

Por una razón u otra, muchas personas tienen que sacarse los dientes y no los han podido reemplazar. Como resultado queda un vacío en la boca, que los otros dientes tienden a rellenar. Si eso se deja así por un período de tiempo, los dientes que aún permanecen se moverán, y esto afectará la habilidad para morder. Este deterioro puede producir problemas con la articulación de la mandíbula. Si unimos a esto el estrés de apretar los dientes o de tener una lesión en el cuello o en la cabeza, el resultado puede ser una disfunción temporal-mandibular, que es extremadamente dolorosa. Se trata de una condición que afecta la articulación en el lugar donde la mandíbula inferior se une con la superior, justo enfrente del oído.

¡Para algunas personas sacarse un diente puede ser un serio problema!

La ciencia dental puede hoy día prevenir muchos de estos problemas. Si usted tiene que sacarse un diente es importante reemplazarlo para que los demás dientes no se muevan. Se lo puede reemplazar con un puente fijo que calce en ese lugar vacío. Otra opción es reemplazar el diente con un implante dental que se coloca directamente en el tejido óseo donde estaba el diente. Hay maneras de prevenir futuros problemas causados por la pérdida de un diente si es que no hay otra opción que efectuar una extracción. Usted no tiene que ser un discapacitado dental.

Hablando de "discapacitados dentales", esto me recuerda que las personas también pueden ser discapacitadas espirituales. Dejamos que el pecado cree un vacío en nuestra vida al igual que un diente que se ha extraído. Continuamos dejando que este hueco dañe nuestra integridad espiritual hasta que nuestra vida está en total disfunción.

Agradezcamos a Dios porque él tiene una solución para este vacío. Él ha derrotado al enemigo mediante la sangre de su Hijo para que podamos tener la victoria sobre los problemas que causa el pecado. La solución es reclamar el resultado de la victoria de Jesús y entregarle el control de su vida. Deje que Jesús haga un puente en ese vacío que el pecado ha creado. Permita que él implante en su corazón y en su vida lo que usted necesita para ser espiritualmente sano.

Señor, gracias por tu promesa de remover mi corazón de piedra y darme un nuevo corazón y un nuevo espíritu.

La religión es buena para la salud

Bienaventurados los que habitan en tu casa; perpetuamente te alabarán. Salmo 84:4.

¿Sabía usted que ir a la iglesia, estudiar la Biblia y orar es bueno para la salud? Eso es lo que las investigaciones revelan.

En 1998, el Dr. David Larson, informó que los que asistían a un servicio religioso una vez por semana y oraban o estudiaban la Biblia una vez al día tenían un 40% menos probabilidad de sufrir de hipertensión, que aquellos que no realizaban estas actividades. Otro estudio demostró que las personas mayores que participan en actividades en la iglesia tienden a tener una presión arterial más baja que los que son menos activos en la iglesia.

Los investigadores han encontrado que las visitas mensuales a la iglesia mejoraban la salud mental de los ancianos. Otros investigadores encontraron que los adultos que asisten a la iglesia por lo menos una vez por semana tenían menor probabilidad de niveles altos de interleukina-6, una proteína del sistema inmunitario asociada con enfermedades de la vejez. Más de la mitad de los que participaron en el estudio asistían a la iglesia por lo menos una vez a la semana y oraban por lo menos una vez al día. La mayoría, un 75%, miraba programas religiosos en TV o los escuchaba en la radio, por lo menos una vez por semana.

En 1991, la *Revista Científica Norteamericana de Psiquiatría,* informó que los psiquiatras que tienen una vida espiritual activa consideran que la oración y el estudio de la Biblia son tratamientos más eficaces para muchos problemas mentales que los fármacos.

Según una revisión de la literatura médica, realizada por el Dr. Dale Matthews, en la Facultad de Medicina de la Universidad de Georgetown, el compromiso religioso puede ayudar a prevenir enfermedades físicas y mentales y a recuperarse de enfermedades.

El estudio del Dr. Matthews demostró que el compromiso religioso afecta ciertos asuntos específicos de la salud. Por ejemplo, parece proteger contra la depresión y el suicidio, el abuso de drogas, el cáncer, y las enfermedades cardiovasculares.

Numerosos estudios también han revelado que las personas para quienes la religión es muy importante, pueden sobrellevar mejor su enfermedad al apoyarse en sus creencias.

Los investigadores también han encontrado que después de cirugías de corazón abierto, los pacientes ancianos que decían poseer una fuerte fe, y quienes decían depender de esa fe para ayudarles en ese trance, tenían una mortalidad un tercio más baja que los pacientes que no poseían una fe.

La evidencia es convincente. Quizá el mejor seguro de salud en el mundo sea asegurarnos que nuestra conexión con Dios es saludable.

Gracias, Jesús, por continuar sanando a tu pueblo a través de los siglos.

Pensando saludablemente

Por lo demás, hermanos, todo lo que es verdadero, todo lo honesto, todo lo justo, todo lo puro, todo lo amable, todo lo que es de buen nombre; si hay virtud alguna, si algo digno de alabanza, en esto pensad. Filipenses 4:8.

Norman Vincent Peale una vez relató que habló con el dueño de una tienda de tatuajes en Hong Kong. Uno de los diseños decía: "Nací para ser perdedor". Peale preguntó al hombre por qué habría alguien que quisiera imprimir permanentemente esas palabras en su cuerpo. El hombre contestó: "Antes de tatuaje en el pecho, tatuaje en la mente".

La manera en que usted piensa tendrá un poderoso efecto en su salud. Si usted es una persona positiva podrá resistir mejor el estrés y alejar las enfermedades cardiovasculares y los problemas gastrointestinales. Su sistema inmunológico decaerá menos y posiblemente trabaje más para protegerle de las alergias, artritis y cáncer. Su cerebro fabrica compuestos químicos naturales que reducen el dolor para que usted se sienta mejor y se recupere. ¡Cuando usted piensa que está perdiendo peso o mejorando de salud, probablemente lo esté haciendo!

Cultive estos cinco hábitos de pensamiento positivo:

1. *Piense: "Esto pasará".* "Esta técnica es vital cuando enfrentamos problemas. Las situaciones que más le trastornan, serán insignificantes. Dígase a sí mismo, 'En cinco años no recordaré este incidente'. Cuando esté sufriendo, no piense que eso durará toda la vida. Por el contrario, piense en vivir un día a la vez. Entonces equilibre este pensamiento con la esperanza en que las cosas van a mejorar.

2. *Medite en temas celestiales.* Esto sólo puede suceder si usted pone la Palabra de Dios en su mente. Memorice pasajes bíblicos que lo desafíen y lo inspiren.

3. *Piense en el amor.* El amor tiene un increíble potencial para mejorar la salud. La poetisa Elizabeth Barrett, conocida por su poema "¿Cómo te amo?", estaba inválida a causa de un accidente en su niñez. Su dominante padre la había confinado a permanecer en la casa. Cuando encontró amor en la persona del poeta Robert Browning, él la rescató de una atmósfera de control y la llevó de Inglaterra a Italia. Rodeada de amor, su salud mejoró tanto que dio a luz un hijo.

4. *Albergue pensamientos afirmativos acerca de usted mismo.* Kay Kuzma, autora de este devocional, escribió lo siguiente en la tapa de su Biblia para poder leerlo a menudo: "No dejaré que mi autoestima sea influenciada por la percepción que otros tienen de mí, sino por mi propia percepción de si estoy o no viviendo con integridad, siendo humilde, sabiendo lo que puedo lograr por mí misma, y lo que es un don de Dios".

5. *Piense de modo positivo durante 21 días.* Sí, eso es lo que lleva establecer un hábito nuevo.

Descubra la profecía de la realización de sus propias ambiciones: que con la ayuda de Dios usted puede convertirse en lo que cree.

La batalla contra el exceso de peso

Y ve si hay en mí camino de perversidad, y guíame en el camino eterno. Salmo 139:24.

"Contrólate, muchacho. Si sigues comiendo así no vas a salir adelante en tu carrera". Las palabras calaron hondo. Era un estudiante sobresaliente en la secundaria, tenía la intención de ser el mejor abogado del estado, o quizá de la nación, pero enfrentaba una batalla con sus papilas gustativas que probablemente llegaría a convertirse en una batalla contra la gordura. "¿Debería prestar atención al consejo o comerme otra hamburguesa doble con queso y una botella de gaseosa?" Lamentablemente, demasiadas personas sucumben ante la tentación del gusto. "¡Una sola vez más —y luego quizá cambiaré!"

Posiblemente usted pueda identificarse con un escenario similar. Su conciencia le puede molestar un poquito. Eso está bien. La verdad es que, cuánto más consuma alimentos chatarra, demasiada comida, o haga poco ejercicio, mayor será la probabilidad de que usted no llegue a la cima de su carrera. Hay dos buenas razones para ello: 1. usted enfrentará un riesgo mayor de enfermedades cardiovasculares, diabetes, artritis, tos y resfríos. 2. A pesar de sus logros académicos, el empleado potencial obeso queda de lado ante una persona igualmente calificada de peso normal. Los empleadores quieren empleados saludables.

Aproximadamente una cuarta parte de los niños en edad escolar en los Estados Unidos son obesos. En 1993, se estimó que eso significaba aproximadamente 11 millones de niños —y esta situación ha empeorado hoy día. Durante la niñez, cuánto mayor sea el grado de obesidad y más inestable el peso, tanto más probabilidad tiene el niño de ser obeso como adulto.

Las investigaciones demuestran que los niños obesos pasan más tiempo en actividades sedentarias y consumen un mínimo de energía. También se ha demostrado que les cuesta hacer amistades, lo cual a su vez los lleva a buscar consuelo en la comida.

Las buenas nuevas son que si usted es una persona joven (o aún si no lo es) y obeso, no tiene que permanecer en esa condición. Es algo tratable. Decida tomar este asunto en sus manos. Realice algunos cambios en sus hábitos alimenticios y comience un programa de ejercicio que le resulte placentero. Si lo hace, encontrará que habrá beneficios duraderos en su carrera, su vida social y su amor propio.

Determine hoy que va a ganar la próxima batalla contra las papilas gustativas.

Cuando se enfrente con su próxima tentación con el gusto, pídale a Dios que le dé la fuerza de voluntad para hacer una elección saludable.

¿Qué valor tiene el hombre?

¿Qué es el hombre, para que tengas de él memoria,
y el hijo del hombre, para que lo visites? Salmo 8:4.

Hace millones de años, cuando Dios estaba considerando la clase de seres que diseñaría para que poblaran el planeta Tierra, quizás pensó que si los hacía multidimensionales como él, sería algo grandioso. Esos seres tendrían una elevada inteligencia y una capacidad de rápida respuesta. Tendrían el impulso de la individualidad, el poder de pensar, de imaginar, de experimentar creativamente, de ir en cualquier dirección que sus mentes pensaran.

El don que Dios más valora sería suyo: la total libertad de elección. ¡Qué grandioso! La dimensión de ser completos. Cada cuerpo saludable se exaltaría en la habilidad de autodirigirse, de poder enfrentar cualquier desafío, de correr con velocidad y potencia, de moverse delicada y disciplinadamente, de estar quietos contemplando la belleza que les rodeara.

Cada mente podría percibir la verdad: entenderían que eran muy amados, y reconocerían los planes elevados que Dios tenía para ellos. Responderían maravillados ante las posibilidades de comprensión intelectual y logros que se abrían ante ellos.

Además de todos estos dones habría todavía más. La cercanía de la Trinidad sería un don misericordioso; tendrían el poder de la procreación, la posibilidad de entrar en una experiencia más completa con Dios. Al darse cuenta de la responsabilidad por la vida que trajeran a la existencia por su propia elección y deseo, comenzarían a entender la actitud que el Creador divino tuvo hacia sus criaturas.

El nacimiento de un niño les abriría las dimensiones de criar, cuidar y deleitarse con cada etapa de su desarrollo. Dios debe haber sonreído con placer al visualizar el primer esbozo de sonrisa de un bebé, sus primeros pasos vacilantes, sus primeras palabras: "¡Abba, papito!" Cuán feliz estaría la familia terrenal de Dios gozando de cada hijo.

Estos niños, concebidos en amor, colocarían su confianza y dependencia en Dios y en sus padres. También tendrían confianza e interdependencia entre ellos, Dios y los demás seres creados, y juntos desarrollarían ideas, aprenderían conceptos y compartirían su entendimiento. La singularidad de cada personalidad traería gran diversidad a las relaciones de amor.

Cuánto deleite Dios debe haber tenido cuando diseñó su familia terrenal. ¡Podemos decir que se divirtió santamente!

Si fuimos tan maravillosamente diseñados, ¿por qué entonces algunas veces no nos amamos a nosotros mismos?

La guardía de honor de Dios

Amados, no os sorprendáis del fuego de prueba que os ha sobrevenido, como si alguna cosa extraña os aconteciese, sino gozaos por cuanto sois participantes de los padecimientos de Cristo, para que también en la revelación de su gloria os gocéis con gran alegría. 1 Pedro 4:12,13.

Travis se estaba muriendo. Fue ungido, pero la leucemia empeoró. Al principio se lamentaba: "¿Por qué a mí?" Una noche, el Espíritu Santo lo impresionó con la idea de que de todos los dones que él puede conceder, el sufrimiento con Cristo es el más grande honor. Se dijo a sí mismo: "Si Dios necesita que alguien atraviese por esta experiencia y aún siga confiando en él, ¿por qué NO yo?"

Pero a pesar de estar en paz en cuanto a su destino eterno, Travis algunas veces despertaba a su mamá en la noche.

"Mamá, tengo miedo. No quiero morir a los 18 años".

Ella le decía: "Hijo, será como un sueño y cuando te despiertes, estarás mirando el rostro de Jesús. Visualiza eso".

Cerca del final, Travis se recuperó y volvió a su casa. El lunes se despertó y dijo: "No me siento bien". Lo colocaron en el auto para llevarlo al hospital. No sabían que él estaba desangrándose internamente, y sentía la necesidad de ir al baño. Se detuvieron en un restaurante de comida rápida. El baño tenía dos sanitarios. Ambas puertas estaban abiertas; no había nadie dentro. Mientras el papá le ayudaba, Travis dijo: "No puedo respirar, mejor llama a la emergencia". En ese momento una voz en el baño de al lado dijo: "Travis, todo está bien, vas a estar bien". El papá vio unos zapatos y el pantalón de un traje de seda italiana de color azul oscuro.

Mientras el papá iba a hacer la llamada, la mamá entró. La voz continuó diciendo: "Travis, todo está bien. Yo estoy aquí". Los paramédicos pusieron a Travis en la camilla. A esta altura el desconocido que estaba del otro lado del baño, salió, fue hasta la camilla y miró al rostro de Travis. El muchacho, quien había estado mirando a su madre, de pronto fijó sus ojos en el rostro del desconocido. Los paramédicos le preguntaron: "¿Usted es el padre?"

"No, soy su amigo". Continuó cerca de Travis hasta que se lo llevaron en la ambulancia. Cuando llegaron al hospital, Travis estaba inconsciente y el desconocido había desaparecido.

Más tarde, todos concluyeron que nadie había visto el rostro del extraño, excepto Travis. Incluso le preguntaron a la recepcionista si ella había visto a alguien con un traje de seda italiana azul oscuro. Ella respondió: "Las personas que visten trajes de seda italiana no vienen a este restaurante".

¿Podría ser que el ángel de Travis contestó la llamada de emergencia? "Señor, éste es un caso especial, podrías dejar que vaya por cinco minutos un miembro de tu guardia de honor?" Y él lo hizo.

Señor, danos la fe suficiente para confiar en ti aún cuando las cosas no salen bien.

Dieta y destino

Si, pues, coméis o bebéis, o hacéis otra cosa,
hacedlo todo para la gloria de Dios. 1 Corintios 10:31.

En 1863, a unos pocos meses de la organización de la Iglesia Adventista del Séptimo Día, Dios dio a Elena de White una visión sobre la importancia de la salud. Al principio pareció que era desviarse de la comisión del evangelio. ¿Qué tiene que ver una buena dieta, hacer ejercicio y obtener suficiente descanso con la preparación de un pueblo para la segunda venida de Jesús? Hay por lo menos tres razones:

1. Nuestras percepciones espirituales corren riesgo de atenuarse cuando no seguimos el plan de Dios para nuestros organismos. He aquí como lo expresó Elena de White: "Los que venzan como Cristo venció, necesitarán precaverse constantemente contra las tentaciones de Satanás. El apetito y las pasiones deben ser sometidos al dominio de la conciencia iluminada, para que el intelecto no sufra perjuicio, y las facultades de percepción se mantengan claras a fin de que las obras y trampas de Satanás no sean interpretadas como providencia de Dios" (*Consejos sobre salud*, p. 576).

2. Lo que comemos y bebemos afecta nuestra habilidad para que el espíritu de Dios nos use en el trabajo de alcanzar las almas. "En nuestra obra debemos obedecer las leyes que Dios ha dado, para que las energías físicas y espirituales obren en forma armoniosa... Los ministros debieran ser estrictamente temperantes en su forma de comer y beber, para no trazar una senda torcida para sus pies, y para no apartar del camino a los cojos, es decir a los que son débiles en la fe. Si los hombres, mientras proclaman el mensaje más solemne e importante que Dios ha dado, luchan contra la verdad al complacer sus hábitos equivocados de comer y beber, le quitan toda la fuerza al mensaje que presentan" (*Ibíd.*, p. 577).

3. El control del apetito es el primer paso en controlar otras tentaciones, y puede determinar el destino eterno. "El poder dominante del apetito causará la ruina de millares de personas que, si hubiesen vencido en ese punto, habrían tenido fuerza moral para obtener la victoria sobre todas las demás tentaciones de Satanás. Pero los que son esclavos del apetito no alcanzarán a perfeccionar el carácter cristiano. La continua transgresión del hombre durante seis mil años ha producido enfermedad, dolor y muerte. Y a medida que nos acercamos al fin, la tentación de complacer el apetito será más profunda y más difícil de vencer. Hay tan solo unos pocos que llegan a despertarse lo suficiente como para entender cuánto afectan sus hábitos de la dieta a la salud, el carácter, la utilidad en este mundo, y su destino eterno" (*Ibíd.*, p. 576).

Señor, hoy te entrego mi vida, incluyendo mis papilas gustativas y mi estómago. Ayúdame a glorificarte en todo lo que elijo comer o beber.

Lo que cueste

Y les daré corazón para que me conozcan que yo soy Jehová; y me serán por pueblo, y yo les seré a ellos por Dios; porque se volverán a mí de todo su corazón. Jeremías 24:7.

"Cueste lo que cueste, Señor, deseo volver a tener una relación de salvación contigo, haz que suceda. Gracias, Jesús, por golpear otra vez a la puerta de mi corazón, y por darme tiempo para arreglar mi vida. Ya sea que viva por diez años, o diez meses, te entrego nuevamente mi corazón. Que yo pueda ser un testimonio amante y fiel para ti, Señor, mientras transito por este valle, y que el resto de mi vida, no importa cuánto dure, la pueda usar para llevar a otros a ti".

Ésta fue la sincera oración de mi querida amiga y vecina, Socorro, cuando le diagnosticaron cáncer de seno y tuvo que someterse a una intervención quirúrgica. Durante quince años amé a esta querida amiga como una preciosa hermana. He estado con ella en la cima de la montaña y en los valles, y en éste, quizá el valle más profundo de todos.

Cuando ella oró, mi corazón respondió: "Sí, Señor, cueste lo que cueste ayúdanos a quitarnos la escora de la mundanalidad y el pecado en nuestra vida para que podamos reflejar tu amante carácter a los demás".

Jesús anhela venir pronto; por cierto, todas las señales que están ocurriendo a nuestro alrededor nos dicen que él está cerca, aún a la puerta. Jesús no está esperando que el malo se torne más malo aún. Él está esperando que sus hijos se aferren al imponente poder del Espíritu Santo para reflejar caracteres amantes, semejantes a Cristo, al mundo que les rodea.

El quiere llenarnos a cada uno de nosotros con el Agua de Vida que sacia la sed, para que podamos hacer que otros tengan sed de Él, la Fuente de Agua Viva.

¡Cuánto necesitamos estar intercediendo por nuestros seres queridos! Quizá usted tenga hijos que se han alejado de Jesús y de los principios que se les enseñó cuando eran niños. ¡Siga orando! Dios enviará sus ángeles poderosos para contestar toda oración sincera. El ha prometido darles nuevos corazones que anhelen conocerlo. Ellos volverán a Jesús y le servirán de todo corazón. Ore que Dios refine y purifique sus vidas, cueste lo que cueste.

Cuando Jesús venga en las nubes de gloria y seamos llevados al hogar para estar con Él para siempre, las vicisitudes de esta vida se tornarán insignificantes. Cueste lo que cueste, valdrá la pena para poder estar en la presencia de nuestro Señor y Salvador durante toda la eternidad.

¿Al enfrentar usted los valles en su vida, puede orar la oración de Socorro, "Cueste lo que cueste, Señor?" ¿Por qué no someter su vida en forma total a él y orar esa oración ahora mismo?

El Maestro Buceador

Cuando pases por las aguas, yo estaré contigo;
y si por los ríos, no te anegarán. Isaías 43:2.

El viento azotaba mi cabello mientras el rugido del motor del barco de buceo zumbaba en los oídos. Se me había acabado el tiempo y sentí que un frío temor se apoderaba de mi corazón al percatarme de mi destino. Por fuera, sonreí tranquilamente fingiendo ser un experimentado buceador tipo Jacques Cousteau. Pero por dentro pensaba, debo estar mal de la cabeza: intentar bucear en la gran barrera de arrecifes de coral en Australia sin saber nada de buceo.

Mi única esperanza para sobrevivir era Rod, mi maestro de buceo. Diligentemente, escuché mientras me daba un curso ultrarrápido en flotación, limpieza de la máscara, y en la regla más importante: "No retener la respiración".

Lo que sucedió después fue una de las más memorables experiencias de mi vida. Rod saltó al agua y yo le seguí. El pánico se reflejó en mis ojos verdes. Como un robot, seguí las instrucciones de poner mi regulador en la boca y de comenzar a respirar. Rod ajustó todos los botones que yo no entendía y los aparatos de flotación que habían amarrado a mi cuerpo. Iba a sumergirme en el agua. El terror se apoderó de cada una de las células de mi cuerpo y le hice una señal a Rod de que quería volver a la superficie. Rod me aseguró que mi temor era natural. Apreté su mano con fuerza olímpica mientras él me prometía que no iba a soltarme.

Ya bajo el agua comencé a relajarme. Continué prestando atención a mi respiración y empecé a descubrir un paraíso fluorescente bajo el agua. El sol australiano penetraba el agua cristalina y límpida, revelando coloridos cardúmenes de peces, y formaciones de corales multicolores. Esta experiencia me transformó para siempre y agradecí a Dios por este regalo increíble e inesperado de belleza oculta. Los rayos dorados del sol me seguían mientras nadaba entre miles de pececitos azul cobalto que se deslizaban en perfecta coreografía.

Recordé vívidamente a nuestro maravilloso Creador. Este mismo Jesús ha prometido que nunca se irá de nuestro lado. Ha prometido sostener nuestra mano a través de las aguas profundas de nuestra vida.

Cuánto más felices seríamos si dejáramos que Jesús fuera el Maestro Buceador de nuestra vida. Él sostendrá nuestra mano cuando las aguas tormentosas de la vida nos empujen hacia el fondo. Con Jesús como nuestro guía estaremos a salvo. Cuando confiamos en Jesús podemos descansar y comenzar a gozar de la belleza y el esplendor del viaje increíble que Dios ha planeado para nuestra vida.

Precioso Señor, toma mi mano y sostenla fuertemente para que pueda ir a lugares y hacer cosas para ti que me daría miedo hacer solo.

¡Que no lo tome por sorpresa!

Porque vosotros sabéis perfectamente que el día del Señor vendrá así como
ladrón en la noche... Mas vosotros, hermanos, no estáis en tinieblas,
para que aquel día os sorprenda como ladrón. 1 Tesalonicenses 5:2,4.

La osteoporosis mató a mi madre. Demoré años en llegar a esta conclusión, pero ahora estoy casi segura. El golpe final que recibió su cuerpo fue un terrible choque de frente. Pero, me pregunto, ¿habrían sido tan numerosas sus heridas, tan extendidas, y en última instancia tan fatales, si no hubiera padecido de esa enfermedad solapada llamada osteoporosis?

Mamá tenía 78 años cuando falleció. Gozaba de perfecta salud, exceptuando la osteoporosis. El accidente me arrancó un pie del hueso de la pierna, pero el cinturón de seguridad me salvó de aplastarme contra el volante. El cinturón de seguridad, sin embargo, no salvó a mi madre; por el contrario, parece que precipitó su fallecimiento al romper muchos de sus frágiles huesos causando heridas internas. Estoy convencida de que tuve unas cuantas costillas rotas en ese mismo accidente por los dolores agudos que sentía en el pecho cuando trataba de moverme o reírme, pero no aparecían en los rayos X. Las costillas de mi madre estaban fracturadas, lo cual le causó insuficiencia respiratoria, heridas internas y septicemia.

Mamá siempre gozó de buena salud, pero la osteoporosis la sorprendió. Comenzamos a notarlo cuando la espalda se le encorvó más a partir de los 65 años, y ella se quejaba de que ya no medía más un metro cincuenta y siete.

Comenzó un tratamiento para prevenir mayor pérdida ósea. Caminaba en una máquina de trotar durante treinta minutos diarios, ya que el ejercicio físico que impone peso a los huesos, ayuda a fortalecerlos. También pasaba por lo menos 15 minutos por día al sol para obtener vitamina D, algo que forma huesos fuertes.

La osteoporosis afecta a 25 millones de personas (la mayoría mujeres) en los Estados Unidos, y sin embargo la mayoría de los médicos no hacen análisis para detectarla. La pérdida de calcio en los huesos comienza alrededor de los 30 años, pero se acelera después de la menopausia cuando el cuerpo deja de producir estrógeno, por eso muchos médicos recomiendan una terapia de reemplazo hormonal.

No deje que la osteoporosis o la segunda venida de Cristo le sorprendan como un ladrón en la noche.

Somos lo que comemos

Y dijo Dios: 'He aquí que os he dado toda planta que da semilla, que está sobre toda la tierra, y todo árbol en que hay fruto y que da semilla; os serán para comer'. Génesis 1:29.

"Somos lo que comemos". Da que pensar, especialmente después de la cena del día de Acción de Gracias. Si el aforismo es verdadero, ahora nos hemos transformado en una ecléctica colección de deliciosas milanesas de gluten de nuestra amiga Beth, de puré de papás casero, de verduras perfectamente cocinadas, de los mejores pancitos que he comido en años y del pastel de calabaza que era como para relamerse los dedos.

"Somos lo que comemos". No sé de nadie que quisiera ser una milanesa de gluten, así que si yo pudiera elegir, me gustaría convertirme en un pastel de calabaza más que cualquier otra cosa que hay en la mesa del día de Acción de Gracias. ¡Y quizá ésa es la parte de la comida que en realidad durará más tiempo.

"Somos lo que comemos". Creo que se refiere al colesterol, las células de grasa, los azúcares, la cantidad y persistencia con respecto a todas esas desesperadas promesas de hacer ejercicio. Si me como la mitad de la caja de chocolates, me voy a enfermar.

Por otro lado, si balanceo mi plato con "por lo menos tres colores en cada comida", tendré mejor salud. Veamos, el chocolate cuenta como "oscuro", el maíz es amarillo, las arvejas verdes, y el tomate rojo. Parece que está equilibrado. Especialmente cuando considero lo que como todo un día y toda una semana.

"Somos lo que comemos". Más que un comentario sobre nutrición, es un desafío a estar alerta a lo que está sucediendo con mi cuerpo, a analizar las opciones y hacer una elección más sensata. Demasiado a menudo doy vueltas durante el día, usando la comida que está disponible y que es fácil de comer mientras hago tres otras cosas a la vez.

Hay otra verdad interesante acerca de la comida. Toda comida tiene mayor valor nutritivo cuando conversamos con otros en la mesa. ¡Los buenos amigos pueden hasta convertir la pizza y las palomitas de maíz en una comida de tres colores! Los buenos amigos hacen un banquete de una simple comida.

Creo que esto es lo que Dios tenía en mente en el sexto día de la creación. Primero creó todos los mamíferos, excepto los seres humanos. Luego hizo a Adán y Eva. Y, casi la siguiente cosa que hizo, fue darles de comer. (Véase Génesis 1:29). Creo que Dios quedó allí para esa comida. Hablaron de los animales, de los árboles, de los peces, pájaros, el sol, las estrellas y los canguros. Dios les contó sobre la vida en el cielo y describió a algunos de sus amigos "de otros mundos". Les mostró lo que debían hacer con las nueces, el trigo, los duraznos, las lechugas y las calabazas. Se rieron bastante y le dijeron "muchas gracias" a Dios millones de veces. ¡Ésa fue la primera cena del día de Acción de Gracias!

Toda comida puede ser un día de Acción de Gracias con su Creador. ¿Por qué no le invita a comer con usted hoy?

El sonido del silencio

Él les dijo: 'Venid vosotros aparte a un lugar desierto, y descansad un poco'. Porque eran
muchos los que iban y venían, de manera que ni aun tenían tiempo para comer. Y se
fueron solos en una barca a un lugar desierto. Marcos 6:31,32.

¡Qué día había tenido! Me desplomé sobre el sillón al lado de una pila de ropa que amenazaba con caerse al piso antes que pudiera doblarla. El fregadero de la cocina estaba hasta el tope de platos sucios y el mostrador cubierto de suciedad. Un charco de jugo de naranja, derramado en la mañana, se había congelado sobre la mesa de la cocina. No podía recordar la última vez que había pasado la aspiradora, y menos aún, cuándo se le había quitado el polvo a los muebles. Tenía por lo menos veinticuatro horas de trabajo por delante y, ya era la hora de ir a dormir.

Me sobrecogió el pánico. No había forma de que pudiera hacer todo. No era una supermujer. ¡Simplemente estaba supercansada! Todo el día, todos los días, la gente de mi casa sacaron, sacaron, sacaron cosas. Nadie reemplazó nada. Al final de cada día me sentía seca como el polvo. No solamente no me quedaba algo para dar, sino que yo misma me quedaba sin nada. Punto. En mi interior me había secado.

Lo peor es que yo sabía que iba a dejar la mayor parte de estas tareas sin hacer, me arrastraría a la cama, y mañana todo el proceso se repetiría. Y al otro día. Y al otro día.

"Ayúdame, Señor —lloré en silencio—. ¿Cómo pretendes que yo haga todo esto?"

"No pretendo", fue la simple respuesta.

"¿No?" El pensamiento penetró lentamente. Empecé a darme cuenta de lo que él quería decir. No lo entendí al principio. No fue hasta que contemplé a Jesús que finalmente todo encajó en su lugar. Jesús estaba cansado también. Todos a su alrededor le pedían, día y noche, día tras día. No lo dejaban descansar.

Pero eso no lo detuvo. Él tomó la iniciativa. Se fue por cuenta propia. Cruzó lagos, subió montañas. Todo para tener un poco de soledad. Y volvió refrescado, dinamizado. Listo para enfrentar las exigencias de cada día. Porque se había encontrado con Dios allí.

Así fue como yo hice lo mismo. Corrí por largo tiempo, subí una montaña. Encontré mi lugar de quietud lejos de la "muchedumbre". Bueno, los platos están todavía allí, las exigencias todavía siguen viniendo, pero mi lugar de quietud, mi soledad, me proporciona una nueva perspectiva acerca de las cosas que no puedo tener si me quedo en medio de todo. Es en esos lugares donde Dios me habla con más fuerza. Pensamientos que están sepultados salen a la superficie y tengo que enfrentarlos. Cuando los entrego a Dios tengo la energía para enfrentar la próxima crisis y la que vendrá después de esa.

¿A dónde se dirige usted para encontrar un lugar solitario, lejos de la "muchedumbre", donde pueda estar cerca de Dios? ¿Ha estado usted allí hoy?

Algo que no se debe hacer a oscuras

Suave ciertamente es la luz, y agradable a los ojos ver el sol. Eclesiastés 11:7.

Antes de mudarme a Maryland hace unos siete años para ser el director de la revista *Vida Vibrante* en inglés, viví prácticamente toda mi vida en el sur de California. Así que tengo un profundo amor por la luz del sol. En el sur de California, es posible disfrutar todo el año al aire libre y gozar de la tibieza del sol.

Créame, la vida en Maryland puede tornarse a veces irritante para alguien que ama el sol. Mientras escribo estas líneas, miro hacia afuera, por la ventana de mi oficina, y veo un hermoso cielo azul, y lo que parece un precioso día soleado. Pero hay un solo problema: en estos momentos la temperatura exterior, tomando en cuenta el viento, ¡es de seis grados centígrados bajo cero! Aún después de siete años, este nativo de Los Ángeles no puede acostumbrarse a esos números glaciales en el informe meteorológico. Pero hace poco leí algo interesante que me hizo pensar que quizá yo necesite abrigarme y salir afuera de todas maneras.

Un investigador de la Universidad de California, en Irvine, recientemente entrevistó a un cierto número de estudiantes universitarios que están preocupados por su peso o por la dieta, y tratan de rebajar. Este investigador encontró que la oscuridad desencadena el deseo de comer en exceso. Parece ser que la escasa luz hace que los que están a dieta se sientan menos acomplejados, lo cual lleva a hábitos alimenticios más desinhibidos. El estudio también encontró que los que pasaban más horas a la luz del sol tendían a manifestar menor tendencia a comer en exceso. Esto no es un hallazgo insignificante; en todo momento más de la mitad de las mujeres norteamericanas están a dieta, así también como el 25% de los hombres.

Se ha sabido desde hace mucho tiempo que los días más cortos del invierno pueden causar depresión en algunas personas. Pero este estudio le da un significado completamente nuevo a la resolución de Año Nuevo que usted hizo de perder algo de peso. Cuando pasamos en la oscuridad la mayor parte del tiempo que estamos despiertos, nuestro blanco corre el riesgo de fracasar.

Hace muchos años un hombre muy sabio hizo una observación que podría haber predicho los resultados de esta nueva investigación: "Suave ciertamente es la luz, y agradable a los ojos ver el sol" (Ecl. 11:7). Dios nos dio la luz del sol, y es gratis para todos. Es importante salir y gozar todos los días, si es posible, de la luz del sol.

Bueno, no digo que sea perfecto. Me gustan las rosquillas rellenas calentitas por las tardes, como a cualquiera. Pero, si tuviera que elegir, mejor me gustaría jugar al baloncesto con mi hijo en una caliente tarde de sol.

¿Ha tenido usted su dosis diaria de luz del sol en el día de hoy? Si no lo ha hecho, levántese y muévase.

Nota: Extracto de la edición de marzo/abril de la revista *Vibrant Life.*

Jugar con el pecado

Someteos, pues, a Dios; resistid al diablo, y huirá de vosotros. Santiago 4:7.

"¡Increíble!", pensé cuando abrí la revista *Time* del 21 de enero del 2002, y leí el artículo de Christine Gorman titulado *De Gallinas y Antibióticos.* ¡Me alegro de ser vegetariana!

El artículo comienza diciendo: "Unas cuantas aves en un criadero de gallinas han comenzado a toser. Una infección respiratoria, si eso es lo que tienen, podría infectar a las otras 20.000 aves que hay en el gallinero, en cuestión de días. El veterinario recomienda el antibiótico enrofloxacina —la versión de Cipro para animales. Como no es práctico tratar a las aves en forma individual, el granjero coloca casi veinte litros del antibiótico en el agua de las gallinas. Cinco días más tarde las aves están bien. Se ha evitado un desastre.

"¿O no? Si bien la enrofloxacina mata el tipo de bacteria que enfermó a las gallinas, no elimina del todo a una cepa, llamada *Campylobacter*, que vive en el intestino. Los gérmenes que sobreviven, los cuales no causan enfermedad en las aves, rápidamente se multiplican y esparcen los genes que les ayudaron a resistir al antibiótico. Seis semanas más tarde, cuando las aves son descuartizadas en el matadero, la bacteria resistente se desparrama por todos lados. Aun con los mejores controles sanitarios, hay bacterias *Campylobacter* que se envuelven junto con los muslos, la pechuga y otras partes que llegan al mostrador de su cocina".

El artículo continúa señalando cómo el *Campylobacter* es una de las principales causas de intoxicación si no se lavan apropiadamente las manos o si se come carne que no está bien cocinada. Y debido a que el Cipro para gallinas está tan relacionado con el Cipro para seres humanos, cualquier germen que sobrevive al antibiótico de las aves tampoco se exterminará con el antibiótico para los seres humanos. ¡Estamos quemando nuestros puentes farmacológicos! Cuanto más antibióticos se usen, tanto más resistentes se hacen los gérmenes a las drogas y menos efectivos son los antibióticos en enfermedades tales como la neumonía, la tuberculosis o el ántrax.

El dilema de los antibióticos es muy parecido al problema del pecado. Cuánto más antibióticos usamos, más resistentes se hacen los gérmenes. Cuánto más jugamos con las cosas del mundo que comprometen nuestra salud (espiritual y física) menos sensibles seremos al peligro. Parece bueno, se ve bueno, y comenzamos a pensar que es bueno; ya sean drogas que se venden libremente, pornografía, comer en exceso, o el chisme. ¿Mi consejo? No juguemos con el pecado. Atrofia la conciencia y nos hacemos resistentes al Espíritu Santo. Las buenas nuevas son que esta condición, al contrario de la resistencia a los antibióticos, puede cambiar por completo con Jesús.

La Biblia promete que si usted se somete a Dios y resiste al diablo, él huirá lejos de usted. ¿Por qué no le pide a Jesús, ahora mismo, que le dé la fuerza necesaria para resistir los hábitos dañinos?

Vete, y no peques más

'Mujer, ¿dónde están los que te acusaban? ¿Ninguno te condenó?' Ella dijo: 'Ninguno, Señor'. Entonces Jesús le dijo: 'Ni yo te condeno; vete, y no peques más'. Juan 8:10,11.

Comenzó cuando empecé a palear nieve. Yo sabía que no debía hacerlo. Debido a mi enfermedad del corazón, un médico amigo, amable y diligente, me lo había advertido. Sin embargo, parece que las leyes que se nos dieron para favorecernos son justamente las que transgredimos con mucha facilidad. En asuntos temporales decimos que eso es carencia de juicio, desobediencia o rebeldía. En términos espirituales a eso llamamos pecado.

Cuando iba por la mitad de lo que me había propuesto palear, sentí como que unas manos gigantescas me oprimían el pecho con fuerza increíble. Luchando por respirar, logré a duras penas entrar a la casa antes de que todo se oscureciera. Un médico me aplicó unas inyecciones. La ambulancia me transportó. Antes de que me diera cuenta, estaba en la unidad de terapia intensiva con numerosos tubos en mi cuerpo. Había arribado a otro mundo. Aquí regían leyes definidas. Prevalecían la eficiencia y la pulcritud. Se le daba prioridad a la atención personal, al cuidado considerado, y al amor. Estos salvadores de vidas, estos maravillosos siervos de misericordia, estos samaritanos, se movían silenciosa y eficientemente. Sentí una mano sobre mi hombro, y escuché una voz consoladora. Desapareció el temor y lo reemplazó el conocimiento de que estaba en manos seguras.

Aquí estaba, en una cama de la unidad de terapia intensiva, un verdadero "pecador" físico. Había estado paleando nieve contra las indicaciones del médico, y ahora estaba cosechando el resultado de mi desobediencia. Habría sido natural esperar regaños y palabras de condenación. Pero no experimenté ni el menor reproche de parte del personal que estaban haciendo lo mejor para salvar mi vida.

En el hospital, la preocupación principal es salvar vidas. ¿No es eso exactamente lo que debiera ser el interés predominante de la iglesia? ¿Por qué se sienten condenados o aún rechazados tantos pecadores en la iglesia, los que de una manera u otra han actuado contrariamente a la voluntad de Dios? ¿Por qué es tan difícil volver cuando se ha fracasado? ¿Nos estará faltando amor?

Ahora estoy de vuelta en mi casa tratando de aplicar las lecciones y las enseñanzas que he extraído de este incidente. Todo miembro de iglesia necesita ir a una unidad de terapia intensiva personal. Me gusta recordar que Jesús nos pide que demos de nuestro tiempo, simpatía y comprensión en servicio a los demás. Salvar vidas sigue siendo nuestra meta principal.

Al dejar el hospital las palabras finales fueron firmes y decididas, pero el médico de guardia las expresó con una sonrisa de simpatía. En su simplicidad práctica, me hacen recordar las palabras de Jesús al pecador: "Ahora, vete a tu casa y no palees más la nieve".

¿Siente que el Salvador le está diciendo algo similar? ¿No es tiempo de volver a casa?

Las manos que oran

Dad, y se os dará; medida buena, apretada, remecida y rebosando darán en vuestro regazo; porque con la misma medida con que medís, os volverán a medir. Lucas 6:38.

La obra maestra de Albrecht Durero, "Las manos que oran", ha cambiado mi vida. Pero es la historia detrás de esta pintura lo que da vida a las manos, y lo que también me ha hecho entender el significado de dar con sacrificio en beneficio de otros.

La historia se desarrolla en el siglo XV en una diminuta villa cerca de Nuremberg, donde vivía una familia que tenía dieciocho hijos. El padre, un orfebre, trabajaba dieciocho horas por día solamente para alimentar a los suyos.

A pesar de su pobreza, dos de los hermanos, Albrecht y Albert, soñaban con estudiar arte en la Academia de Nuremberg. Pero no había dinero. Entonces los muchachos dieron con una solución. Tirarían una moneda. El que perdiera trabajaría en las minas cercanas y con su trabajo mantendría al hermano. Después de los cuatro años, cuando el ganador de la apuesta hubiera completado sus estudios, él mantendría al otro. Albrecht ganó la apuesta.

Desde el mismo comienzo, Albrecht fue una sensación. Sus dibujos, sus trabajos en madera y sus pinturas eran mucho mejor que la de sus maestros, y al llegar el momento de su graduación, había comenzado a ganar bastante dinero por sus trabajos a comisión.

Cuando el joven artista volvió a su villa, su familia lo celebró con una cena festiva. Albrecht se levantó para brindar por su hermano quien había hecho todo esto posible. "Y ahora, Alberto, mi hermano querido, ahora es tu turno. Ahora puedes ir a Nuremberg y realizar tu sueño, y yo cuidaré de ti".

"No, no, no —clamó Alberto, mientras las lágrimas corriendo por sus mejillas—. Es demasiado tarde. Mira lo que cuatro años en las minas le han hecho a mis manos. Los huesos de cada dedo han sido aplastados por lo menos una vez, y tengo una artritis tan mala en mi mano derecha que casi no puedo sostener la copa para responder a tu brindis, y menos para trazar delicadas líneas en el papiro o en la tela, con una pluma o un pincel".

Queriendo rendir homenaje a Alberto por su sacrificio, Albrecht laboriosamente dibujó las manos de su hermano, con las palmas juntas y los dedos maltrechos apuntando hacia el cielo: las famosas manos que oran.

Ahora, al mirar el dibujo de Durero, me pregunto, ¿sé yo realmente lo que significa dar con sacrificio? ¿Dar hasta que duele? ¿Dar mi vida por otro? ¿Me estoy perdiendo la bendición prometida en Lucas 6:38 al no dar a Dios lo que él me ha dado?

Señor, tú sacrificaste tu vida por mí. ¿Que puedo devolverte con sacrificio?

Dios no se acuerda de los autos chocados

Esconde tu rostro de mis pecados, y borra todas mis maldades. Salmo 51: 9.

Un día, mientras manejaba el auto nuevo de los sueños de mi esposo hasta el trabajo, le di un golpe al paragolpes trasero. Cuando me di cuenta de que no podía arreglarlo antes de que mi esposo se enterara, les pedí a mis hijos pequeños que dejaran que fuera yo la que le diera la noticia a su papá. A eso de las cinco y media de la tarde, ellos lo detuvieron como siempre cuando dio la vuelta en la entrada de la casa. "Papi, no vas a poder creer lo que mami hizo".

"¿Qué hizo mami?"

"¡Papi, es tan terrible que ella no quiere que te digamos que ha golpeado el Mercedes!"

Así que cuando mi esposo me dio un beso al llegar, él ya sabía lo del golpe. Me sentí muy mal y quería arreglarlo inmediatamente. Pero él fue tan comprensivo: "Cariño, no veo por qué lo quieres arreglarlo enseguida. A lo mejor lo vas a golpear otra vez y entonces simplemente arreglaremos las dos cosas al mismo tiempo". Nos causó risa. Me dio otra vez un beso, y hasta donde yo sé, no solamente me perdonó, sino que también lo olvidó, eligió no recordarlo. Nunca más mencionó ese golpe. Qué bien nos sentimos cuando hemos sido perdonados y no se recuerda nuestro error.

¿Pero sabía usted que Dios también se olvida? ¿Recuerda todas las cosas terribles que el rey David hizo? Cometió adulterio, luego asesinó para tratar de ocultar su fechoría, y... bueno, si realmente supiéramos, probablemente quebrantó cada uno de los mandamientos de Dios. Pero en 1 Reyes 14:8 hay una interesante referencia al rey David. He aquí la historia:

Después de David, reinó su hijo Salomón, y luego el reino fue dividido y Jeroboam, quien no era de la casa de David, se convirtió en el rey de las diez tribus de Israel. Cuando, Abías, hijo de Jeroboam, cayó enfermo, su padre pidió a su esposa que preguntara al profeta Ahías qué acontecería. Éste es el mensaje que Dios comunicó a Ahías para la esposa de Jeroboam: que aunque Dios le quitó el reino a la casa de David y se lo dio a Jeroboam, "tú no has sido como David mi siervo, que guardó mis mandamientos y anduvo en pos de mí con todo su corazón, haciendo solamente lo recto delante de mis ojos".

"Un momentito, Dios. ¿Qué quieres decir con eso de que David guardó todos tus mandamientos y que nunca hizo nada incorrecto? Él cometió adulterio y asesinato, y...".

Pero David pidió perdón, y cuando Dios perdona, también se olvida. ¡Ésas sí que son buenas nuevas!

Dios perdona y olvida, ¿no debiéramos nosotros también perdonar y olvidar el mal que otros nos hacen?

Dios lo expresa con flores

Por misericordia de Jehová no hemos sido consumidos, porque nunca decayeron sus misericordias. Nuevas son cada mañana; grande es tu fidelidad. Lamentaciones 3:22,23.

La necesidad más grande en el mundo es ser amado; ser amado por lo que somos, no por lo que hacemos o cómo nos vemos. Dios nos ama de esa manera, pero muy pocos se dan cuenta de ello. Pueden cantar: "Jesús me ama" o citar Juan 3:16, pero ¿realmente sienten su amor lo suficiente para despertar cada mañana con un canto de amor en su corazón?

Creo que Dios está tratando de recordarnos su maravilloso amor a través del don de la naturaleza. Para mí, Dios lo expresa con las flores.

Mientras escribo, me quedo extasiado con varios capullos de orquídea que no pude dejar de recoger de las plantas que cuelgan afuera. Los pétalos son de un delicado magenta con toques de blanco, una preciosa acuarela viva. Admiro los maravillosos tonos de color y textura que me emocionan hasta las lágrimas. Las orquídeas son un regalo de Dios. Las flores duran hasta dos semanas, una muestra por anticipado de la Nueva Tierra. Pero lo que me impacta en forma más significativa es el mensaje que Dios ha escrito en cada pétalo —si solamente tenemos ojos para verlo: "Te amo, te amo, te amo".

"'Dios es amor', está escrito en cada capullo que se abre, en los pétalos de toda flor y en cada tallo de hierba", es como una inspirada autora lo ha descrito. (*Patriarcas y profetas*, p. 649).

¿Por qué será que tanta gente no se da cuenta de estos mensajes de amor que Dios ha escrito sobre toda cosa viviente? Creo que la contestación es simplemente que necesitamos ver con nuestro corazón, así como lo hacemos con los ojos. Cualquiera puede disfrutar de una hermosa flor, pero solamente quienes creen en la verdad bíblica del amor constante de Dios por cada uno de nosotros, pueden ver su "mensaje secreto" escrito en la tierra, el mar y el cielo. Yo creo que éste es el secreto de vivir una vida llena de gozo y paz, en un mundo manchado por el pecado —la vida abundante que sólo un Dios amante puede dar.

Mi oración es que también usted haya visto hoy un "Te amo" de parte de Dios.

¿Qué hay en la naturaleza que le recuerda más el amor que Dios tiene por usted? Agradézcale por enviarle su mensaje de amor.

Cuando no se consigue fama ni fortuna

Pero yo dije: 'Por demás he trabajado, en vano y sin provecho he consumido mis fuerzas; pero mi causa está delante de Jehová, y mi recompensa con mi Dios'. Isaías 49:4.

Años atrás tenía una querida amiga quien constantemente se quejaba de que nadie apreciaba su trabajo. Ella sentía que estaba trabajando en vano, y fueron inútiles todos mis intentos por ayudarla a sentirse valiosa.

Cuando el poeta Keats estaba muriendo dijo: "He escrito mi nombre sobre las aguas". No se dio cuenta en ese momento, ni tampoco le habría importado, que su nombre estaba escrito en mármol. Esto les sucede a muchos mientras viven; no tienen idea de la influencia y la belleza que dejan como herencia. Durante su vida, su amor y sus esperanzas no fueron reciprocados ni tampoco sus errores vindicados, de modo que sienten que han desilusionado a Dios y a otros. Especialmente quienes han tenido metas elevadas sienten el golpe de la desilusión.

Elías se quejó: "No soy mejor que mis padres" (1 Rey. 19:4). Moisés se lamentó: "No puedo yo solo soportar a todo este pueblo, que me es pesado en demasía" (Núm. 11:14. Y David se sentía vencido: "Al fin seré muerto algún día por la mano de Saúl" (1 Sam. 27:1). Y está el ejemplo de Jesús que fue crucificado a petición de una parte de su mismo pueblo. Para muchos observadores, su vida había sido un fracaso.

Pero Dios considera todo esto de una manera muy diferente. En lugar de comparar nuestro trabajo con el de los demás, debiéramos encomendarlo a su juicio justo. "Mi recompensa está con Dios", no con los seres humanos. Es imposible que podamos estimar la obra de nuestra vida. Aun el Mesías se descorazonó: "Todo el día extendí mis manos a un pueblo rebelde y contradictor" (Rom. 10:21).

Dios juzga por motivo y misión. Los compañeros de trabajo, los familiares y amigos a veces no perciben muchos esfuerzos nobles, pero Dios todo lo ve y conoce. Si recordamos que nuestro hermano Jesús no obtuvo fama ni fortuna mientras vivió en este mundo, entonces podremos olvidarnos de las recompensas. Por su inagotable bondad, Jesús fue recompensado con la crueldad más denigrante de todas, ser clavado en la cruz. Desde esa perspectiva, si el trato que recibimos es mucho mejor que el que Cristo recibió, ¿por qué habríamos de preocuparnos o quejarnos por lo que recibimos o no recibimos mientras vivimos en la tierra?

Señor, en los días en que me siento improductivo y no apreciado, déjame recordar que mi fama y mi fortuna están en tus manos.

El milagro de las papas en Rumanía

*Y dijo Isaías: 'Tomad masa de higos'. Y tomándola,
la pusieron sobre la llaga, y sanó.* 2 Reyes 20:7.

Ella dijo: "Dios puso tus amígdalas allí, ¿quién eres tú para sacarlas?"
¡Nunca había pensado de esa manera! Me habían dado una cita en el
mejor hospital de Bucarest para someterme a una urgente operación de amígdalas. Mi médico había dicho: "Tu garganta está en malas condiciones. Ven mañana y te sacaremos las amígdalas. Si no lo hacemos, el estreptococo se pasará a tu corazón". ¡Y ahora esta señora mayor me estaba diciendo que nadie debiera sacar de mi garganta algo que Dios puso allí!

La señora continúo diciendo: "En primer lugar, no más azúcar, harina blanca, sal refinada ni queso. Come solamente tres comidas diarias, nada frito, y asegúrate de consumir ensalada en cada comida. Además, cada noche toma una papa cruda, cortas dos pedazos en forma de cono y te los metes en los oídos. Rayas el resto de la papa y lo aplicas en tu cuello. Ata un trozo de tela alrededor del cuello y tus orejas para mantener la papa en su lugar. Y píde a tu esposa que ponga tres gotas de jugo de limón recién exprimido en cada amígdala. Luego ora y acuéstate. Yo oraré también".

No me pregunten la razón, pero decidí hacerme el tratamiento. Durante una semana me fui a dormir con papa cruda alrededor de mi cuello y en mis orejas. Olía a granja y ensucié las sábanas con el jugo de la papa.

Exactamente una semana más tarde, cuando observé mi garganta en el espejo del baño, quedé totalmente sorprendido. Mis amígdalas habían vuelto a su tamaño normal —no habían estado así desde la niñez. Ambas tenían un color rosa fuerte, y lo que era más importante, la infección había desaparecido.

Al día siguiente visité a mi médico. Cuando entré a su oficina, me dijo de inmediato que estaba loco, que era un irresponsable y un peligro público. Le dije: "Doctor, ¿no quisiera echarle una miradita a mi garganta?

"Sólo detrás de una pared de vidrio", me dijo.

"Vamos —lo animé—, una sola vez".

Se cubrió la boca con un pañuelo y se acercó. Yo (orgullosamente) abrí la boca. Quedó estupefacto y dijo: "¡Esto es imposible! Siéntate y cuéntamelo todo".

Le dije: "Doctor, se toma una papa cruda… Va a oler muy feo y se le va a ensuciar la almohada, pero…".

Su salud es importante para Dios. Por eso en la Biblia Dios nos ha insinuado algunos remedios naturales, como la aplicación de una cataplasma. ¿Sabe la razón por la cual la cataplasma es efectiva, y sabe cuándo usarla? ¡Quizá sea tiempo de descubrirlo!

¡No pase el chocolate!

Mira, yo he puesto delante de ti hoy la vida y el bien, la muerte y el mal...
escoge, pues, la vida, para que vivas tú y tu descendencia. Deuteronomio 30:15,19.

¡Soy una adicta del chocolate! ¡Soy adicta al chocolate! No solamente me gusta; me encanta. Mmmm, el sabor cremoso del chocolate con cerezas. Y en una tarde fría, no hay nada tan agradable como una taza de chocolate caliente. Si alguien pusiera frente a mí 31 sabores diferentes de galletitas dulces, pueden estar seguros de que yo elegiría una que tenga chocolate.

Siempre supe que el chocolate contiene cafeína (en realidad, es teobromina, similar a la cafeína). En el libro de medicina titulado *Prueba positiva*, del Dr. Neil Nedley, aprendí que los hombres que consumen 20 mg (miligramos) o más de teobromina por día corren el doble de riesgo de cáncer de la próstata, ¡y no se necesita mucho chocolate para llegar a ese nivel! Veintiocho gramos de chocolate en tabletas con leche contienen 44 mg de cafeína; 2 cucharaditas de jarabe de chocolate contienen 89 mg; y de 2 a 3 cucharadas de cocoa en polvo en un vaso de leche tienen 120 mg.

Mi justificación era: "Soy mujer. ¿Qué tiene de malo *un poquito* de chocolate? ¡Todo el mundo come chocolate!" (Traté de pasar por alto el hecho de que el chocolate también contiene un carcinógeno: un tipo de alcohol llamado alfametilbenzilo).

He tratado de dejar el chocolate en oportunidades anteriores, simplemente porque está saturado de azúcar… ¡ y calorías! Pero cuando me ofrecen chocolate con trufas, ¡siempre acepto!

Pero llegó ese día fatídico en julio del 2001. Asistía en un retiro de damas en el que yo trataba el tema de los beneficios de la autodisciplina. En cierto momento hice esta declaración: "¡Es la clave para una buena salud mental!" Y luego agregué con vacilación: "¡Pero el chocolate es asunto aparte!"

Después de mi presentación, una señora me dijo: "Yo también era adicta al chocolate. Mi hijo me apostó cincuenta dólares que no podría dejar el chocolate durante un año. Acepté la apuesta, y gané". Entonces, de pronto me desafió: "Lo puedo hacer por otro año, si tú también lo haces".

Estaba atrapada. No podía decir que no. ¡Y ahora lo he hecho! Renunciar a un hábito dañino es asunto de elección. Dios dijo que no permitirá que seamos tentados más de lo que podemos resistir. Pero he aprendido que cuando intentamos cambiar un hábito, ayuda mucho tener un compromiso con alguien a quien respetamos, y luego pedirle a Dios que nos ayude a honrar esa promesa.

¿Hay algún hábito que le esté molestando y que sabe que tiene que dejar? Acepte el desafío. Renuncie a él por un año y lo más probable es que tendrá suficiente autocontrol para seguir diciendo que no.

Cómo desarrollar una hermosa actitud

Bienaventurados los manos, porque ellos recibirán la tierra por heredad. Mateo 5:5.

La palabra "bienaventuranza", la cual el diccionario define como "bendición", es un concepto que Jesús enseñó en su Sermón del Monte registrado en el capítulo 5 del Evangelio de San Mateo. Por otro lado, el diccionario define la palabra "actitud" como "posición que se asume".

De niña, mi abuela me recordó más de una vez que necesitaba cambiar mi actitud. La verdad era que mi perspectiva de cualquier situación dada, con demasiada frecuencia se inclinaba hacia lo negativo. Fue la intervención de Dios en mi vida lo que me ayudó a combinar la mansedumbre con la bendición de la mente, lo cual eventualmente me llevó a lo que yo llamo "la actitud de la bienaventuranza".

No hay un factor único que pueda recibir el crédito por la evolución que experimenté a través de los años. Incontables experiencias con muchas personas fueron acumulándose y moldeando mi carácter. Sin embargo, hay una persona que se destaca como un modelo especial que ilustra mi testimonio.

La evalué desde el primer momento en que nos conocimos y decidí que no me gustaba su aspecto. Aparte de esto, era excesivamente desenvuelta, atrevida y hablaba con voz muy fuerte. También tenía opiniones definidas, una solución para cada problema, y según mi evaluación, le faltaba el decoro social que me habían enseñado. Determiné borrarla de mi lista de amigas potenciales, y decidí evitarla lo más que pudiera. Sin embargo, no fue una opción, porque frecuentemente nos "tocó" estar juntas.

Gradualmente, a lo largo del tiempo, a través de los contactos casi diarios, conocí cosas que no sabía de ella al principio. Al conocer las circunstancias que moldearon su vida, comencé a entender por qué actuaba de esa manera, y a cambiar mi trato con ella.

Ella y yo nunca seremos "amigas del alma" como lo soy con otras personas, pero para ser sincera, nuestra amistad es algo más que casual. Si yo hubiera continuado con la intención que tuve la primera vez que la vi, nunca la habría conocido íntimamente. Si no hubiera permitido que Dios alterara mi actitud, habría perdido mucho. Y ella es sólo una en una larga lista de personas que no habría conocido sin este cambio de actitud.

La "actitud de la bienaventuranza" ha enriquecido mi vida, mental, física y espiritualmente, al desarrollar relaciones sanas con diferentes clases de personas. Salomón tenía razón: "El corazón alegre constituye buen remedio" (Prov. 17:22).

¿Tiene usted a veces un problema de actitud? ¿Por qué no comienza a desarrollar una actitud de bienaventuranza?

Los mentirosos y quienes les creen

Los labios mentirosos son abominación a Jehová; pero
los que hacen verdad son su contentamiento. Proverbios 12:22.

Eva creyó en la mentira de Satanás: "Si comes de esto, no morirás", pero esto no la salvó de los resultados de su pecado. Eva culpó a la serpiente por no decir la verdad. ¿Pero era su situación realmente culpa de la serpiente?

Simplemente porque somos crédulos y creemos una mentira, ya sea un plan para hacerse rico rápidamente, o la última comida que esté de moda, no significa que no vamos a sufrir las consecuencias y perder dinero o dañar nuestra salud. Es por eso que debemos usar la cabeza y obtener los datos, en lugar de creer todo lo que escuchamos.

En Proverbios 22:3 y 27:12, leemos esta amonestación: "El avisado ve el mal y se esconde; mas los simples pasan y reciben el daño". Una persona simple es necia, ignorante, o alguien que no sabe pensar bien. Ninguno de nosotros quiere ser "simple"; sin embargo, muchas personas brillantes actúan como necias cuando se trata de creer cosas como "lo que hay en esta botella lo curará de todos sus padecimientos". Hoy día se promueven muchas ideas sobre salud que no han sido probadas: maná azul verdoso, métodos de control de peso, cura del cáncer. Algunos afirman que se puede obtener en unas pocas pastillas todo lo bueno que existe en muchas verduras y frutas. Pero esto simplemente no es cierto. Nada puede reemplazar la dieta original de Dios, un buen equilibrio de frutas y verduras frescas, granos, nueces y almendras.

¿Por qué se dicen tantas verdades a medias con respecto a tratamientos y curas para la salud? Ésta es probablemente la mayor razón por la cual existe el curanderismo. Alguien se puede hacer millonario con un poco de deshonestidad.

¿Por qué creemos? Porque nos prometen que obtendremos buenos resultados rápidamente y sin ningún esfuerzo. Así como muchos caen víctimas de los planes "para ser ricos rápidamente" sin tener que trabajar, así también la gente confía en las fórmulas "para adelgazar" que no limitan el consumo de calorías ni requieren ejercicio. Tomemos, por ejemplo, la mentira de que podemos perder peso mediante un globo que se introduce en el estómago de manera que nos sintamos llenos todo el tiempo y no podamos comer mucho. El precio de este procedimiento es alto. Pero al final se tuvo que admitir que una vez que se quita el globo, el paciente tiene que aprender a comer correctamente a fin de mantener el peso. La verdad es que un programa adecuado de reducción de peso requiere disciplina.

Hay muchos que quisieran un arreglo rápido en lugar de cambiar su estilo de vida. Recordemos, ¡al final los necios perecen!

¿He sido culpable de creer todo lo que escucho o de leer sin comprobar los hechos? Señor, ayúdame a amar y buscar la verdad, tanto para mi salud física como para mi bienestar espiritual.

Dios tenía un buen propósito

Vosotros pensasteis mal contra mí, mas Dios lo encaminó a bien, para hacer lo que vemos hoy, para mantener en vida a mucho pueblo. Ahora, pues, no tengáis miedo; yo os sustentaré a vosotros y a vuestros hijos. Génesis 50:20,21.

Ser padres puede ser doloroso. ¡Ni idea tenía! Un día, ya hace varios años, me deshice en llanto en los brazos de mi madre. Estábamos sentados en la sala de espera en la unidad de cuidado intensivo neonatal. Mi esposa Laura estaba hospitalizada por el nacimiento de Allison 24 horas antes. En el parto, el médico tuvo que utilizar un succionador que dejó a la bebé severamente lesionada: dos fracturas de cráneo y cuatro hemorragias, una en el lóbulo frontal derecho . ¡Tantas cosas habían sucedido tan rápidamente! Las imágenes daban vueltas en mi cabeza.

Viendo a mi pequeña recién nacida, de tan solo unas horas, luchando por respirar, luego dejando de respirar y tornándose azul mientras un médico se esforzaba por mantenerla viva. Esperando pacientemente el resultado de la tomografía computarizada, y después, como sucede en las películas, pidiéndonos que nos sentáramos para escuchar la explicación de la seriedad de las lesiones. Una noche pasada en vela con un pequeñito ser que luchaba por sobrevivir, con su diminuta manito aferrada a mi dedo. Finalmente, cuando su cuerpecito comenzó a convulsionarse, entonces ahí me desmoroné.

Laura fue dada de alta, pero fue una noche de lágrimas. Afortunadamente, luego brilló una luz en medio de la oscuridad —una luz en nuestro camino. Mi madre compartió conmigo un versículo que me trajo esperanza: "Mas Dios lo encaminó a bien, para hacer lo que vemos hoy, para mantener en vida a mucho pueblo" (Gén. 50:20).

Ha sido un largo camino. Cuatro semanas en la unidad de terapia intensiva neonatal. Miles de oraciones que hermanos y hermanas en Cristo elevaron en nuestro favor. Una cirugía de cerebro realizada por las manos superdotadas del cirujano pediátrico. ¿Mantuvo Dios su Palabra? La respuesta viene en un collage de imágenes grabadas en mi mente:

Las enfermeras y otros padres que se detenían para leer los versículos bíblicos que colgamos en la cuna de Allison. Charles Gibson, el anunciador del programa 20/20 con las palabras: "La próxima historia podría salvar la vida de sus hijos o nietos", mientras relataba la historia de Allison a toda la nación y mostraba los riesgos del uso de succionadores en los partos. Judy Forbes, recientemente bautizada en nuestra iglesia, sosteniendo a Allison y contemplando sus pequeños ojitos mientras decía: "¡Nunca sabrás qué bendición has sido para nosotros!"

Dado el número de sus lesiones, es increíble que Allison haya sobrevivido. Aún más milagroso es el hecho de que hoy ella no muestra evidencia de ningún problema residual de sus lesiones. ¡Alabado sea el Señor! ¡Él es tan bueno!

Es terrible desperdiciar un cuerpo

No codicies tus manjares delicados, porque es pan engañoso. Proverbios 23:3.

Los recientes informes son escalofriantes. La diabetes tipo II (que aparece en la edad adulta) está apareciendo cada vez más en los niños, y los expertos en salud temen una inminente crisis. Hasta ahora, todos los estudios han señalado que uno de los factores es la obesidad.

La diabetes adulta se consideró siempre como una enfermedad de la mediana edad en adelante. Ser obeso en la edad adulta aumenta el riesgo. Sin embargo, hasta hace poco, no era considerada una enfermedad de los niños (en contraste con la diabetes tipo I). Pero durante los últimos años los niños se están tornando más y más gordos. "Desde el comienzo de la década de 1960, ha declinado la salud general de los adolescentes", dice la Academia Norteamericana de Pediatría. "Los niños hoy día son flácidos. No tienen un tono cardiovascular adecuado. No están físicamente aptos".

Kate O'Shea, una fisióloga del ejercicio, advierte que "el jovencito inactivo de hoy día es el candidato a obeso en el día de mañana". Y la diabetes no es la única preocupación. "Los problemas del corazón comienzan en la niñez", informa el Instituto Nacional de la Salud. Un examen realizado en 360 jóvenes seleccionados al azar, entre los 7 y los 12 años, reveló que el 98% de los niños ya mostraban tres o más factores de riesgo.

Tenemos ahora un ambiente que favorece la obesidad. Hubo un tiempo cuando los niños corrían a la casa para cambiarse de ropa y salir afuera a jugar. Se subían a los árboles, andaban en bicicleta, patinaban, jugaban a diversos juegos y lanzaban pelotas al cesto. ¡Los niños de hoy día miran como promedio de cinco a ocho horas de televisión por día!

La televisión, al publicitar alimentos procesados repletos de azúcar, grasas y sal, también influye significativamente en las preferencias alimenticias de los niños desde sus años más tempranos. El tiempo que se pasa frente al televisor es tiempo que se quita a las actividades físicas que edifican el cuerpo y queman calorías. Otra preocupación es el creciente interés de los niños y adolescentes por el Internet.

En los primeros dos capítulos de la Biblia encontramos que Dios encomendó a Adán y Eva la responsabilidad de cuidar el jardín donde vivían, a los animales y a las aves que Dios había creado. La vida de ellos debía ser una vida activa al aire libre.

"Tener aptitud física es divertido", dice Arnold Schwarzenegger, quien fuera el portavoz del presidente Bush para la Comisión de Aptitud Física y Deportes. "Manténgase lejos de las comidas rápidas, deje el sofá, desconecte el Nintendo, apague el televisor, y salga y haga un poco de ejercicio. Es terrible desperdiciar el cuerpo".

Señor, los hábitos son difíciles de cambiar. Dame la fuerza necesaria para mantenerme en la dirección correcta.

El agua y su salud

*Él te daría agua viva... Mas el que bebiere del agua que yo le daré,
no tendrá sed jamás.* Juan 4:10,14.

Thoreau dijo una vez: "El agua es la única bebida del hombre sabio". Esta declaración ha sido confirmada ahora por el *Estudio sobre la salud de los adventistas*, realizado en el Centro Médico de la Universidad de Loma Linda. Jacqueline Chan, investigadora principal del proyecto, dijo que beber suficiente agua es tan importante para la salud del corazón como otros factores tales como la dieta, el ejercicio y la abstinencia de fumar. Los hombres sanos que beben cinco o más vasos de agua cada día tenían un 54% de disminución en el riesgo de enfermedades fatales de las coronarias, comparados con los que toman sólo dos vasos de agua. Las mujeres que beben cinco vasos de agua disminuyeron el riesgo de un ataque fatal de corazón en un 41%. Los investigadores creen que tomar un volumen elevado de agua pura diluye la sangre, disminuyendo de este modo el riesgo de coágulos sanguíneos. Las personas que reemplazaron parte del agua con otros líquidos, tales como jugo de fruta, leche o bebidas gaseosas, no recibieron la misma protección. ¡Qué interesante!

Cinco vasos de agua también disminuirán el riesgo de cáncer de colon en un 45%, cáncer de seno en un 79% y cáncer de vejiga en un 50%.

Therese Allen, quien es cuadriplégica, dice que comenzó a tomar 14 vasos de agua cada día después que sufriera de una seria infección a los riñones. He aquí su historia: "¡Ni me hablen de lo que es dolor! Nunca quisiera pasar por eso otra vez. Mi médico, sin embargo, me dijo que en mi situación podría esperar algún tipo de complicación cada dos a cuatro años. ¿Cómo podría demostrar a ese médico que estaba equivocado y que yo podía evitar más infecciones? Decidí aumentar mi consumo de agua. Si el agua es buena para limpiar el exterior de mi cuerpo, ¿no debiera también hacerlo con el interior de mi cuerpo?

Pero es lamentable que el 75% de la gente vive crónicamente deshidratada, y que en el 37% el mecanismo de la sed está tan debilitado que se lo confunde a menudo con el hambre. ¿Quiere perder peso? Tome más agua. Una leve deshidratación hará más lento su metabolismo hasta en un 3%, mientras que un vaso de agua calma las punzadas de hambre que aparecen a la medianoche en la mayoría de los que están a dieta. La falta de agua se asocia con la fatiga diurna, los dolores de espalda y articulaciones, una confusa memoria a corto plazo, problemas con matemática básica y dificultad para enfocar la vista en la pantalla de la computadora o la página impresa.

Hasta que podamos beber de esa Agua Viva que Jesús nos prometió a todos, ¿puedo hacer un brindis? Brindo por el agua, por su salud, y por tener pronto por una vida en la cual nunca más tengamos sed.

Señor, dame sed del Agua de Vida, ¡y de por lo menos ocho vasos de H_2O.

La gente necesita de otra gente

Y respondiendo el Rey, les dirá: 'De cierto os digo que en cuanto lo hicisteis a uno de estos mis hermanos más pequeños, a mí lo hicisteis'. Mateo 25:40.

Se le preguntó una vez al Dr. Karl Menninger: "Si usted supiera que una persona está por sufrir un colapso nervioso, ¿qué le sugeriría?" Todos esperaban que el famoso psiquiatra dijera: "Haga una cita con un siquiatra tan pronto como le sea posible", pero no lo hizo. En lugar de ello dijo: "Cierre con llave la puerta de su casa, diríjase al barrio de los pobres y trate de ayudar a alguien necesitado".

Esta respuesta es profunda. Es el resultado del segundo gran mandamiento de Dios: "Ama a tu prójimo como a ti mismo". Es la esencia de lo que separa a las ovejas de los cabritos en el juicio final cuando el Rey dice: "Porque tuve hambre, y me disteis de comer; tuve sed, y me disteis de beber; fui forastero, y me recogisteis; estuve desnudo, y me cubristeis; enfermo, y me visitasteis; en la cárcel, y vinisteis a mí". Es el evangelio en acción —el buen samaritano que ayuda al herido que yace en el camino.

Dios diseñó el sistema operativo de los seres humanos para que funcionara mejor cuando se sirve a otros. Estamos hechos para las relaciones. Básicamente, las personas necesitan de otras personas si quieren permanecer saludables.

Las investigaciones apoyan esto. Un imporante estudio sobre los hábitos de salud encontró que cuánto más hábitos saludables tenga la gente, tanto más años vivirá. Si hábitos físicos, tales como tomar desayuno, mantener un peso adecuado, no fumar ni beber, dormir las horas necesarias, y hacer ejercicio afectan la longevidad, ¿qué se puede decir, entonces, de los hábitos sociales? Había cuatro factores en el cuestionario que podrían proporcionar una indicación de la salud social de la persona: si era casado, si tenía buenas relaciones con la familia y los amigos, si era miembro de una iglesia, o si pertenecía a un club social. Los resultados fueron sorprendentes. Las personas que tenían estas fuertes conexiones sociales vivieron más tiempo aún que lo que sus hábitos físicos predecían.

Las personas que se quejan de sentirse solas están a menudo deprimidas. Sean casadas o solteras; se mantienen apartadas, no participan de actividades sociales, ni son extrovertidas. Por el contrario, se concentran en sí mismas.

Si esta descripción es para usted y si quiere evitar la depresión y vivir un poco más, participe como voluntario en un hogar de ancianos, sirviendo a la comunidad o como voluntario en un hospital.

Eso es lo que Kraid estaba haciendo a los 90 y algo de años. Estaba fuera de la casa y trabajaba como voluntario para su comunidad, ayudando en el ministerio *Quiet Hour* (la hora tranquila), o guiando a las visitas en el museo de la ciudad donde vivía. ¿Cuál es su excusa?

¿No es irónico? Lo más difícil de hacer cuando se está deprimido es la misma cosa que le puede ayudar más: levantarse, salir, y ayudar a otros.

¿Qué puede hacer hoy para fortalecer sus relaciones sociales —y su salud?

La increíble energía y vida del cerebro

Alabadle por sus proezas; alabadle conforme a la muchedumbre de su grandeza. Todo lo que respira alabe a Jehová. Aleluya. Salmo 150:2,6.

De todos los órganos o sistemas que se van creando a medida que se desarrolla el embrión, nada se puede comparar con la maravilla de la mente. Tiene alrededor de cien mil millones de neuronas (células nerviosas), todas en su lugar correcto. No llegamos a comprender cómo es que exactamente viajan las señales de una célula a la otra para formar nuestros pensamientos y emociones.

Aún hoy, luego de miles de generaciones que han disminuido gradualmente el poder del cerebro, éste aún tiene la facultad de recordarlo todo. Este hecho se demostró hace más de 40 años, cuando los médicos que buscaban la manera de prevenir las convulsiones, colocaron una sonda en el cerebro de varios pacientes usando sólo anestesia local. A intervalos definidos, activan una débil corriente para que "excitara" una pequeña porción del cerebro con la punta del electrodo. En lugar de causar una convulsión, se sorprendieron de ver que provocaba una reacción en la memoria: el paciente recordaba algunos eventos como si estuvieran sucediendo en tiempo real. Podían oír la orquesta, ver a los músicos, sus instrumentos, sus ropas... ¡a todo color y con sonido!

Nuestros cerebros tienen tanta capacidad de memoria, que cuando el Señor venga no va tendrá que hacer un transplante de cerebro. ¡Tenemos suficiente para toda la eternidad!

No sólo la mente recuerda todo, sino que es maravillosamente creativa. Ha imaginado y creado una gama increíble de "cosas", aparte de ideas, filosofías, obras de arte y literatura.

Sin embargo, a pesar de todo nuestro conocimiento avanzado, aún no sabemos cómo funciona la memoria ni comprendemos el proceso del pensamiento. Lo que es verdaderamente sorprendente, sin embargo, es que el cerebro logró todo esto con señales binarias. En otras palabras, las células nerviosas no tienen una información complicada, solamente están "prendidas" o "apagadas". No hay una célula por algún lado que tenga una señal que diga "azul" u otra que envíe "amor". Lo único que hace la neurona es enviar una "señal" eléctrica. No es audible. Pero si esa "señal" eléctrica se pudiera amplificar y conectar a un altoparlante, sonaría como un pequeño "pop". ¡Eso es todo!

¿Cómo puede Dios crear los pensamientos y emociones por medio de cien mil millones de células que hacen resonar un "pop"? Los científicos no tienen la menor idea. ¿Cómo puede este "sonido" eléctrico crear amor, temor, interés, inclinación y así sucesivamente? El Diseñador maestro tiene la respuesta, y algún día, después que él haya restaurado nuestros cerebros a su condición y funcionamiento originales, nos lo explicará —y quizá, solamente quizá— podremos comprender.

¿Qué otra cosa podemos decir sino "Alabado sea el Señor"?

Hacer buenos regalos

Toda buena dádiva y todo don perfecto desciende de lo alto, del Padre de las luces, en el cual no hay mudanza, ni sombra de variación. Santiago 1:17.

Anuestros hijos les encanta recibir regalos envueltos en hermosas envolturas atadas con cintas. La parte más feliz de su cumpleaños es cuando abren los regalos. Cada año estudian cuidadosamente los regalos que hay debajo del árbol de Navidad para tratar de encontrar el de cada uno de ellos, y esperan ansiosamente el gran día.

Recientemente, sin embargo, he estado pensando en otra clase de regalo. Son regalos que les doy a mis hijos en forma diaria, pero ellos no los esperan con particular ansiedad, ni tampoco siempre los aprecian. Uno de los regalos es el hermoso almuerzo que les preparo cada día. Un almuerzo lleno de alimentos que promueven la salud. Otro regalo es que después de la escuela los mando afuera al aire fresco y al sol para que hagan ejercicio. Otro: les enseñamos que no es bueno comer entre comidas. Deben esperar hasta la hora de la comida para poder comer. Y cuando llega la hora de ir a la cama les hacemos recordar que puedan tener un buen descanso.

Cuando abren el paquete con su almuerzo en la escuela y sacan un emparedado con una hamburguesa vegetariana baja en grasas, pan integral y lechuga, unos palitos de zanahoria, una pera, y una galletita de avena hecha en casa, no importa cuán sabroso sea, miran con envidia a los que están a su alrededor. Con ojos llenos de deseo miran el pan blanco con queso, las papas fritas y alguna golosina envuelta en papel brillante. No aprecian el almuerzo que se les ha brindado.

Cuando todos sus amigos hablan del programa de televisión que mis hijos se perdieron mientras jugaban afuera, no aprecian el ejercicio, el aire fresco ni el sol que se les brindó.

Pero yo sé que les estoy haciendo regalos. El regalo de cuerpos fuertes y sanos. El regalo del autocontrol. El regalo de aprender a gustar de comida saludable. La bendición de no tener el hábito de comer todo el día y de adquirir sobrepeso. El regalo de músculos bien desarrollados y un sistema cardiovascular fuerte, y un menor riesgo de enfermedades degenerativas como el cáncer, la presión alta, la diabetes y las afecciones del corazón. Aún cuando mis hijos no siempre aprecian los regalos que se les da, yo sé que algún día lo harán.

¿No nos parecemos nosotros también un poco a los niños pequeños que no aprecian los regalos de Dios relacionados con las leyes de la salud? Pero algún día apreciaremos el regalo que Dios ha dado al proveernos instrucción y consejos que preservarán nuestra salud.

Señor, ayúdame a apreciar el regalo que me has dado en los consejos de salud, y también la fuerza de voluntad para implementarlos.

Tienes que dormir para terminar el trabajo

En paz me acostaré, y asimismo me dormiré; porque sólo tú, Jehová,
me haces vivir confiado. Salmo 4:8.

Se apagaron las luces y se produjo silencio. Sólo el suave chillido de las chicharras en la profundidad de la noche rompía el silencio. Mientras la guardia diurna descansaba, el equipo de defensa lentamente comenzó con sus tareas nocturnas, cuidadosos de no despertar a la guardia. Sin emitir un sonido, el sistema de control central ordenó a los obreros que fueran a sus estaciones. Trajeron suministros y medicamentos y tranquilamente repararon los daños de las batallas del día. Todos los obreros trabajaban con destreza, eficiencia y sin interrupción. Tenían que terminar dentro de las ocho horas.

Exactamente ocho horas más tarde, cuando la campanilla del despertador despertó a la guardia diurna, los otros habían terminado las tareas asignadas. Para ellos, había sido una buena noche. La guardia, ahora alerta, estaba lista para la lucha de otro día; ellos volverían otra vez al caer la noche para sanar las heridas del día.

Usted ha leído sobre el sueño. Usted es la guardia diurna. Mientras está despierto utiliza su energía para realizar las actividades diarias. Probablemente no se da cuenta de que también gasta algunas partes de su cuerpo. Pero una vez que se duerme, su "equipo de defensa" repara las heridas, sana los lugares doloridos, y lo prepara para el próximo día, si usted les permite tener una buena noche de descanso.

El principio es éste: se necesita dormir bien para estar bien. Sin embargo, millones de personas o no comprenden esto, o conscientemente violan esta realidad y se privan del descanso necesario. Se estima que tanto como el 30% de los accidentes fatales de automóviles ocurren cuando los conductores se duermen al manejar. Un experto sugiere que cada día cien millones de norteamericanos manejan autos, operan maquinarias peligrosas, administran atención médica, monitorean plantas nucleares, y aun pilotean jets comerciales, sin haber descansado lo suficiente.

Su cuerpo tiene ciclos de descanso ya estipulados. Por ejemplo, el corazón se contrae durante1/10 de segundo. El resto de ese segundo descansa. Durante el período de descanso, el oxígeno y los nutrientes alimentan el corazón. La función de los riñones tiene tres partes: acción, descanso y preparación para la acción. Además de todos los sistemas de descanso que ya hay estipulados en el organismo, Dios dispuso que 1/3 de cada día debe dedicarse a dormir.

El sueño y el descanso son parte del plan de Dios para su vida. Dormir no es perder tiempo. Ese período sin trabajar es el tiempo en que su cuerpo y su mente restauran la energía y recuperan la salud.

¡Que bendición poder decir, "En paz me acostaré, y dormiré"! Gracias, Señor.

Lo que quisiera haber hecho diferente

Instruye al niño en su camino, y aun cuando fuere viejo no se apartará de él.

Proverbios 22:6.

Ahora que los hijos se han ido... deseo no haber comprado tantas golosinas. Mi mamá siempre tenía golosinas en la casa, así que yo también caí en el mismo patrón "maternal". (No recuerdo que mi madre las comiera, pero de niña, ¡yo sí los comía!). La tentación de picotear es menor cuando no tenemos golosinas a mano. La papaya seca, o los trozos de piña o manzana son muy buenos postres. Una ciruela o un higo con nueces adentro satisfacen el deseo de comer dulces. Las galletitas dulces son solamente un montón de calorías vacías, a menos que se las prepare en casa con materiales nutritivos y saludables. Quisiera no haber comprado tantas galletitas dulces, y por el otro lado, haber hecho en casa más de las que son saludables. Me gustaría no haber servido tanto queso. Yo conocía el consejo acerca de los problemas del queso, pero siempre me gustaron las comidas con mucho queso, así que busqué una justificación diciendo que las cosas habían cambiado mucho desde el siglo XIX cuando Elena de White escribió: "Jamás se debiera comer queso" (*Testimonios para la Iglesia*, t. 2, p. 62). Hoy día, se procesa el queso en mejores condiciones sanitarias, pero no ha cambiado el elevado contenido de grasa, proteína y sal. Y tengo entendido que el proceso de maduración no mata los virus ni las bacterias —¡algo que preocupa!

Me gustaría no haber mantenido bebidas gaseosas en el refrigerador. Yo sabía que no había nada nutritivo en ellas y que contienen mucho azúcar, pero no sabía que una lata de gaseosa de 350 ml, puede contener hasta 12 cucharaditas de azúcar. Tampoco es bueno tomar las bebidas dietéticas porque la mayoría contiene una sustancia edulcorante, el aspartame, que es peor aún que el azúcar. Pero el problema mayor son los aditivos químicos, algunos de los cuales interfieren con el metabolismo de los huesos y dejan el campo abierto para la osteoporosis más adelante en la vida. Podría haber fácilmente servido un vaso de agua sazonado con un poco de limón, o jugo de fruta puro (no una bebida artificial), o un licuado sabroso hecho con bananas congeladas, frutillas y otras frutas, y un poco de jugo de naranja.

También desearía haber aprendido a cocinar sin leche ni huevos. Aun cuando mucha gente considera que éstos son alimentos nutritivos, hay algunos elementos negativos, tales como el colesterol y el síndrome de la vaca loca. Ahora sé que se pueden sustituir muy fácilmente si se sabe cómo hacerlo —y muchas veces la familia ni nota la diferencia. ¡Tendría que haber tomado una buena clase de cocina puramente vegetariana!

Es demasiado tarde para beneficiar a mis hijos, pero puedo animar a otros a vivir conforme a su conocimiento para que después no se lamenten.

¿Está usted viviendo a la altura de todo el conocimiento que tiene sobre salud? ¿Y qué hay de su conocimiento de la Biblia?

¡Los problemas que he visto!

No te desampararé, ni te dejaré. Hebreos 13:5.

El deterioro de la mente es algo terrible. Las personas aparentan ser las mismas pero no lo son. La personalidad es lo que hace única a la persona, y cuando sobreviene una enfermedad tal como la de Alzheimer, se destruye la memoria y los pensamientos que constituyen lo que uno es. Es la personalidad la que hace posible las conexiones; la que sustenta las relaciones a lo largo del tiempo. Cuando algo destruye la habilidad de la persona para pensar, se destruye la esencia de esa persona. Se le debe brindar a esa persona un amoroso cuidado, pero él o ella no pueden reciprocar. Es por eso que es tan difícil cuidar de un miembro de la familia que tiene Alzheimer. A medida que progresa la enfermedad, se torna más y más en una relación de una sola vía. El que presta el cuidado da mucho de sí, pero no hay reconocimiento del esfuerzo. Es una tarea muy solitaria.

Tomás fue la primera persona que conocí que padecía de Alzheimer. Su esposa, Beatriz, a menudo hablaba de cuán aislada se sentía al cuidarlo. Después que me mudé, y unos pocos meses antes de que Tomás falleciera, ella escribió: "Me siento tan sola. Tomás requiere todo mi tiempo y mis fuerzas. No me quejo por ello, pues me casé con él. Lo amo, y estaré a su lado en las buenas y en las malas. Yo sé que él hubiera hecho lo mismo por mí.

"Sin embargo, siento que nadie comprende lo que estoy pasando. Aún los hijos no están aquí lo suficiente para ver el cansancio y la exigencia. Más que nada, no pueden entender el mundo aislado en el cual vivo. No puedo salir a ninguna parte.

"Hoy me sentí deprimida. Parada junto a la pileta de la cocina, me puse a llorar. Fue en ese momento en que me di cuenta del sonido de la radio. Estaban tocando una canción espiritual que no había escuchado desde que iba a la escuela. 'Nadie sabe las dificultades que he pasado'.

"Comencé a cantar. Mientras recordaba con dificultad esas palabras olvidadas durante tanto tiempo, me sentí fortalecida con la convicción de que 'Nadie sabe, sino Jesús'.

"Después que terminó el canto, pensé que ésa es la verdad. Nadie sabe lo que estoy pasando, sino Jesús. A medida que me envolvía una sensación de paz, comprendí que, a veces, todos tenemos que soportar parte de nuestro dolor en privado. Nadie realmente comprende lo que otra persona está pasando. Pero nos puede consolar la convicción de que Jesús entiende".

Cuando volví a leer la carta de Beatriz, resolví tratar de comprender más a quienes cuidan enfermos. Qué servicio maravilloso proveen. Pero, ¿quien satisface sus necesidades? ¿Quién atiende a quienes cuidan de otros?

Señor, ¿hay alguien a quien tú quieres que yo sirva hoy? Ayúdame a ser más comprensivo cuando otros están pasando por problemas y se sienten solos.

Un Dios de milagros

De manera que la multitud se maravillaba, viendo a los mudos hablar, a los mancos sanados, a los cojos andar, y a los ciegos ver. Y glorificaban al Dios de Israel. Mateo 15:31.

La vida me sonreía. Tenía una esposa maravillosa y una nueva hijita, y un trabajo que me encantaba, vendiendo libros cristianos. Una noche, mientras visitaba unas familias, di vuelta en una carretera, en la cual, sin que yo lo supiera, había un pozo inmenso. Los obreros de la construcción habían puesto una barrera para que nadie pasara, pero unos niños la habían quitado.

De pronto mi auto saltó por el aire. Lo siguiente que recuerdo es que chocó con tanta violencia contra el fondo del pozo que se partieron los soportes delanteros a cada lado del motor.

El accidente me produjo un dolor en la espalda y el cuello tan severo que los siguientes tres años los pasé entrando y saliendo muchas veces en el hospital. No tenía control de mis piernas. Me pinchaban con alfileres para ver si sentía algo. ¡Pero no sentía nada! Aparentemente iba a estar confinado a una silla de ruedas por el resto de mi vida.

Finalmente los médicos me dieron tres diferentes relajantes para los nervios. Estaba tomando dosis tan elevadas, que un día, pensando que podía hacer cualquier cosa, de alguna manera me metí en el auto para ir a recoger las cartas en el buzón al pie de nuestra colina. Pasé bien la primera curva, pero en la segunda destrocé el auto —y gracias que choqué contra un árbol, sino habría caído en el lago donde probablemente me habría ahogado.

De nuevo en el hospital, me dijeron que nunca volvería caminar. ¡Nunca más!

Comencé a anhelar la recuperación. Jesús hizo que los cojos caminaran, ¿por qué no podía hacer lo mismo por mí? Cuando supe que el pastor Glen Coon, un hombre de Dios, iba a estar en el congreso anual, me propuse pedirle que me ungiera y orara por mi sanidad. Cuando llegó el momento, mis amigos me cargaron hasta el ómnibus que el pastor Coon usaba para sus viajes, y él junto con otros dos o tres se arrodillaron y oraron por mí.

Esa noche no sentí nada. Volví a mi cuarto y me dormí. Pero a la mañana siguiente, sin acordarme de mis piernas inútiles, pensé que debía levantarme y ayudar a mi esposa a alistar el auto para nuestro viaje de regreso.

¡Sí, por increíble que parezca, me levanté y caminé! Volvimos a casa, y luego yo cargué y más tarde descargué 300 bloques de cemento y desde entonces nunca he sentido dolor de espalda. ¡Alabado sea el Señor! He estado caminando desde ese momento.

Al leer los evangelios, veo que casi en cada página se registran milagros de sanamiento ¿Por qué no vemos más hoy día? No lo sé, pero una cosa sé: yo soy una prueba viviente de que Dios es aún un Dios de milagros. Confíe en él. Oro para que él obre también en su vida.

Gracias, Señor, porque nos sanas el cuerpo, la mente y el espíritu.

Los bocaditos del sábado

El pan nuestro de cada día, dánoslo hoy. Mateo 6:11.

La mayor parte de los servicios que proveen comidas para fiestas sirven bocaditos antes del plato principal. El diccionario define un bocadito como algo que estimula el apetito. Los bocaditos son una parte favorita de una comida.

El estudio sabático de la Biblia puede considerarse como un bocadito antes de que se sirva el plato principal, es decir, el culto de adoración. Cuando el chef (el director) pone mucha preparación y creatividad en lo que sirve, quedaría muy chasqueado si vinieran muy pocos invitados para la comida gourmet que se supone debe estimular el gusto.

El estudio semanal de la Biblia provee una cálida atmósfera, de pertenencia y amor entre los amigos y miembros de la familia, ya que todos los invitados comen y participan juntos de camaradería.

La oración de apertura es la bendición sobre la comida que los invitados van a saborear. Los bocaditos generalmente son algo especial, quizá hay un elemento de sorpresa para despertar el interés, así como una parte especial o una historia misionera.

La música es la bebida refrescante. Sacia la sed del alma que anhela algo refrescante, sabroso y lleno de energía —como un sorbo del cielo. Crea el anhelo de escuchar cantar a los ángeles y de participar en el coro celestial.

Los que participan en las clases de estudio de la Biblia comen del Pan de Vida. Lo mastican, lo digieren y lo asimilan de acuerdo con la habilidad de cada uno para absorber los nutrientes.

¿Qué pasaría si los invitados vinieran solamente para el plato principal (el servicio de adoración) sin participar primero de los bocaditos? Los invitados que solamente asisten al culto de adoración pierden la mitad de la comida. Ellos probablemente no se mueran de hambre por comer sólo parte de la comida. Pero no tendrán la salud que tendrían si comieran todos los alimentos nutritivos que se proveen "gratuitamente", y que sin embargo se han preparado con tanto cariño para apoyar su vida espiritual.

Elena de White dio un consejo muy saludable cuando escribió: "No se malgasten en cama las preciosas horas del sábado. El sábado de mañana, la familia debe levantarse temprano. Los padres y las madres debieran convertir en una regla que sus hijos asistan al culto de la iglesia durante el sábado, y debieran reforzar esa regla con su propio ejemplo" (*La conducción del niño*, p. 502).

Señor, ayúdanos a estimular los gustos de todos los miembros de la familia durante la semana, de tal manera que anhelemos los bocaditos deliciosos del sábado y el aromático plato principal que ha sido tan sabrosamente preparado para ellos.

¿Está usted obteniendo todo lo que Dios quisiera que obtenga del sábado?

Cuando algo se retuerce y estrangula

Andad en todo el camino que Jehová vuestro Dios os ha mandado, para que viváis y os vaya bien, y tengáis largos días en la tierra que habéis de poseer. Deuteronomio 5:33.

En tiempos de crisis es cuando solemos aprender lecciones significativas en la vida. Fue durante una crisis médica cuando logré entender la respuesta del organismo ante una lesión o una invasión quirúrgica.

Durante la Navidad de 1997 me convertí en la orgullosa dueña de una rodilla de acero inoxidable. Al tercer día después de la operación, regresé a mi casa para gozar con mi familia de las fiestas, pero ese gozo fue de corta duración.

Cuando se fue pasando el efecto de la anestesia, comencé a sentir un dolor insoportable. Tres semanas después de la operación, nuestra agenda de seminarios demandaba que estuviésemos "viajando" para enseñar, así que salimos en nuestra casa rodante. Mi esposo hizo todo lo posible para asegurar que me sintiera cómoda, colocando soportes especiales para mi pierna. Pero de nada servía.

Cuando finalmente volvimos a casa cinco meses más tarde, visité a mi médico y le rogué que me diera algo para aliviar ese dolor insoportable. Me sugirió que fuera a terapia física.

El examen inicial fue muy exhaustivo, y cuando mi fisioterapeuta notó que había cicatrices quirúrgicas en mi abdomen, me preguntó cuántas veces fui operada. Cuando descubrió que tuve múltiples cirugías abdominales, concluyó que ellas eran uno de los factores principales por los cuales tuve necesidad de reemplazar mi rodilla. "¿Cómo? —pregunté sorprendida—. ¿Cómo puede ser eso posible?"

Ella me explicó que la fascia, que es un tejido de sostén del cuerpo semejante a una red de pescar, la cual forma tejido cicatrizal o adherencias en las cirugías o lesiones. Las múltiples adherencias retorcieron ese tejido, apretando los nervios e impidiendo el flujo de sangre a la rodilla, y predisponiéndome a una degeneración ósea. Esas adherencias se pueden eliminar cuando se aplica presión en lugares estratégicos, liberando de ese modo la estrangulación de la fascia.

Desde que supe eso, me he dado cuenta de que las heridas emocionales, o la negligencia que demostramos en los años de formación de nuestro carácter, pueden formar cicatrices que retuercen nuestros pensamientos y sentimientos, afectando la conducta. Así como un fisioterapeuta hábil libera la fascia estrangulada y los músculos tensos y retorcidos, así un amante Padre celestial nos instruye cómo librarnos del dolor emocional que hemos soportado por tanto tiempo.

Oh, si tan sólo fuéramos hacia él, reconociendo nuestras heridas, siguiendo sus instrucciones, sintiendo que nuestro dolor se alivia, y que podemos continuar viviendo una vida cristiana productiva y llena de paz.

¿Tiene usted algunas cicatrices de su pasado que puedan estar torciendo sus pensamientos y sentimientos? ¿No es tiempo ya de dejar que el Fisioterapeuta maestro nos alivie del dolor?

Cómo ganar alejándose del estrés

¡Gloria a Dios en las alturas, y en la tierra paz, buena voluntad para con los hombres!
Lucas 2:14.

En 1999, Dan Reeves era el entrenador principal de los Halcones de Atlanta, de la Liga Nacional de Fútbol. Reeves y su equipo tenían un récord de 12-2 para las finales. Reeves, quien había participado anteriormente en la Super-Copa como entrenador de los Broncos de Denver, estaba otra vez ya saboreando las posibilidades, ansioso de tener otra oportunidad de ganar.

Sin embargo, luego de derrotar a los Santos de Nueva Orleans, Reeves, de 54 años, sintió un ardor punzante en el pecho y la garganta. El médico del equipo, Charles Harrison, lo revisó y recomendó que lo llevaran a la sala de emergencias. Reeves tuvo que someterse a cuatro horas de cirugía de corazón abierto, a un cuádruple bypass, para poder seguir vivo.

El Dr. Harrison dijo que no hubo ataque ni daño al corazón, y que el entrenador Reeves estaba planeando retornar para los "finales de la Liga Nacional de Fútbol y para la Super-Copa".

Me pregunto dónde está el sentido común.

Reeves tuvo mucho éxito como entrenador principal de la LNF, uno de los trabajos más estresantes de todo el mundo. Se enoja, grita, ordena y exige las 24 horas del día. Se queda despierto toda la noche planificando los detalles de cientos de partidos de fútbol. Reeves exige desempeño, obediencia y lealtad de parte de sus empleados y jugadores, y se exige despiadadamente a sí mismo y a los demás. Ahora estaba con un equipo que iba ganando, se había propuesto incluir la Super-Copa en su carrera. Para él era algo que "debía hacer". Y el corazón de Reeves estaba protestando: "¿Estás seguro de que esto es lo que quieres hacer?" ¿Qué hace que una persona sienta tanto deseo de éxito que esté dispuesta a perder la vida con tal de ganar?

Es posible que también usted esté enfrentando decisiones de vida o muerte. No, usted no es el entrenador principal de la Liga Nacional de Fútbol, pero es posible que su situación en el hogar, o el trabajo, o en el ejercicio, lo esté llevando a una condición de estrés. No espere hasta que el corazón se lo pida a gritos. Haga algunos cambios ahora: 1. Visite a su médico para hacerse una revisión completa. 2. Pídale a su médico que le diseñe un programa regular de ejercicio y nutrición. 3. Haga un análisis del estrés en su trabajo. 4. Haga un análisis de amor de su situación familiar. 5. Arregle lo que necesite arreglar.

El mayor regalo de Navidad que usted puede dar a su familia (y a sí mismo) es la salud. Es el único regalo que realmente "se perpetúa". En lugar de "ganar" en esta temporada, glorifique a Dios y goce de paz y buena voluntad con su familia y sus amigos.

¿Será que el impulso de ganar lo está manteniendo con demasiado estrés? ¿Qué ganaría si se aleja de todo eso?

La batalla de la gran "C"

Mas gracias sean dadas a Dios, que nos da la victoria por medio de nuestro Señor Jesucristo. 1 Corintios 15:57.

A pesar de que las mejores mentes del mundo procuran conquistar esta enfermedad, y con miles de millones de dólares disponibles en fondos de investigación para encontrar una cura, el cáncer sigue tan vivo como siempre y es de lejos la enfermedad con riesgo de muerte más temida de la historia. Se cierne sobre todos, sin importar raza, color, sexo, edad, o el tamaño de la cuenta bancaria. En Estados Unidos esta enfermedad cobra un promedio de una vida por minuto. Al tratar de entender más acerca del cáncer, la ciencia ha determinado que alrededor de un tercio de los cánceres se relacionan con la nutrición —simplemente no obtenemos los nutrientes adecuados para mantener saludable nuestro sistema de inmunidad. Los más de 218 productos químicos tóxicos que hay en nuestro ambiente son responsables de otro tercio de los cánceres. Y aquí entra el estrés. El estrés compromete nuestro sistema de inmunidad de tal manera que no somos tan efectivos como debiéramos en la lucha contra las células cancerígenas.

Las células del cáncer son similares a las células embrionarias (como las de un feto), y se cree que se originan de una única célula que ha mutado. Tienen un potencial muy grande de crecimiento y se pueden dividir un número infinito de veces, comparado con las células maduras que tienen una vida finita. También tienen numerosas proteínas y carbohidratos que sólo se encuentran en la superficie de las células embrionarias. También sabemos que hay por lo menos tres o más mutaciones que generalmente ocurren antes de que se desarrolle el cáncer.

Las guerras son una serie de ataques y contraataques. La guerra del cáncer no es diferente. Al mismo tiempo que el ejército de nuestro sistema inmunitario trata de protegernos contra un tumor invasor, las células del tumor planean la forma de contraatacar. Un truco es que retiran las proteínas de la superficie de la célula de manera que la célula cancerígena se parece a una célula normal. Otro truco es formar una capa de mucina (mucopolisacárido) en la superficie para camuflarse. Una tercera maniobra es enviar las proteínas de la superficie para que actúen como señuelos a fin de confundir al sistema inmunitario. Cada día se libra esta batalla. ¡Lo increíble es que tan pocos de los enemigos tengan éxito! ¡Pero se necesita uno solo de ellos para causar estragos!

Cuán similar es la batalla entre el bien y el mal. En el comienzo el pecado empezó con una mutación —Lucifer— hasta que se esparció por una tercera parte de los ángeles y de todos nosotros aquí en la tierra. Satanás ahora está tratando de engañarnos para que bajemos nuestras defensas haciendo que las cosas malas se vean buenas, y debilitando nuestra resistencia. ¡Fortalezcamos nuestra resistencia! ¿No le parece que es tiempo de tener una cirugía radical?

Señor, ayúdanos a mantener una sana y fuerte defensa que luche contra el cáncer... y el pecado.

Mi batalla contra la fatiga crónica

Apartaos de mí, todos los hacedores de iniquidad; porque Jehová ha oído la voz de mi lloro. Jehová ha oído mi ruego; ha recibido Jehová mi oración. Salmo 6:8,9.

Los que me conocieron de niña consideraban que tenía una energía ilimitada. Todo esto cambió cuando falleció mi padre, perdí mi trabajo en 1994, y me mudé de un lado al otro del país. Mi nuevo trabajo requería que atendiera a dos jefes, durante 10 a 14 horas diarias incluyendo los fines de semana, sin compensación por trabajo extra. Siempre gocé de bastante buena salud, pero muy pronto comencé a padecer de síntomas de gripe en forma regular, tales como, dolor de garganta, intensos dolores de cabeza, y resfríos. En 1995 cambié de carrera y mi energía disminuyó en forma drástica. Tenía que descansar después de actividades menores, tales como arreglar la cama o bañarme, hasta que apenas si pude funcionar.

Luego de gastar más de 700 dólares en análisis clínicos, los cuales resultaron normales excepto por el virus de Epstein-Barr. Finalmente supe la causa de mis síntomas: síndrome de fatiga crónica (SFC). Al poco tiempo me di cuenta de que los médicos no saben qué hacer con este mal, así que tratan los síntomas, ordenan reposo en cama y esperan que todo se arregle por sí solo. Pedí licencia en el trabajo y durante las primeras tres semanas, dormí de 20 a 22 horas por día. Aún me sentía exhausta y sufría de sudores nocturnos, terribles dolores de cabeza, dolor de garganta, espasmos en los músculos y fiebre. Un día ya no pude levantar las piernas para salir de la cama. Me caí al suelo y lloré desconsoladamente. *Señor, nadie debería vivir así. ¿Qué hice para merecer esta situación?* Las cosas más simples, a las cuales antes ni les había prestado atención, ahora eran logros mayores.

Lentamente mi organismo comenzó a tener momentos de energía. Unos meses más tarde me diagnosticaron el síndrome de fibromialgia (SFM), una enfermedad que comparte síntomas similares con el SFC. Me dolía hasta cuando me secaba con la toalla después del baño.

Al tratar en vano de dormir una noche, me di cuenta de que el diablo estaba tratando de quebrantarme. Lloré al pensar cuán cerca había estado de darme por vencida. Le dije a Dios que dependería de él para tener la fuerza necesaria para sobrevivir. He tenido muchas frustraciones con el SFC, incluyendo un caso recurrente de herpes, pero en lugar de pensar que es un castigo, lo veo como la oportunidad de Dios de enseñarme algunas lecciones. En primer lugar: ¡Demasiado cambio significa demasiado estrés! En segundo lugar: Hay tiempo para todo. Las largas horas laborales, con poco o casi nada de descanso para restaurar mi bienestar físico y mental, me habían afectado. Ignoré las advertencias que mi cuerpo había tratado de darme. En tercer lugar: El Señor usó esta enfermedad para aminorar mi ritmo y enseñarme a depender totalmente de él.

Tome tiempo para usted mismo hoy día. Sea bueno con su cuerpo. Respire profundamente y alabe a Dios. ¡Confíe!

Entre el dolor y el gozo

Se les dé gloria en lugar de cenizas, óleo de gozo en lugar de luto. Isaías 61:3.

Una crisis desesperante ocurrió cuando tenía ocho años. Mi hermana, de seis años, le había arrancado la cuerdita que la parlanchina Cathy, mi única muñeca que hablaba, tenía en la espalda. Para mi horror descubrí que ya no podía "hablar". Mi vida quedó destrozada, porque para mí era como que una persona real hubiera muerto en mis brazos. Mi cariñosa mamá me rescató con el remedio perfecto. No, ella no podía arreglar a mi querida muñequita, pero ella sabía de alguien que sí podía, Papá Noel. Creativamente me contó una historia tan convincente que de nuevo mi corazón dolorido se llenó de esperanza. Ella envolvió a la parlanchina Cathy en pañuelos de papel y la colocó con delicadeza en una gran caja de cartón, y me dijo que la enviaría al Polo Norte para que Papá Noel la arreglara y me la devolviera en la Navidad. Tres meses más tarde, en la mañana de Navidad, me desperté y encontré a mi amada, la parlanchina Cathy, con un nuevo vestido de terciopelo rojo, perfectamente restaurada. No necesité ningún otro regalo, porque ella era todo lo que esperaba y por lo que oraba.

Ahora he crecido y sé que Papá Noel no existe, excepto en los actos de amor de otras personas. En su lugar tenemos algo mucho mejor: un Dios que se interesa profundamente por sus hijos y ha prometido darnos gloria en lugar de cenizas, y el óleo de gozo en lugar del luto.

Robert Fritz, autor del libro titulado, *Creando*, describe esta increíblemente dolorosa transición del dolor al gozo como un proceso creativo. Como seres humanos experimentamos las angustias como tensión negativa en nuestro cuerpo. Se convierte en una crisis interna que demanda una resolución emocional, física y espiritual. Ocurre una metamorfosis positiva cuando el dolor que mora dentro de nosotros vuelve a la vida en algo fuera de nosotros.

Ésta ha sido mi experiencia. He sentido la euforia de ver transformar mi dolor en gozo cuando llena de tristeza me he sentado a escribir, levantándome unos momentos después con otra poesía. Me ha sucedido al pintar un bouquet o en el don de poder hablar lo que siento.

Dios tiene un propósito para tu vida, no importa lo que le haya sucedido o que le pasará en el futuro. Tome su pluma, su pincel, su voz y descubra por sí mismo que Dios es mucho más que "Papá Noel" y que él se deleita en transformar su dolor en gozo.

"Todo lo que respira alabe a Jehová". Salmo 150: 6.

La lepra de los tiempos modernos

Sucedió que estando él en una de las ciudades, se presentó un hombre lleno de lepra, el cual viendo a Jesús, se postró con el rostro en tierra, y le rogó, diciendo: 'Señor, si quieres, puedes limpiarme'... Y al instante la lepra se fue de él. Lucas 5:12,13.

Lo que la lepra fue para el mundo hace 2.000 años, lo es el SIDA para el siglo XXI. Aunque no hacemos que las víctimas griten "¡Inmundo!", muchas personas aún hacen todo lo que pueden para evitarlas. Aun los miembros de iglesia. El leproso le dijo a Jesús: "Si quieres", cuando se postró y rogó que lo sanara. Me pregunto cuántas veces hemos pedido ayuda y hemos encontrado que la gente no está dispuesta. Luego de sanarlo, ¿a donde lo envió Jesús? De vuelta a la familia de su iglesia que lo había rechazado. ¡Interesante!

Carol Grady cuenta la historia de un joven víctima de SIDA que volvió desahuciado a su hogar. Ella dice que la madre de Scott dijo: "Una de las cosas más difíciles de soportar fue la reacción de la familia de la iglesia. No tratamos de esconder el hecho de que Scott tenía SIDA. Ahora me doy cuenta que la razón de que nuestros amigos nos evitaban era que no sabían qué decir. Aún cuando les pedía que vinieran y visitaran a Scott, muy pocos lo hicieron. Oh, cuánto hubiera significado tener a alguien que nos escuchara y compartiera nuestro dolor. Y por supuesto, la gente tenía miedo de contagiarse con SIDA. Scott quería tanto tocar el órgano y el piano en la iglesia una vez más, pero no se lo permitieron. Scott dijo que entendía, pero se sintió marginado.

Carol continúa la historia: Scott le pidió al pastor que lo ungiera, pero el pastor dijo: "No creo que sea apropiado. ¿Piensas que el Señor realmente te sanaría?". Scott tuvo el ánimo para decir: "Bueno, está bien. Pero, ¿podría por favor orar por mis padres, y orar que yo pueda soportar el dolor que estoy padeciendo?"

En una iglesia "misericordiosa", ¿cómo podemos permitir esta clase de rechazo? Las personas no se contagian de SIDA por un estornudo, o una tos, o por tocar a alguien, o por un beso superficial. Ni tampoco se puede contagiar en los baños públicos, saunas, baños de regadera, piscinas, por compartir las toallas o los utensilios de comida, ni por picaduras de mosquitos, orina, sudor, ¡ni por ser amigos de alguien con SIDA! Las razones o causas de la infección las conoce Dios, y únicamente a él le corresponde juzgar tales casos.

El discriminar a las personas que están infectadas de SIDA o a alguien que esté con alto riesgo de infección, viola los derechos humanos individuales y pone en peligro la salud pública. Toda persona afectada por el SIDA merece compasión y apoyo, sin importar las circunstancias que crearon esa infección. Demos hoy el toque sanador a los "leprosos" modernos al igual que lo hizo Jesús.

En esta época especial, Señor, muéstrame a quién debo extender mi mano y tocar, al igual como lo hiciste tú.

La honestidad

El labio veraz permanecerá para siempre; mas la lengua mentirosa sólo por un momento. Los labios mentirosos son abominación a Jehová; pero los que hacen verdad son su contentamiento. Proverbios 12:19,22.

Durante más de treinta años he destacado que lo esencial del verdadero cristianismo es tener una relación personal e íntima con Jesús. Me he esforzado constantemente en conseguirlo: pasando tres horas con Jesús en devoción matinal, yendo a las reuniones de oración y a la iglesia, enseñando a los clientes del programa de Alternativa para la Droga acerca de Jesús, caminando tres kilómetros cinco días a la semana, y aun volviéndome un estricto vegetariano —todo en un intento por conectarme con Jesús. Pero algo estaba faltando.

Finalmente, encontré lo que era. En un viaje de diez días que realicé a Bélgica, encontré el eslabón que faltaba: ¡la honestidad! No es posible tener una relación personal e íntima con Cristo a menos que seamos completamente honestos con nosotros mismos, y con Dios. Por primera vez clamé "honestamente" al Señor, rogando que me liberara de todo pecado en mi vida. Yo pensaba que era una persona bastante buena hasta que los "pequeños secretos vergonzosos" comenzaron a salir al exterior —y luego los más grandes. Me sentí completamente abatido, pero le rogué a Dios que continuara mostrándome lo que necesitaba hacer para ser totalmente "honesto" en mi relación con él.

Como parte de esta limpieza, tuve que volver 15 años atrás y pensar en una amiga a quien herí. El Espíritu Santo me impresionó para que la llamara y le pidiera disculpas. Ella aceptó mis disculpas, me perdonó y dijo: "Necesitaba esta llamada hoy". Oró por ambos y prometió que nos encontraríamos en el cielo si es que no nos veíamos más en la tierra.

¿Qué he aprendido de esta experiencia? Al reconocer cómo mi Padre me ha bendecido "por encima de toda medida" a pesar de mis pecados —sin mantenerme en cautividad, sino que por el contrario, llenándome con tantos dones no merecidos— me pregunto, ¿qué hará él ahora que me he rendido en forma total y estoy listo para recibir su gracia? Es algo mucho más allá de lo que yo puedo entender. Casi no me puedo aguantar. ¡Siento que tengo ganas de gritar de alegría!

En segundo lugar, ahora veo a las personas a través de los ojos de Jesús. No los veo como son ahora sino que los veo en lo que se pueden transformar. El legalismo ha desaparecido. El mundo entero parece diferente.

Mi ruego es que no nos contentemos con las "formalidades" y perdamos la vida eterna, como casi me pasó a mí. Seamos honestos con nosotros mismos y con Dios. Como Martin Luther King (hijo) dijo: "Estoy libre por fin; gracias al Dios todopoderoso, estoy libre por fin. Y me siento tan bien".

¿Ha sido usted honesto con Dios, o está escondiendo un pecado secreto en su vida? La honestidad es el mejor camino. Pregunte a Dios qué necesita hacer para ser "honesto" y ver qué cosas salen de su interior.

El milagro y el misterio

Y dio a luz a su hijo primogénito, y lo envolvió en pañales, y lo acostó en un pesebre, porque no había lugar para ellos en el mesón. Lucas 2:7.

Vi una vez un cuadro de Julius Gari Melchers titulado La Natividad. Cuánto más la observaba, más parecía temblar con el misterio de esa "noche estrellada" largo tiempo atrás. Quizá fue la manera en que el artista capturó el rostro perturbado del esposo —que no era el padre— inclinándose sobre sus rodillas dobladas y pensativamente contemplado al recién nacido que yace acostado a sus pies en esa rústica caja de heno. O quizá fue la joven madre biológica, completamente drenada, exhausta, tendida ahora sobre el piso frío, salvo por los hombros caídos que apoya contra la pared del establo, sus cansados ojos casi cerrados, su rostro agotado, sin expresión, reclinándose sobre su prometido. Nos hace pensar: ¿Qué es lo que perturba al esposo? ¿En qué está pensando? ¿Y ella, la joven madre? En esa atmósfera pesada y silenciosa, ¿piensan acaso que el niño "humilde" es el niño "santo"?

Elena de White escribe: "La obra de la redención es llamada un misterio, y es ciertamente el misterio mediante el cual la justicia eterna se presenta a todos los que creen. La raza humana estaba enemistada con Dios como consecuencia del pecado. A un precio infinito, mediante un proceso penoso, misterioso tanto para los ángeles como para los hombres, Cristo tomó la humanidad. Ocultó su divinidad, puso a un lado su gloria, y nació como un niñito en Belén" (*Comentario bíblico adventista*, tomo 7, p. 927). ¿Podremos alguna vez conocer la profundidad de su "doloroso" descenso de la resplandeciente gloria del cielo a nuestra monótona oscuridad?

Brennan Manning cuenta una historia reconfortante acerca de un niño de 7 años, Ricardo Ballenger, de Anderson, Carolina del Sur. Era el día anterior a la Navidad. La madre de Ricardito estaba ocupada envolviendo algunos paquetes, y le preguntó a su hijo si él, por favor, podía lustrar sus zapatos. Muy pronto, y con la sonrisa orgullosa que sólo un niño de 7 años puede tener, le pidió a su mamá que revisara los zapatos. Su mamá quedó tan complacida que le regaló una moneda de veinticinco centavos.

En la mañana de Navidad mientras la mamá se calzaba los zapatos para ir a la iglesia, sintió un bulto extraño en uno de ellos. Sacándoselo, sacudió el zapato y saltó una moneda de veinticinco centavos envuelta en un trocito de papel. Y en el papel escrito con la letra torcida de un niño estaban las siguientes palabras: "Lo hice por amor".

Ésta es la respuesta, ¿no le parece? Allí en las sombras oscuras y húmedas de ese establo desenvolvemos el primer regalo de Navidad, y allí sobre el arrugado papel de envolver hay algo escrito por la mano de Dios: "Lo hice por amor".

Deténgase por un momento y piense en este regalo de amor. ¿Qué impacto ha tenido en su vida?

Un milagro de Navidad

Y dará a luz un hijo, y llamarás su nombre JESÚS,
porque él salvará a su pueblo de sus pecados. Mateo 1:21.

Eleanor Munro se estaba muriendo de tuberculosis a los 23 años. Los médicos habían tratado de todo pero ya no había esperanza. Su esposo tenía tuberculosis cuando volvió del exterior, luego de la Segunda Guerra Mundial; pero antes de que se lo descubrieran y trataran, ya se habían casado, y Eleanor se contagió al no tener inmunidad contra la enfermedad.

La tuberculosis se alojó en un lugar imposible de tratar: el lóbulo inferior de su pulmón. El único tratamiento posible era cerrar el lóbulo afectado por la tuberculosis, de manera que por sí solo se sanara dejando que los lados crecieran juntos. Si hubiera sido el lóbulo superior, se habría podido quitar las costillas para que el lóbulo se colapsara, pero su cuerpo necesitaba las costillas inferiores como sostén. Se insertaron agujas para meter aire y forzar el lóbulo inferior a colapsarse, pero no surtió efecto. Aun consideraron remover el pulmón, pero Eleanor estaba demasiado enferma para soportar la cirugía.

Cuando el Dr. MacDougall le dijo a Eleanor que no podían hacer nada más, ella le hizo prometer que si estaba viva en la Nochebuena, la dejaría volver a su casa. El prometió, pero sólo porque estaba seguro que para entonces ella estaría muerta. Pero no murió. Así que se le permitió ir a su casa en ambulancia, no sin antes advertirle que no debía sostener a su hijo ni hablar con ninguno que no fuera su esposo sin cubrirse la boca.

A la noche siguiente volvió al hospital, y su salud continuó deteriorándose hasta que ya no pudo alimentarse por sí misma. Pero ella rehusó morir. Hacia fines de febrero, pesaba sólo 36 kilos cuando se presentaron nuevas complicaciones. Sentía náuseas y comenzó a vomitar aunque no tenía nada en el estómago. Trajeron un especialista y luego de examinarla, éste preguntó si era posible que ella estuviese embarazada. ¡Imposible! ¿Cómo podía su cuerpo moribundo haber concebido? ¿Cómo podría soportar su cuerpo otra vida? Pero el examen salió positivo. Abortar la criatura no era una opción; ella estaba tan débil que el procedimiento la hubiera matado.

Luego sucedió algo increíble, Elenaor comenzó a mejorar. A finales de marzo su temperatura comenzó a disminuir. Un examen de rayos X del tórax demostró que la cavidad afectada de tuberculosis había dejado de aumentar, y el diafragma estaba empujando contra el lóbulo inferior de su pulmón enfermo para hacer lugar para la criatura que iba creciendo. ¡El niño estaba salvando a la madre! Lo que la ciencia no pudo hacer, Dios lo hizo a través del milagro de un niño.

El mayor milagro de todos es nuestro a través de otro Bebé, el Hijo de Dios, quien vino a este mundo a salvarnos. Gracias, Jesús.

Nota: Basado en el artículo, *Milagro de Navidad*, del Dr. Joseph A. MacDougall, según se lo contó a Douglas How, reimpreso en "*Mujeres del Espíritu*", Diciembre de 1999.

Testigos de lo imposible

Entonces Jesús, mirándolos, dijo: 'Para los hombres es imposible, mas para Dios, no; porque todas las cosas son posibles para Dios'. Marcos 10:27.

La pequeña Debbie había estado enferma demasiado tiempo para un simple caso de sarampión. Ahora, después de dos semanas, sus padres, preocupados, vieron que su hija no se despertaba cuando la llamaban. Simplemente permanecía acostada, con los ojos abiertos, sin responder a las palabras cariñosas de la madre. Era tiempo de llamar al médico.

Me apresuré en llegar a su casa tan pronto como pude salir del hospital. Me vi obligado a diagnosticar un caso grave de encefalitis causado por el sarampión. El virus infeccioso del sarampión común había invadido el cerebro de esta inocente niña de seis años. El pronóstico era desalentador. Primero, llamamos una ambulancia. Luego, en el hospital, colocamos a la frágil paciente en una confortable cama pediátrica, con una sonda intravenosa llena de líquidos vitales. Pronto corregiríamos la deshidratación. Un tubo en el estómago sería la forma de restaurar la alimentación.

Estaba dentro de nuestra posibilidad mantener la vida, ¿pero era esto vivir? ¿Podría esta inocente niñita volver a hablar? ¿Podría gritar y jugar y nadar y orar? ¿Alguna vez?

Cada día, lleno de esperanza, hacía mi ronda matutina y cada día, luego de examinarla, silenciosamente cerraba la puerta de la habitación de Debbie. Pasó una semana. Luego una tercera y una cuarta semana. El delgado hilo de esperanza estaba por cortarse. Era tiempo, en realidad, ya había pasado el tiempo, de que hubiera una intervención divina, un milagro imposible. Siglos atrás el apóstol Santiago nos dijo cómo proceder: "Y la oración de fe salvará al enfermo..." (Santiago 5:15). Era tiempo de llamar a los pastores. ¿Por qué había yo esperado tanto?

Era de noche, durante la sexta semana, cuando calladamente nos reunimos en la habitación de la paciente. Estábamos por pedir un milagro, un milagro de sanamiento. Quizá el acto último de fe. Se elevaron oraciones. Se colocó el aceite de oliva en la frente de la paciente inconsciente. Nos retiramos murmurando palabras de consuelo mutuo.

El rey Darío, cuando se acercó al foso de los leones antes de la salida del sol no podría haber estado más feliz que yo cuando, también a la salida del sol, me fui calladamente a ver a Debbie. Y milagro de milagros, una tímida vocecita me saludó: "Hola, doctor. Las enfermeras dicen que estoy en el hospital. Yo quiero ver a mi mamá".

Desde ese momento, el camino hacia la recuperación fue rápido y sin complicaciones. Santiago lo dice sucintamente: "... y el Señor (la) levantará".

¿Hay alguna cosa imposible en su vida que le gustaría cambiar? ¿Ser sanado? Pídale a Dios que haga que lo imposible se torne posible.

¿Cuál es el propósito de su vida?

Jehová cumplirá su propósito en mí. Salmo 138:8.

M i esposo, Jan, tuvo otro derrame cerebral el 23 de mayo del 2003. Una vez más el nivel de anticoagulantes en la sangre había disminuido, de tal manera que el latido irregular de su corazón no era capaz de empujar la sangre espesa a través de su corazón deformado, con la suficiente rapidez para prevenir la formación de un coágulo de sangre. Esta vez el coágulo afectó su médula —el centro de equilibrio del cerebro— lo cual le produjo doble visión y la incapacidad de pararse o caminar. Lo veíamos tropezar repetidamente cuando caminaba, literalmente, golpeándose en una pared u otra, mientras trataba de movilizarse. El anhelo de caminar le permitió soportar dos horas de fisioterapia agresiva cada día. Y una vez más el poder sanador de Dios, unido a la determinación de un hombre, resultó en una combinación ganadora.

Algo nos impulsa a cada uno. ¿Qué es lo que lo impulsa a usted? ¿Cuál es el propósito de su vida? ¿Es hacer tanto dinero como sea posible antes de morir? ¿Es obtener una próxima promoción? ¿O es comprar un vehículo de tracción en las cuatro ruedas, o tomar una vacación en algún lugar exótico? ¡Tenga cuidado! El rey Salomón dijo: "Todo es vanidad", cuando se trata de metas centradas en uno mismo.

Pero aún cuando la fuerza impulsora de su vida sea una importante meta de corto plazo tal como envolver a caminar, creo que a pesar de cuánto valor tenga una meta, su logro nos dejará en última instancia vacíos y desprovistos del gozo que Dios nos promete si vivimos para cumplir su propósito en nuestra vida, y no solamente el nuestro.

"Sin Dios —escribe Rick Warren en su libro, *La Vida Impulsada por un Propósito*—, la vida no tiene propósito, y sin propósito, la vida no tiene significado. Sin significado, la vida no es significativa ni hay esperanza". Quizá usted sea como Isaías cuando se quejaba: "Por demás he trabajado, en vano y sin provecho he consumido mis fuerzas" (Isa. 49:4). O quizá sea como Job al expresar lo siguiente: "Mis días fueron más veloces que la lanzadera del tejedor, y fenecieron sin esperanza... Abomino de mi vida; no he de vivir para siempre; déjame, pues, porque mis días son vanidad" (Véase Job 7:6, 16). Warren concluye diciendo: "La tragedia más grande no es la muerte, sino la vida desprovista de propósito".

Es saludable vivir una vida con propósito. El Dr. Bernie Siegel descubrió que los pacientes de cáncer que tenían el propósito de vivir hasta los cien años tenían más posibilidades de sobrevivir que aquellos que habían perdido la esperanza.

He aquí el desafío, vivir la vida con el propósito no sólo de vivir más larga y saludablemente, sino vivir para cumplir el plan de Dios para su existencia, y yo le garantizo que el gozo del Señor le embargará.

Señor, ¿por qué me creaste con mis genes únicos, mis rasgos de personalidad, mis talentos y mis intereses? ¿Cuál es el propósito para mi vida?

Luces en la tormenta

Para siempre, oh Jehová, permanece tu palabra en los cielos... Nunca jamás me olvidaré de tus mandamientos, porque con ellos me has vivificado... Lámpara es a mis pies tu palabra, y lumbrera a mi camino. Salmo 119:89,93,105.

Después de pasar las vacaciones de Navidad en mi casa en California, regresaba al norte del estado de Nueva York donde estudiaba en la universidad. Luego de pasar la noche en casa de mi hermano Lewis, en Indiana, comencé el último trecho de ese largo viaje a la universidad, cuando a media tarde las condiciones climáticas empezaron a deteriorarse rápidamente.

A mitad de camino por Ohio comenzó a nevar, y al poco rato el viento empezó a soplar y empujar la nieve hacia la carretera. Los demás vehículos se salieron de la autopista para encontrar lugares donde pasar esa noche de tormenta, pero yo era un pobre estudiante de postgrado y no tenía dinero para un motel. En el asiento de atrás de mi autito VW había una bolsa de dormir muy gruesa que me mantendría caliente en caso de quedarme atascado en la nieve, así que continué manejando.

Hubo ocasiones en que tuve que detenerme, salir del auto y ver donde estaba el borde de la carretera. No había nadie más en la carretera excepto unos cuantos camiones grandes, y parecía que ellos veían mejor en medio de esa nieve que yo. Ahí descubrí la solución a mi problema. Cuando pasaba un camión, me ponía bien cerca de tal manera que las luces traseras me guiaran a través de la nieve enceguecedora.

Continué manejando en las horas de la noche con los ojos pegados en esas dos preciosas luces rojas. Para ese entonces, justo al este de Buffalo, Nueva York, disminuyó la nieve y pude nuevamente ver con claridad.

La vida ha continuado desde esa tormenta de nieve, pero otras variedades de tormentas me han hecho pensar qué camino debía seguir. Es entonces cuando pienso en esa tormenta de nieve y en las luces que fueron mi guía fiel.

La vida es muy similar a esto. Jesús y su Palabra son las luces que nos guían en las cuales podemos confiar aún cuando no veamos claramente a nuestro alrededor. Ellas nos guiarán a través de los problemas que se presenten en la vida: problemas de salud, financieros, relacionales, en el colegio, o en la carrera. La pregunta es: ¿confiamos lo suficiente para mantenernos cerca de la luz de Jesús, o neciamente nos apartamos y tratamos de luchar solos en la tormenta?

Cada día debemos renovar nuestro propósito de fijar los ojos en él, y dejar que nada nos distraiga de seguirle fielmente. Solamente Cristo nos puede guiar con seguridad a través de las "tormentas de nieve" que hay por delante.

¿Es seguir a Jesús la primera prioridad de su vida?

¿Cómo vives tu vida?

Los días de nuestra edad son setenta años; y si en los más robustos son ochenta años, con todo su fortaleza es molestia y trabajo, porque pronto pasan, y volamos. Salmo 90:10.

Cada tanto es bueno recostarse contra el tronco de un viejo árbol o acostarse sobre el pasto, mirar el cielo y reflexionar en la manera en que estamos viviendo nuestra vida. Tenemos una sola oportunidad en esta vieja tierra. ¿Estamos solamente manteniéndonos a flote y sobreviviendo; o estamos haciendo una diferencia en la vida de otros?

Me encantan los viejos cementerios. Las inscripciones en piedras azotadas por el tiempo; no solamente los nombres y las fechas de los que han fallecido, sino los epitafios —las pocas palabras que resumen la vida de una persona; la ilustración en pocas palabras que ayuda a llenar el espacio en blanco entre la fecha de nacimiento y la de la muerte. A menudo he pensado cuánto representa ese espacio entre las fechas. Entonces un día encontré esta poesía escrita por un autor anónimo, la cual me hizo reevaluar, una vez más, mi vida. Espero que haga lo mismo por usted.

Viviendo tu Intervalo
Leí de un hombre que se paró a hablar en el funeral de una amiga.
Se refirió a las fechas en su lápida desde el comienzo... hasta el final.
Notó que primero vino la fecha de su nacimiento y habló de la segunda fecha con lágrimas,
Pero dijo que lo que más importaba era el intervalo entre esos años.
Porque ese intervalo representa todo el tiempo que ella vivió en la tierra...
Y ahora solamente los que la amaron saben lo que este intervalo representa.
Pues no importa cuánto poseemos; los autos... la casa... el efectivo,
Lo que importa es cómo vivimos y amamos y cómo pasamos nuestro intervalo.
Así que piense en esto con profundidad... ¿hay cosas que le gustaría cambiar?
Porque nunca sabemos cuánto tiempo queda que pueda aún reacomodarse.
Si tan solo vamos más despacio para considerar lo que es verdadero y real,
Y siempre tratar de comprender la forma en que los demás se sienten.
Y ser más lentos en enojarnos, y mostrar más nuestro aprecio,
Y amar a las personas en nuestra vida como nunca antes las hemos amado.
Si tratamos a los demás con respeto, y más a menudo sonreímos...
Recordando que este intervalo especial puede solo durar un ratito más.
Así que, cuando se hable en tu funeral y se vuelvan a repasar las acciones de tu vida...
¿Estarás orgulloso de las cosas que digan y de cómo pasaste ese intervalo?
Piense en ello: ¿Cómo está viviendo su "intervalo"?

El regalo de vida de Grant

Porque Dios es el que en vosotros produce así el querer como el hacer, por su buena voluntad... Asidos de la palabra de vida, para que en el día de Cristo yo pueda gloriarme de que no he corrido en vano, ni en vano he trabajado. Filipenses 2:13,16.

Era la víspera del Año Nuevo. En el recorrido agonizante hasta el hospital, comencé una lista mental de todas las cosas que se debían hacer: llamar para averiguar los costos estimados en un par de funerarias, hacer una lista de familiares y amigos a quienes llamar, mantener la calma, y luego rogar al Señor nuevamente que interviniese.

Una semana antes, Grant, nuestro hijo de tan solo 25 años, tuvo un accidente con su motocicleta, que le causó daños masivos en el cerebro. Ahora, a pesar de los valerosos esfuerzos del equipo médico, su vida se iba desvaneciendo.

Mi mente galopaba a pasos gigantescos. ¿Cómo podría continuar viviendo sin él? El era mi orgullo y mi gozo. ¿Tendría la fuerza necesaria para enfrentar lo que estuviera por delante? Yo sabía que Grant odiaría ser un inválido. Siempre participaba en actividades físicas. ¿Estaba el Señor actuando misericordiosamente al permitir esto? ¿Por qué no contestaba nuestras oraciones? ¿Cómo podría su hermana enfrentar la vida sin el hermano mayor a quien amaba profundamente? Por favor, Señor, que esta copa pase de nosotros. Mis pensamientos iban en continuos círculos.

Y entonces tuvimos que escuchar al médico que nos decía que Grant estaba sólo viviendo gracias a que estaba conectado a una máquina. ¿Queríamos nosotros desconectarla? ¿Habíamos pensado en donar los órganos?

"Sí", respondió rápidamente nuestra hija Jill. "Grant y yo hablamos de donar los órganos hace un tiempo y los dos decidimos que eso era lo que queríamos".

Quedé en shock. Nunca imaginé que mis hijos habían pensando en algo así. La decisión fue rápida. Grant donaría todos los órganos que pudieran usarse.

Así terminó la peor semana de nuestras vidas y comenzó un nuevo capítulo, la vida sin Grant. Sin embargo, había un rayito de luz que penetró en nuestras almas en tinieblas. ¿Qué pasó con los órganos donados? Se nos dijo que alrededor de tres semanas más tarde recibiríamos una carta con la información de las personas que recibieron los órganos. Nuestras vidas giraron en torno a esa carta.

Finalmente llegó. La abrimos con cuidado y leímos sobre las personas que ahora podrían continuar con su vida normal: un patrullero de caminos, un obrero de la construcción, una secretaria médica. Simplemente personas comunes y corrientes que volverían a su hogar y familia. Se abatió parte de nuestro dolor cuando nos dimos cuenta de que por causa de una vida, había seis otras que tendrían una nueva oportunidad de vivir. La vida de Grant no se perdió en vano.

Simplemente piense, debido a la muerte de Jesús, todos podemos vivir. Gracias, Jesús.

Un nuevo comienzo

No mirando cada uno por lo suyo propio, sino cada cual también por lo de los otros.
Filipenses 2:4.

Era un fracaso. Había estropeado su primer trabajo importnte. Las personas lo admiraban; envidiaban su posición; se preguntaban cómo alguien tan joven podía haber llegado tan alto. Entonces tuvo la caída. Se le había dado el privilegio de trabajar con dos gigantes dentro de su sector y echó todo por tierra. No pudo aguantar la presión y volvió con su madre.

¿Puede imaginarse cómo se sintió Juan Marcos cuando caminaba por las calles de Jerusalén, escuchando las críticas solapadas, sabiendo que había chasqueado a su madre y a los miembros de iglesia que habían visto tanto potencial en él? Todo estaba terminado. Era un fracaso. Todo se vino abajo. Todo terminado.

¿Ha estado alguna vez en esta situación? ¿Se ha sentido fracasado este año? Quizá comenzó una dieta y aumentó de peso. O quizá se inscribió en un centro de salud física y no ha ido en meses. O quizá se prometió que leería toda la Biblia, pero quedó trancado en Levítico. ¿Ha tomado usted decisiones que deseó no tomar, y las consecuencias le andan rondando? Mire el caso de Juan Marcos, y cobre ánimo.

Juan Marcos era un jovencito cuando Pablo y Bernabé, necesitando un ayudante en su viaje misionero al Asia Menor, lo invitaron a que se les uniera. Qué privilegio para alguien tan joven. Pero a los pocos meses, Juan Marcos comenzó a extrañar su casa y Pablo rápidamente lo mandó de vuelta en el siguiente barco a Jerusalén.

Ahora, un Juan Marcos, de más edad, más maduro, una vez más deseaba ir con Pablo y Bernabé a visitar a las iglesias que ellos habían establecido en su primer viaje misionero. Pablo rechazó esa idea de plano. Hay gente en el mundo que es así. Nunca olvidan un error. Les es difícil conceder una segunda oportunidad. Pablo estaba determinado a no cargar otra vez con un muchacho quejumbroso que en cuanto las cosas se pusieran duras querría volver a su casa.

Pero la parte hermosa de la historia es que Bernabé determinó darle a Juan Marcos otra oportunidad. ¿No le alegra saber que hay Bernabés en este mundo que se ponen de parte del que ha fracasado? ¿Que hay quien diga: "Tú puedes hacerlo", que ven el potencial a pesar de lo que aconteció en el pasado?

Todos en cierto momento necesitamos una segunda oportunidad. Anhelamos dejar atrás los errores y comenzar de nuevo. Juan Marcos tuvo esa oportunidad. Y Dios quiere darle a usted la misma oportunidad, si usted la acepta. Y al entrar en un año nuevo, ¿por qué no se transforma usted en un Bernabé para alguien? Este mundo necesita mucho a esta clase de gente.

Gracias, Señor, por las nuevas oportunidades y por los nuevos comienzos para que sintamos que vivimos abundantemente.